BENNO VON WIESE

Die deutsche Novelle

von Goethe bis Kafka

Interpretationen

DÜSSELDORF

AUGUST BAGEL VERLAG

D as Schwergewicht dieses Buches „Die deutsche Novelle von Goethe bis Kafka" liegt durchaus auf den Interpretationen. Aber die siebzehn Beispiele, die ich ausgewählt habe, sollen doch alle, trotz ihrer Verschiedenheit, das Wesen des novellistischen Erzählens verdeutlichen. Dabei sind mit Absicht auch Grenzfälle aufgenommen worden. So sehr jedes einzelne Kapitel für sich steht und für sich allein gelesen werden kann, der aufmerksame Leser wird den Zusammenhang nicht verkennen, der durch das Ganze hindurchgeht. Denn das Buch ist zugleich als ein Beitrag zur deutschen Dichtungsgeschichte vom 18. bis zum 20. Jahrhundert und darüber hinaus als ein Beitrag zum Verständnis der Gattung Novelle gemeint. Beides bleibt für die Interpretationen der übergeordnete Gesichtspunkt. Dafür mußte anderes zurücktreten, was man sonst bei einer Interpretation noch hätte heranziehen können.

Was die Methode der Darstellung betrifft, so hatte ich mit jedem neuen Gegenstand auch wieder neue Wege einzuschlagen. Manchmal mußte mehr, manchmal weniger von der Erzählung als solcher nacherzählt werden. Gelegentlich, aber nicht immer, schien es mir zweckmäßig, den Leser über den Stand der gegenwärtigen Forschung zu unterrichten. In allen Fällen habe ich mich bemüht, meine Darstellung so zu schreiben, daß jedes einzelne Kapitel auch dann verständlich bleibt, wenn man den Text der Dichtung noch nicht kennt. Es liegt jedoch in der Natur der Sache, daß der Leser die Kapitel *nach* der Lektüre der Texte mit noch größerem Gewinn liest. Eine Interpretation kann zwar aus sich heraus jeweils ihren eignen Stil entwickeln, aber ihre Aufgabe wird und darf immer nur die eine sein, den Text richtig und angemessen zu verstehen.

So sehr auch weltanschauliche, ideen- und problemgeschichtliche Zusammenhänge in die Interpretationen mit hineingehören, noch wichtiger waren mir die Art des Erzählens, die Komposition und das Kompositionsgefüge, vor allem die Bildsprache und ihre symbolischen Funktionen. Denn erst dadurch wird eine erzählende

Darstellung zur Dichtung. Das Bild ist hier mehr als der Gedanke. Die dem Buch vorangestellten Geleitworte deuten den Weg an, den ich mit meinen Interpretationen einschlagen wollte. In jedem einzelnen Falle sollte der dichterische Rang des Erzählten deutlich gemacht werden.

Das Schrifttumsverzeichnis am Ende erhebt nicht den Anspruch auf Vollständigkeit. Es will dem Leser nur den Zugang zu der wichtigsten Literatur erleichtern.

Am Ende dieses Vorwortes möchte ich der Universität Princeton in USA meinen Dank aussprechen, weil ich nur durch das Jahr meiner Gastprofessur an dieser Universität das vorliegende Buch in Ruhe vollenden konnte.

Benno von Wiese

INHALT

EINLEITUNG

Wesen und Geschichte der deutschen Novelle
seit Goethe 11

ERSTES KAPITEL

Friedrich Schiller · Der Verbrecher aus verlorener Ehre   33

ZWEITES KAPITEL

Heinrich von Kleist · Michael Kohlhaas 47

DRITTES KAPITEL

Clemens Brentano · Geschichte vom braven Kasperl
und dem schönen Annerl 64

VIERTES KAPITEL

Joseph von Eichendorff · Aus dem Leben
eines Taugenichts 79

FÜNFTES KAPITEL

Adelbert von Chamisso · Peter Schlemihls
wundersame Geschichte 97

SECHSTES KAPITEL

Ludwig Tieck · Des Lebens Überfluß 117

SIEBENTES KAPITEL

Franz Grillparzer · Der arme Spielmann 134

ACHTES KAPITEL

Annette von Droste-Hülshoff · Die Judenbuche . . . 154

NEUNTES KAPITEL

Jeremias Gotthelf · Die schwarze Spinne 176

ZEHNTES KAPITEL

Adalbert Stifter · Brigitta 196

INHALT

ELFTES KAPITEL

Eduard Mörike · Mozart auf der Reise nach Prag . . 213

ZWÖLFTES KAPITEL

Gottfried Keller · Kleider machen Leute 238

DREIZEHNTES KAPITEL

Conrad Ferdinand Meyer · Die Versuchung des Pescara 250

VIERZEHNTES KAPITEL

Gerhart Hauptmann · Bahnwärter Thiel 268

FÜNFZEHNTES KAPITEL

Hugo von Hofmannsthal · Reitergeschichte 284

SECHZEHNTES KAPITEL

Thomas Mann · Der Tod in Venedig 304

SIEBZEHNTES KAPITEL

Franz Kafka · Ein Hungerkünstler 325

Schrifttum 343

Die Deutschen sind übrigens wunderliche Leute! —
Sie machen sich durch ihre tiefen Gedanken und Ideen,
die sie überall suchen und überall hineinlegen,
das Leben schwerer als billig. —
Ei! so habt doch endlich einmal die Courage,
euch den Eindrücken hinzugeben, euch ergötzen zu lassen . . .!
aber denkt nur nicht immer, es wäre alles eitel,
wenn es nicht irgend abstrakter Gedanke und Idee wäre!

JOHANN WOLFGANG VON GOETHE

Die Form ist doch in ihrer tiefsten Bedeutung
unzertrennlich vom Gehalt,
ja in ihrem Ursprung fast eins mit demselben
und durchaus geistiger, höchst zarter Natur.

EDUARD MÖRIKE

Man muß die Bilder, so wie sie erscheinen,
nur ausschöpfen; man muß ihnen
wie dem Geschaffenen vertrauen, es ist alles darin.

ERHART KÄSTNER

WESEN UND GESCHICHTE
DER DEUTSCHEN NOVELLE SEIT GOETHE

Es gibt in den romanischen Ländern, aber auch später in Deutschland eine sich bis zu unserer Zeit ausbreitende Theorie der Novelle. Dennoch herrschen über das Wesen dieser Gattung die größten Unklarheiten. Die romanistische Forschung hat neuerdings mit dem Buche von Walter Pabst „Novellentheorie und Novellendichtung. Zur Geschichte ihrer Antinomie in den romanischen Literaturen" (Hamburg 1953) nachgewiesen, daß sich die Novellendichter selbst offen gegen die theoretischen Zumutungen aufgelehnt haben und dem Zwang der literarästhetischen Tradition sich nicht fügen wollten. Ja, Pabst stellt darüber hinaus sogar die sogenannte „romanische Urform" der Novelle in Frage. Er faßt die Ergebnisse seiner Forschungen in sehr skeptischer Weise zusammen: „Denn es gibt weder die ‚romanische Urform' der Novelle noch ‚die Novelle' überhaupt. Es gibt nur Novellen" (S. 245). Wenn aber diese Feststellung stimmt und sich schon im Bereich der Romania keine Gattungseinheit der Novelle ausmachen läßt, wieviel schwerer muß es dann noch sein, von der Novellendichtung des Boccaccio und des Cervantes bis zu der des poetischen Realismus und der Moderne in Deutschland eine tragfähige Brücke zu schlagen. Gewiß hat Cervantes gerade auf die deutsche Romantik, auf Kleist, Tieck, Fouqué und andere eingewirkt, und seine Novellenform wurde häufiger als die Goethes nachgebildet. Aber auch das bleibt nur ein vorübergehender Einfluß. Es bedürfte sehr ausgedehnter Forschungen, wollte man die Geschichte der Gattung Novelle als Ganzes darstellen und zu einer darauf aufgebauten Theorie der Novelle gelangen. Der Autor dieses Buches erhebt in keiner Weise diesen Anspruch.

Jedoch auch bei der Beschränkung auf den deutschen Bereich liegen die Verhältnisse ungemein verwickelt. Immer wieder hat man Goethe neben Boccaccio und Cervantes als einen Höhepunkt europäischer Novellendichtung genannt. Aber die Entwicklung der deutschen Novelle im 19. Jahrhundert hat sich weitgehend gerade von ihm entfernt. Auch die germanistische Forschung ist bis heute zu keiner Einigung über die Gattung Novelle gelangt. Das zeigen zwei so verschiedene, vor kurzem erschienene Darstellungen wie Johannes Kleins „Geschichte der deutschen Novelle von Goethe bis zur Gegenwart" (Wiesbaden 1954) und Josef Kunz' „Geschichte der deutschen Novelle vom 18. Jahrhundert bis auf die Gegenwart" (in: Deutsche Philologie im Aufriß, 1954, 2. Bd.). Kleins Abgrenzungen zu Beginn seiner Darstellung: zum Roman, zur Erzählung, zur Anekdote, zum Schwank, zur Facetie, zur Legende, zum Märchen, zur Kurzgeschichte, zur Skizze, zur Ballade haben alle etwas von mehr oder weniger beliebigen Einfällen, die nur im Zusammenhang einer weit zurückgreifenden geschichtlichen Untersuchung größeres Gewicht und Beweiskraft bekommen könnten. Daran aber fehlt es durchaus. So ist denn das Buch auch nicht, wie es vorgibt, eine „Geschichte" der deutschen Novelle, sondern bringt ein etwas wahlloses Potpourri von zahlreichen Novellen sehr verschiedenen Ranges, deren Inhalt kurz, aber nicht immer richtig zusammengefaßt wird und die dann auf bestimmte, von Klein schon früher entwickelte Kategorien wie „Rahmen", „novellistisches Ereignis", „Leitmotiv", „Idee" befragt werden. Kunz wiederum faßt die Thematik der neuzeitlichen deutschen Novelle im wesentlichen vom Weltanschaulichen aus als das „Sichmessen des Gesetzlichen mit jener Macht, die jeden Gesetzes spottet" (Spalte 1831) und knüpft damit an den bereits von Goethe herausgehobenen „Konflikt des Gesetzlichen und des Ungebändigten" an. So wichtig dieser schon früher, in anderer Weise von Hermann Pongs unterstrichene Gesichtspunkt der metaphysischen Ausweitung für die deutsche Novelle auch ist, ihre verwickelten Form- und Erzählprobleme werden von hier aus nicht deutlich. Die Novelle als Gattung gerät damit in eine solche fließende Unbestimmtheit, daß sie sich von anderen Formen des Erzählens kaum noch unterscheiden läßt. Kunz läuft Gefahr, an die Novelle bestimmte sittliche und metaphysische Forderungen zu stellen und jene Dichtungen negativ zu werten, die sich seinem Schema entziehen. Dafür ist unter anderen seine Beurteilung der Erzählungen von C. F. Meyer, Thomas Mann und Hofmannsthal typisch. Es scheint mir unbedingt nötig, daß der Forscher sich von dem Vorurteil frei macht, die wertvollste Dichtung müsse zugleich die sein, die sich am reibungslosesten mit seinem vorgefaßten Begriff von der Novelle vereinigen läßt. Un-

beschadet, ob eine Geschichte Erzählung oder Novelle heißt oder
heißen sollte, das Entscheidende ist, *wie* erzählt wurde und was in
dem Wie dieses Erzählens zur Aussage kommt. Sollte etwa der eine
oder andere Leser zu der Auswahl meiner Interpretationen gelegentlich die kritische Frage stellen, ob die interpretierte Dichtung
noch eine Novelle sei, so habe ich nichts dagegen einzuwenden,
solange er nicht den dichterischen Rang des Erzählten und die Auslegung selbst damit bestreiten will.

Müssen wir nun auf den Gattungsbegriff „Novelle" überhaupt
verzichten? Sollen wir uns Bernhard v. Arx anschließen, der in
seinem Buch „Novellistisches Dasein, Spielraum einer Gattung in
der Goethezeit" (Zürich 1953) alle bisherigen Versuche der
Gattungsbestimmung als unzulänglich ablehnt und kurzerhand
unter Berufung auf ein Seminar bei Staiger die Novelle als eine
„Erzählung mittlerer Länge" bezeichnet? Damit ist freilich die
Grenzziehung zum Märchen kaum mehr möglich. Allerdings
verdanken wir gerade der Vermischung von Novelle und Märchen
einzigartige Schöpfungen, wofür ich selbst Eichendorffs Erzählung
„Aus dem Leben eines Taugenichts" und Chamissos Novellen-
märchen „Peter Schlemihl" als Beispiele heranziehen werde.
Auch die Vermischung von Gattungen braucht noch nichts gegen
den Wert einer Dichtung zu sagen. Die Theoretiker mögen sich
noch so sehr gegen solche Grenzüberschreitungen wehren, ein
Erzähler von Rang läßt sich hier niemals ein bindendes Gesetz
vorschreiben. Bereits Lessing, dem man gewiß keinen mangelnden
Sinn für das Wesen der Gattung vorwerfen kann, hat das deutlich
gesehen. Im 48. Stück der Hamburgischen Dramaturgie heißt es:
„Was will man endlich mit der Vermischung der Gattungen überhaupt? In den Lehrbüchern sondre man sie so genau von einander ab, als möglich: aber wenn ein Genie, höherer Absichten
wegen, mehrere derselben in einem und eben demselben Werke zusammenfließen läßt, so vergesse man das Lehrbuch und unter-
suche bloß, ob es diese höheren Absichten erreicht hat."

„Erzählung mittlerer Länge", diese apodiktische Formulierung
will uns aber für die Novelle, trotz aller vorgetragenen Bedenken
gegen den Gattungsbegriff, nun offensichtlich doch nicht genügen.
In solcher Schwierigkeit greifen wir wieder zum „Lehrbuch", um
zu erfahren, was eine Novelle eigentlich sei. Da lesen wir zum
Beispiel in Robert Petschs „Wesen und Formen der Erzählkunst"
(Halle 1934): „Die echte Novelle verlangt raschen Einsatz, eine
sprungweise, doch hinreißende und überzeugende innere Ent-

wicklung und einen knappen, vielsagenden Schluß, alles im Gegensatz zu den eigentlichen Langformen" (S. 246). Sollten wirklich alle anderen Novellen, auf die das nicht zutrifft, „unecht" sein? Das Charakteristische der Novelle liegt vor allem in der Beschränkung auf *eine Begebenheit*. Verzichtet man auf diese Bestimmung, so löst man die ganze Gattung auf und behält nichts mehr in der Hand. Jedoch stößt bereits der Versuch, Unterabteilungen zu bilden, auf Schwierigkeiten. So hat man zwischen „geschlossener" und „offener" Form der Novelle unterschieden. Aber verlangt die Novelle, wenn sie *ein* zentrales Ereignis darstellt, nicht immer eine geschlossene Form? Gehört nicht gerade das zum Konzentrierenden dieses Stils? Auch die inhaltlichen Einteilungen in „psychologische Novellen" und Novellen „mehr schicksalsmäßiger, abenteuerlicher Art" (Petsch) oder in „Gesellschaftsnovelle" und „Schicksalsnovelle" (Pongs) können der Vielfalt der Gestaltung auf keinen Fall gerecht werden.

Wie steht es mit der Geschichte des Wortes „Novelle"? Lassen sich von hier aus bestimmte Aufschlüsse gewinnen? Das Wort als Bezeichnung für eine Gattung wird in Deutschland erst nach 1760 bekannt. Wieland hat sie in der zweiten Auflage seines „Don Sylvio von Rosalva" (1772) definiert: „Novellen werden vorzüglich eine Art von Erzählungen genannt, welche sich von den großen Romanen durch die Simplizität des Plans und den kleinen Umfang der Fabel unterscheiden, oder sich zu denselben verhalten, wie die kleinen Schauspiele zu der großen Tragödie und Komödie." Aber wie weit ist diese Definition von dem entfernt, was später die Novellendichter von Rang aus dieser Gattung gemacht haben! Die Theorie der Novelle, wie sie sich seit der Romantik vielfältig ausbreitet, hat immer wieder bestimmte Einzelzüge hervorgehoben, die sich häufig bei „Novellen" beobachten lassen, aber nur selten, vielleicht sogar nie alle zusammen auftreten. Es ist sicher ein verkehrter Weg, mit Hilfe solcher Theorien einen „Idealtypus" der Novelle zu konstruieren und den dichterischen Rang der einzelnen Erzählungen nach der Nähe oder der Ferne zu diesem Typus zu werten. Wer wollte darüber endgültig zu Gerichte sitzen?

Dennoch gibt es die Gattung „Novelle". Sie hat ihr eignes geschichtliches Wachstum und ihre eigne Entwicklung. Allerdings können uns nur die Dichter und nicht die Theoretiker darüber belehren, was diese Gattung eigentlich ist und in welcher Weise sie auch in der individuellen Schöpfung ihr bildendes Gesetz weiter entfaltet. Vielleicht werden der Literarhistoriker und der Ästhetiker uns niemals endgültig darüber unterrichten, was *die* Novelle ist oder was sie sein sollte. Aber man kann dennoch Grundzüge des novellistischen Erzählens aufzeigen, bestimmte Stilformen, die in der europäischen Literatur längst vor der verhältnismäßig spät auftretenden Gattung „Novelle" da sind und sich von der Geschichte dieser Gattung nicht absondern lassen. Zunächst wurde ja das Wort noch gar nicht zur Bezeichnung einer Gattung gebraucht, sondern meinte das neue und überraschende Ereignis. Das klingt auch noch in der berühmten, wenn auch immer wieder umkämpften Definition des alten Goethe nach: „Denn was ist eine Novelle anders als eine sich ereignete unerhörte Begebenheit" (Gespräche mit Eckermann, 29. Januar 1827). Es wird unter unseren Interpretationen auch Beispiele geben, auf die sich diese Definition nicht ohne weiteres anwenden läßt. Aber dennoch bleibt an dieser gelegentlichen Feststellung Goethes richtig, daß es die Novelle immer mit der *einen Begebenheit* zu tun hat, die sie in einem mehr oder weniger kleinen Raum zu verdichten sucht. Wahrheit der Begebenheit auf der einen Seite, subjektive, bis ins Artistische gehende, indirekte Formgebung auf der anderen Seite, mit diesen beiden Polen scheint mir die Spannweite der Gattung Novelle angedeutet. Die kluge Untersuchung von Arnold Hirsch „Der Gattungsbegriff ‚Novelle' " (Germanische Studien, Heft 64, Berlin 1928) hat das deutlich erkannt. „Der Novelle eigentümlich ist, daß sie das Subjektive in artistischer Formgebung verhüllt, daß diese Stilisierung der Ordnung und Fülle der Welt zu einer Beschränkung auf eine Situation und zur Wahl von ungewöhnlichen Geschehnissen führt" (S. 147). Auch an diesem Versuch einer Definition der Gattung Novelle ließe sich Kritik üben. Jedoch sind damit wesentliche Zuge des *novellistischen Erzählens* gesehen, und vielleicht sollte man lieber diesen Ausdruck verwenden, um sich von den allzu starren Gattungsansprüchen zu befreien. Novellistisches Erzählen aber gibt es längst vor der Gattung Novelle.

Eine Tradition dieser Art bildet sich schon seit der Spätantike heraus, sie läßt sich dann weiter in der juristischen und moralistischen Kasuistik und in den orientalischen Märchen von Tausendundeiner Nacht verfolgen. Bestimmte Grundzüge, die auch in unseren Interpretationen eine entscheidende Rolle spielen werden, sind mit der Tradition eines solchen Erzählens verknüpft: die Heraushebung *eines* Ereignisses, der Vorrang des Ereignisses vor den Personen, die pointierende Darstellung, die symbolische oder später auch symbolistische Konzentrierung des Epischen, die Verdichtung im Bildsymbol, das Aufgreifen der „niederen Lebensbereiche", die den hohen Gattungen des Epos und der Tragödie verschlossen sind. Auch auf die Verwandtschaft des Novellistischen mit dem Dramatischen hat man mehrfach mit Recht hingewiesen. Sowohl das Tragische wie das Komische können Elemente eines solchen Erzählens sein, so daß sich gerade hier die Vermischung oder Aussöhnung dieser beiden Kategorien anbietet. Sie ist aber keineswegs erforderlich, wie die wichtigen Untersuchungen von Pongs über das Tragische in der Novelle gezeigt haben (zuletzt zusammengefaßt in: „Das Bild in der Dichtung", 2. Bd., Marburg 1939). Unsere nachfolgenden Interpretationen werden solchen novellistischen Erzählformen nachgehen, die sich in dem Zeitraum nach Goethe entfaltet haben. Jede einzelne Novelle soll dabei, soweit das möglich ist, aus sich selbst heraus verstanden werden, aber doch so, daß das Wachstum der Gattung „Novelle" oder zum mindesten das Wachstum des novellistischen Erzählens dabei sichtbar wird. Solche Untersuchungen sind als Prolegomena zu einer „Geschichte der deutschen Novelle" gemeint, die, trotz der Vorarbeiten von Klein und Kunz, eine Aufgabe der Zukunft bleibt.

Ehe wir jedoch mit den Interpretationen beginnen, müssen wir einen kurzen Überblick vorausschicken, der die Entwicklung der Novelle in Deutschland vom 18. Jahrhundert bis zur Gegenwart wenigstens in Umrissen andeuten soll. Denn die Blütezeit der deutschen Novelle liegt anerkanntermaßen in diesem Zeitraum. Dieser Überblick soll zugleich dazu dienen, uns weiter über das Wesen der Gattung zu unterrichten, denn auch aus einem solchen begrenzten Abschnitt lassen sich einige Aufschlüsse darüber gewinnen. Immerhin zeigt bereits das 19. Jahrhundert einen geistesgeschichtlichen Wandel, der von der Romantik über das Biedermeier bis zur Moderne reicht. Trotz dieses Wandels hat sich das Wachstum der Gattung Novelle auch unter den jeweils neuen Bedingungen weiterentfalten können. Wie die Entdeckung der Wirklichkeit im 19. Jahrhundert und die Geschichte der deutschen Novelle miteinander zusammenhängen, darüber kann nur eine geschichtliche Darstellung Auskunft geben. Auch hierfür werden unsere Interpretationen eine notwendige Vorstufe bilden.

Unbestritten gilt Goethe als der Ausgangspunkt neuerer deutscher Novellendichtung. Um so erstaunlicher ist es, wie selten er den Ausdruck Novelle gebraucht und wie wenig er sich über die Gattung als solche geäußert hat. Der berühmte Ausspruch zu Eckermann steht ziemlich isoliert da. Wesentlich skeptischer klingt es, wenn der alte Goethe in einem Brief vom 22. Oktober 1826 an Wilhelm von Humboldt schreibt, die Novelle sei „eine Rubrik, unter welcher gar vieles wunderliche Zeug kursiert". Bei einer anderen Gelegenheit nennt Goethe sie mit dem Roman und der moralischen Erzählung zusammen und fordert von allen dreien, sie sollten nicht „erbaulich" sein; „denn von ihnen als *sittlichen Kunsterscheinungen* verlangt man mit Recht eine innere Konsequenz, die, wir mögen durch noch so viel Labyrinthe durchgeführt werden, doch wieder hervortreten und das Ganze in sich selbst abschließen soll" (Der deutsche Gil Blas, Artemis-Ausgabe, Bd. 14, S. 495).

So wenig wir aber auch bei Goethe theoretisch über die Novelle erfahren, seine eigne Novellendichtung ist zweifellos weit ausgebreitet. Sie steht noch völlig in der europäischen Tradition der Novelle als einer gesellschaftlichen Gattung. Gerade das geht später in Deutschland weitgehend verloren. In den „Unterhaltungen deutscher Ausgewanderten" (1. Druck 1795) hebt sich das in der Gesellschaft erfolgende und der Gesellschaft dienende Erzählen von Geschichten ebenso kontrastierend von der durch die Französische Revolution ausgelösten Zeitkrise ab wie bei Boccaccio von der Bedrohung durch die Pest. Alle Unterhaltungen „über das Interesse des Tages" sollen verbannt werden. In diesem Sinne verlangt die Gesellschaft aus erzieherischen Gründen vom einzelnen „Entsagung". „Bietet alle eure Kräfte auf, lehrreich, nützlich und besonders gesellig zu sein." Die Gesellschaft besinnt sich im Erzählen von Geschichten wieder auf sich selbst und ihre eigne Ordnung, die durch das Gewitter der Weltbegebenheiten und die politischen Leidenschaften aufs schwerste bedroht ist. Was erzählt wird, hat nur wenig eignes Schwergewicht, es beschränkt sich vielmehr auf mögliche Stilformen des Erzählens, deren Wert in ihrer didaktischen Funktion liegt: von den Anekdoten des Wunderbaren bis zu den „moralischen Erzählungen". Der Ausdruck „Novelle" wird nirgends gebraucht. Dennoch sind die „Unterhaltungen" eine Fundgrube für das novellistische Erzählen, und es ist sicher kein Zufall, daß gerade die von Goethe nacherzählten anekdotenhaften Berichte des Marschall Bassompierre später wiederholt zu Novellen von eignem Reiz ausgebaut wurden, wie es zum Beispiel bei Hofmannsthal und Emil Strauß geschah. Daneben stehen in den „Unterhaltungen" die Anekdoten des

Wunderbaren. In den halb komischen, halb gruseligen Berichten über wunderbare Ereignisse liegt das Novellistische im dargestellten Phänomen als solchem, noch unabhängig von jeder Erklärung. „Überhaupt ... scheint mir, daß jedes Phänomen, so wie jedes Faktum an sich eigentlich das Interessante sei. Wer es erklärt oder mit anderen Begebenheiten zusammenhängt, macht sich gewöhnlich eigentlich nur einen Spaß, und hat uns zum besten, wie z. B. der Naturforscher und Historienschreiber. Aber eine einzelne Handlung oder Begebenheit ist interessant, nicht weil sie erklärbar oder wahrscheinlich, sondern weil sie wahr ist." Ein Grundzug novellistischen Erzählens ist mit diesem Hinweis aus den „Unterhaltungen" klar umrissen: das unmittelbare Interesse an der Empirie und ihren Paradoxien, das berichtete Ereignis steht für sich selbst, darin liegt seine Wahrheit, auf jede deutende Einordnung in den Weltzusammenhang wird bewußt verzichtet. Hinter dieser erzählerischen Einstellung steckt die Einsicht, daß es zahlreiche, auch „wunderbare", aber dennoch wahre Einzelereignisse gibt, die sich zwar erzählen, aber nicht subsumieren lassen. Wieweit diese Einzelfälle trotzdem in einen gemeinsamen, durch die Gesellschaft repräsentierten Rahmen gespannt werden dürfen und von da aus eine besondere Zuordnung erhalten, bleibt ein Problem für sich. Boccaccio und Goethe haben es versucht, Cervantes hat darauf verzichtet.

Das berichtete Ereignis kann seinen Reiz in der „Neuigkeit" haben, aber auch schon durch die Art, in der es erzählt wird, wie etwas Neues auf uns wirken. In Goethes „Unterhaltungen" werden verschiedene typische Stilformen theoretisch beschrieben oder auch praktisch vorgeführt. Sie sind nicht streng gegeneinander abgesetzt, sondern deuten nur auf mögliche Wege des novellistischen Erzählens.

1. Das Erzählen mit einer „geistreichen Wendung". Damit ist das Pointierende des novellistischen Stiles herausgehoben. 2. Das Erzählen, das „uns die menschliche Natur und ihre inneren Verborgenheiten auf einen Augenblick" eröffnet. Damit ist dem Psychologischen im Erzählen ein breiter Raum gegeben, der sich in der Novelle des 19. Jahrhunderts neben dem Roman entfaltet hat. 3. Das Erzählen, das uns mit „sonderbaren Albernheiten" ergötzt. Damit ist die Nähe zum schwankhaft Humoristischen, die Einbeziehung der niederen Lebensbereiche gesichert. 4. Die Erhebung über das gemeine Leben durch Geschichten, die — so sagt der Erzähler — „mir nur irgend einen Charakter zu haben schienen,

18

die meinen Verstand, die mein Gemüt berührten und beschäftigten und die mir, wenn ich wieder daran dachte, einen Augenblick reiner und ruhiger Heiterkeit gewährten." Hier geht es bereits um die „moralische Erzählung", bei der gerade der „wohldenkende" Mensch mit Vorliebe verweilt, weil er in solchen Fällen „den guten Menschen in leichtem Widerspruch mit sich selbst, seinen Begierden und seinen Vorsätzen findet", weil hier „alberne und auf ihren Wert eingebildete Toren beschämt, zurechtgewiesen oder betrogen werden", weil hier „jede Anmaßung auf eine natürliche, ja auf eine zufällige Weise bestraft wird", weil hier „Vorsätze, Wünsche und Hoffnungen bald gestört, aufgehalten und vereitelt, bald unerwartet angenähert, erfüllt und bestätigt werden". Der erzählte Fall hat also einen beispielhaften Charakter, er deutet auf Konflikte zwischen dem Einzelmenschen und der Gesellschaft hin, die dann doch, und sei es in der Form des Kompromisses, ihren Ausgleich oder ihre Auflösung erfahren können. Die „moralische Erzählung" hält sich in der mittleren Linie der bürgerlichen Gesellschaft, im Bereich des Interessanten und nicht des Außerordentlichen; sie ist charakterisiert durch gesellschaftliche Kultur und Form und durch das Streben nach Gesittung und Bändigung der menschlichen Leidenschaften.

Modellgeschichten für diese Art des Erzählens sind „Der Prokurator", den Goethe aus der Überlieferung des 15. Jahrhunderts übernommen und umgeformt hat, und die frei erfundene Erzählung von Ferdinands Diebstahl und seiner inneren Wandlung. Im zweiten Fall wird bereits Tiecks spätere Theorie vom „Wendepunkt" vorweggenommen, wenn Goethe eine Begebenheit berichtet, die Ferdinands „ganzen Charakter ins Licht setzt und in seinem Leben eine entschiedene Epoche machte." Weder die Situation noch der Charakter haben etwas Ungewöhnliches, Unerhörtes. Von der späteren Goetheschen Definition der Novelle ist hier nichts zu spüren. Es geht um Konflikte, die sich zwischen einer bestimmten, in ihrer Eigenart interessanten Individualität und der Gesellschaft und ihren Forderungen ereignen. „Verwirrungen und Mißverständnisse sind die Quelle des tätigen Lebens und der Unterhaltung." In der exemplarischen Auflösung solcher Dissonanzen und Widersprüche liegt das „Moralische", das Erzieherische. Das geschieht nicht nur durch den Gehalt, den eine solche Erzählung vermittelt, sondern vielleicht mehr noch durch die Art, wie sie vorgetragen wird. „Lassen Sie uns wenigstens an der Form sehen, daß wir in guter Gesellschaft sind." Darin hat der Erzähler seine subjektive Freiheit, bleibt aber zugleich gebunden an die Maßstäbe der Gesellschaft, in der er und für die er erzählt. Dem empirischen Einzelfall, den er als poetisch wahr berichtet, muß er eine nicht „symbolische", wohl aber „moralische" allgemeine Bedeutung verleihen.

Solches Erzählen braucht bestimmte Stiltendenzen, für die es charakteristisch ist, daß das Ästhetische und das Moralische dabei nicht getrennt sind. Form ist Gesittung, Gesittung ist Form. Die Prokurator-Erzählung dient als Muster für eine Geschichte „von wenig Personen und Begebenheiten, die gut erfunden und gedacht ist, wahr, natürlich und nicht gemein, soviel Handlung als unentbehrlich und soviel Gesinnung als nötig, die nicht still steht, sich nicht auf einem Flecke zu langsam bewegt, sich aber auch nicht übereilt, in der die Menschen erscheinen, wie man sie gern mag, nicht vollkommen, aber gut, nicht außerordentlich, aber interessant und liebenswürdig. Ihre Geschichte sei unterhaltend, solange wir sie hören, befriedigend, wenn sie zu Ende ist, und hinterlasse uns einen stillen Reiz, weiter nachzudenken." Poetische Wahrheit der Begebenheit, Begrenzung der Personen, gesellschaftlicher Anstand, Gehalt des Erzählten und ein bestimmter Rhythmus der Bewegung im zeitlichen Ablauf, das alles sind Forderungen, mit denen die Novelle als „moralische Erzählung" unter das Gesetz des ästhetischen Taktes gestellt wird. Goethe grenzt diese Gattung ausdrücklich gegen das „Märchen" ab, mit dem sie nicht vermischt werden darf, weil sich das Märchen vom Gegenstand gerade frei machen muß und von der Einbildungskraft auf eignen Flügeln getragen wird. Vermischt man Einbildungskraft und Wahrheit, so entstehen nur „Ungeheuer", die mit dem Verstand und der Vernunft im Widerspruch stehen. Die Einbildungskraft soll, „wenn sie Kunstwerke hervorbringt, nur wie eine Musik auf uns selbst spielen, uns in uns selbst bewegen, und zwar so, daß wir vergessen, daß etwas außer uns sei, das diese Bewegung hervorbringt". So entsteht das Märchen, aber nicht die Novelle.

Der Konflikt zwischen Einzelmensch und Gesellschaft — am einzelnen Fall dargestellt und zugleich in eine allgemeine Beleuchtung gesetzt —, das ist auch später das Leitmotiv für Goethes Novellistik. Besonders die in „Wilhelm Meisters Wanderjahre" eingelegten Novellen beleuchten das Romanthema vom Aufbau der großen Gemeinschaften und der durch sie verwirklichten gültigen Ordnungen gleichsam indirekt, indem sie krisenhafte Begebenheiten aus dem Leben des Einzelmenschen herausgreifen, zugespitzte Einzelfälle, welche die Ordnung der Gesellschaft gefährden und gerade darum wieder mit ihr versöhnt werden müssen. Meist erfolgen solche Beunruhigungen, Entzweiungen und Verwirrungen durch den Eros. Auch das geht auf älteste Novellentradition zurück. Goethe verzichtet aber dabei im Unterschied zu Boccaccio auf das Schwankhafte und nähert die Thematik in wachsendem Maße dem Tragischen. Am deutlichsten wird das in den „Wahlverwandtschaften", die ja zunächst als Novelle für die „Wanderjahre" gedacht waren, in der weiteren Ausgestaltung den gesellschaftlichen Raum jedoch bereits sprengten und damit zu einem tragischen Roman anwuchsen. An die Stelle der positiven Bejahung der Gesellschaft im novellistischen moralischen Erzählen tritt die Gesellschaftskritik des modernen Romans. Die Novelle neigt mehr zum Kompromiß zwischen dem Ich und der Gesellschaft, zum Ausgleich zwischen den einander widerstreitenden Kräften. Der Begleiter des Lords erzählt in den „Wahlverwandtschaften" die Novelle von den „Wunderlichen Nachbarskindern" und gibt damit ein humanes, versöhnliches Gegenbild zur „dämonischen" Welt des Romans. Es wird dabei gesagt, daß ihn nichts mehr interessierte „als die sonderbaren Ereignisse, welche durch natürliche und künstliche Verhältnisse, durch den Konflikt des Gesetzlichen und des Ungebändigten, des Verstandes und der Vernunft, der Leidenschaft und des Vorurteils hervorgebracht werden". Hier haben wir bereits nicht mehr die beispielhafte moralische Erzählung, sondern das „sonderbare Ereignis" mit seinen gefährlichen Ambivalenzen und damit die Überleitung zur „unerhörten Begebenheit".

Goethe hat den für seine eigne Ästhetik so zentralen Begriff des „Symbols" merkwürdigerweise nirgends auf die Theorie der Novelle angewandt. Das unterscheidet ihn von der weiteren Entwicklung, in der das Symbolische und Symbolisierende mehr und mehr das rein Gesellschaftliche verdrängt, nicht nur in der Romantik, sondern auch im Realismus. Später, in der modernen Prosa, ist die Novelle fast ausschließlich auf symbolische Gestaltung angewiesen. Im 18. Jahrhundert konnte an Stelle der Verdichtung im Symbol noch der Exemplum-Charakter der „moralischen Erzählung" stehen. Darum haben wir Schillers wahre Begebenheit „Der Verbrecher aus verlorener Ehre" an den Anfang gestellt, um ein Beispiel für diese Art des Erzählens zu geben. Goethe stand genau an der Wende, noch ganz mit der Tradition des europäischen novellistischen Erzählens verknüpft, deren Formenschatz er mit

wachem Bewußtsein aufgegriffen hat, aber auch schon hinüber-
reichend in jene spätere deutsche Phase, wo die Novelle sich mehr
und mehr vom geistreich-gesellschaftlichen Erzählen löst und sich
dem metaphysisch Wunderbaren, den Mächten des Schicksals
und den letzten Entscheidungen des Lebens öffnet. Schon Heinrich
von Kleist hat diesen bedeutungsvollen Schritt getan. Aber auch
Goethes Bestimmung der Novelle als „sich ereignete unerhörte
Begebenheit" kann ohne Symbolik nicht auskommen, wenn auch
nicht ausdrücklich davon die Rede ist. Goethes eigene Altersdichtung „Novelle" geht weit über den Bereich hinaus, den sich die
„Unterhaltungen" noch für das novellistische Erzählen gesetzt
haben. In anderer Weise geschieht das auch in den „Wahlverwandtschaften", die unverkennbar aus einer novellistischen Kernzone herauswuchsen, nämlich aus der Paradoxie des doppelten Ehe-
bruches im legitimen Ehebett; aber die Lösung des Kompromisses ist hier nicht mehr gestattet, und schon Tieck konnte diese
Dichtung Goethes als „Tragödie des Familienlebens und der
neuesten Zeit" bezeichnen.

Die Deutung der Goetheschen „Novelle" steht bis heute im
Zwielicht von Allegorie und Symbol. Erst in neuester Zeit ist man
tiefer in dieses Alterswerk Goethes eingedrungen; vor allem verdanken wir Emil Staiger eine sehr schöne Interpretation dieser
bisher meist verkannten Dichtung (vgl. „Meisterwerke deutscher
Sprache im 19. Jahrhundert", Zürich 1948, S. 136-164). Wohl ist
das Bewußtsein von der Novelle als einer gesellschaftlichen Gattung
auch noch beim alten Goethe lebendig, wenn eine in Gesittung und
Form durchaus kultivierte und höhere Lebenssphäre mit ihrer
kleinstaatlichen Ordnung von Stadt und Land sich gegen den
Einbruch des Elementaren verteidigen muß: des Elementaren der
Feuersbrunst, der wilden Tiere und der nur leise in Honorio
angedeuteten Leidenschaften des Herzens. Auch hier steht der
Konflikt „des Gesetzlichen und des Ungebändigten" durchaus im
Vordergrund. Aber das Thema hat nunmehr eine über das
Moralische hinausreichende symbolische Bedeutung, die den
gesamten Umkreis von Natur und Gesellschaft durchdringt. Dafür
ist auch jene morgenländisch anmutende Familie stellvertretend,
eine Urform ursprünglichen patriarchalischen Lebens, die den
Spätformen der Gesellschaft entgegengesetzt ist, aber nicht als
feindlicher Bereich des Elementaren, sondern als naturhaft
archaischer, der über alle Gesittung hinausweist und auf eine
religiöse Seinsfrömmigkeit hindeutet, die auch für die Gesellschaft

unentbehrlich ist, wenn sie nicht erstarren oder entarten soll. Aus dem „grünen Blätterwerk der durchaus realen Exposition" wächst das „Ideale, das aus dem Herzen des Dichters hervorging" (Gespräch mit Eckermann vom 18. Januar 1827).

Am Ende der „Novelle" steht das allegorisch-symbolische Bild: das Kind, das im Gesange den Löwen überwindet, zeigt, „wie das Unbändige, Unüberwindliche oft besser durch Liebe und Frömmigkeit als durch Gewalt bezwungen werde" (Gespräch mit Eckermann vom 18. Januar 1827). Aber die Symbolkraft des dichterischen Bildes erschöpft sich nicht mit dieser von Goethe selbst angebotenen allegorischen Deutung. Die ganze „Novelle" ist bereits durchzogen von wechselseitigen Spiegelungen und gegenseitigen symbolischen Erhellungen. Gegenständliche Schilderung und künstlerische Abstraktion bleiben aufeinander bezogen. Was Goethes Drama „Die natürliche Tochter" für das Drama erreicht, das geschieht in der „Novelle" für das novellistische Erzählen: die Vertilgung des nur Stofflichen durch eine symbolisierende Darstellung, in der jede einzelne Erscheinung zugleich Glied eines ideellen Ganzen ist, das uns mit der Kraft der Wahrheit zu ergreifen vermag.

Erst Hugo von Hofmannsthal hat wieder in ähnlicher Weise erzählen können, wie seine „Reitergeschichte" erweisen wird, aber dynamischer, uns mehr in den Vorgang hineinreißend und ihn fast traumhaft aufschließend. In Goethes kleiner Altersdichtung dagegen ist das Vorgangshafte fast ausgelöscht zugunsten einer Statik, in der alles seinen vorbestimmten Ort findet, einen Ort von symbolischer Prägnanz, wohl im Raum und in der Zeit, aber darüber hinaus hindeutend auf das Geheimnis des Seins selbst, für das alle dichterischen Bilder zwar stellvertretend stehen, das sich aber niemals im Bilde erschöpfen läßt. Wie in den „Wahlverwandtschaften" geht am Ende der „Novelle" der Erzählstil in das Legendäre über. Der orphische Gesang des Kindes im Spiel mit dem Löwen hat etwas geheimnisvoll Unausdeutbares. Ist das christlich? Ist das heidnisch? Beides ist mitgemeint. Das Anfängliche der Menschheit steht mit einem Male vor uns und behält seine unerschütterlich dauernde Bedeutung inmitten einer kultivierten und gerade in dieser Kultiviertheit immer wieder vom Dämonisch-Elementaren und Gesetzlosen bedrohten gesetzlich-gesellschaftlichen Welt.

Die Theorie der Novelle und des novellistischen Erzählens verdankt vor allem der deutschen Romantik entscheidende Anregungen. Das Wesentlichste haben Friedrich Schlegel und Ludwig Tieck gesagt. In der „Nachricht von den poetischen Werken des Johannes Boccaccio" (1801) hat Friedrich Schlegel hervorgehoben, die Novelle sei besonders geeignet, „eine subjektive Stimmung und Ansicht, und zwar die tiefsten und eigentümlichsten derselben indirekt und gleichsam sinnbildlich darzustellen". Hier ist die Spannung zwischen dem Subjektiven und Objektiven deutlich gesehen worden. Wohl hält Schlegel im Blick auf Boccaccio noch am gesellschaftlichen Charakter der Gattung fest, wozu es gehört, daß er „die Anlage zur Ironie" bemerkt; zugleich betont er aber auch die „ganze Tiefe" des subjektiven Gefühls, das sich hier − und darin liegt gerade der höhere Reiz dieser Mitteilung − indirekt und verhüllt ausspricht. Bis in die Novellentheorie unserer Zeit hinein hat dieser doppelte Aspekt: poetisch objektive Wahrheit der Begebenheit und artistisch subjektive Überformung die Theoretiker und Kritiker beschäftigt. Wo der Dichter sich selbst durch eine Begebenheit ausdrücken will, ist er nicht nur auf das Indirekte, Verhüllte und Ironische, sondern auch auf das Sinnbildliche und Symbolhafte verwiesen. Gerade aus dieser Doppelheit des novellistischen Erzählens heraus, die wahre Begebenheit zu erzählen, aber zugleich ihre Wahrheit aus dem geschichtlichen Zusammenhang der Begebenheiten herauszulösen und den Einzelfall künstlich zu isolieren, konnte die Novelle zu einer Gattung werden, die in so entgegengesetzten Zeitaltern wie Romantik und Realismus ihre Blüte erleben durfte. Sicher ist es auch nicht zufällig, daß wir dem problematischen Übergang zwischen diesen Zeitaltern besonders eindrucksvolle Gebilde verdanken, und unsere eignen Analysen werden Ludwig Tiecks Novelle „Des Lebens Überfluß", Chamissos Erzählung „Peter Schlemihl", Eichendorffs „Aus dem Leben eines Taugenichts" auch gerade unter diesem Gesichtspunkt untersuchen. Mochte die Romantik dem Subjektiven, Phantastischen, Ironischen einen größeren Raum zugestehen, das Gesellschaftliche aufsprengen und die Vermischung mit dem Märchen begünstigen, mochte der Realismus sich stärker der Begebenheit als solcher zuwenden und der Wirklichkeit von Natur und Gesellschaft ihr eigenes Schwergewicht zurückgeben, in beiden Fällen entwickelt sich das novellistische Erzählen in der Konzentration auf den Einzelfall, dessen stellvertretende Bedeutung sich meistens nur in symbolischer Verdichtung gestalten ließ. Ausdrücke wie „Leitmotiv", „Falke", „Silhouette", „Wendepunkt" usw. sind alle nur Umschreibungen für diese durchgängige Stiltendenz, die einzelne Begebenheit in ihrer besonderen Prägnanz herauszuheben und ihr über das subjektiv Bedeutsame hinaus eine objektive Geltung zu verschaffen. Dabei muß vor allem auch die symbolische Bildgestaltung viel stärker beachtet werden, als es bisher geschehen ist, weil sie eine gerade für die Novelle unentbehrliche Form des Verdichtens ist. Wenn das Wort Symbol ursprünglich Zusammenballen bedeutet, so ergibt sich schon aus diesem Wortsinn, daß eine so auf Zusammenballung angewiesene Gattung damit auch zur symbolischen Darstellungsform hindrängen muß. Nur wo die Novelle im Erzählen eine echte Symbolkraft entfaltete, konnte es ihr gelingen, in einer Begebenheit sogar das Zufällige ins Gleichnishafte zu erheben, also ein einmalig Wahres so zu erzählen, daß es einmalig und wahr zugleich ist. Für einen solchen Erzählstil lassen sich jedoch keine bestimmten Vorschriften machen. Wiederum sind wir auf die Interpretation der Dichtungen selbst angewiesen, wenn wir die Vielfalt dieser symbolischen Bildsprache verstehen wollen.

Es wäre nicht richtig zu meinen, die Romantik habe die Novelle nur ins Phantastische und Märchenhafte entrückt. Vielmehr heben bereits die frühromantischen Kritiker ausdrücklich hervor, daß zwar der Roman aus der „reinen Bewegung der Phantasie" hervorgeht, „ein ungehemmtes Spielen der Seelenkräfte, das nicht mit der Realität der bürgerlichen Welt beschwert ist", hingegen die Novelle gerade diese bürgerliche Welt darstellt (vgl. hierfür Schleiermachers „Vertraute Briefe über die Lucinde"). Auch August Wilhelm Schlegel bezeichnet als eigentliches Ziel der Novelle, „Erfahrungen über den Weltlauf mitzuteilen und etwas als wirklich geschehen zu erzählen", stellt also die Novelle mit ihrem Wirklichkeitsgehalt in Gegensatz zum Phantasiezauber des Romans. Fast sieht es so aus, als ob im Deutschland des 19. Jahrhunderts die Novelle diejenigen Aufgaben übernimmt, die im übrigen Europa als vorwiegende Tendenz der modernen Romane erscheinen, während wiederum der Roman bei uns durch das überragende Vorbild von Goethes „Wilhelm Meisters Lehrjahre" und die daran anknüpfende romantische Romantheorie ganz auf die Darstellung inneren Lebens und innerer Entwicklungsvorgänge abgedrängt wurde. In der Novelle hingegen, selbst in der der Romantik, bleibt das Bewußtsein von der wahren Begebenheit und der gesellschaftlichen Konstellation durchweg erhalten. Dennoch gehört auf der anderen Seite auch wieder das Subjektive und Artistische zum novellistischen Erzählen. Wenn zum Beispiel die Droste mit Nachdruck betont, sie erzähle eine wirklich geschehene Begebenheit, so ist die Art ihres Erzählens doch so sehr an die Person der Dichterin gebunden, daß sie geradezu einen eigenen neuen Stil der Novelle dabei herausbildet. Auch das kann nur in der Interpretation verdeutlicht werden.

Mit der Zurückdrängung des Gesellschaftlich-Didaktischen gewinnt das Wunderbare, Metaphysische, Schicksalhafte erhöhte Bedeutung. Hermann Pongs hat diesen Vorgang schon ausführlich dargestellt. Ludwig Tieck hebt in seiner Novellentheorie hervor, daß die Novelle ein Wunderbares gestalte, das unter anderen Umständen wieder alltäglich sein könne. Das Wunderbare liegt also bereits in der Konstellation als solcher, und der Formbegriff des „Wendepunktes", den Tieck in die Novellentheorie einführt, muß von hier aus verstanden werden. Ludwig Tieck meint, daß die novellistische Erzählung einen „sonderbaren, auffallenden Wendepunkt" haben muß, „der sie von allen anderen Gattungen der Erzählung unterscheidet", einen Punkt, „von welchem aus sie sich unerwartet völlig umkehrt, und doch natürlich, dem Charakter und den Umständen angemessen, die Folge entwickelt" (vgl. Ludwig Tiecks Schriften, Berlin, Reimer, 1828 ff., Bd. XI, Einleitung). Es ist töricht, dieses kompositorische Prinzip, das im Gegensatz zur graduellen, stufenweisen Entwicklung des Romans steht, allzusehr zu betonen und mit pedantischer Ängstlichkeit überall den sogenannten „Wendepunkt" in den Novellen zu suchen, ebenso töricht wie die Jagd nach dem „Falken", den Paul Heyse im Anschluß an Boccaccios Falkenerzählung im „Decamerone" (die 9. Geschichte des 5. Tages) in die Novellentheorie eingeführt hat und von dem einmal Theodor Storm mit freundlichem Humor bemerkt hat, daß er ihn getrost davonfliegen lasse. „Wendepunkt" und „Falke", beide Kategorien dürfen nicht überfordert werden, sie wollen nur das Profilierende, Pointierende und Herausgehobene des erzählten isolierten Falles, der, wie Tieck sich ausdrückt, „keine Folgen hat", deutlicher machen. Mit ihnen wird die Novelle als eine Gattung begriffen, die Beschränkung, Konzentration und Überraschung erfordert. In diesem Sinne hat Heyse in der Einleitung zum „Dt. Novellenschatz" (1871) und in seinen „Jugenderinnerungen" (1900) verlangt, daß jede Novelle ihren Punkt, ihre Spitze hat, die über das nur Pointenhafte der Anekdote noch hinausgeht. Die Novelle braucht eine starke deutliche Silhouette, ein „Spezifisches, das die Geschichte von tausend anderen unterscheidet". „Daß dieser Fall im kleinsten Rahmen energisch abgegrenzt ist, wie der Chemiker die Wirkung gewisser Elemente, ihren Kampf um das endliche Ergebnis ‚isolieren' muß, um ein Naturgesetz zur Anschauung zu bringen, macht den eigenartigen Reiz dieser Kunstform aus, im Gegensatz zu dem weiteren Horizont und den mannigfaltigen Charakterproblemen, die der Roman vor uns ausbreitet" (Paul Heyse, „Jugenderinnerungen und Bekenntnisse", Berlin 1900, S. 344-45). Wenn Tieck mit Hilfe seiner Wendepunktstheorie, ähnlich wie schon Goethe in den „Unterhaltungen", das besondere Licht, das plötzlich von einer bestimmten Konstellation aus auf einen bestimmten Charakter fällt und ihn in einer völlig neuen Weise erscheinen läßt, als eine mögliche Stiltendenz novellistischen Erzählens herausgestellt hat, so ist es Heyses Verdienst, auf die Bedeutung des „Dingsymbols" hingewiesen zu haben, das eine ganze Geschichte kompositorisch zusammenzuhalten vermag, ja, ihr darüber hinaus noch einen höheren Gehalt verleihen kann.

Bindende Vorschriften, wie der Novellendichter die Geschlossenheit und Prägnanz eines einmaligen Falles erreichen sollte, gibt es nicht. Auch „Wendepunkt" und „Falke" können durch andere Stilformen ersetzt werden; ebenso sind „Rahmen", „Leitmotiv", „Idee" Hilfsbegriffe, die uns einen Zugang eröffnen, aber nicht mehr. Am problematischsten ist freilich die Kategorie der „Charakternovelle". Auch in Kleists „Michael Kohlhaas" – wir werden es noch zu zeigen haben – ist nicht, wie man meist annimmt, der Charakter das Entscheidende, sondern die Begebenheit. Wo sie sich der Notwendigkeit nähert, nähert sie sich zugleich dem tragischen Drama; wo der Zufall eine stärkere Rolle spielt, kann sie dem Komödiantischen größeren Spielraum lassen. Auch hier sollte man sich vor allzu definitiven Festlegungen hüten. Längst hat die Forschung gezeigt, daß Komisches und Tragisches in gleicher Weise an der Gattung „Novelle" beteiligt sind. Es gibt heitere und tragische Novellen und auch wieder solche, in denen sich beides vermischt. Sehr häufig wird jedoch den Novellendichter in der Darstellung eines Konfliktes gerade die mögliche Auflösung dieses Konfliktes interessieren. In solchen Fällen geht er dem rein Tragischen aus dem Wege. Dafür werden unsere Analysen verschiedene Beispiele geben können. Soweit das Bewußtsein von der Novelle als gesellschaftlicher Gattung noch nachklingt und nicht vom Einbruch der übergesellschaftlichen Mächte überflutet wird, ist gerade der Kompromiß zwischen den Ansprüchen des Individuums und den Forderungen der Gesellschaft ein häufiges Thema.

Noch Tieck hebt hervor, die Novelle könne „zuweilen auf ihrem Standpunkt die Widersprüche des Lebens lösen", eine „höhere ausgleichende Wahrheit" gestalten, die es erlaubt, „über das gesetzliche Maß" hinwegzuschreiten.

Auch im Zeitalter des Realismus bleibt die Novelle die konzentrierende und verdichtende literarische Kunstform. Friedrich Theodor Vischer neigt zwar in seiner Ästhetik dazu, sie nur als Vorspann und Ableger des Romans zu sehen, erkennt aber deutlich, daß es in der Novelle um *eine* Situation geht und daß damit das „Erfahrungsbild der Welt" bereichert wird. „Die Novelle verhält sich zum Roman wie ein Strahl zu einer Lichtmasse. Sie gibt nicht das umfassende Bild der Weltzustände, aber einen Ausschnitt daraus, der mit intensiver, momentaner Stärke auf das größere Ganze als Perspektive hinweist, nicht die vollständige Entwicklung einer Persönlichkeit, aber ein Stück aus einem Menschenleben, das eine Spannung, eine Krise hat und uns durch eine Gemüts- und Schicksalswendung mit scharfem Akzente zeigt, was Menschenleben überhaupt ist. Man hat sie einfach und richtig als eine Situation im Unterschied von der Entwicklung durch eine Reihe von Situationen im Romane bezeichnet. Die Novelle hat dem Romane den Boden bereitet, das Erfahrungsbild der Welt erobert" (Vischer, Ästhetik, 1. Aufl. 1857, hier zitiert nach der 2. Aufl., hrsg. von Robert Vischer, München 1923, Bd. 6, S. 192 ff.). Otto Ludwigs Theorie von der „künstlerisch reproduzierten Wirklichkeit", die nicht mit dem „Schein gemeiner Wirklichkeit" verwechselt werden darf, geht zwar nicht direkt auf die Novelle ein, kann aber stellvertretend für den „poetischen Realismus" stehen, der die Sache selbst geben will „in ihrer eignen Sauce", aber zugleich mit dem Blick auf das Wesentliche und Wahre, das für Ludwig ebenso wie für Gottfried Keller mit dem Schönen identisch ist. Wie sehr auch im poetischen Realismus die Poesie auswählt und das Wirkliche künstlerisch umgestaltet, zeigt folgende bezeichnende Stelle bei Ludwig: „Die wahre Poesie wird sich ganz von der äußern Gegenwart loslösen, sozusagen von der wirklichen Wirklichkeit. Sie darf bloß das festhalten, was dem Menschen zu allen Zeiten eignet, seine wesentliche Natur, und muß dies in individuelle Gestalten kleiden, d. h., sie muß realistische Ideale schaffen" (Otto Ludwigs Gesammelte Schriften, hrsg. von Stern und Schmidt, Leipzig 1891, Bd. V, S. 411). Der paradoxe Ausdruck „realistische Ideale" deutet bereits darauf hin, daß auch und gerade die Novellenprosa des Realismus der Symbolgestaltung bedurfte.

Walter Silz hat in seinem wertvollen Buch über „Realism and Reality" (North Carolina Press, 1954) zahlreiche Belege dafür gegeben. Unsere eigne Darstellung wird diese These bestätigen. Die Novelle konnte gerade im Zeitalter des poetischen Realismus eine neue Blüte erleben, weil sie als Gattung besonders geeignet war, zwischen dem Subjekt des Dichters und dem Objekt der realen Begebenheit zu vermitteln, weil sie wahre Begebenheit gestaltet, aber ebenso einer artistischen Kunst bedarf, die auswählt, akzentuiert, isoliert und symbolisch verdichtet. Der Gedanke der künstlerischen „Mitte", die sowohl den Reichtum an gegenständlichen Erscheinungen wie auch die geistige Sinngebung durch den Dichter braucht, ließ sich besonders im novellistischen Erzählen verwirklichen, so daß der Höhepunkt der novellistischen Kunst im Realismus nicht Zufall, sondern eine innere Notwendigkeit war. Allerdings erfuhr dabei die Novelle auch wieder eine solche Erweiterung, daß sie ein geradezu neues Gebilde wurde, weit entfernt von dem Didaktischen der moralischen Erzählung, aber auch von der Phantasie und Stimmungskunst der Romantik. So geschlossen und begrenzt der künstlerische Raum blieb, in ihm konnte sich trotzdem die gesamte verbürgerlichte Welt des 19. Jahrhunderts mit ihren sittlichen, weltanschaulichen und metaphysischen Problemen spiegeln. Diese Ausweitung auf Lebensfragen überhaupt haben Theodor Storm und Paul Heyse deutlich ausgesprochen. Bei Storm heißt es über die Novelle: „Sie ist nicht mehr, wie einst, die kurzgehaltene Darstellung einer durch ihre Ungewöhnlichkeit fesselnden und einen überraschenden Wendepunkt darbietenden Begebenheit; die heutige Novelle ist die Schwester des Dramas und die strengste Form der Prosadichtung. Gleich dem Drama behandelt sie die tiefsten Probleme des Menschenlebens; gleich diesem verlangt sie zu ihrer Vollendung einen im Mittelpunkt stehenden Konflikt, von welchem aus das Ganze sich organisiert, und demzufolge die geschlossenste Form und die Ausscheidung alles Unwesentlichen; sie duldet nicht nur, sie stellt auch die höchsten Forderungen der Kunst" (Storm, Sämtliche Werke, hrsg. von Köster, Bd. VIII, S. 122). Ähnlich äußert sich Paul Heyse in der Einleitung zum „Novellenschatz": „Von dem einfachen Bericht eines merkwürdigen Ereignisses oder einer sinnreich erfundenen abenteuerlichen Geschichte hat sich die Novelle nach und nach zu der Form entwickelt, in welcher gerade die tiefsten und sittlichsten Fragen zur Sprache kommen."

Der stofflichen Sättigung und der weltanschaulichen Ausweitung, die die deutsche Novelle bis in den Ausgang des 19. Jahrhunderts erfährt, folgt seit der Jahrhundertwende eine stärkere Besinnung auf die formalen und konstruktiven Elemente. Diese Entwicklung läßt sich gerade in der Moderne von Gerhart Hauptmann über Thomas Mann, Hugo von Hofmannsthal bis zu Franz Kafka deutlich beobachten. Schon Paul Ernst hatte in seinem Buch „Der Weg zur Form" (1906) auf die Novelle als „abstrahierende und konzentrierende Kunstform" hingewiesen und in offener Gegnerschaft zur naturalistischen Prosa hervorgehoben, „wie talentlos die Wirklichkeit ist". Das Indirekte der Aussage, die Möglichkeit zur Ironie, das Spiel des Erzählers mit dem Erzählten, hinter dem er sich verhüllt, das fragmentarische Offenlassen, das Kunstvolle in der absichtsreichen und in ihrer Absicht immer wieder verdeckten Gestaltung, die Verdichtung in symbolischen Zeichen, die Beschränkung auf den kleinen Raum und das Experimentierende solcher Isolierung, alle diese Züge, mögen sie auch zum Teil zur modernen Prosa überhaupt gehören, erhalten im novellistischen Erzählen einen erneuten reichen Spielraum. Am radikalsten hat unter den Theoretikern Georg Lukács den Sieg der Form über den Stoff betont. In seinem Essayband „Die Seele und die Formen" (Berlin 1911) hat er die Novelle zwar noch vom Inhaltlichen aus definiert: „Ein Menschenleben durch die unendliche sinnliche Kraft einer Schicksalsstunde ausgedrückt". Anders äußert er sich in seinem Buch „Die Theorie des Romans. Ein geschichtsphilosophischer Versuch über die Formen der Ethik" (Berlin 1920, S. 38): „Die schreiende Willkür des beglückenden oder vernichtenden, aber immer grundlos darniederfahrenden Zufalls kann nur durch sein klares, kommentarloses, rein gegenständliches Erfassen balanciert werden. Die Novelle ist die am reinsten artistische Form; der letzte Sinn alles künstlerischen Formens wird von ihr als Stimmung, als inhaltlicher Sinn des Gestaltens, wenn auch eben deshalb, abstrakt ausgesprochen. Indem die Sinnlosigkeit in unverschleierter, nichts beschönigender Nacktheit erblickt wird, gibt ihr die bannende Macht dieses furchtlosen und hoffnungslosen Blickes die Weihe der Form; die Sinnlosigkeit wird, als Sinnlosigkeit, zur Gestalt; sie ist ewig geworden, von der Form bejaht, aufgehoben, und erlöst." Eine solche Definition, so extrem und einseitig sie auch ist, zeigt deutlich, wie sehr inzwischen die Auffassung von der Novelle als einer gesellschaftlichen Gattung durch eine rein formalistische verdrängt ist, in der allein die Form als Form über die Sinnlosigkeit des Zufalls triumphiert. Von dem noch neuromantischen Irrationalismus seiner Frühstufe führte Lukács' Weg über diesen Formalismus dann schließlich, im krassen Gegenschlag, zum dialektischen Materialismus seiner späteren Bücher, die das Problem der „realistischen" Prosa aus dem gesellschaftlichen Prozeß der Geschichte ableiten und auf jede Wertung von innen verzichten.

Im heutigen Deutschland läßt sich die Frage nach der Novelle von der nach dem Roman nicht mehr trennen. Es scheint so, als ob die so lange nachwirkende Tradition des deutschen Entwicklungsromanes mit seiner Darstellung der inneren Vorgänge sich allmählich erschöpft hat. Im wachsenden Maße gewinnt der europäische Roman erneuten Einfluß auf die deutsche Literatur. Die Grenzen der Gattungen sind wiederum so fließend geworden, daß uns die moderne Prosa nicht nur inhaltlich, sondern auch formal vor ganz neue Probleme stellt. Das ist jüngst in dem Buch von Fritz Martini „Das Wagnis der Sprache" (Stuttgart 1954) mit seinen Interpretationen moderner Prosa sehr deutlich geworden. Zum Abschluß unserer Analysen werden wir für diese Neuartigkeit mit Franz Kafkas Erzählung „Ein Hungerkünstler" ein Beispiel geben.

Aber es gehört zum Wesen einer Gattung, daß sie sich geschichtlich entwickelt und verwandelt; gerade das erhält sie lebendig. Gattungen sind keine Schubfächer, in denen man nur bestimmte Dinge unterzubringen hat. Unsere einleitenden Betrachtungen sollten uns nur für einen verhältnismäßig begrenzten Zeitabschnitt und überdies auch nur für ein einziges Land einen Überblick geben, wie sich die Gattung Novelle hier entwickelt hat, wie sie gesehen und gedeutet wurde. Das eigentliche Schwergewicht dieses Buches liegt aber durchaus auf den Interpretationen. Denn auch das Wesen der Gattung kann nur sichtbar werden im liebevollen Umgang mit dem einzelnen Werk. Die deutsche Novelle, genau gesehen und richtig gedeutet, öffnet uns nicht nur einen Zugang zum Wesen des novellistischen Erzählens, sie führt uns ebenso in die Frage nach der Wirklichkeit als eine der Kernfragen des 19. Jahrhunderts hinein, sie läßt uns das Wesen symbolischer Bildgestaltung verstehen, sie gibt uns Einblicke in die gesellschaftliche Situation, sie macht es uns möglich, den krisenhaften Übergang von der Romantik zum Realismus besser zu erfassen, und nicht zuletzt bedeutet sie ein Stück großer und bis heute noch nicht in ihrem vollen Rang gewürdigter Dichtung, in der sich uns das

Geheimnis des Dichterischen selbst öffnet. Zu allen diesen weit-verzweigten Zusammenhängen möchten die Interpretationen dem aufgeschlossenen Leser einen Weg bahnen.

Es gehört zum Profilierenden und Verdichtenden novellistischen Erzählens, daß es oft „Grenzsituationen" bevorzugt, darin wieder dem tragischen Drama und der Ballade benachbart. Zum mindesten gilt das für die deutsche Novelle des 19. Jahrhunderts, die sich den verwickeltsten Fragen des Menschenlebens öffnet. Das wird auch in der Folge unserer Interpretationen deutlich.

Diese sind nach dem zeitlichen Ablauf geordnet, nur mit gelegentlichen Umstellungen, wenn die geistesgeschichtliche Einordnung sinnvoller schien als das genaue Erscheinungs- oder Entstehungsjahr. Es wäre jedoch auch eine Anordnung nach bestimmten Themengruppen möglich gewesen, auf die wir hier wenigstens hindeuten wollen. Da findet sich bei Schiller, Kleist, der Droste und Hauptmann die extreme Situation des Verbrechens in verschiedener Weise abgewandelt; da haben wir aber auch bei der Droste und bei Gotthelf die ans Mythische grenzende Welt des Bösen. Eine andere Art von Begebenheit ist wiederum die, welche dem Künstler oder dem zwischen Leben und Kunst stehenden Menschen widerfährt: Eichendorff, Grillparzer, Mörike, Keller, Mann und Kafka bieten dafür Beispiele. Bei Brentano wird Begebenheit als Schicksal sichtbar, die gleiche Novelle führt mit ihrer Betonung der Ehre aber auch in eine durch die Gesellschaft abgesteckte Situation. Chamisso, Tieck und Grillparzer sind ihrerseits den problematischen Widersprüchen zwischen Einzelmensch und Gesellschaft weiter nachgegangen. Es ist gewiß kein Zufall, daß dies gerade im Übergang von der Romantik zum Realismus geschieht. Das Ereignis der Liebe und der Schönheit mit seinen verborgenen Antinomien zur Wirklichkeit ist bei Tieck, Stifter, Grillparzer und Keller gestaltet. Unsere letzten Interpretationen gelten der Grenzsituation des Todes, die im Mittelpunkt der Novellen von Mörike, Meyer, Hauptmann, Mann, Hofmannsthal steht und auch noch bei Kafka eine entscheidende Rolle spielt. Jedoch überschneidet sich die eine Thematik oft mit der anderen, so daß hier eine starre Systematik nicht angebracht wäre.

Diese Hinweise sollen es dem Leser auch nur erleichtern, die Reihe der Interpretationen in ihrer jeweils möglichen Verknüpfung zu sehen.

—

DER VERBRECHER AUS VERLORENER EHRE

Schillers Erzählung „Der Verbrecher aus verlorener Ehre"
oder — wie der Titel in der ersten Fassung lautete — „Verbrecher
aus Infamie" ist 1785 entstanden, liegt also zeitlich in der Nähe des
„Don Carlos" und der ersten historischen Schriften. Bereits der
Untertitel „eine wahre Geschichte" weist darauf hin, daß Schiller
hier nicht, wie er auch ausdrücklich selber hervorhebt, als Redner
oder Dichter gestalten will, sondern als „Geschichtsschreiber", der
eine Episode aus der „neuesten Geschichte" erzählt. Es handelt
sich um das Leben des Sonnenwirtes Friedrich Schwan aus dem
württembergischen Dorfe Ebersbach, der 1760 hingerichtet wurde.
Der Vater von Schillers Lehrer Abel hatte als Amtmann das Ver-
hör des Räubers geleitet, und Abel selbst hat in dem zweiten Band
seiner „Sammlung und Erklärung merkwürdiger Erscheinungen
aus dem menschlichen Leben" (1787) die Lebensgeschichte Friedrich Schwans ausführlich erzählt. Wir dürfen annehmen, daß er
bereits auf der Militärakademie seinen Schülern davon berichtet
hat.

Die an sich kurze Erzählung Schillers beginnt mit einer ungewöhnlich breiten theoretischen Einleitung, die sich mit der
Psychologie des Verbrechens und des Verbrechers beschäftigt.
Offensichtlich hat Schiller das Bedürfnis, seine Kriminalgeschichte
als Beitrag zur Seelenkunde und zur moralischen Bildung zu rechtfertigen. Der Verbrecher interessiert ihn nicht so sehr wegen der
spannenden Begebenheit, sondern wegen der psychologischen und
soziologischen Probleme, die mit seinem Dasein verknüpft sind und
die tief in die Welt des moralischen Bewußtseins hineinreichen.
Um Sensation ist es Schiller nicht zu tun. Trotzdem steckt in
seinem Interesse am Verbrecher auch etwas Naives. Es ist gewiß
kein Zufall, daß fast alle Schillerschen Dramen in ihrem Grundriß
als Kriminalstücke gebaut sind. Der radikal zugespitzte Rechtsfall
gibt besondere Möglichkeiten, extreme Situationen oder auch

extreme Charaktere und Affekte darzustellen, die für Schiller von früher Jugend an besonders anziehend waren. Der Verbrecher fesselt ihn vom Standpunkt der Menschenkunde aus; ja, der Mensch erreicht nach Schillers geheimster Meinung erst dort seine eigentliche Bedeutung, wo er im Bösen oder im Guten, als Held oder als Opfer das Außerordentliche, das Ungewöhnliche verwirklicht.

Auch in der Erzählung „Der Verbrecher aus verlorener Ehre" haben wir es mit einem gewaltsamen und schuldigen Charakter zu tun, einem Mörder, für den der Dichter gleichsam als Anwalt die Verteidigung übernimmt. Jedoch geschieht das nicht so, daß er etwa seinen Helden heroisiert oder idealisiert. Vom Sonnenwirt läßt sich nicht wie von Karl Moor oder Fiesco sagen: „Die Schande nimmt ab mit der wachsenden Sünde". Trotz seines späteren Nimbus als Räuberhauptmann dürfen wir ihn nicht unter die Kategorie der ganz großen, sondern weit eher der immer noch durchschnittlichen Verbrecher rechnen. Wohl ist sein Fall besonders gelagert, aber er hat nichts von einem gefallenen Engel, nichts von einem Don Quixote wie Karl Moor oder von dem extrem Teuflischen eines Franz Moor. Dem Verbrecher fehlt hier durchaus der frevelhafte Glanz des zweideutig Erhabenen. Die Verteidigung sucht daher den Sonnenwirt auch nicht ins Übermenschliche hinaufzustilisieren, sondern vielmehr umgekehrt dem Menschlichen wieder näher zu rücken. Der Verbrecher kann Anspruch auf unsere „Duldung" erheben, wenn wir uns klarmachen, daß er nicht „ein Geschöpf fremder Gattung" war, sondern „ein Mensch ... wie wir", der nur durch besonders ungünstige Bedingungen, welche ihn von außen bestimmten, in die Bahn des Bösen gedrängt wurde. Hier liegt das novellistische Interesse des Erzählers Schiller: die Einmaligkeit *dieses* Falles wird herausgehoben. Trotz aller Psychologie des Charakters, die von der „*unveränderlichen* Struktur der menschlichen Seele" ausgeht, gibt erst das *Veränderliche* der Situationen der Erzählung die pointierende Zuspitzung und nähert sie damit der Gattung Novelle.

Zunächst freilich überwiegt der Eindruck einer psychologischen Studie. „Es ist etwas so Einförmiges und doch wieder so Zusammengesetztes, das menschliche Herz." Das Herz aber ist die Quelle aller menschlichen Taten. Die Taten richtig verstehen heißt: sie in ihrer Entstehungsgeschichte aus dem menschlichen Herzen erzählen. Was hat diesen Mann aus der menschlichen Gemeinschaft hinausgedrängt? War er wirklich in jedem Falle für den Staat und die bürgerliche Gesellschaft unrettbar verloren? War „keine Aussöhnung des Gesetzes mit seinem Beleidiger" mehr möglich? Hier setzt bereits das Plädoyer des Anwalts Schiller ein. Um solche Fragen in richtiger Weise beantworten zu können, verlangt Schiller eine bestimmte Methode der Darstellung. „Wir müssen mit ihm bekannt werden, eh' er handelt; wir müssen ihn seine Handlung nicht bloß *vollbringen*, sondern auch *wollen* sehen. An seinen Gedanken liegt uns unendlich mehr als an seinen Taten, und noch weit mehr an den Quellen dieser Gedanken als an den Folgen jener Taten." Hinter diesem Satz steckt die verschwiegene, nicht weiter erörterte Annahme, daß der Verbrecher auf diese Weise vor dem Forum der Leser zwar nicht ganz, aber doch teilweise entlastet werden kann. Denn in jedem Menschen ist auf Grund „der unveränderlichen Struktur der menschlichen Seele" auch noch die Möglichkeit zum Verbrechen angelegt, ohne daß er es selber ahnt. Umgekehrt wiederum bleibt auch der Verbrecher im Augenblick der Tat und der Buße noch Mensch, von dem wir nur fälschlicherweise annehmen, sein Blut habe einen anderen Umlauf als das unsrige, sein Wille gehorche anderen Regeln als der unsrige. Schiller bemüht sich um die Nähe von Verbrecher und Mensch. Wie kann der Verbrecher ein Gegenstand unserer „Rührung" werden, wo wir uns doch mit Abscheu von ihm abwenden? Das ist für Schiller nicht so sehr ein moralisches Problem, sondern eines der Darstellung. Zwei Wege scheinen hierfür möglich: „Entweder der Leser muß warm werden wie der Held, oder der Held wie der Leser erkalten." Jedoch der erste Weg, der das Herz des Lesers durch hinreißenden Vortrag zu bestechen versucht, beleidigt nach der Meinung des Autors „die republikanische Freiheit des lesenden Publikums". Nur eine erkältende, eine rein sachliche Darstellung kann die „Lücke zwischen dem historischen Subjekt und dem Leser" auf richtige Weise ausfüllen, nur sie kann die Geschichte zu einer „Schule der Bildung" machen, nur sie kann das gemeinsam Menschliche auch noch aus dem abwegigsten, extremsten individuellen Einzelfall herausholen: die sonst verborgene und abgeleugnete Verwandtschaft, ja Identität zwischen dem Mörder und Räuber Friedrich Schwan und dem nur scheinbar unbedrohten, braven bürgerlichen Leser. Auch der Historiker Schiller sucht in ähnlicher Weise der Vielschichtigkeit der menschlichen Seele gerecht zu werden, aus der das Faktische der geschichtlichen Taten erst herauswächst. Gestalten wie Philipp, der Kardinal Granvella, Oranien, Egmont, später Gustav Adolf und Wallenstein werden von dem „Zusammengesetzten des menschlichen Herzens" charakterisiert, weil das menschliche Herz die Quelle ist, aus der alle geschichtlichen Taten erst fließen. Allerdings wird die geheime Verwandtschaft zwischen dem Verbrecher und dem Leser nicht mit diesem unverhüllten Radikalismus ausgesprochen. Schillers Darstellung lehnt jedoch ausdrücklich das „armselige Verdienst" ab, nur unsere „Neugier" zu befriedigen. Auch als abschreckendes moralisches Beispiel ist sie nicht gemeint, eher schon als Anklage gegen die Gesellschaftsordnung, ohne daß dieses Motiv ganz im Vordergrund stünde. Der Verbrecher wird verteidigt, weil er Mensch ist und seine Taten aus menschlich verstehbaren Zusammenhängen entspringen; der Mensch — und das heißt auch der Leser — ist wiederum vom Verbrecher nicht so weit getrennt, wie er selber gern annehmen möchte. Denn es gehört zu Schillers Anthropologie, daß in der Freiheit des Menschen das potentielle Verbrechen bereits angelegt ist, eben damit aber auch die Chance zur höchsten Sittlichkeit. Wir könnten uns niemals zur heroischen Größe erheben, wenn nicht unser Menschsein auch die Gefahr des schlimmsten Abfalls in sich trüge. „Darum", so beginnt Schiller lapidar, ist „in der ganzen Geschichte des Menschen . . . kein Kapitel unterrichtender für Herz und Geist als die Annalen seiner Verirrungen. Bei jedem großen Verbrechen war eine verhältnismäßig große Kraft in Bewegung. Wenn sich das geheime Spiel der Begehrungskraft bei dem matteren Licht gewöhnlicher Affekte versteckt, so wird es im Zustand gewaltsamer Leidenschaft desto hervorspringender, kolossalischer, lauter". Schillers Interesse am Verbrecher ist paradox. Dieser ist ihm gerade wegen seiner verborgenen sittlichen Möglichkeiten so wichtig. Nicht nur das nachdrücklich Böse, auch das nachdrücklich Gute setzt die „verhältnismäßig große Kraft" und den Zustand gewaltsamer Leidenschaft voraus. Denn es kostet den „konsequenten Bösewicht" — so schreibt Schiller später in seiner Schrift „Über das Pathetische" — „nur einen einzigen Sieg über sich selbst, eine einzige Umkehrung der Maximen . . ., um die ganze Konsequenz und Willensfertigkeit, die er an das Böse verschwendete, dem Guten zuzuwenden".

Wie schon Karl Moor, so stellt sich auch der Sonnenwirt am Ende seiner tragischen Bahn in freier Gewissensentscheidung dem weltlichen Gericht. Als Schiller den Höhepunkt seiner schlimmen Laufbahn darstellt, formuliert er gerade hier das sittliche Problem in einer dialektisch zugespitzten, paradoxen Weise: „Er fing an, zu hoffen, daß er noch rechtschaffen werden dürfe, weil er bei sich empfand, daß er es könne. Auf dem höchsten Gipfel seiner Verschlimmerung war er dem Guten näher, als er vielleicht vor seinem ersten Fehltritt gewesen war." Schillers Psychologie gehört durchaus in das 17. und 18. Jahrhundert hinein. Alle menschlichen Taten werden auf das ethische Koordinatensystem von Gut und Böse bezogen. Es ist jedoch ein grundlegender Unterschied zwischen Schillers Menschendarstellung und der des Barock, daß bei ihm Märtyrer und Bösewichter nicht mehr in zwei getrennten Lagern stehen, sondern gerade der Bösewicht, sei es direkt oder indirekt, aufgefordert ist, die Majestät des durch ihn verletzten Sittengesetzes auf Grund eines freien Willensaktes wiederherzustellen. So ist im Bösewicht stets, und sei es nur als ferne extremste Möglichkeit, auch der Heilige angelegt, wenn jener die radikale innere Umkehr zu vollziehen wagt. Auch der Sonnenwirt steht in dieser Spannung von Schuld und Gerechtigkeit — in der Sprache des 18. Jahrhunderts müssen wir sagen, in der Spannung von „Laster" und „Tugend" —, die sich in seiner Person und durch seine Person verwirklicht. Denn den „Freund der Wahrheit" überrascht es nicht, „in dem nämlichen Beete, wo sonst überall heilsame Kräuter blühen, auch den giftigen Schierling gedeihen zu sehen, Weisheit und Torheit, Laster und Tugend in *einer* Wiege beisammen zu finden". Der Verbrecher besitzt an sich auch die Kraft und Unbedingtheit für eine sittliche Existenz. Wenn er diese dennoch verfehlt, so geschieht es in dem Einzelfall unserer Geschichte, weil die Ungunst der zufälligen und wechselnden Verhältnisse ihn in eine falsche Richtung drängt. Am Ende findet er dann trotzdem zum Sittlichen zurück; aber das ist jetzt nur noch auf tragische Weise mit dem freien Opfer des eigenen Lebens möglich. In diesem Sinne hat Schillers Erzählung einen exemplarischen Charakter. So gesehen gehört sie durchaus unter die Kategorie der „moralischen Erzählungen", und die ausgedehnte theoretische Erörterung am Anfang der Geschichte, die wir in ihrem grundsätzlichen Gedankengang zu verstehen versuchten, soll das zugleich Exemplarische und Allgemeingültige dieses einen besonderen Falles vorwegnehmen.

Mit dem einsetzenden Erzählen werden zunächst in gedrängter Folge die besonderen Bedingungen dargestellt: ein früh verstorbener Vater, eine schlecht geführte Wirtschaft, Müßiggang in der Jugend mit Frechheiten und erfinderischen Streichen. Auch die körperlichen Anomalien, der widrige Anblick, welcher „alle Weiber von ihm zurückscheuchte und dem Witz seiner Kameraden eine reichliche Nahrung darbot", gehören zur Kette der zufälligen Ursache. In einer unbestechlichen, realistisch-psychologischen Diktion, die hier bereits den epischen Stil der Droste in der „Judenbuche" vorwegnimmt, wird die Geschichte eines Wilddiebes in wenigen Sätzen zusammengefaßt. „Er wollte ertrotzen, was ihm verweigert war; weil er mißfiel, setzte er sich vor, zu gefallen. Er war sinnlich und beredete sich, daß er liebe. Das Mädchen, das er wählte, mißhandelte ihn; er hatte Ursache, zu fürchten, daß seine Nebenbuhler glücklicher wären; doch das Mädchen war arm. Ein Herz, das seinen Beteurungen verschlossen blieb, öffnete sich vielleicht seinen Geschenken; aber ihn selbst drückte Mangel, und der eitle Versuch, seine Außenseite geltend zu machen, verschlang noch das Wenige, was er durch eine schlechte Wirtschaft erwarb. Zu bequem und zu unwissend, seinem zerrütteten Hauswesen durch Spekulation aufzuhelfen, zu stolz, auch zu weichlich, den Herrn, der er bisher gewesen war, mit dem Bauer zu vertauschen und seiner angebeteten Freiheit zu entsagen, sah er nur einen Ausweg vor sich — den Tausende vor ihm und nach ihm mit besserem Glücke ergriffen haben — den Ausweg, *honett zu stehlen.* Seine Vaterstadt grenzte an eine landesherrliche Waldung, er wurde Wilddieb, und der Ertrag seines Raubes wanderte treulich in die Hände seiner Geliebten."

Erst dann setzt die novellistische Zuspitzung ein, die Darstellung des besonderen Falles. Der Jägerbursche des Försters, Robert, ist zugleich der Rivale bei Hannchen. „Sein laurendes Auge, von Eifersucht und Neide geschärft", entdeckt bald die ungesetzliche Quelle, aus der das Geld seines Nebenbuhlers stammt. Ein erst vor kurzem eingeführtes strenges Gesetz gegen die Wildschützen kommt ihm weiter zu Hilfe. Er beschleicht und ertappt seinen unbesonnenen Feind. „Nur mit Aufopferung seines ganzen kleinen Vermögens" kann dieser der Strafe des Zuchthauses entgehen.

Noch einmal wiederholt sich das gleiche böse Spiel. Diesmal aber erfährt Wolf die ganze Schärfe des Gesetzes, und erst nach einem Jahr Zuchthaus kehrt er in die Heimat zurück. „Seine Leidenschaft" ist „durch die Entfernung gewachsen und sein Trotz unter dem Gewicht des Unglücks gestiegen." Jetzt beginnt die soziale Isolierung, der allmähliche und dann unentrinnbare Verlust der Ehre, der sein weiteres Schicksal bestimmen soll. Trotz aller guten Vorsätze gelingt es ihm nicht, in die Gemeinschaft der Menschen zurückzufinden. „In allen Entwürfen getäuscht, an allen Orten zurückgewiesen, wird er zum drittenmal Wilddieb, und zum drittenmal trifft ihn das Unglück, seinem wachsamen Feind in die Hände zu fallen." Erst an dieser Stelle erhebt Friedrich Schiller eine deutliche Anklage gegen die Gesellschaftsordnung. „Die Richter sahen in das Buch der Gesetze, aber nicht *einer* in die Gemütsfassung des Beklagten." Wolf wird verurteilt, „das Zeichen des Galgens auf den Rücken gebrannt, drei Jahre auf der Festung zu arbeiten". Diese neue Epoche im Leben des Sonnenwirts wird nicht mehr vom Erzähler berichtet, sondern als ein fortlaufender innerer Monolog in der Ich-Form vorgetragen. Dieser Darstellungsstil wird erst gegen Ende der Erzählung wieder mit dem epischen Bericht vertauscht. Wir dürfen annehmen, daß Schiller hier die Ich-Form wählt, weil er nunmehr in erster Linie die inneren Vorgänge in der Seele des Helden beleuchten will. Die vorausgegangenen, relativ geringen Verschuldungen als Wildschütze standen in einem Mißverhältnis zu ihren furchtbaren Folgen innerhalb der menschlichen Gesellschaft. Erst jetzt, in der Zwangsgemeinschaft mit Dieben, Mördern und Vagabunden wird der Verirrte zum wirklichen Verbrecher, weil er seine Ehre allzufrüh verloren hat. „Ich betrat die Festung als ein Verirrter und verließ sie als ein Lotterbube." Von der bürgerlichen Gesellschaft ausgestoßen, kennt er nur noch den Hunger nach Rache. „Alle Menschen hatten mich beleidigt, denn alle waren besser und glücklicher als ich. Ich betrachtete mich als den Märtyrer des natürlichen Rechts und als ein Schlachtopfer der Gesetze." Die soziologische Situation des Outcast spiegelt sich hier in einem seelischen Zustand, in dem die ganze Menschheit als Feind erlebt wird. Als er nunmehr aus der Festung zurückkehrt, will er die Menschen nur noch durch seinen plötzlichen Anblick in Schrecken setzen, und — so heißt es im Bericht — „ich dürstete jetzt ebenso sehr nach neuer Erniedrigung, als ich ehmals davor gezittert hatte". Das Gefühl des Ausgestoßenseins verschärft sich in der Begegnung mit einem Kind, das ihm den liebevoll angebotenen Groschen ins Gesicht wirft. Die Geliebte ist zur Soldatenhure geworden, die Mutter ist tot. Alle Welt flieht ihn wie einen Giftigen, aber — so berichtet er weiter — „ich hatte endlich verlernt, mich zu schämen". „Ich brauchte keine gute Eigenschaft mehr, weil man keine mehr bei mir vermutete." So entwickelt Schiller Schritt für Schritt die Genesis eines Verbrechers, der noch kein eigentliches Verbrechen begangen hat. Darin liegt das novellistisch Einmalige dieser Begebenheit. Der Sonnenwirt wird nicht etwa Verbrecher, weil er durch

seine Anlage dazu besonders disponiert gewesen wäre. Er wird
Verbrecher, weil ihm unglückliche Schicksalsverkettungen und
gesellschaftliche Vorurteile und Härten eine Rolle aufdrängen, die
er dann fast zwangshaft übernimmt. Da ihn die Welt wie einen
Verbrecher interpretiert und behandelt, will er nunmehr aus
eignem Entschluß auch einer sein. „Ich wollte Böses tun, soviel
erinnere ich mich noch dunkel. Ich wollte mein Schicksal verdienen. Die Gesetze, meinte ich, wären Wohltaten für die Welt,
also faßte ich den Vorsatz, sie zu verletzen; ehmals hatte ich aus
Notwendigkeit und *Leichtsinn* gesündigt, jetzt tat ich's aus freier
Wahl zu meinem Vergnügen." Das beginnt mit sinnlosem Jagd-
frevel und gipfelt im Mord an dem verhaßtesten Feind, der gleichsam stellvertretend für die ganze Menschheit steht. Der durch
einen tückischen Zufall begünstigte Mord an Robert ist der
novellistische Höhe- und Wendepunkt der Erzählung. „In diesem
Augenblick dünkte mich's, als ob die ganze Welt in meinem
Flintenschuß läge und der Haß meines ganzen Lebens in die
einzige Fingerspitze sich zusammendrängte, womit ich den mör-
drischen Druck tun sollte. Eine unsichtbare fürchterliche Hand
schwebte über mir, der Stundenweiser meines Schicksals zeigte
unwiderruflich auf diese schwarze Minute." „Rache und Gewissen rangen hartnäckig und zweifelhaft, aber die Rache gewann's,
und der Jäger lag tot am Boden." Es ist bezeichnend, wie Schiller
hier nicht etwa das Irrationale des Vorganges darstellt, sondern den
Menschen zum Kampfplatz abstrakter Mächte macht und unter
die „schwarze Minute" eines Schicksals stellt. Rache und Gewissen sind die antithetisch gegenübergestellten Kräfte, auf die die
individuelle Seele bezogen ist. Der Begriff „Rache" subsumiert
alles unter sich, was an selbstverschuldeter, mehr noch unverschuldeter Ausstoßung aus der menschlichen Gesellschaft, an Ehrverlust und Erniedrigung bisher erlitten wurde; der Gegenbegriff
„Gewissen" stellt den Menschen unter die Kategorie der sittlichen
Freiheit, die durch keine Notwendigkeit des Schicksals und durch
kein Verhängnis ganz auszulöschen ist. So dramatisch diese innere
antithetische Spannung auch ist, die Mordtat selbst ist im Grunde
sinnlos. Gleich, nachdem sie begangen ist, fällt sie in sich zusammen, und was übrig bleibt, ist nur die Unmöglichkeit der Umkehr. Mit dem Mord wollte sich Wolf das unverdiente Schicksal
verdienen. In Wahrheit schuf er sich damit eine neue Situation, die
nun ihrerseits erst abgebüßt werden muß. „Bis hieher hatte ich
auf Rechnung meiner Schande gefrevelt; jetzt war etwas ge-

schehen, wofür ich noch nicht gebüßt hatte. Eine Stunde vorher, glaube ich, hätte mich kein Mensch überredet, daß es noch etwas Schlechteres als mich unter dem Himmel gebe; jetzt fing ich an, zu mutmaßen, daß ich vor einer Stunde wohl gar zu beneiden war." Die Sinnlosigkeit der Tat spiegelt sich psychisch in dem vergeblichen Versuch, den Affekt festzuhalten, aus dem sie entsprang. „Ich tat mir Gewalt an, mich lebhaft an alles Böse zu erinnern, das mir der Tote im Leben zugefügt hatte, aber sonderbar! mein Gedächtnis war wie ausgestorben. Ich konnte nichts mehr von alle dem hervorrufen, was mich vor einer Viertelstunde zum Rasen gebracht hatte. Ich begriff gar nicht, wie ich zu dieser Mordtat gekommen war." Ganz ähnlich beschreibt Kleist dieses Stumpfwerden des Affektes in seinem ersten Drama „Die Familie Schroffenstein" nach dem Mord des Rupert an Agnes, der Tochter des Todfeindes, mit der er aber in Wahrheit, ohne es zu wissen, den eignen Sohn umbringt. „Warum denn tat ich's?... Kann ich's doch gar nicht finden im Gedächtnis."

Der weitere Verlauf der Erzählung rückt das Verbrechen unter die für Schiller so typischen theologischen und eschatologischen Aspekte. Dem Verbrecher wird sein Dasein zur Hölle, weil sich die „Allgegenwart Gottes" auch dann nicht verleugnen läßt, wenn er seine ganze Kühnheit zusammennimmt, um „es mit der ganzen Hölle aufzunehmen". Aus dem Soziologen und Psychologen Schiller wird der Theologe, den als tragischen Dichter zwar gerade der persönliche Verlust der moralischen Weltordnung interessiert, der aber eben an diesem Verlust auch ihre ewige übermenschliche Geltung sichtbar machen will. Gleichgültig, ob der Verbrecher von der irdischen Gerichtsbarkeit eingeholt wird oder nicht, dem ewigen Gericht kann er nicht entgehen. „Geklemmt zwischen die gewissen Qualen des Lebens und die ungewissen Schrecken der Ewigkeit, gleich unfähig, zu leben und zu sterben, brachte ich die sechste Stunde meiner Flucht dahin, eine Stunde, voll gepreßt von Qualen, wovon noch kein lebendiger Mensch zu erzählen weiß." Nunmehr erreicht die Erzählung ihren zweiten Gipfel, in der dialogisch zugespitzten Situation im Walde zwischen dem Sonnenwirt und dem wilden Mann mit der großen knotigen Keule, dessen Figur ins Riesenmäßige geht. „Die Farbe seiner Haut war von einer gelben Mulattenschwärze, woraus das Weiße eines schielenden Auges bis zum Grassen hervortrat." Der Dialog beschwört trotz allem Realismus die eschatologische Atmosphäre einer höllischen Gemeinschaft.

„ ‚Sachte, Freund! Was jagt dich denn so ? Was hast du für Zeit zu verlieren ?'

... ‚Das Leben ist kurz,' sagte ich langsam, ‚und die Hölle währt ewig.'

... ‚Ich will verdammt sein, ... oder du bist irgend an einem Galgen hart vorbeigestreift.'

‚Das mag wohl noch kommen.' "

Der Eintritt in die Räuberbande wird zu einem Eintritt in die Hölle. Schiller faßt diese Situation in einem gleichnishaften Bild zusammen, in dem einsamen Stehen des Sonnenwirtes vor dem „Abgrund", in dessen Tiefe die Räuber hausen. Es ist charakteristisch für den Schillerschen Stil, daß er eine an sich ganz reale Situation hier theologisch ausdeutet. „Jetzt stand ich allein vor dem Abgrund, und ich wußte recht gut, daß ich allein war. Die Unvorsichtigkeit meines Führers entging meiner Aufmerksamkeit nicht. Es hätte mich nur einen beherzten Entschluß gekostet, die Leiter heraufzuziehen, so war ich frei, und meine Flucht war gesichert. Ich gestehe, daß ich das einsah. Ich sah in den Schlund hinab, der mich jetzt aufnehmen sollte; es erinnerte mich dunkel an den Abgrund der Hölle, woraus keine Erlösung mehr ist. Mir fing an vor der Laufbahn zu schaudern, die ich nunmehr betreten wollte; nur eine schnelle Flucht konnte mich retten. Ich beschließe diese Flucht — schon strecke ich den Arm nach der Leiter aus — aber auf einmal donnert's in meinen Ohren, es umhallt mich wie Hohngelächter der Hölle: ‚*Was hat ein Mörder zu wagen?*' — und mein Arm fällt gelähmt zurück. Meine Rechnung war völlig, die Zeit der Reue war dahin, mein begangener Mord lag hinter mir aufgetürmt wie ein Fels und sperrte meine Rückkehr auf ewig. Zugleich erschien auch mein Führer wieder und kündigte mir an, daß ich kommen sollte. Jetzt war ohnehin keine Wahl mehr. Ich kletterte hinunter." Der Ich-Bericht schließt dann mit dem Schein-Glück in der Schein-Gemeinschaft der Bösen, die brüderliche Aufnahme, Wohlleben und „Ehre" zu gewähren verspricht.

Der Autor spart dann einen Teil der Lebensgeschichte ein, weil dieser für ihn kein besonderes Interesse hat. „Den folgenden Teil der Geschichte übergehe ich ganz; das bloß Abscheuliche hat nichts Unterrichtendes für den Leser. Ein Unglücklicher, der bis zu dieser Tiefe heruntersank, mußte sich endlich alles erlauben, was die Menschheit empört — aber einen zweiten Mord beging er nicht mehr, wie er selbst auf der Folter bezeugte." Der Geschichtsschreiber wechselt jetzt erneut seinen Ton und wird wieder zum

Psychologen und Soziologen. Er analysiert die Situation der Räubergemeinschaft, die in Wahrheit nicht Gemeinschaft, sondern nur weiteres Ausgestoßensein ist. Aber das moralische Problem hat sich verschoben. Aus dem Haß gegen die Menschheit wird der Haß gegen sich selbst. „Das verstummte Gewissen gewann... seine Sprache wieder, und die schlafende Natter der Reue wachte bei diesem allgemeinen Sturm seines Busens auf. Sein ganzer Haß wandte sich jetzt von der Menschheit und kehrte seine schreckliche Schneide gegen ihn selber. Er vergab jetzt der ganzen Natur und fand niemand als sich allein zu verfluchen." An die Stelle der „knirschenden Verzweiflung" tritt die „ruhigere Schwermut". Auf dem Tiefpunkt seines verworfenen Lebens „war er dem Guten näher, als er vielleicht vor seinem ersten Fehltritt gewesen war". Aber die Versuche zur Umkehr bleiben vergeblich; die Bittschriften an den Landesherrn, als Soldat seine Taten sühnen zu dürfen, werden nicht beantwortet. Nun bleibt dem Sonnenwirt nur noch der Entschluß, „aus dem Land zu fliehen und im Dienste des Königs von Preußen als ein braver Soldat zu sterben". Diese Anspielung auf den Siebenjährigen Krieg findet sich in dem Abelschen Bericht nicht.

Noch einmal gibt Schiller seiner Erzählung einen Gipfel, den dritten und letzten, der zugleich ihren Abschluß bringt. Es ist novellistischer Stil, wenn er hier nicht einfach Lebensgeschichte erzählt, sondern in einer Situation verdichtet, über der sogar diesmal ein leiser Schimmer von Komik liegt. Vergleichen wir noch einmal die verschiedenen Gipfelpunkte, die den bloßen Bericht novellistisch zuspitzten. Das erste Mal war es der Mord und der ihm vorausgegangene innere Kampf von „Rache" und „Gewissen", beziehungsweise die Situation nach dem Mord, das Gefühl der sinnlosen Leere nach einer Tat des bloßen Affektes. Das Schwergewicht der Darstellung lag hier noch ganz auf der Herausarbeitung der psychologischen Situation und ihrer sittlichen Komponente. Das zweite Mal war es die höllische Begegnung im Walde und der Weg in den „Abgrund", zunächst eine realistische Dialogszene, dann eine Art Monolog, beides von Schiller in einem theologischen Sinne ausgedeutet. Jetzt liegt der Akzent ganz auf dem Bildhaften: der burleske Reiter mit seinem hageren Klepper, possierlich und schrecklich wild zugleich, der vom Torschreiber und vom Oberamtmann eines kleinen Ortes festgehalten wird. Schon glaubt er sich verraten, das böse Gewissen macht ihn zum Dummkopf, er gibt seinem Pferde die Sporen und rennt davon, ohne Antwort zu geben. Die Flucht ist vergeblich — „eine schwere Hand drückt unsichtbar gegen ihn, die Uhr seines Schicksals ist abgelaufen, die unerbittliche Nemesis hält ihren Schuldner an. Die Gasse, der er sich anvertraute, endigt in einem Sack, er muß rückwärts gegen seine Verfolger umwenden". Damit scheint alles entschieden. Aber Schiller gibt der Erzählung zum Abschluß noch eine überraschende Pointe. Wider Erwarten behandelt der Oberamtmann den Häftling mit Bescheidenheit, Vertrauen und Achtung. Eine Entdeckung seiner so berüchtigten Person braucht er nicht zu fürchten. In dem knappen, dramatisch zugespitzten Dialog zwischen dem Oberamtmann und dem Sonnenwirt glätten sich die Wogen des vorausgegangenen Tumultes. Wieder ist es das moralische Problem, das Schiller unterstreicht. Das Gefühl, in die menschliche Gemeinschaft zum ersten Male wirklich aufgenommen zu sein, weckt im Sonnenwirt den freien Entschluß, sich selbst zu stellen. Die Erzählung endet mit seinem im Dialog sich entwickelnden Bekenntnis.

„,Ahnen Sie nichts? Mit wem glauben Sie, daß Sie reden?'
‚Was ist das? Sie erschrecken mich.'
‚Ahnen Sie noch nicht? — Schreiben Sie es Ihrem Fürsten, wie Sie mich fanden und daß ich selbst aus freier Wahl mein Verräter war — daß ihm Gott einmal gnädig sein werde, wie er jetzt mir es sein wird — bitten Sie für mich, alter Mann, und lassen Sie dann auf Ihren Bericht eine Träne fallen: Ich bin der Sonnenwirt.'"

Blicken wir noch einmal auf die Erzählung als Ganzes zurück. Ihr fehlt das Zwingende und Geschlossene einer epischen Gestaltungsform, wie sie später Kleist und die Droste erreichten. Schiller wechselt noch zu oft den Stil seiner Darstellung, erreicht allerdings damit auch eine immer wieder neue Beleuchtung seiner „moralischen" Erzählung. Am Anfang steht eine lange theoretische Erörterung, die die nachfolgende Lebensgeschichte in ihrem beispielhaften Charakter erläutert, als einen Beitrag zur sittlichen Bildung des Menschen. Darin ist Schiller noch ganz der Denkweise des 18. Jahrhunderts verhaftet. Es folgt dann eine sehr genaue psychologische und soziologische Beschreibung, die die besonderen zufälligen Bedingungen gerade dieses Falles analysiert. Daran schließt der Ich-Bericht an, dessen Schwergewicht auf einer durch den Helden selbst vollzogenen, nachträglichen Bewußtseinserhellung liegt. Der Ausgang des Ganzen ist wiederum zusammenfassender Bericht der Lebensgeschichte, aber zugespitzt zur anschaulich profilierten, dialogisch umgesetzten Situation. Wenn die

Erzählung trotz dieses vielfachen Wechsels der Blickpunkte dennoch eine gewisse Einförmigkeit hat, so liegt das an der Schillerschen Sprache. Gleichgültig, ob der Geschichtsschreiber oder ob der Sonnenwirt selbst redet, in beiden Fällen wird mit zuschauender Kälte, aus der Distanz heraus mitgeteilt. Auch der Ich-Bericht bleibt eine sich oft dem Abstrakten nähernde Analyse, eine bestimmte Art von Selbst-Erhellung, die ebenso vom Autor hätte vorgenommen werden können. Bezeichnend für Schillers Sprachstil ist die metaphorische Versinnlichung des Abstrakten: „Das verstummte Gewissen", „die schlafende Natter der Reue", „Rache und Gewissen rangen hartnäckig und zweifelhaft", „der Stundenweiser meines Schicksals", „ich dürstete . . . nach neuer Erniedrigung"; „mit einem Gesicht, worauf so viele wütende Affekte, gleich den verstümmelten Leichen auf einem Walplatz, verbreitet lagen"; „das Laster hatte seinen Unterricht an dem Unglücklichen vollendet, sein natürlicher guter Verstand siegte endlich über die traurige Täuschung". Von einer symbolischen Stilgebung können wir noch nicht reden. Auch das Bild des „Abgrundes" wirkt wie eine ausgesprochene Versinnlichung des abstrakten Begriffes „Hölle". Dennoch kommt in die Darstellung eine gewisse Lebendigkeit, indem Schiller zentrale Augenblicke des Lebens im Dialog sentenzenhaft vergegenwärtigt. Hier spüren wir deutlich den Dramatiker auch in der erzählerischen Technik am Werke.

So wächst die Erzählung als Ganzes denn doch über einen bloßen Beitrag zur Seelenkunde hinaus. Zwar ist sie noch keine Novelle im eigentlichen Sinne, zeigt aber doch bereits einen profilierenden novellistischen Erzählstil. Wohl wird die Mordstunde noch vorwiegend vom inneren Vorgang aus beleuchtet, aber das Treffen im Walde und der dort geführte Dialog haben bereits einen ausgesprochenen Ereignischarakter und zugleich eine stellvertretende geistige Bedeutung; der Schluß des Ganzen wiederum — szenisch bildhaft und dialogisch zugleich — zeigt schwank- und anekdotenhafte Züge und nähert sich der Novelle durch seine pointenhafte Zuspitzung. Ebenso hat die Thematik der ganzen Erzählung novellenhaften Charakter. Nicht so sehr die gesamte Lebensgeschichte ist das Wesentliche, sondern *eine* besondere Begebenheit, die aus dem sonstigen Fluß des Geschehens herausgehoben ist und die Lebensgeschichte auf besondere Weise beleuchtet. Ein allzu früher, weitgehend unverschuldeter Ehrverlust macht den Verbrecher erst endgültig zum Verbrecher, der aber trotzdem das Bewußtsein seiner sittlichen Existenz auch später niemals völlig verliert. Das Schwergewicht der Darstellung liegt dabei ebenso auf den gesellschaftlichen Bedingungen wie auf den seelischen Reaktionen. Zweifellos hat gerade dieses Zusammenwirken oder auch Gegeneinanderwirken von Person und Gemeinschaft, von „Gewissen" und „Notwendigkeit", von „Herz" und „Staat" für Schiller das höchste moralische Interesse.

„Der Verbrecher aus verlorener Ehre" ist eine Erzählung, die gleichsam wie der Vorentwurf zu einer Novelle anmutet. So reizvoll das auch durchgeführt ist, es fehlt der eigentliche, die ganze Erzählung gliedernde Mittelpunkt. Wir haben die vom Geschichtsschreiber berichtete wahre Begebenheit, wir haben die moralische Seelenstudie, wir haben die szenischen Dialog- und Bildwirkungen und das pointiert Anekdotenhafte, ohne daß dies alles zu einer künstlerischen Ganzheit verschmolzen wäre.

HEINRICH VON KLEIST

—

MICHAEL KOHLHAAS

Heinrich von Kleists Erzählung „Michael Kohlhaas" erschien zuerst fragmentarisch in der Zeitschrift „Phöbus" im Juni 1808, dann im ersten Band der Erzählungen von 1810. Ihr liegt ein Bericht zugrunde, der von Christian Schöttgen und Georg Christoph Kreysig im Jahre 1731 veröffentlicht worden war. Aber die Erzählung selbst ist doch ein völlig selbständiges, nur Kleist gehöriges Gebilde. Besonders die letzten Teile der Erzählung gehen über die Quelle hinaus.

Die wuchtigen Eingangssätze nennen in paradoxer Charakterisierung Kohlhaas einen „der rechtschaffensten zugleich und entsetzlichsten Menschen seiner Zeit". „Die Welt würde sein Andenken haben segnen müssen, wenn er in einer Tugend nicht ausgeschweift hätte. Das Rechtsgefühl aber machte ihn zum Räuber und Mörder." Dieser Eingang legte es den Interpreten immer wieder nahe, „Michael Kohlhaas" als eine Charakternovelle auszudeuten. Geht es hier um ein moralisch-psychologisches Problem, wie es bereits früher Schiller in seiner Erzählung „Der Verbrecher aus verlorener Ehre" gestaltet hat? Gehört Kohlhaas zu den seit der Sturm- und Drangperiode aufkommenden „edlen Verbrechern" wie Karl Moor, dessen innere Entwicklung vom rechtschaffenen zum entsetzlichen Menschen das Thema der Erzählung wäre? Auch andere Deutungen sind in verwandter Weise versucht worden: Kohlhaas sei der kompromißlose Vorkämpfer für das Recht, der an seiner eigenen Unbedingtheit scheitern muß. Oder man stellte das Motiv der Rache in den Vordergrund und faßte Kohlhaas als eine tragische, der germanischen Art verwandte Gestalt auf, die ihr einmaliges Dasein und ihre einmalige Sache noch gegen alle Bedrohung des Schicksals durchsetzen will. Oder man interpretierte ihn als eine religiöse Existenz, die in der absoluten Bindung an das eigene Gewissen lebt. In allen diesen Deutungsversuchen mußte man die „romantischen" Schlußteile der Erzählung als unwesentlich möglichst beiseite schieben.

Jede dieser Auslegungen verfehlt die einfache Tatsache, daß Kleist in erster Linie gar nicht einen Charakter, sondern in echt novellistischem Zugriff eine Begebenheit gestalten wollte. Die Interpreten setzten immer wieder bewußt oder unbewußt voraus, Kohlhaas sei eine Art Idealfigur, zum mindesten eine tragische und absolute Existenz, die Kleist im vollen Umfang bejaht und einer verdorbenen Welt gegenüberstellt. Dem Kleistschen Erzählen liegen aber psychologische Erörterungen ebenso wie Rhetorik und verkappte Gewissenstheologie völlig fern; er gestaltet eine Begebenheit, die zunächst verhältnismäßig klar und übersichtlich ist, dann aber in kunstvoller Absichtlichkeit mit dem Hinzutreten neuer Räume und neuer Personen immer verwickelter und unübersehbarer wird. In dieser Begebenheit geht es um Gerechtigkeit.

Nach einer kurzen geballten Einleitung beginnt sofort das Geschehen. Der Roßhändler, der mit einer Koppel junger, wohlgenährter und glänzend aussehender Pferde aus dem brandenburgischen Gebiet ins sächsische hinüberreitet, um sie auf den dortigen Märkten zu verkaufen, wird am Schlagbaum einer auf sächsischem Gebiet stehenden stattlichen Ritterburg festgehalten. Unter billigen Vorwänden nimmt man ihm auf eine offensichtlich völlig ungesetzliche Weise zwei Rosse weg, und sie kommen dann in der Zwischenzeit durch Mangel an Pflege und unangebrachte Verwendung bei der Feldarbeit völlig herunter. Was hier geschieht, ist ein klares und eindeutiges Unrecht. Aber Kohlhaas handelt trotzdem keineswegs unüberlegt. Denn „sein Rechtsgefühl, das einer Goldwaage glich, wankte noch; er war, vor der Schranke seiner eigenen Brust, noch nicht gewiß, ob eine Schuld seinen Gegner drücke". In keiner Weise tritt er als ein Fanatiker der Rechtsidee auf. Von Anbeginn anerkennt er die „allgemeine Not der Welt" und weiß darum, daß die Einrichtungen dieser Welt nicht vollkommen, sondern gebrechlich sind. Höchst besonnen untersucht er das Verhalten seines Knechtes Herse, den er auf der Tronkenburg zurückgelassen hat und der über die Verwendung der Pferde und die ihm selbst widerfahrene infame Behandlung Auskunft gibt. Dann erst gibt er den Fall an die Gerichte weiter. An sich handelt es sich um eine völlig klare Rechtslage. Trotzdem wird sie niedergeschlagen, weil Verwandte des Junkers, die beiden Jungherren Hinz und Kunz von Tronka, am Hofe tätig sind und sich mit ihren Intrigen einzuschalten wissen. Auch der Weg über den Kurfürsten von Brandenburg, dessen landesherrlichen Schutz gegen die auf sächsischem Gebiet erfahrene Gewalttätigkeit Kohlhaas anruft, bleibt vergeblich, weil der beauftragte Graf Kalheim mit dem Hause derer von Tronka verschwägert ist. So wird denn Kohlhaas als „ein unnützer Querulant" zurückgewiesen. Hier ist die erste Zuspitzung der Novelle erreicht. Es geht dabei nicht um den materiellen Wert der beiden Rosse, Kohlhaas „hätte gleichen Schmerz empfunden, wenn es ein paar Hunde gegolten hätte". Weiter wird uns darüber berichtet: „Er sah, so oft sich ein Geräusch im Hofe hören ließ, mit der widerwärtigsten Erwartung, die seine Brust jemals bewegt hatte, nach dem Torwege, ob die Leute des Jungherren erscheinen und ihm, vielleicht gar mit einer Entschuldigung, die Pferde abgehungert und abgehärmt wieder zustellen würden: der einzige Fall, in welchem, seine von der Welt wohlerzogene, Seele auf nichts, das ihrem Gefühl völlig entsprach, gefaßt war. Er hörte aber in kurzer Zeit schon, durch einen Bekannten, der die Straße gereiset war, daß die Gaule auf der Tronkenburg, nach wie vor, den übrigen Pferden des Landjunkers gleich, auf dem Felde gebraucht würden; und mitten durch den Schmerz, die Welt in einer so ungeheuren Unordnung zu erblicken, zuckte die innerliche Zufriedenheit empor, seine eigne Brust nunmehr in Ordnung zu sehen." Das scheint zunächst überraschend. Warum fürchtet Kohlhaas, daß die Pferde ihm im abgehungerten Zustand wieder zugestellt werden könnten? Wohl darum, weil in diesem Fall seine Rechtssache unklar geworden wäre, dann hätte der Junker zum mindesten den Schein des Rechtes für sich in Anspruch nehmen können. So aber kann Kohlhaas klar und reinlich trennen. Die Welt, das heißt die soziale und staatliche Gemeinschaft der Menschen, ist in ungeheurer Unordnung. Denn sie kann ohne das Streben nach Gerechtigkeit nicht existieren, weil sie sich sonst selber dem anarchischen Chaos ausliefert. Für Kohlhaas haben die Institutionen des Staates eine gleichsam persönliche Bedeutung; er redet sie — Fricke hat das mit Recht hervorgehoben — wie ein Du an, sein Vertrauen in den vom Staate gewährten Rechtsschutz bedeutet für ihn die natürliche und sittliche Grundlage seines Daseins. Nun aber stellt sich heraus, die Welt ist nicht so, wie sie sein sollte, wie sie sein müßte. Die ungeheure Unordnung in der Welt ist mehr als bloß allgemeine Not oder unvermeidliche Gebrechlichkeit — solche Art von Unvollkommenheit hatte Kohlhaas eh und je anerkannt —, diese ungeheure Unordnung ist für Kohlhaas das Chaos schlechthin. Auf der anderen Seite weiß er sich selbst in der eignen Brust in Ordnung, er weiß, daß sein Anspruch auf die Rappen nicht willkürlich ist, sondern rechtschaffen und in der Sache selbst begründet. Kohlhaas fühlt, daß er mit sich selbst übereinstimmt.

Er schließt nunmehr den Kaufvertrag über sein eignes Haus ab, entschlossen, seine Klage beim Landesherrn persönlich zu vertreten. Denn er will nicht in einem Lande leben, in dem er sich in seinen Rechten nicht mehr geschützt weiß. Jedoch erbietet sich seine Frau, statt seiner nach Berlin zu gehen und die Bittschrift zu überreichen. Dieser letzte, noch legitime Versuch erweist sich als der unglücklichste Schritt von allen, die er in seiner Sache bisher getan hat. Denn durch eine Verkettung von unglücklichen Umständen führt dieses, noch dazu vergeblich durchgeführte Vorhaben zum Tode der Frau. Diesen Zug seiner Erzählung hat Kleist frei erfunden. An sich trägt niemand an diesem Ereignis die Schuld, das Schicksal selbst hat eingegriffen und schweres Leid über Kohlhaas verhängt. Aber indirekt ist das ganze Unglück doch durch die Rechtssache hervorgerufen und hat ihr damit erst die unausweichliche Schwere gegeben. Zwar fordert die sterbende Frau Kohlhaas zur Vergebung auf, dieser antwortet jedoch darauf: „So möge mir Gott nie vergeben, wie ich dem Junker vergebe!" Der Sinn dieser Stelle ist nicht ganz einfach zu verstehen. Wenn wir das „Wie" als ein Wenn lesen, würde die Stelle meinen: Ich kann dem Junker nicht vergeben. Denn mit dieser Preisgabe meines eignen Rechtes müßte auch ich auf eine Vergebung durch Gott verzichten. Richtiger ist es wohl, wenn wir mit Gerhard Fricke annehmen, daß Kohlhaas seiner Frau klarmachen will, einem Erbärmlichen könne man nicht vergeben; das wäre nur eine Scheingeste, und diese Art von Vergebung könne auch er sich von Gott nicht wünschen. Wieweit ist „Vergebung" hier überhaupt möglich? Das Problem dieses Rechtsstreites läßt sich auf solche Weise nicht lösen. Die Forderung der Gerechtigkeit bliebe auch dann bestehen.

Aber wie ist der Konflikt zu lösen? Die Rechtssache als solche ist ja niedergeschlagen. Zur Resignation ist der Roßhändler offensichtlich nicht bereit. Da ereignet sich nunmehr etwas völlig Neues und Unerwartetes, ja etwas gänzlich Ungewöhnliches. Kohlhaas bricht zum Geschäft der Rache auf. Das geschieht plötzlich und ohne weitere Motivation. Es geht ihm dabei nicht so sehr um die Wiedererlangung der Rappen, sondern um die Bestrafung des Junkers. Sehr bezeichnend ist es, daß am Beginn jener furchtbaren Gewalttaten, die im Streitobjekt der Rappen ihren Ausgangspunkt hatten, diese selbst ins anonyme Dunkel zurücktreten. Bei den mörderischen Vorgängen auf der Tronkenburg werden sie

zwar auf Befehl des Kohlhaas mit Gewalt aus dem brennenden
Schuppen herausgeholt, bleiben dann aber dem Knecht überlassen,
der mit ihnen nichts anzufangen weiß. Sie sind gewissermaßen
herrenlos geworden, sie gehören allen und niemandem. In ihrem
erniedrigten, verwilderten Zustand spiegelt sich die anarchische
Situation des Roßhändlers, den jetzt nicht mehr der Gegenstand
seines Rechtshandels interessiert, sondern nur noch die Person des
Junkers, die ihn so infam beleidigt hat.

Kohlhaas erläßt auf der Suche nach dem geflohenen Junker sein
erstes Mandat, worin er das Land auffordert, „dem Junker
Wenzel von Tronka, mit dem er in einem gerechten Krieg liege,
keinen Vorschub zu tun". Dieser Krieg, den Kohlhaas jetzt führt,
ist eine Art Privatkrieg, so als ob er und der Junker ganz allein
auf der Welt wären. Oder richtiger gesagt: es gibt nach Kohlhaas'
Meinung nur zwei Kategorien von Menschen, nämlich die bösen,
die auf der Seite des Junkers stehen, und die guten, die seine
Sache zu ihrer eignen machen. Kohlhaas stellt sich hier der
Welt gleichsam allein gegenüber. Er empfindet sich nicht mehr
wie zu Beginn der Erzählung als ein Glied der Welt und ihrer
sozialen Ordnungen. Denn diese Welt hat ihn ja, wie er glaubt,
endgültig aus ihren Reihen ausgestoßen. Der Junker seinerseits
wird als der allgemeine Feind aller Christen bezeichnet. Kohlhaas
wiederum nennt sich in einer „Schwärmerei krankhafter und miß-
geschaffener Art" „einen Reichs- und Weltfreien, Gott allein unter-
worfenen Herrn". Reich und Welt werden von Kohlhaas jetzt als
nicht mehr vorhanden übersprungen; die Bindung des Einzelmenschen Kohlhaas an seinen Gott wird für so absolut erklärt, daß von
hier aus noch ein gesetzloser Aufstand gegen Reich und Welt erfolgen kann. Kleist, der in seinem rein epischen Erzählen sich jede
Parteinahme verbietet, hat an dieser Stelle ein negatives Wert-
urteil ausgesprochen. Es erhebt sich für den Interpreten die Frage,
ob er damit seiner eignen Meinung über den Roßhändler Ausdruck
geben will oder nur das Urteil der Welt charakterisiert, das diese
über ihn und die absonderlichen Vorgänge fällt. Der weitere Verlauf der ganzen Begebenheit wird uns jedoch zeigen, daß Kohlhaas
hier mit seinem Handeln keineswegs im Rechte ist, daß man die
Erzählung verfehlt, wenn man ihn als tragische oder heroische
Idealfigur deutet, die sich aus der berechtigten, absoluten Bindung
an das Gewissen nunmehr einer verrotteten Welt als einziger
widersetzt. Vielmehr ist Kohlhaas jetzt in der Tat „entsetzlich"
geworden, er geht den Weg der Anarchie, und Kleist ist weit davon

entfernt, sich an dieser Stelle mit der Person seines Roßhändlers zu identifizieren. Hierin weicht meine Auffassung durchaus von der Frickes ab. Kleist kommt es auf die Begebenheit als Ganzes an, die, wie wir noch sehen werden, durch das Symbol der Rappen zusammengehalten wird und von hier aus ihr Profil erhält. Schwärmerei, wir wissen es nur zu gut, kann in der politischen Welt den größten Erfolg haben. Das ist auch bei Kohlhaas der Fall, der durch den Klang seines Geldes, durch die Aussicht auf Beute und andere zweifelhafte Motive manchen Zulauf bekommt. Es folgt dann der Bericht über die Brandstiftungen und die weiteren Erfolge des Kohlhaas. Wittenberg wird im ganzen dreimal in Brand gesteckt, der Widerstand des Landvogtes von Gorgas wird niedergeschlagen. Kohlhaas ist unterdes zu einem furchtbaren Wüterich geworden. Auch der neue Heerhaufen von 500 Mann, der sich ihm unter Anführung des Prinzen Friedrich von Meißen entgegenstellt, wird zurückgeworfen. „Inzwischen war Kohlhaas in der Tat, durch die sonderbare Stellung, die er in der Welt einnahm, auf hundert und neun Köpfe herangewachsen." Er steckt nunmehr Leipzig von drei Seiten in Brand. In dem Mandat, das er bei dieser Gelegenheit ausstreut, nennt er sich „einen Statthalter Michaels, des Erzengels, der gekommen sei, an allen, die in dieser Streitsache des Junkers Partei ergreifen würden, mit Feuer und Schwert, die Arglist, in welcher die ganze Welt versunken sei, zu bestrafen". Mit einer Art Verrückung ist das Ganze unterzeichnet: „Gegeben auf dem Sitz unserer provisorischen Weltregierung, dem Erzschlosse zu Lützen." Offensichtlich hat für Kohlhaas sein einmaliger Handel mit dem Junker eine stellvertretende Bedeutung für das Verhältnis des Menschen zur Welt überhaupt. Bei aller Phantastik hat sein Vorgehen etwas schrecklich Konkretes. Er führt seinen Rachekrieg in einem apokalyptischen Bewußtsein; die Partei der Guten und die Partei der Bösen sind nach seiner Meinung unerbittlich voneinander geschieden.

Ein Wendepunkt im Geschehen scheint sich durch das Eingreifen Luthers zu ereignen. Aber es ist nicht, wie die meisten Interpreten annehmen, die entscheidende Wende in der Erzählung, sondern eher eine Art Ruhepunkt in der Handlung, der es möglich macht, den ganzen Vorgang unter neue Perspektiven zu rücken. Luther, der „auf ein tüchtiges Element in der Brust des Mordbrenners" vertraute, hatte ein Plakat angeschlagen, in dem er folgende Einwände gegen Kohlhaas erhebt:

1. Kohlhaas führt nicht das Schwert der Gerechtigkeit, sondern ist selbst vom Wirbel bis zur Sohle von Ungerechtigkeit erfüllt. Denn „in dem Streit um ein nichtiges Gut" erhebt er sich wie ein Heilloser mit Feuer und Schwert und bricht, wie „der Wolf der Wüste, in die friedliche Gemeinheit" ein, die ihn beschirmt.
2. Kohlhaas geht nur einer privaten, ungerechtfertigten Selbstrache nach, denn der Landesherr ist von seinem Rechtsstreit überhaupt nicht unterrichtet, und darum darf auch nicht behauptet werden, dem Kohlhaas sei ein endgültiges, unwiderrufliches Unrecht widerfahren.

Dieses Plakat Luthers muß auf Kohlhaas eine entscheidende Wirkung haben. Denn die Voraussetzung seiner Empörung ist ja gerade, daß die Welt ihm keinen Ort gelassen hat, von dem aus er gerecht in ihr und in ihren sozialen Ordnungen leben kann. Im Gespräch mit Luther erklärt er darüber: „Der Krieg, den ich mit der Gemeinheit der Menschen führe, ist eine Missetat, sobald ich aus ihr nicht, wie Ihr mir die Versicherung gegeben habt, verstoßen war!" Soweit ist also eine Einigung zwischen Luther und Kohlhaas durchaus möglich. Aber Luther kann darüber hinaus nicht begreifen, daß Kohlhaas um verhältnismäßig so geringer Dinge willen, wie es die Pferde sind, nach wie vor sein Recht fordert, während seine private Rache in ihren schrecklichen Ausmaßen ja schon weit über jegliche Sühne hinausgegangen ist. Jedoch Luther verkennt, daß die Rosse für Kohlhaas eine nicht nur reale, sondern zugleich auch eine stellvertretende Bedeutung haben. Sie sind ihm nun einmal so teuer zu stehen gekommen — auch seine Frau war, wenn auch ohne eignes oder fremdes Verschulden, im Verlauf dieses Rechtsstreites zugrunde gegangen. — „Kohlhaas will der Welt zeigen, daß sie in keinem ungerechten Handel umgekommen ist." „So habe es denn ... seinen Lauf." Offensichtlich ist an das Schicksal der Rappen, die nach den Forderungen des Kohlhaas vom Junker dickgefüttert und wiederhergestellt werden sollen, für ihn nunmehr alle Verteilung von Recht oder Unrecht in der Welt überhaupt geknüpft. Diese Rappen sind nicht mehr das *Objekt* eines einzelnen Streitfalles, sie sind das *Subjekt* einer möglichen Gerechtigkeit in der Welt.

Im Verlauf dieses Gespräches wird deutlich, daß über Rechtsfall und Rache hinaus das Geschehen nunmehr von Kohlhaas in wachsendem Maße als vom Schicksal verhängt erlebt wird. Hätte er gewußt, daß er die Rappen mit dem „Blut aus dem Herzen" seiner „lieben Frau" auf die Beine bringen müßte, vielleicht hätte er den Scheffel Hafer dann nicht gescheut. Aber nun ist nichts mehr zurückzunehmen. Auch Luther fordert Kohlhaas im Namen Christi zur Vergebung auf. Aber was bedeutet hier „Vergebung"? Kohlhaas soll auf die Tronkenburg gehen, sich auf seine Rappen setzen und sie nach Kohlhaasenbrück zur Dickfütterung heimreiten. Dennoch verzichtet er lieber auf die Wohltat der heiligen Kommunion, als daß er sich zu dieser Art von Vergebung entschließen könnte. Wiederum hat die „Vergebung" — auch Gerhard Fricke hat auf dieses Problem hingewiesen — etwas seltsam Zweideutiges. Denn der Anspruch auf die Dickfütterung der Rappen ist gerecht, und darum will ihn Kohlhaas nicht aufgeben. Solche Vergebung würde für ihn bedeuten, daß die klare Trennungslinie zwischen Recht und Unrecht von ihm selbst verwischt würde.

Immerhin ist Luther bereit, die Neuaufnahme des Prozesses, unter Zusicherung der Amnestie für Kohlhaas und seinen Haufen, zu vermitteln. Allerdings zeigt schon das nachfolgende Gespräch in der Staatskanzlei, wie verwickelt der ganze Rechtsfall inzwischen geworden ist. Der Kämmerer, Herr Kunz, betont, daß der Roßhändler weder nach göttlichen noch nach menschlichen Gesetzen eine so ungeheure Selbstrache ausüben durfte. Der Prinz Christian von Meißen weist auf den gerechten Anspruch auf Schadenersatz oder wenigstens auf Bestrafung hin, den das mißhandelte Land gegen Kohlhaas habe. Der Großkanzler des Tribunals, Graf Wrede, erklärt demgegenüber, daß nur ein schlichtes Rechttun die so verworrene Sache wieder auflösen und die Regierung aus dem häßlichen Handel herausziehen könne. Offensichtlich ist die Ordnung des Staates im Hinblick auf diesen einen Mann völlig verrückt worden. Wer sind hier die Schuldigen? In welcher Weise lassen sich noch Anklagen gegen sie erheben? Wie ist hier Gerechtigkeit möglich? Schwerlich dürfte das ganze Problem mit bloßer staatskluger Berechnung zu lösen sein, wie sie der Mundschenk, Herr Hinz von Tronka, aus sehr durchsichtigen, sehr egoistischen Motiven vorschlägt. Trotz aller Schwierigkeiten kommt es zu einer Entscheidung. Der Kurfürst von Sachsen nimmt am Ende den Rat an, den ihm der Dr. Luther erteilt hat, und gewährt dem Kohlhaas ein freies Geleit nach Dresden und völlige Amnestie in Sachen seiner in Sachsen ausgeübten Gewalttätigkeiten für den Fall, daß sein Prozeß vor dem Tribunal zu Dresden zu seinen Gunsten ausgehen sollte.

Damit ist ein Höhepunkt in der Linienführung der Novelle erreicht. Noch vermochte Kohlhaas das Wesen der Gerechtigkeit mit den Überzeugungen in seiner eignen Brust zu identifizieren und hatte darum „Vergebung" abgelehnt. Noch scheint die weitere Entwicklung ihm damit recht zu geben. Muß man nicht mit Sicherheit annehmen, daß der Prozeß für ihn nur einen günstigen Ausgang haben kann? Aber gerade jetzt — und nicht etwa im Gespräch mit Luther — ereignet sich der entscheidende Wendepunkt der Novelle, der das ganze Geschehen in eine neue, weit über Kohlhaas hinausreichende Beleuchtung rückt. Wiederum ist es das Sinnbild der Rappen, das hier, gegen die Mitte der Erzählung, in durchaus kunstvoller Absicht von Kleist noch einmal eingeführt wird und dem Geschehen sein eigentliches Profil verleiht. Diese Rappen, um derentwillen der ganze Staat wankt, sind inzwischen auf den Schinder herabgekommen. Sie haben ein erschreckendes Ausmaß an völliger Anonymität, ja an Wertlosigkeit erreicht. Kein Mensch will mit ihnen etwas zu tun haben, jeder Umgang mit ihnen erscheint als Unehre. Erst waren es die wohlgenährten edlen Tiere, dann waren sie erniedrigt und verwahrlost durch falsche Unterbringung und falsche Verwendung, dann traten sie verwildert und herrenlos auf, jetzt sind sie auf dem völligen Tiefpunkt, der durch nichts mehr zu unterbieten ist. Die nun nicht mehr ansteigende, sondern fallende Bewegung der Novelle wird damit sichtbar. In dem Augenblick also, als das Recht des Kohlhaas wiederhergestellt werden soll, zeigt sich das Sinnbild, an das dieses Recht geknüpft ist, in einem Zustand völliger Nichtigkeit. Die Vorführung der Rappen auf dem Markt bewirkt heilloses Durcheinander, bösen Tumult. Die Verkettung von Gesetzlosigkeit und Gewalt wirkt, einmal entfesselt, gleichsam selbsttätig weiter. Jeder Wille, von sich aus auf Erden sein Recht zu erlangen, bringt offensichtlich vervielfachtes Unrecht hervor.

Die Vorgänge auf dem Marktplatz schildert Kleist mit einem krassen Realismus, ja Naturalismus. An die Pferde kommt man nur „über eine große Mistpfütze, die sich zu ihren Füßen gebildet hatte", heran. Der Abdecker wird als ein Kerl dargestellt, „der mit empfindungslosem Eifer seine Geschäfte betrieb". Er steht mit gespreizten Beinen da und zieht sich die Hosen in die Höhe, er stellt sich an den Wagen und schlägt sein Wasser ab. Die ganze Atmosphäre, die von den ehrlos gewordenen Pferden ausgeht, ist böse und gemein; die Szene auf dem Markt hat etwas Pöbelhaftes, der Rechtshandel ist zu einem widrigen Skandal herabgesunken.

Das Unheimliche der Situation verdichtet sich im Grotesken. Von dieser Stilform geht der Weg bis zu Franz Kafka. Wohl ist

Kohlhaas an alledem völlig unschuldig, aber die Stimmung schlägt trotzdem gegen ihn um. Sein Verhältnis zum Staat wird als unerträglich empfunden, als „rasender Starrsinn", als eigensinniges Beharren auf einer „nichtigen Sache". Das Symbol dieser entwerteten Rappen macht erst die ganze tragische Zweideutigkeit der erzählten Begebenheit sichtbar. Gewiß war es ein gerechter Handel, aber lassen sich die schrecklichen Folgen, die er hervorrief, noch rechtfertigen? Wieweit ist überhaupt die noch so gerechte Sache eines Menschen in der Verflochtenheit der Begebenheit, die sich gleichsam von sich aus immer weiter entwickelt, wirklich noch seine eigne Sache? Kann der Mensch, der nur auf sich und sein persönliches Gewissen gestellt ist und von hier handelnd in die Welt eingreift, in der Welt, so wie sie nun einmal eingerichtet ist, überhaupt bestehen? Ist nicht Kohlhaas' Anliegen nunmehr bereits abstrakt geworden, wenn man es an der negativen Konkretheit seiner auf dem Markt erscheinenden Rappen mißt?

So werden durch die Handlung als solche die am Eingang so klaren Rechtsfronten ständig verschoben. Jetzt läßt sich kaum mehr entscheiden, wo denn eigentlich das Recht und wo das Unrecht liegt. Alles das wird mit der Abdeckerszene auf dem Markt sichtbar und führt zu jener entscheidenden Wandlung des Kohlhaas, die von den Interpreten so gerne beiseite geschoben wird, weil sie ihnen die Idealvorstellung von der absoluten Existenz verdirbt. Auch ein so fest gegründeter Charakter wie der des Kohlhaas kann sich der Eigenbewegung des Geschehens nicht entziehen. Ausdrücklich heißt es im Text: „Der Roßhändler, dessen Wille, durch den Vorfall, der sich auf dem Markt zugetragen, in der Tat gebrochen war, wartete auch nur, dem Rat des Großkanzlers gemäß, auf eine Eröffnung von Seiten des Junkers oder seiner Angehörigen, um ihnen, mit völliger Bereitwilligkeit und Vergebung alles Geschehenen, entgegenzukommen."

Man könnte meinen, das sei ein Bruch in Kohlhaas' Charakter. Aber diese Auffassung setzt voraus, daß man diesen Charakter von vornherein als starrsinnig und fanatisch interpretiert. Jedoch hatte Kohlhaas gerade zu Beginn seines Rechtshandels durchaus Geduld und Langmütigkeit gezeigt. Das Entscheidende dieser Wendung des Kohlhaas liegt nicht im Charakterproblem; vielmehr sieht er nun selber ein, daß der durch ihn entfesselte Vorgang bereits selbständig über ihn hinausgewachsen ist und er nun nicht mehr der aktive Täter, sondern der Erleidende des Geschickes ist. Der

Versuch, vom eignen Ich, das sich mit sich selbst in Ordnung weiß, den Kampf mit einer Welt, die in Unordnung ist, aufzunehmen, ist gescheitert. Für Kohlhaas bedeutet das ganz konkret: sein Krieg mit dem Junker ist gescheitert. Aber mit einem Male ist das auch gar nicht mehr so wichtig. Denn der Junker ist ja längst genug bestraft, ja, er ist beinahe eine bemitleidenswerte Figur geworden. Die Angelegenheit hat Ausmaße angenommen, bei denen die konkrete Rechnung Kohlhaas oder der Junker nicht mehr aufgeht. Das Sinnbild für das Ungreifbare, Verwirrende und Bedenkliche dieses anfangs so klaren Rechtshandels sind die auf den Schinder herabgekommenen Rappen.

Charles E. Passage hat in seinem Aufsatz über „Michael Kohlhaas" (in: Germanic Review, Vol. XXX, October, 1955) eine Formanalyse durchgeführt, die den Aufbau des Ganzen mit einem fünfaktigen Drama vergleicht. Auch für Passage ist die Szene auf dem Markt der entscheidende Punkt des Umschwungs, von dem aus die bis zum dritten Akt ansteigende Handlung sich in eine fallende verwandelt. Der erste Akt gehört nach Passage der Sphäre des privaten Individuums, der „kleinen Welt"; im zweiten erweitert sich der Aktionsradius auf Städte und Bezirke, und Kohlhaas wird zum handelnden Helden; der dritte Akt führt ihn dann in die „große Welt" mit ihren drei Hauptkräften: Kirche, Staat und organisierter Gesellschaft. Gerechtigkeit ist weder von Kohlhaas noch von seinen Gegenspielern erreicht worden. Mit der breughelartigen Szene auf dem Marktplatz wird beim Leser tragische Furcht geweckt; denn er überschaut, daß nichts mehr in Ordnung ist. Nunmehr muß die Sache, für die Kohlhaas kämpfte, vor höhere Instanzen gebracht werden, und damit ergibt sich in der fallenden Bewegung des vierten und fünften Aktes die Ausweitung sogar über den Erdkreis, die Einführung des Wunderbaren. Noch über die Grenze des Todes hinaus und bis in die Zeiten der Ungeborenen wird die Gerechtigkeit zum zeitlosen und allumfassenden Anliegen. Der Abschluß des Ganzen ist nach der Meinung von Passage in Analogie zum Jüngsten Gericht konzipiert.

Das Verdienst dieser Auslegung liegt darin, daß sie sich von dem Vorurteil der Charakternovelle frei gemacht hat. Auch den dramatischen Aufbau wird man weitgehend zugeben müssen. Passage verkennt hingegen, daß das Ganze trotz allem kein Drama, sondern eine Novelle ist. Bezeichnend dafür ist, wie er an der Rolle des Dingsymbols, an den Pferden, vorbeisieht. Sie hätten in einem Drama unmöglich mehrmals auftreten können, ohne lächerlich zu wirken. Aber gerade das Schicksal der Pferde hat Kleist ganz frei gestaltet, der historische Kohlhaas hatte sie sich schon sehr früh wiedergeholt. Für Passage sind die Pferde die „Parodie" des Werdeganges des Helden, die „komische" Umkehrung seines Schicksals. Am Höhepunkt von Kohlhaas' Ansehen und Erfolg seien sie auf dem Tiefpunkt, und im Verlauf der fallenden Handlung werden sie dann wieder zu Gesundheit und Ehren gebracht. Das heißt die Zusammenhänge nur von außen und nicht von innen sehen. Mit dem „Tiefpunkt" der Pferde wird ja gerade die Wende zur Katastrophe sichtbar und mit ihrer Wiederherstellung am Ende der Triumph der Gerechtigkeit. Es geht um die novellistische, wenn auch dramatisch gegliederte Begebenheit, und das Dingsymbol der Pferde verdichtet sie an den entscheidenden Stellen in ihrer ganzen inneren Bedeutung. Das zeigt sich genau in der Mitte der Geschichte an der mit der Marktplatzszene einsetzenden neuen Wendung.

Denn gerade jetzt stellt sich heraus, daß die Begebenheit als solche sich von der Person des Kohlhaas mehr und mehr abgelöst hat. Die Wandlung in seiner Haltung vermag daran nichts mehr zu ändern. Denn die Partei des Junkers ist inzwischen durch alle bereits geschehenen Vorgänge so erbittert, daß eine gütliche Einigung auch von ihrer Seite aus nicht mehr möglich ist. Hinzu kommen die weiteren Komplikationen, die durch die Tätigkeit des Johann Nagelschmidt ausgelöst werden, der im Namen des Kohlhaas neue Verbrechen begeht. Wohl ist Kohlhaas an alledem völlig unschuldig, aber seine Rechtssache wird trotzdem immer verwickelter und verworrener. Wenn jetzt die Partei des Junkers die ganze Angelegenheit absichtlich in die Länge zieht, so trägt das ein übriges dazu bei, den anfangs so klaren Rechtsfall völlig zu verdunkeln. Hinzu kommt, daß Kohlhaas faktisch als ein Gefangener gehalten wird und er zum mindesten glauben muß, ihm sei die vor aller Welt angelobte Amnestie gleichsam öffentlich gebrochen. So erscheint ihm seine eigne Lage immer aussichtsloser. Am Ende kommt es zu seiner Überlistung, als er auf die Intrige eines eingeschmuggelten Briefes hereinfällt. Aber dieser Kohlhaas, der sich unklugerweise mit dem Nagelschmidt einläßt, das ist bereits der durch Gram völlig gebeugte Kohlhaas, der auf die Dickfütterung der Rappen längst Verzicht getan und der nur noch den einen Wunsch hat, sich mit seinen fünf Kindern in Hamburg nach fernen Ländern einzuschiffen. Das geschieht freilich nicht, vielmehr verkehrt sich der zunächst so günstig begonnene Prozeß unter allen diesen widrigen Umständen in sein Gegenteil. Kohlhaas wird verurteilt, „mit glühenden Zangen von Schinderknechten gekniffen, gevierteilt, und sein Körper, zwischen Rad und Galgen, verbrannt zu werden". Nicht nur die Welt ist in Unordnung, sondern auch seine eigne, von gramvollen Schmerzen zerrissene Brust. Das Sinnbild der auf den Schinder herabgekommenen Rappen findet seine Entsprechung in dieser völligen Anarchie, die draußen und drinnen herrscht, nicht nur im staatlichen Geschehen, sondern auch in der Seele des Kohlhaas.

Wenn Kleist hier seine Erzählung beendet hätte, wäre der Gesamteindruck völlig trostlos oder, um die heute so beliebte Wendung zu gebrauchen, „nihilistisch". Aber er gibt dem Geschehen noch einmal eine neue Wendung. Diese kann nur von außen kommen. Fast ruckartig erhebt sich hier die Kleistsche Phantasie noch über alle historischen Tatsachen. Durch das Eingreifen des Kurfürsten von Brandenburg, der als Landesherr zu Kohlhaas' Rettung aus den Händen der Übermacht und Willkür auftritt, wird der Prozeß an die höchste Instanz des Berliner Hofes weitergeleitet. Der Kurfürst von Brandenburg ist von der Geschichte „dieses sonderbaren und nicht verwerflichen Mannes" unterrichtet worden, und er hat auch von der Schuld erfahren, die seinen Erzkanzler, den Grafen Siegfried von Kalheim, und damit indirekt auch ihn belastet. Die Verfehlung des Grafen wird von ihm auf eine gerechte Weise bestraft. Es ist also keineswegs so, daß in der Welt draußen immer nur das Unrecht und die Unordnung herrschen, sondern im ganzen Verlauf der Erzählung macht Kleist den Antagonismus von Recht und Unrecht sowohl in der Welt wie auch in der Seele des Kohlhaas sichtbar. Das Geschehen selbst, das sich immer mehr von einem einzelnen Ereignis in ein universales Ereignisgeflecht ausweitet, muß über das Wesen dieses Antagonismus von Recht und Unrecht und seine mögliche Lösung befragt werden. Kohlhaas ist inzwischen längst nicht mehr Subjekt des Geschehens, sondern zu seinem Objekt geworden. Nunmehr wird sein Rechtsfall jenseits der sächsischen und der brandenburgischen Instanzen von der höchsten Stelle, dem kaiserlichen Hof, behandelt. Dieser ist nicht mehr an die von dem Kurfürsten von Sachsen gewährte Amnestie gebunden, weil der Landfrieden vom Kaiser eingesetzt ist und der Kaiser seinerseits keine Amnestie gegeben hat.

Während bisher die Novelle streng an die realistischen Voraussetzungen einer geschichtlichen Welt gebunden blieb, läßt sie Kleist gegen den Ausgang hin ins Übersinnliche hinüberspielen.

Man hat das oft als einen Stilbruch getadelt. Wozu bedarf es noch jener kleinen bleiernen Kapsel, die Kohlhaas einst von einer Zigeunerin erhalten hat und die ihm an einem seidenen Faden vom Halse herabhängt? Jetzt verleiht sie ihm eine geheimnisvolle Macht über den Kurfürsten von Sachsen. Kohlhaas könnte noch einmal gerettet werden, weil der Kurfürst an dieser Kapsel, von der er eine entscheidende Prophezeiung über sein Haus erwartet, aufs höchste interessiert ist; aber Kohlhaas will es nicht. Durch das Eingreifen magischer Mächte (Zigeunerin, Wahrsagung und Kapsel) gibt Kleist seinem Kohlhaas, der inzwischen ja längst der Erleidende des Geschickes geworden ist, gegen Ende der Erzählung noch einmal die Möglichkeit zur Aktivität. Wiederum ist es ihm jetzt um Rache zu tun, aber nicht um Rache an dem Junker, sondern um Rache an dem Kurfürsten, der ihm die Amnestie gebrochen hat. Kohlhaas' Rache erfolgt „eingedenk der unedelmütigen und unfürstlichen Behandlung, die er in Dresden, bei seiner gänzlichen Bereitwilligkeit, alle nur möglichen Opfer zu bringen, hatte erfahren müssen". Der Kurfürst kann ihn aufs Schafott bringen; er aber kann dem Kurfürsten wehe tun und will es tun. Ja, die eigne Frau scheint aus dem Totenreich wiederaufzusteigen, um in einer merkwürdigen, nur leise angedeuteten Vertauschung mit der Zigeunerin ihm nunmehr beim Werk der Rache zu helfen. Die Sache des Kohlhaas gewinnt hier einen geradezu magischen Charakter; und wenn Kleist jetzt Mächte in die Erzählung hineinspielen läßt, die sich kausal nicht mehr erklären lassen, so will er damit auf jene höhere Verknüpfung der Dinge hindeuten, um die es ihm gerade im Abschluß seiner Erzählung zu tun ist. Selbst der Kurfürst von Sachsen kann Kohlhaas nicht mehr retten, mag ihm noch so sehr aus durchaus eigennützigen Motiven daran gelegen sein. Doch auch Kohlhaas konnte und durfte Gott nicht die Zügel der Welt aus den Händen nehmen. Daß er es trotzdem versuchte und Gerechtigkeit auf seine eigne Weise erzwingen wollte, bleibt seine Schuld, seine tragische Hybris. Dennoch reicht seine Sache sogar noch über die Erde und das Leben hinaus. Die Symbolik des Totenreiches, die bedeutungsschweren Prophezeiungen, der gesamte Einbruch des Wunderbaren, das alles ist für Kleist notwendig und in keiner Weise durch die tatsächlichen Ereignisse nahegelegt. In Wirklichkeit hat die Frau des Kohlhaas ihren Mann um mehrere Jahre überlebt. Der „magische Realismus" des Abschlusses stellt die Begebenheit, in der es um Gerechtigkeit geht, in den weitesten Umkreis. Erst im geisterhaften und zugleich wirklichen Zusammentreffen aller Figuren in der Schlußszene fällt die letzte, endgültige und absolute Entscheidung, nicht nur über Kohlhaas, sondern über die ganze Welt, für die diese Begebenheit stellvertretend steht. Das Urteil im Prozeß erfolgt gerecht: Kohlhaas wird mit dem Schwerte vom Leben zum Tode gebracht, aber er stirbt in Frieden, empfängt die Wohltat der heiligen Kommunion, versöhnt die Welt „wegen des allzuraschen Versuchs, sich selbst in ihr Recht verschaffen zu wollen". Noch einmal werden die Rosse sichtbar, aber ganz anders als bisher! Sie sind wieder ehrlich gemacht, glänzen von Wohlsein und stampfen die Erde mit ihren Hufen. Die Leute des Junkers haben sie dickfüttern müssen, dieser selbst wird zu einer zweijährigen Gefängnisstrafe verurteilt. Die Söhne des abgeschiedenen Kohlhaas hingegen werden zu Rittern geschlagen und in einer Pagenschule erzogen. Zu dieser ausgleichenden Gerechtigkeit gehört ferner, daß der Kurfürst von Sachsen an Leib und Seele gebrochen nach Dresden zurückkehrt, während von Kohlhaas im vergangenen Jahrhundert, im Mecklenburgischen, noch einige frohe und rüstige Nachkommen gelebt haben.

Am Ausgang der Novelle wurde noch einmal das Wesen der Begebenheit im Bildsymbol der Rosse verdichtet, die nunmehr aus ihrer Erniedrigung befreit sind, keineswegs ein „nichtiges Gut", sondern stellvertretend für eine mögliche Ordnung in der bisher so anarchischen Welt. So sehr auch diese Welt für Kleist ein Ort der schlechten Verständigung, des Versehens, des Unheils und des Unrechtes ist, sie ist damit doch nur voreilig gedeutet und in ihrem verborgenen Wesen noch nicht erkannt. Das ist auch der tiefere Grund, warum sich das realistische Erzählen bis zur Darstellung des Übersinnlichen ausweiten mußte. Kleist läßt am Ende seinen Kohlhaas sterben in der freiwilligen Anerkennung einer Gerechtigkeit, die nicht nur seine eigne ist, sondern noch weit über ihn selbst hinausgreift; er läßt ihn aber auch sterben mit dem Eigenwillen einer bewußt vollzogenen, durch magische Mächte ermöglichten Vergeltung, als einen Gerichteten, der den Tod freiwillig auf sich nimmt um der Rache willen. Auch der sterbende Kohlhaas ist keine Idealfigur. Passage übertreibt, wenn er hier vom Jüngsten Gericht spricht und Kohlhaas für einen erleuchteten Sünder hält, dem im Tode die Augen aufgehen.

Verdeutlichen wir uns abschließend noch einmal die Weise des Erzählens. Kleist erzählt dynamisch; ununterbrochen, fast pausenlos geschieht etwas, ohne daß es reflektiert oder gedeutet würde. Die Welt des Menschen ist eine geschichtliche Welt, die ihn ständig vor neue Situationen stellt; das Ereignis erweitert sich zum Ereignisgeflecht. Dazu gehören auch die sich ständig vergrößernde Personenzahl und die räumliche Ausweitung bis über die Grenzen von Raum und Zeit hinaus. Nichts läßt sich vorausschauen oder vorausberechnen, nichts läßt sich rückgängig machen. Auch noch in der als Rechtsstreit gefaßten Begebenheit wirken die Zufälle und die Schicksale mit, gegen die der Mensch, ganz unabhängig von der Frage nach Gut und Böse, wehrlos ist. Aber wie es dabei dennoch um Recht oder Ungerechtigkeit geht, wie der unbegriffene Gott in allen diesen Vorgängen auf geheime Weise anwesend ist, das wurde besonders im Dingsymbol der Rappen sichtbar. Sie zeigen den höchsten Grad der Verfallenheit des Menschen an eine Welt, in der sich das Gute in das Böse verkehrt, ja beides sich nicht mehr klar unterscheiden läßt, aber auch die mögliche Wiederherstellung, die sich in einer übermenschlichen, im Geschehen selbst wirkenden Logik am Ende dennoch durchsetzt. Der Erzähler kann darauf verzichten, in philosophischen oder theologischen Aussagen darüber etwas mitzuteilen. Er hat es ins Bild gebannt. Dieses Bild bleibt ganz sinnlich, ganz real, es sind natürliche Rosse und weiter nichts; aber die konstruktive Kunst des Novellisten macht sie zu einem ausstrahlenden Mittelpunkt, von dem aus die ganze Begebenheit zum Gleichnis zu werden vermag.

Das spiegelt sich auch in der Verlagerung auf die höheren Rechtsinstanzen, die dann die übergreifende Ordnung verkörpern. Der Kaiser und das Reich stehen noch stellvertretend für jenen tieferen, über das Sichtbare hinausreichenden Zusammenhang der Dinge, den wir zwar oft falsch auslegen, der aber dennoch in der Welt wirklich vorhanden ist. Um das deutlich zu machen, bedurfte Kleist auch des Eingreifens der für den Verstand nicht mehr faßbaren dämonischen Mächte. Die Zigeunerin und ihre Kapsel geben dem nur noch der nackten Gewalt ausgelieferten Kohlhaas eine rational nicht mehr begreifbare Freiheit zurück. Die Novelle ist in ihrem Ausgang keineswegs tragisch, sondern die Auflösung erfolgt von oben. Der magische Realismus triumphiert mit seinen geheimnisvollen Mächten über die bloße Fatalität und über die bloße Determination. Aber auch die übernatürlichen Vorgänge bleiben im Sinnlichen sichtbar, lassen sich jedoch aus der vernünftigen Kausalität nicht mehr begründen. Darum haben wir sie als magisch bezeichnet.

Das Kleistsche Erzählen ist überall konkret. Nur in einigen Gesprächen wird die Situation erörtert. Aber auch diese bringen nicht etwa eine Diskussion über allgemeine Ideen, Gedanken und Grundsätze. Das Innere der Menschen bleibt weitgehend verhüllt oder spricht sich nur indirekt durch Zeichen aus, die im Sinnlichen sichtbar werden. Auf die Bedeutung des Errötens und der Ohnmacht bei Kleist hat man wiederholt hingewiesen. Nirgends wird das Verhalten des Kohlhaas oder seiner Gegner psychologisch zergliedert. Die ganze Art des Erzählens zielt auf die Begebenheit, die anfänglich so klar überblickbar war und sich dann mit kunstvoller Absicht immer verworrener darstellt, weil gerade das zum Wesen dieses Vorganges gehört. Müßig zu fragen, ob das Geschehen zufällig oder schicksalhaft ist. Beides läßt sich hier nicht trennen. Aber so sehr auch Kleist den unvermeidlichen, ja tragischen Antagonismus von Ordnung und Unordnung darstellt, so sehr er auch die Bedrohung seines Kohlhaas durch den Wechsel geschichtlicher Situationen zeigt, so sehr auch der Staat selbst in seinen partiellen Gegensätzen, Sachsen und Brandenburg, sichtbar wird, über dem Ganzen steht die Auflösung dieses Antagonismus, steht die ausgleichende Wahrheit, die sich mit Hilfe der Menschen oder auch gegen die Menschen am Ende dennoch durchsetzt und auf jene höhere Verknüpfung der Dinge hindeutet, die in der Wirklichkeit des Geschehens selbst auf unbegreifliche Weise am Werke ist.

CLEMENS BRENTANO

GESCHICHTE VOM BRAVEN KASPERL
UND DEM SCHÖNEN ANNERL

Brentanos „Geschichte vom braven Kasperl und dem schönen Annerl", die er in vier Tagen vollendet haben soll, erschien zuerst in Gubitz' „Gaben der Milde" Berlin 1817. Luise Hensel berichtet über die Entstehung der Novelle, Brentano habe ihre Mutter im Frühjahr 1817 in Berlin besucht und sie um eine Geschichte gebeten, die er niederschreiben könne. Die Mutter erzählte daraufhin nicht nur eine, sondern zwei, die sich beide wirklich ereignet hatten, eine von einem Kindsmord in Schlesien und eine von dem Selbstmord eines Unteroffiziers. Brentano hat dann beide Erzählungen miteinander verknüpft und eine Novelle daraus gemacht, in deren Mitte das Grundmotiv der Ehre steht. Auch auf andere Quellen der Erzählung hat man noch hingewiesen. Die wichtigste ist zweifellos das Gedicht „Weltlich Recht" aus dem „Wunderhorn" (Bd. 2, S. 204), nicht nur wegen der Verwandtschaft der Fabel, sondern auch wegen des balladenhaften Volkstones, der in Brentanos Erzählung noch nachklingt.

Das Gedicht lautet:

Joseph, lieber Joseph, was hast du gedacht,
Daß du die schön Nanerl ins Unglück gebracht.

Joseph, lieber Joseph, mit mir ist's bald aus,
Und wird mich bald führen zu dem Schandtor hinaus.

Zu dem Schandtor hinaus, auf einen grünen Platz,
Da wirst du bald sehen, was die Lieb hat gemacht.

Richter, lieber Richter, richt nur fein geschwind,
Ich will ja gern sterben, daß ich komm zu meinem Kind.

Joseph, lieber Joseph, reich mir deine Hand,
Ich will dir verzeihen, das ist Gott wohl bekannt.

Der Fähndrich kam geritten und schwenket seine Fahn,
Halt still mit der schönen Nanerl, ich bringe Pardon.

Fähndrich, lieber Fähndrich, sie ist ja schon tot:
Gut Nacht, meine schöne Nanerl, deine Seel ist bei Gott.

Was hier ganz von der Stimmung her gedichtet ist, hat Brentano mit realistischer Zustandsschilderung verbunden. Er führt sich selbst als handelnde Person in die Geschichte ein, zunächst freilich mehr zuschauend und beobachtend, aber keineswegs unbeteiligt. Seine Erzählung beginnt damit, daß eine sehr alte, 88jährige Bäuerin sich unter freiem Himmel auf der Treppe eines großen Gebäudes zur Nachtruhe vorbereitet, als ob sie alleine auf der Welt sei. Das ruft einen kleinen Volksauflauf hervor und erregt allgemeine Verwunderung. Aber alle Einwände, alles Gerede werden von ihr kaum beachtet, „grade als ob sie taub und blind sei", und am Ende sogar überlegen zurückgewiesen. „Wenn ein Mensch fromm ist und hat Schicksale und kann beten, so kann er die paar armen Stunden auch noch wohl hinbringen." Die alte Frau macht auf den Dichter einen nachhaltigen Eindruck; für ihn ist sie weder „verwirrt", noch „betrunken", noch „blödsinnig", sondern eine „gute, fromme Seele", die sich in der Welt beheimatet weiß und daher ruhig die Nacht auf der Schwelle eines fremden Hauses zubringen kann. Im Kontrast dazu erlebt er sich selbst als den Unbehausten, zerrissen von den Leiden und Begierden in der eignen Brust, von der ständigen Gefahr bedroht, wegemüde in dem Sande vor dem Tor umzusinken oder gar in die Hände der Räuber zu fallen. Die symbolische Charakterisierung seiner eignen zerrissenen Dichterexistenz ist unverkennbar.

Der Eingang der Brentanoschen Erzählung ist durchaus real, hat aber zugleich etwas Spukhaftes, etwas von einem romantischen Nachtbild. Er ist außerdem der Rahmen für die nachfolgende, von der Alten erzählte Geschichte. Wir haben also eine Rahmennovelle mit zwei Erzählern: einmal den Dichter, der die ganze Geschichte berichtet, dann die alte Großmutter, die ihrerseits dem Autor erzählt, der sich selbst in die Geschichte eingeführt hat. In der Erzählung der Alten tritt sie zwar selbst durchaus zurück, aber sie bleibt doch als Gestalt der Mittelpunkt der ganzen Novelle. Sie ist in der Art ihres Erzählens als Person immer gegenwärtig: fromm und schicksalergeben, dem Treiben der Welt bereits durch das Alter entrückt. Gebete und volkstümliche Lieder bestimmen ihre innere Haltung zum Unerforschlichen, ja noch zum Grauenhaften; sie geben ihr eine geheimnisvolle Sicherheit in allen Schwankungen des Schicksals, Sicherheit aus der Nähe zu Gott und zu seinem Jüngsten Gericht. In ihrem Erzählen scheint sie immer schon jenseits des Erzählten zu stehen; das Vergangene, das Gegenwärtige und das Künftige mischen sich wunderlich ineinander, weil das Erlebnis der Zeit bei der Alten schon ganz von dem der Ewigkeit überholt ist. Anna Margaret mit ihrer „wunderlich tiefen und ernsten Stimme", mit dem Befremdenden und Großen, das von ihr ausgeht, mit der fast unbegreiflichen Kraft ihres Ertragens und der volkstümlichen Art ihres Sprechens gehört zu den größten Eingebungen des Dichters Brentano. Silz greift nicht daneben, wenn er hier an Goethes Manto erinnert: „Ich harre, mich umkreist die Zeit." Sie erzählt die furchtbarsten Dinge, nicht etwa unbeteiligt, aber doch ganz „ruhig". „Sie weinte, ohne zu klagen, ihre Worte waren immer gleich, ruhig und kalt." Dunkles Schicksalsbewußtsein und fromme Einwilligung in den Willen Gottes sind bei ihr nicht geschieden, und auch noch die schrecklichsten Leiden können als Gnaden Gottes hingenommen werden. In dieser einfachen, alten Frau hat Brentano seine höchste Sehnsucht verkörpert, so wie sie in dem Bilde des „Eisbrechers" versinnlicht ist, an dem noch alle Schmerzen zuschanden werden. „Es war mir ein Stein vor das Herz gelegt, wie ein Eisbrecher, und alle die Schmerzen, die wie Grundeis gegen mich stürzten und mir das Herz gewiß abgestoßen hätten, die zerbrachen an diesem Stein und trieben kalt vorüber." Das Erbarmen Gottes wird von Anna Margaret in der paradoxen Weise der Verhängung noch größeren Leides erlebt.

Was erzählt Anna Margaret dem Autor und damit auch dem Leser? Zunächst erfahren wir nur wenig. Die alte Frau hat vor siebzig Jahren in diesem Hause als Magd gedient und abends hier auf ihren Schatz gewartet, der bei der Garde stand. Auch heute noch ist dieses Haus für sie die Heimat, mag das alles noch so weit zurückliegen. „Was die Zeit herumgeht! Es ist, als wenn man eine Hand umwendet." Beim Vorbeikommen der nächtlichen Soldatenstreife singt sie „mit gemäßigter Stimme, wie etwa junge Mägde und Diener in schönen Mondnächten vor der Tür" singen, das alte schöne Lied vom Jüngsten Gericht, von der Auferstehung der Toten, das leitmotivisch durch die ganze Erzählung hindurchgeht. Der Fähndrich, Graf Grossinger, ein Bekannter des Dichters, wirft ihr einen Taler und eine Rose zu. Die Rose erhält dann im Verlauf der Geschichte eine sinnbildliche Bedeutung, die hier noch nicht zu erkennen ist; doch verknüpfen schon die nächsten Volksliedstrophen der Alten die Bereiche von Rose und Liebe:

> Rosen die Blumen auf meinem Hut,
> Hätt ich viel Geld, das wäre gut,
> Rosen und mein Liebchen.

Nochmals blickt die Alte in das längst Vergangene zurück; aber ihr ist es wie ein Gegenwärtiges, das sich gerade jetzt ereignet. Schon die flinke Magd hat das Lied vom Jüngsten Gericht gesungen, schon damals warf der Grenadier von der Runde, ihr späterer Gatte, eine Rose in ihren Schoß, deren Blätter noch heute in ihrer Bibel liegen. Die Rose bedeutet hier Beginn und Zeichen des Liebesbundes, aber das alles liegt lange zurück, vier Söhne und eine Tochter sind ihr inzwischen gestorben, und „vorgestern hat mein Enkel seinen Abschied genommen — Gott helfe ihm und erbarme sich seiner! — und morgen verläßt mich eine andere gute Seele, aber was sag' ich morgen, ist es nicht schon Mitternacht vorbei?" Das Erzählen der Alten deutet auf das jüngst Gewesene zurück und auf das Kommende voraus, aber alles dies in einer ganz unbestimmten Weise, verworren und undeutlich wie bereits beim ersten Anfang: „Mein einziger Enkel hat seinen Abschied genommen; — Gott verzeiht es ihm gewiß, und ich will nicht sterben, bis er in seinem ehrlichen Grab liegt." Die Worte, mehr noch das ganze Wesen der alten Frau, erschüttern den Autor — auch später heißt es: er ist „gerührt" oder „ganz zermalmt" —, obgleich er ebensowenig wie der Leser, der die Geschichte zum ersten Male liest, auch nur im geringsten versteht, worum es eigentlich geht. „Gott gebe ihr Trost und Ruhe die vier Stündlein, die sie noch hat!" Wir wissen nicht, wer gemeint ist, was gemeint ist und worauf sich das alles bezieht.

Dann setzt der eigentliche Rückblick auf Kaspers Lebensgeschichte ein, aber nicht etwa geordnet erzählt, sondern so, wie er im Bewußtsein der Alten sich spiegelt, merkwürdig fetzenhaft, mit Sprüngen und Auslassungen; Einzelheiten aus dem Geschehen tauchen auf und verschwinden wieder; alles wird nur zusammengehalten durch das eine Wort „Ehre" und kreist darum wie um eine magische, stets von neuem wiederholte Zauberformel. Von Kindheit an war der Enkel immer nur auf die „Ehre" aus. Aber mit diesem Worte ist ständig wieder etwas anderes gemeint, es schillert in einer Skala von Farben, die von den rein äußerlichen soldatischen Rangunterschieden — der Unteroffizier bildet sich ein, mehr von „Ehre" zu verstehen als ein Gemeiner — bis zu den verwickeltsten sittlichen Konflikten reichen. Leitmotivisch für Kaspers eigne Lebensgeschichte ist die von ihm selbst erzählte Anekdote von dem französischen Unteroffizier, der auf Grund eines höheren Befehls einen Soldaten durchprügeln muß, am Ende sich aber mit dem Gewehr des gleichen Mannes, den er geschlagen hat, erschießt, weil ihm das Prügeln gegen die Ehre ging. Das Charakteristische dieser Anekdote ist ihre Pointe. Nicht das Erwartete tritt ein: daß nämlich der geprügelte Soldat sich erschießt, weil die Prügel ihn ehrlos gemacht haben, sondern der Unteroffizier, der ihn prügeln mußte, entscheidet sich für den Selbstmord. Solche äußerste Zuspitzung des soldatischen Ehrbegriffs wird bezeichnenderweise an einem französischen Beispiel deutlich gemacht. Aber wie steht es um eine solche Autonomie der menschlichen Ehre? Kein Zweifel, daß gerade die Geschichte vom Kasper, für den dieser Unteroffizier Beispiel und Vorbild ist, sie widerlegt. Die Großmutter konnte die Geschichte von dem französischen Unteroffizier zwar „nicht ganz verwerfen", aber ihr letztes Wort ist hier und auch sonst: „Gib Gott allein die Ehre!"

Der Autor selbst ist sich nicht recht klar darüber, „ob ein Christ den Tod des Unteroffiziers schön finden dürfe", und er fügt mit einer leisen Wendung romantischer Ironie hinzu: „Ich wollte, es sagte mir einmal einer etwas Hinreichendes darüber."

Nun, er sagt selbst etwas Hinreichendes darüber, indem er die Großmutter Kaspers Geschichte erzählen läßt. Alle menschliche „Ehre", die an die Gesellschaft und ihre Ordnungen oder an die sittliche Autonomie des Einzelmenschen geknüpft ist, bleibt relativ. Dort, wo sie absolut gesetzt wird, stürzt sie den Menschen notwendig in die Katastrophe. Die Großmutter drückt das allerdings schlichter aus: „Gib Gott allein die Ehre!" Zunächst wird jedoch die Erzählung vom Kasper unterbrochen, sie verdämmert im Hintergrund, und noch einmal ist vom Annerl die Rede, von ihrem zukünftigen Bündnis mit Kasper und daß sie beide wohl bald zusammenkommen werden, „wenn Gott mein Gebet erhört". Dann erfolgt eine Abschweifung, die durch die Frage der Großmutter nach dem „Handwerk" ihres Zuhörers ausgelöst wird. Was soll der Dichter antworten? Hier an der Grenze von Spätromantik und Biedermeier ist er nicht mehr der selbstbewußte Poet, der seiner Sendung gewisse Sänger, der Prophet und der Seher, der wahre und eigentliche Mensch, der „Messias" der Natur, wie er in der geistesgeschichtlichen Linie von Klopstock über Schiller, Novalis, Hölderlin bis zu Stefan George erlebt wurde. Brentanos Bescheidenheit seiner ernsten, frommen Alten gegenüber ist keine Ironie. Er weiß sich bereits als der moderne „Schriftsteller", der kein eigentliches Gleichgewicht mehr hat, als einer, der sich im Grunde schämen muß, weil er „mit freien und geistigen Gütern, mit unmittelbaren Geschenken des Himmels Handel treibt". Der sogenannte „Dichter von Profession" ist hier schon eine verdächtige, zweideutige Gestalt, ein müßiger Vagabund, der nicht, wie es sich gehört, im Schweiße seines Angesichtes sein Brot verdient — wie ihn später in der Moderne die Ironie Thomas Manns entzaubert, aber auch die Kritik Hofmannsthals und Schnitzlers. Auch das Wort Nietzsches klingt schon vor: Die Dichter lügen zuviel. So gibt sich denn der Autor lieber für einen „Schreiber" als für einen Dichter aus. Denn „ein jeder Mensch hat, wie Hirn, Herz, Magen, Milz, Leber und dergleichen, auch eine Poesie im Leibe; wer aber eines dieser Glieder überfüttert, verfüttert oder mästet und es über alle andre hinüber treibt, ja es gar zum Erwerbzweig macht, der muß sich schämen vor seinem ganzen übrigen Menschen. Einer, der von der Poesie lebt, hat das Gleichgewicht verloren, und eine übergroße Gänseleber, sie mag noch so gut schmecken, setzt doch immer eine kranke Gans voraus." Brentanos spätere scharfe Urteile gegen das Unwahrhaftige und Gleisnerische der Kunst sind darin vorweggenommen.

Das Gespräch über das Handwerk des Zuhörers, so sehr es Abschweifung zu sein scheint, lenkt doch wieder zur Handlung zurück, weil nunmehr die Großmutter den „Schreiber" bitten kann, eine Bittschrift für sie aufzusetzen. Es wird immer deutlicher, daß ein schwerer Kummer auf ihr lastet. Sie betet und weint. Aber was soll in der Bittschrift stehen? „Setz' Er in die Bittschrift, daß zwei Liebende beieinander ruhen sollen und daß sie einen nicht auf die Anatomie bringen sollen, damit man seine Glieder beisammen hat, wenn es heißt: ‚Ihr Toten, ihr Toten sollt auferstehn, ihr sollt vor das Jüngste Gerichte gehn!' Da fing sie wieder bitterlich an zu weinen." Solche Unterbrechungen wirken auf den Leser beklemmend und beängstigend, gerade weil sie den Fortgang der Erzählung verzögern, der nun erst erneut von Anna Margaret aufgenommen wird. Von dem schmucken Ulanen und dem schönen Annerl ist die Rede und wiederum von der Ehre, zunächst in rein gesellschaftlicher Perspektive. „Da kriegte dann das Mädchen etwas ganz Apartes in ihr Gesicht und ihre Kleidung von der Ehre." Aber besser als solche Menschenehre ist es, sich an den lieben Gott zu halten. Auch in der Folge bleibt die Erzählung geheimnisvoll und ungreifbar, durch Vorweggenommenes, das der Leser noch nicht verstehen kann, etwa, wenn von der Schürze des Annerl die Rede ist, die sie sich manchmal vom Leibe riß, als ob Feuer darin sei, oder von dem „bösen Feind", oder auch nur von einem unbestimmten „Es", zu dem „sie mit Zähnen hingerissen" wurde. Im ganzen tritt jedoch das Annerl jetzt deutlich zurück. Hingegen wird ausführlich Kaspers Urlaub erzählt, der vor dem Sterbetage seiner Mutter beginnt mit dem inneren Anruf: „Kasper, tue mir eine Ehre an!" Dann ist von dem Kranz von Vergißnichtmein die Rede, den die Großmutter am Grabe der toten Mutter niedergelegt hat, und wieder erklingt das Lied vom Jüngsten Gericht. Blumenkränze werden zu Dingsymbolen für die Hinfälligkeit des irdischen Daseins und für das Gedenken an die Toten. Kasper bringt den kleinen Kranz von schönen Goldblumen für das Grab der Mutter mit und zugleich den Kranz für Annerl, den sie bis zu ihrem „Ehrentage" bewahren soll. Das Wort erhält in der Erzählung einen schrecklichen Doppelsinn, weil es in den Gedanken von Anna Margaret sowohl Hochzeit wie auch Tod und Begräbnis meint. Wie ein Grundakkord geht es durch das Lebensbewußtsein der alten Frau hindurch: „O, was läge am ganzen Leben, wenn's kein End' nähme; was läge am Leben, wenn es nicht ewig wäre!"

Die Erzählung vom Kasper verdichtet sich in einer Katastrophe, die von der Skala der Ehrbegriffe wie von Arabesken umrankt ist. In einer Mühle, in der Nähe des heimatlichen Dorfes, schläft er mit ängstlichen Träumen ein, in denen alles kommende Unheil schon vorweggenommen ist und sich die Vorstellungen von Grab, Ehre und Kränzlein, von seiner Mutter, dem Annerl und ihm selbst auf eine wunderliche Weise vermischen. „Es war ihm mehrmals, als trete seine selige Mutter zu ihm und bäte ihn händeringend um Hülfe; dann war es ihm, als sei er gestorben und würde begraben, gehe aber selbst zu Fuße als Toter mit zu Grabe, und schön Annerl gehe ihm zur Seite; er weinte heftig, daß ihn seine Kameraden nicht begleiteten, und da er auf den Kirchhof komme, sei sein Grab neben dem seiner Mutter; und Annerls Grab sei auch dabei, und er gebe Annerl das Kränzlein, das er ihr mitgebracht, und hänge das der Mutter an ihr Grab, und dann habe er sich umgeschaut und niemand mehr gesehen als mich und die Annerl, die habe einer an der Schürze ins Grab gerissen, und er sei dann auch ins Grab gestiegen und habe gesagt: ‚Ist denn niemand hier, der mir die letzte Ehre antut und mir ins Grab schießen will als einem braven Soldaten?' und da habe er sein Pistol gezogen und sich selbst ins Grab geschossen."

Die absichtliche Wiederholung des Wortes Grab in der alogischen Vermischung dieser Traumassoziationen ist wie ein beängstigender Urklang, der durch den ganzen Traum hindurchgeht und ihn zu einem Symbol für all die schrecklichen Vorgänge macht, die in der Erzählung berichtet werden. Der geträumte Pistolenschuß geht dann unmittelbar in einen wirklichen Schuß über: Räuber sind über die Mühle hergefallen, und Kasper verliert dabei das ihm von der Truppe anvertraute Pferd, sein Felleisen mit seinem Hab und Gut und die beiden mitgebrachten Kränze für seiner Mutter Grab und für das schöne Annerl. Wiederum ist es die „Ehre", die ihm dabei am meisten bedroht erscheint, „seine Ehre hänge davon ab, daß er sein Pferd wiedererhalte." Aber der Großmutter fährt das Wort „Ehre" so recht durch alle Glieder, denn sie „wußte schwere Gerichte, die ihm bevorstanden. ‚Tue deine Pflicht und gib Gott allein die Ehre!' sagte ich". Ehre, immer wieder Ehre! Sie ist einmal der Sammelname für alle Versuche des Menschen, sich im sozialen Leben zurechtzufinden und an bestimmte Normen zu halten, die in der Gesellschaft als sittlich gelten. So gesehen ist der an die Ehre gebundene Mensch weitgehend abhängig vom Urteil der Umwelt über sich selbst. Sie ist aber zweitens als innere Ehre der Umwelt auch wieder entgegengesetzt, eine Norm, die sich Kasper für sein eignes Selbstbewußtsein gegeben hat und die er unter keinen Umständen verletzen will. In dem volkstümlichen Ausdruck der „brave" Kasperl liegt eigentlich beides darin, Bravheit als Erfüllung der von der Gesellschaft verlangten Pflichten, Bravheit aber auch in der Übersteigerung der an sich selbst gestellten Forderungen. Diese Dialektik des Ehrbegriffes — Ehre vor den Menschen und durch die Menschen auf der einen Seite, Ehre vor sich selbst und vor der eignen Brust auf der andern — kommt dem Kasper selbst gar nicht zum Bewußtsein, aber sie verwickelt ihn dennoch in immer unlösbarere Widersprüche. Um der Ehre willen schont er sein Pferd und kommt gerade dadurch nicht mehr rechtzeitig zum Todestag seiner Mutter. Um seine Ehre vor der Kompanie zu retten, muß er jetzt sein Pferd wiederbekommen. Aber auf der Suche danach entdeckt er seinen eignen Vater und seinen Stiefbruder als die Räuber. „‚Meine Ehre, meine Ehre ist verloren!' schrie er, ‚ich bin der Sohn eines ehrlosen Diebes.' " Ehre und Pflicht, wie sie die Gesellschaft auferlegen, sind es, die von ihm verlangen, daß er seine eignen Anverwandten dem Gericht übergibt. Aber das bedeutet für ihn auch wiederum den Verlust seiner eignen, inneren Ehre. So bleibt ihm nur der Selbstmord auf dem Grabe seiner Mutter. „Er hatte sich die Kugel durch das Herz geschossen, auf welches er sich das Kränzlein, das er für schön Annerl mitgebracht, am Knopfe befestigt hatte; durch diesen Kranz hatte er sich ins Herz geschossen. Den Kranz für die Mutter hatte er schon an das Kreuz befestigt." Die realen Dinge werden hier zu Dingsymbolen für ein unabwendbares Schicksal. Bereits im Traume war es vorweggenommen, und nun verdichtet es sich im Kranz am Kreuz der Mutter, in dem mit Blut überlaufenen Kränzlein für die Annerl. Jetzt bringt die Großmutter, deren Vortrag immer hastender, eilender, unaufhaltsamer wird, dieses zweite Kränzlein zum Ehrentag der Annerl mit. Noch durchschaut der Hörer nicht die tragische Ironie dieses Wortes vom „Ehrentag", noch weiß er nicht, daß es sich bei diesem Tag ja um den Tag ihrer Hinrichtung handelt. Tragische Ironie des Ehrbegriffes liegt aber auch über dem Tode des Kasper. Wir hören von seinem Vermächtnis an Annerl und von seiner sonstigen Hinterlassenschaft, vor allem aber von seinem letzten Wunsch nach einem „ehrlichen" Grab, sowie von seinen letzten niedergeschriebenen Worten: „Gott erbarme sich meiner — ach, meine Verzweiflung ist groß!" Aber eben diese Worte, diese von ihm selbst eingestandene selbstmörderische Verzweiflung drohen ihn, der um der Ehre willen starb, nunmehr auf die „Anatomie" zu bringen und sogar im Tode noch ehrlos zu machen.

Der bisherige Zeitablauf des Geschehens reicht von 11 Uhr abends bis 2 Uhr nachts. Alles übrige soll unterwegs erzählt werden, nachdem Anna Margret mit dem Autor zu einem Ziel aufgebrochen ist, das immer noch unbekannt bleibt. Die letzte Aufklärung über Kaspers Vermächtnis findet bereits auf dem Wege statt. Es ist nötig, sich die Eigentümlichkeiten des Erzählens noch einmal klar zu machen. Es wird durch den Mund der Großmutter erzählt, und der Autor führt sich selbst so in die Geschichte ein, als ob er sie noch nicht kenne und ebenso wie der Leser sie hier zum erstenmal erfahre. Die Zeitformen Vergangenheit, Gegenwart und Zukunft gehen in diesem Erzählen ständig durcheinander, so daß die Zeit geradezu verräumlicht wird; das Beklemmende und Unheimliche für den Zuhörer liegt nicht nur in dem trostlosen Bericht, sondern auch darin, daß er in diese Vertauschung der Zeiten ständig mithineingerissen wird; sie ist um so tragischer, als die Novelle ja über die Erzählung der Alten durchaus hinausgeht und es im faktischen Geschehen am Ende geradezu um Minuten geht. Die Alte scheint unendlich viel Zeit zu haben, weil sie selbst schon jenseits aller Zeit steht; aber die Novelle selbst hat keine Zeit zu vergeuden, sie spitzt sich schließlich auf ein ausgesprochenes Zeitproblem zu, nämlich auf die Frage nach der noch möglichen Rettung des Annerl, die genau um eine ganz geringe Zeitspanne zu spät kommt. Die Erzählung in der Erzählung greift immer wieder zurück, verweilt, hält den Atem an, aber der Leser spürt zunächst dunkel, dann deutlicher, daß diese Erzählung auch unter dem Druck eines Vorwärtseilens, unter ständig anwachsenden dunklen Zeichen steht, nicht nur eines vergangenen, sondern auch eines kommenden Unheils. Es ist Brentano meisterhaft gelungen, diesen Doppeleindruck und die daraus hervorgehende Unheimlichkeit der Atmosphäre zu gestalten.

Erst jetzt auf dem Wege beginnt die eigentliche Geschichte vom Annerl. „Ich will Ihm etwas erzählen, das ist betrübt." Das Erzählte greift weit in die Vergangenheit, bis in Annerls früheste Kindheit zurück. Die an den Volksaberglauben erinnernden gespenstischen Züge, das Motiv vom klirrenden Scharfrichterschwert und der Bericht über Jürges Hinrichtung sind von Brentano frei erfunden worden. Gerade sie haben die Erzählung populär gemacht. Annerl erscheint von vornherein als die vom Schicksal Gezeichnete, deren Ende auf dem Richtblock fatalistisch vorweggenommen wird. Dieses durch die Erzählung hindurchgehende Schicksalsmotiv wird in balladenhafter Weise an sinnlichen Zeichen verdeutlicht. Der Mensch ist übernatürlichen Mächten ausgeliefert, die er nicht mehr zu bändigen vermag und die mit ihm ein unbegreifliches Spiel treiben. Das Richtschwert im Schranke, das sich in der Gegenwart des Kindes bewegt, will bereits jetzt sein späteres Opfer haben. Verstärkend kommt dann die Hinrichtung hinzu, bei der Annerl anwesend ist; der Kopf des Mörders fliegt gegen sie und beißt sich mit den Zähnen in ihr Röckchen, so daß sie entsetzlich schreit. Dieser scheußliche Kopf wurde damals mit der Schürze der Großmutter bedeckt, und es ist die gleiche Schürze, in der die Annerl später ihr uneheliches Kind erstickt hat. Oder vermischt sich nur beides im Bewußtsein der Großmutter? Bereits diese Erzählung aus der Vergangenheit wirkt zermalmend, so daß der Zuhörer von „schauerlicher Ahnung" ergriffen wird. Dann wird der Bericht der Großmutter ganz gedrängt und hat in seiner geballten, schrecklichen Tatsächlichkeit geradezu die Wucht von Keulenschlägen. „,Es hat sie mit den Zähnen dazu gerissen!' sagte die Alte. ‚Heut wird sie gerichtet; aber sie hat es in der Verzweiflung getan, die Ehre, die Ehre lag ihr im Sinn. Sie war zuschanden gekommen aus Ehrsucht, sie wurde verführt von einem Vornehmen, er hat sie sitzen gelassen, sie hat ihr Kind erstickt in derselben Schürze, die ich damals über den Kopf des Jägers Jürge warf und die sie mir heimlich entwendet hat. Ach, es hat sie mit Zähnen dazu gerissen, sie hat es in der Verwirrung getan. Der Verführer hatte ihr die Ehe versprochen und gesagt, der Kasper sei in Frankreich geblieben. Dann ist sie verzweifelt und hat das Böse getan und hat sich selbst bei den Gerichten angegeben. Um 4 Uhr wird sie gerichtet.' " Nicht um „Pardon" ist es der Alten zu tun, denn längst hat sie die Schicksale von Kasperl und Annerl dem Ewigen anheimgegeben, die Bittschrift verlangt nur das ehrliche Grab von Kasperl und Annerl auf dem Kirchhof ihres Dorfes. Die Großmutter will das Kränzlein des Kasper als letzten Gruß überbringen, Kränzlein und Rose sind hier die Träger des Trostes und des Heiles, so wie Schwert und Schürze die Träger des dämonischen Unheils.

Der nachfolgende, im raschesten Tempo erzählte Abschnitt gehört ganz der Gegenwart. Der Rahmen der Novelle ist jetzt nicht mehr Rahmen, sondern verdichtet sich selbst zum Ereignis. Beim Vorbeigehen hören Großmutter und Autor aus dem Hause des Grafen Grossinger das liebliche Lied zur Laute über Gnade und Liebe und über den Schleier der Gnade, „wenn Liebe Rosen gibt". Begriffe und Bilder sind hier allegorisch ineinander verschlungen. Schleier und Rosen werden zu Dingsymbolen für die Allegorien Gnade und Liebe. Auf dem Wege findet der Dichter den weißen Schleier voll von duftenden Rosen, der ihm zum geheimnisvollen Zeichen der Gnade wird. Der Autor wird jetzt zur handelnden Person, in letzter Minute will er die Rettung des Annerl erzwingen. Aber wieder ist der Weg durch Standesehre versperrt, weil ihn der Adjutant Grossinger nicht zum Herzog hinaufläßt. Angeblich sind es dringende Geschäfte, bei denen dieser nicht gestört werden darf, in Wahrheit ist es eine geheime Liebesaffäre, und auch in diesem Falle wird die Ehre in die Beleuchtung einer tragischen Ironie gesetzt. Denn der gleiche Grossinger, der sich hier auf seine „Ehre" beruft, die es ihm verbietet, Meldung zu machen, ist nicht nur, wie es sich am Ende herausstellt, der Verführer des Annerl, er ist auch, ohne es selber zu wissen, der Bruder jener jungen Frau, die heimlich und verkleidet zum Herzog eilt und der die Schande der Verführung droht. Der Autor läßt sich jedoch von Grossinger nicht zurückhalten; er schreit laut um Hilfe für ein elendes, verführtes Geschöpf, der Herzog hört den Lärm und befiehlt, ihn heraufzubringen, und im Namen des Schleiers mit den Rosen erfleht der Autor Gnade für Annerl.

Die Ereignisreihen geraten hier fast verwirrend durcheinander, sind fast genau so verschlungen wie die Allegorien und die Bildsymbole. Denn der Schleier und die Rosen gehören eben jenem jungen Mädchen, das gerade bei dem Herzoge ist, und jedes Wort über Annerl, die durch einen Vornehmen verführt und ein Opfer falscher Ehrsucht wurde, muß dem Herzog ins Herz dringen. Am Ende geht es allein um die vielleicht noch mögliche Rettung; der Schleier soll am Degen Grossingers befestigt werden, um dem Annerl die Gnade zu bringen, es ist der gleiche Schleier, der von ihm als der seiner Schwester erkannt wird. Alle verborgenen Bezüge der Erzählung enthüllen sich fast schlagartig: Grossinger als der Verführer des Annerl, seine Schwester als der geheime Besuch beim Herzog, den der eigne Bruder so sorgfältig bewachte. Wie in der Ballade im „Wunderhorn" kommt auch hier die Rettung und das Schuldbekenntnis des Verführers für das Annerl zu spät. Nicht zu spät ist es aber für die Bewahrung von Grossingers Schwester und für die innere Wandlung des Herzogs. Diese Züge bleiben allerdings in Brentanos Erzählung blaß und schablonenhaft. Dennoch ist der Tod des schönen Annerl nicht ohne Versöhnung. Die Großmutter hat ihr das goldne Kränzlein des Kasper auf den Kopf gebunden und steckte ihr „die Rose vor die Brust, welche ihr Grossinger in der Nacht gegeben hatte, ohne zu wissen, wem er sie gab".

Kasper und Annerl sollen ehrlich begraben werden mit einer Leichenpredigt über die Worte: „Gebt Gott allein die Ehre!" Annerl wird mit dem vieldeutigen Schleier bedeckt, der ihr so gerne Gnade gebracht hätte, aber ihr nun wenigstens die Ehre wiedergeben soll. Hier erscheint die menschliche Ehre als positiv, aber nur im Bündnis mit der Gnade, das heißt nur dienend. Das spiegelt sich auch in der allzu künstlichen Allegorie des Schlusses, in dem vom Herzog und der Fürstin errichteten Monument mit der falschen und der wahren Ehre, die sich beide tief vor dem Kreuze beugen und denen Gerechtigkeit und Gnade zur Seite stehen. Denn die Ehre ist nicht autonom, sie muß sich beugen, ebenso wie der Mensch, der wehrlos in der Hand des Schicksals, wehrlos in der Hand Gottes ist.

Brentano erzählt seine Geschichte zu Beginn fast etwas breit, mit einem Verweilen beim Atmosphärischen, dann wird alles knapper und eilender, am Ende ist es eher überhetzt, drängend und unaufhaltsam. Der Ausgang gibt uns Versöhnung mit dem Blick auf allegorische Zeichen und transzendente Bezüge: das ehrliche

Grab, die gerettete Schwester und das gleichnishafte Monument. Eigentlich haben wir drei novellistische Begebenheiten, die hier kunstvoll miteinander verflochten sind: erstens die „Novelle" von der Ehre, die Geschichte Kaspers. Sie hat einen deutlichen Wendepunkt etwa in der Mitte der Erzählung, da Vater und Stiefbruder von ihm als Diebe entdeckt werden. Das starre Festhalten am Ehrbegriff führt dann gerade in die entgegengesetzte Situation, in den ehrlosen Tod des aus Verzweiflung begangenen Selbstmordes. Diese Begebenheit ist bereits abgelaufen, als die Brentanosche Geschichte einsetzt, wird aber von der Großmutter so erzählt, als ob sie gerade erst geschehe. Der Versuch, das eigne Leben von der „Ehre" aus in der Abhängigkeit von der Gesellschaft und zugleich autonom und selbständig zu gestalten, muß scheitern. So sehr dabei das Motiv der Ehre vorherrscht, die Atmosphäre des Schicksalhaften fehlt auch hier nicht. Kaspers Traum, die Kränze, das Grab der Mutter, sein eigner Tod, das alles weist unheimlich auf dunkle, unerforschliche Gewalten hin.

Zweitens haben wir die „Novelle" von dem unglücklichen Annerl, die zwar auch noch mit dem Ehrbegriff verflochten ist, aber doch sehr viel stärker das Walten und Wirken der dämonischschaudervollen Mächte hervortreten läßt. Diese noch nicht beendete Geschichte wird von der Großmutter erzählt, als ob sie bereits abgelaufen sei, nicht so breit wie die Kaspers, sondern in knappester Verdichtung. Die Geschichte Annerls enthält zwei Motive, die an sich nichts miteinander zu tun haben. Das eine Motiv heißt: die falsche „Ehre" zerstört ihr Leben. Ihre Gestalt wird aber auch wieder gehoben; denn sie weigert sich, ihren Verführer zu nennen, und vernichtet das schriftliche Eheversprechen, das sie entlasten könnte. Das zweite Motiv in der Geschichte Annerls sind die übernatürlichen Mächte, deren Wirken sie wehrlos ausgeliefert ist. Diese greifen in fatalistischer Weise in ihr Leben ein und rauben ihr so die eigne Freiheit. „Richtschwert" und „Schürze" werden zu Dingsymbolen dieser unheimlichen Vorgänge. Die Form der Novelle nähert sich hier dem Dämonenmärchen. Auch das Bekenntnis Grossingers, er habe sich mit Hilfe gewisser medizinischer Mittel, die etwas Magisches haben, der Seele des Mädchens bemächtigt, gehört in den Umkreis des zauberhaft Dämonischen hinein. Aber hier hat der Dichter wohl des Guten etwas zu viel getan.

Wenn Kaspers Geschichte auch abgelaufen ist und die Annerls noch nicht zu Ende: die Großmutter versteht es anders. Denn sie erlebt alle zeitlichen Vorgänge unter dem Aspekt des Jüngsten Gerichtes, das heißt sub specie aeternitatis. Die Geschichte Kaspers kann für sie noch nicht abgelaufen sein, weil es noch um sein ewiges Heil geht und um das „ehrliche Grab", während umgekehrt die weltliche Justiz, die an dem Annerl in der Zukunft noch vollzogen werden soll, für die Großmutter bereits ein abgeschlossenes Ereignis ist. Insofern ist die irdische Zeitspanne des Annerl für sie schon vorüber. Die beiden getrennten Ereignisreihen — Kasperls und Annerls Lebensgeschichte — laufen für Anna Margaret wieder zusammen in der gemeinsamen Beerdigung im heimatlichen Dorf. Nur darum hat sie sich aufgemacht, nur darum braucht sie die Bittschrift. Von hier aus gesehen holt die Geschichte des Kasper dann doch die des Annerl wieder ein, und die Liebenden werden im Tode vereint. Der brave Kasper wird neben dem schönen Annerl zur Seite seiner Mutter begraben. Die alte Großmutter ist in diesem Augenblick „kindisch" vor Freude, und als die Ulanen dem Kasper zum drittenmal ins Grab schießen, wird auch sie vom Tode ereilt. „Gott gebe ihnen allen eine freudige Auferstehung!" Ohne diesen in der Gestalt der Anna Margaret gipfelnden Abschluß würden die Geschichten von Kasper und Annerl auseinanderfallen. So aber kontrastiert ihre Vereinigung vor dem Ewigen mit der zeitlichen Trennung, die sie in ihrem Leben erfahren mußten.

Die nicht mehr von der Großmutter erzählte, sondern sich ereignende Katastrophe des Schlusses läßt sich trotz aller retardierenden Momente nicht aufhalten. Hier verdichtet sich der Rahmen am Ende zu einer dritten eignen „Novelle". Denn wir haben es ja nicht nur mit der Geschichte vom Annerl zu tun, die wir bisher in der subjektiven Spiegelung der Großmutter erlebten und die nunmehr ihr wirkliches Ende findet; vielmehr sehen sich vorher noch gar nicht erwähnte Gestalten jetzt in ein Parallelschicksal, nur diesmal mit glücklichem Ausgang, verwickelt: Grossingers Schwester und der Herzog. Im Mittelpunkt steht wieder ein Dingsymbol: der Schleier mit den duftenden Rosen. Er schafft zugleich die Verbindung zwischen dem einen Paar, Grossinger und Annerl, und dem anderen, dem Herzog und der Schwester. Das Geballte und Tatsächliche der letzten Ereignisse: die Hinrichtung, die zu spät kommende Gnade, die Rettung der Schwester, die Wandlung des Herzogs, der Selbstmord Grossingers, das alles kontrastiert noch einmal mit dem fast raunenden Vortrag der Großmutter, der aller Zeit bereits entrückt schien.

Dennoch bleibt sie die einzige Gestalt, die alle drei Erzählungs-stränge zusammenhält, sie ist der eigentliche Mittelpunkt der Brentanoschen Erzählung, zwar nicht durch aktives Handeln, wohl aber durch passives Erdulden. In ihr verkörpert sich etwas vom ewigen Leid der Menschheit. Man mag noch so sehr ein-wenden, daß der romantische Schicksalsfatalismus und die christ-liche Ergebenheit in Gott eigentlich unvereinbar seien, in der so unerhört plastischen Gestalt von Anna Margaret sind sie vereinigt. Ob es die Katastrophe der menschlichen Ehre ist, ob es die grauenvollen Zeichen des Dämonischen sind, immer steht der Mensch in Gottes Hand. So erfährt es die alte Großmutter, und wir glauben es ihr. Darum bleibt das Lied vom Jüngsten Gericht allen anderen Dingsymbolen übergeordnet, es ist der geheime Schlüssel zu einer verborgenen Transzendenz, der Zugang zur Ewigkeit noch über die Dingsymbole des Schicksals und die allegorischen Zeichen hinaus, die am Ende bei Brentano geradezu zu musi-kalischen Arabesken werden; das Erzählte erhält dadurch seinen eigenen, besonderen Klang.

Die Erzählung ist trotz allem Realismus ganz sicher keine bloße Dorfnovelle, auch nicht nur ein Sitten- und Seelenbild. Sie steht zwischen Märchen und Wirklichkeit, weil das Poetische hier ein Element des Lebens selbst ist. Darin gehört sie durchaus zur Spätromantik. Wohl wird die Ehre in ihrer psychologischen und soziologischen Problematik in immer wieder neuen Wendungen umkreist, aber sie wächst doch darüber hinaus, sie wird zu einer geheimnisvollen, bösen Zaubermacht, mit der der Mensch zu spielen glaubt und die in Wahrheit mit dem Menschen spielt. Das verbindet wieder die sonst so entgegengesetzten Geschichten vom Kasperl und vom Annerl. In beiden Fällen geht es um das Walten der Mächte. Um dieses sprengende Thema novellistisch gestalten zu können, brauchte Brentano die Verwendung der Dingsymbole und der allegorischen Zeichen, die dem Geschehen eine geheime Bedeutung geben sollten und den Vorgang auf diese Weise pro-filieren. Novellistisch ist aber auch die kunstvolle Verflechtung der drei Begebenheiten in dem Kontrast von subjektivem Erzählen und objektivem Vorgang, von Rahmen und Ereignis, ein höchst kunstvolles Gewebe, das durch die Gestalt der Großmutter zusammengehalten wird, ein vielfältiges und dennoch in sich geschlossenes Geschehen, das im Liede vom Jüngsten Gericht sich dem Transzendenten öffnet.

JOSEPH VON EICHENDORFF

—

AUS DEM LEBEN EINES TAUGENICHTS

Die Erzählung von Joseph von Eichendorff „Aus dem Leben eines Taugenichts" erschien 1826, also zu einem Zeitpunkt, als die romantische Bewegung bereits ihre volle Auswirkung in Deutschland erreicht hatte. Wir stehen schon mitten im Zeitalter der Restauration und des literarischen Biedermeier, und auch die revolutionären Strömungen, die in den dreißiger Jahren kulminieren, bereiten sich vor. Dennoch hat man gerade diese Erzählung immer als ein Muster reiner romantischer Prosa aufgefaßt. Nur Friedrich Bollnow bezeichnet neuerdings in seinem Buch „Unruhe und Geborgenheit im Weltbild neuerer Dichter" (Stuttgart 1953) Eichendorff als einen Dichter des Biedermeier. Für die eigentliche Romantik wäre der „Taugenichts" zu „unverbindlich", „ihr Held würde viel schwerer und problemgeladener ausfallen". Auch der „Müßiggang" sei für die Romantiker noch „eine ernsthafte Lebensentscheidung. Erst die biedermeierhafte Form der inselhaft vom sonstigen (religiösen, politischen und wirtschaftlichen) Leben abgelösten Romantik ermöglicht die schwerelose Ferienhaftigkeit, die den unvergleichlichen Reiz dieser Welt ausmacht" (S. 295).

Problemdichtung ist der „Taugenichts" allerdings in keiner Weise. Aber man wird doch in dem starken Übergewicht der „Stimmung" und in der Nähe des Erzählten zu Lyrik und Musik einen gerade für die spätere Romantik charakteristischen Grundzug sehen müssen. Noch fehlt hier jedes Verhältnis zur Welt als einem eigenständigen, fest begrenzten und klar gegliederten Raum, in dem der Mensch sich sammelnd, forschend, pflegend und besorgend bewegt. Was Welt ist und was Welt bedeutet, wird immer nur von der Seele aus sichtbar, in jenen Stimmung gewordenen Bildern, die sich durch die Geschichte hindurchziehen, ja, die Geschichte selber sind. Da sitzt der Taugenichts, Sonntag nachmittags, wie eine Rohrdommel im Schilfe eines einsamen Weihers im herr-

schaftlichen Garten und schaukelt sich im Kahn, der dort ange-
bunden ist, während die Vesperglocken aus der Stadt zum Garten
herüberschallen und die Schwäne auf dem Wasser langsam hin
und her ziehen. Eine lustige, bunte Gesellschaft von jungen Herren
und Damen aus dem Schlosse strömt herzu und will über den
Teich gerudert werden. Auch die schöne Frau ist unter ihnen, der
er immer vom Garten aus sein Lied gesungen hat. Sie hält eine
Lilie in der Hand und — so heißt es wörtlich weiter — „saß dicht
am Bord des Schiffleins und sah still lächelnd in die klaren Wellen
hinunter, die sie mit der Lilie berührte, so daß ihr ganzes Bild
zwischen den widerscheinenden Wolken und Bäumen im Wasser
noch einmal zu sehen war, wie ein Engel, der leise durch den tiefen
blauen Himmelsgrund zieht". Die schöne, stille Frau am Bord des
Schiffleins mit der Lilie in der Hand, deren Bild sich im Wasser
spiegelt wie das eines Engels im tiefen blauen Himmelsgrund — nur
Eichendorff konnte solch eine Eingebung haben, in der sich Sehnsucht und Wehmut wunderlich mischen. Alles ist unbestimmt,
unwirklich, fast wie ein Traum, aber zugleich rührend wahr und
schlicht und auf naive Weise innig. Das Selbstverständliche und
Alltägliche, eine Kahnfahrt über den Teich, rückt hier in eine
leise phantasievolle Ferne, erscheint bedeutungsvoll für das liebende Gemüt, das sich eins weiß mit der schönen Welt und der
zum „Engel" verklärten Geliebten und doch auch wieder einsam
in der Schwermut seiner Liebe. Fast wie von selbst wandelt sich
die Situation in ein Lied, das oft gesungene Lied an die Geliebte,
das hier auf dem Wasser erklingt und den Zauber von Seele und
Landschaft in Wort und Klang verwandelt:

> Wohin ich geh und schaue,
> In Feld und Wald und Tal,
> Vom Berg hinab in die Aue:
> Vielschöne, hohe Fraue,
> Grüß ich dich tausendmal.
>
> In meinem Garten find ich
> Viel Blumen, schön und fein,
> Viel Kränze wohl draus wind ich,
> Und tausend Gedanken bind ich
> Und Grüße mit darein.
>
> *Ihr* darf ich keinen reichen,
> Sie ist zu hoch und schön,
> Die müssen alle verbleichen,
> Die Liebe nur ohnegleichen
> Bleibt ewig im Herzen stehn.

Ich schein wohl froher Dinge
Und schaffe auf und ab,
Und ob das Herz zerspringe,
Ich grabe fort und singe
Und grab mir bald mein Grab.

Der „Taugenichts" ist eine typische Ich-Erzählung. Wir erleben
die Welt nur in der Spiegelung dieser *einen* Seele, nicht in dem
gedanklichen Spiegel der Reflexion, sondern in dem gemüthaften
der Stimmung, sei es heiter sonntäglich — „Mir war es wie ein
ewiger Sonntag im Gemüte" —, sei es schwärmerisch verträumt,
sei es in gedämpfter oder auch wilder Schwermut. Zwar ist die Erzählung in Kapitel gegliedert, aber niemand wird sich beim ersten
Lesen auf diesen künstlich verschlungenen Pfaden des Geschehens
auskennen, in diesem verwickelten Durcheinander von Liebenden,
die sich verkleiden und verwechseln, in dieser „Konfusion mit den
Herzen", die trotzdem wunderbarerweise zum guten Ende geführt
wird. Offensichtlich liegt der Reiz der Erzählung auch gar nicht in
der Begebenheit selbst — darin entfernt sie sich durchaus von der
Gattung „Novelle" —, auch nicht in den meist jugendlichen Gestalten, die zwar alle etwas Frisches und Unbekümmertes haben,
aber doch nicht zu Personen verdichtet sind, denen wir ein besonderes psychologisches oder künstlerisches Interesse entgegen-
bringen. Die Konturen, mit denen diese jungen Menschen gegeben
sind, haben etwas Flüchtiges und Skizzenhaftes, in allen ihren
liebenswürdigen Eigenschaften sind sie doch nur typisch, und der
Leser genießt mehr den Hauch und den Duft, der über ihnen
schwebt, während er sie als einzelne Personen schon bald wieder
vergißt. Auch auf Raum und Zeit achten wir nur wenig, wenn wir
mit dem Taugenichts unbekümmert vom Norden zum Süden und
vom Süden wieder zum Norden reisen. Die Erzählung beglückt
uns durch ihre Atmosphäre, durch ihre schwebende Leichtigkeit,
durch die Würze ihrer zarten Ironie und ihres liebevollen Humors.
Wir lassen uns nur allzu gern dazu verführen, die Welt mit den
Augen des Taugenichts zu sehen, sie vom Gemüte aus zu verwandeln und der Poesie den Triumph über die Wirklichkeit zu
gönnen.

Bereits am Eingang der Geschichte wird die Art dieses Erzählens
deutlich. Es beginnt mit dem Erwachen am Morgen, der Winter
geht zur Neige, „der Frühling ist vor der Tür"; es ist die Zeit des
Aufbruches, der klaren Frische, der freien Selbständigkeit, allen
Möglichkeiten geöffnet. Heimat und Fremde werden gleich zu

Beginn einander gegenübergestellt: die väterliche Mühle, das enge Dorf auf der einen, die Weite des unbegrenzt sich öffnenden Landes auf der anderen Seite. Schon hier fällt das Wort vom „Taugenichts", den der Vater nicht länger füttern will. Aber böse ist das nicht gemeint, einen sozialen Konflikt soll es gewiß nicht andeuten. „Nun", sagte ich, „wenn ich ein Taugenichts bin, so ist's gut, so will ich in die Welt gehn und mein Glück machen." In die Welt gehen, sein Glück machen; das ist ein altes Märchenmotiv, und märchenhaft geht es — genau gesehen — in der ganzen Erzählung zu, wie auch Kunz mit Recht hervorhebt. Denn das Glück ist eine Kategorie des Märchens. Märchenhaft ist schon die Begegnung mit den beiden Damen und die Einladung, in ihrem eleganten Wagen nach Wien zu fahren, kaum daß er das heimatliche Dorf verlassen hat; märchenhaft ist sein Leben auf dem Schloß und im Garten; märchenhaft ist die Art, wie er später von dem vagabundierenden Liebespaar, das er erst für Räuber, dann für zwei Maler hält, aufgefunden wird, als er mitten in der Nacht in dem unbekannten Walde umherirrt; märchenhaft sind alle weiteren kleinen Fügungen dieser Geschichte, die Reise in den Süden mit unbekanntem Ziel, die Irrungen und Wirrungen in Italien, das Zurückfinden zur Heimat, der Empfang durch den Geistlichen auf dem Postschiff und das glückhafte Ende, das just für ihn, den Taugenichts, zubereitet scheint. Gewiß, es geschieht alles auf natürliche Weise, es gibt keine Feen, Zauberer und Kobolde, es ist wie ein dauerndes Feriendasein, aber die Erzählung lebt von der Märchensaelde. Inmitten einer schon biedermeierlich gewordenen Alltagswelt wird hier das Märchen von dem reinen Toren noch einmal erzählt, der sich, genau genommen, in der Welt gar nicht zurechtfinden könnte und dem doch alles zu seinen Gunsten ausschlägt. Irrationaler, planloser kann man nicht in fremden Ländern reisen als der Taugenichts, ohne Kenntnis fremder Sprachen, ohne ein Verhältnis zu Geld und Erwerb, ohne eigentliche Absichten und Ziele, dabei ständig von einer Konfusion in die andere geratend, und doch hat er bei allen Narrheiten etwas von einem verwunschenen Prinzen, einem Glückskinde, das Gott und der Dichter und der Leser liebhaben.

Wir würden den Sinn dieser Wanderschaft verkennen, wenn wir sie allzu realistisch als die eines Müllerjungen auffaßten. Zum Taugenichts gehört seine Geige, ohne die man ihn sich gar nicht vorstellen kann. Es ist bezeichnend, daß er sich im gesellschaftlichen Sinne kaum einordnen läßt. Er gehört weder zur bäurischen, noch zur bürgerlichen, noch zur vornehmen Welt. Er ist Künstler, wenn man dieses Wort von jeder problematischen Schwere befreit und darunter nur ein nicht „reales", sondern ein „poetisches" Verhältnis zur Welt versteht. Der Taugenichts wartet eigentlich immer und überall auf das Wunder, das heißt, er wartet auf Ereignisse, die, wie Kunz es treffend ausgedrückt hat, den Charakter des Geschenkes haben und nicht im Schweiße des Angesichts zu erringen sind. Darum ist er auch nie gehetzt, sondern hat immer Muße. Ökonomisches Handeln, zweckmäßige Überlegung, rationale Einteilung sind ihm zuwider. Zur Arbeit und zum Geld fehlt ihm jedes Verhältnis. Wenn er sich doch darum kümmern muß, ist ihm wie einem Vogel zumute, dem die Flügel beschnitten sind.

Solches Künstlertum lebt in der reinen Gegenwärtigkeit. Es möchte sich in jedem Augenblick gleichsam aussingen, es „erinnert" auch noch Vergangenheit und Zukunft und spiegelt sie in dem „ewigen Sonntag" seines Gemütes. Es ist ein Dasein ohne „Sorge", weil Sorge immer schon voraussetzt, daß man etwas gewinnen oder behalten muß oder etwas verlieren kann. Der Taugenichts jedoch nimmt alles so entgegen, wie es ihm aus Gottes Hand zugeteilt wird. Aber das hat niemals etwas Furchtbares und Schicksalhaftes wie in Brentanos „Geschichte vom braven Kasperl und dem schönen Annerl". Nirgends ist die Seele vom Dämonischen bedroht. Ebenso liegt es ihm völlig ferne, etwas erzwingen zu wollen. Wenn das Lebensgefühl des Taugenichts überwiegend optimistisch ist, so gründet das in seinem Vertrauen zur Welt, zur Natur und auch noch zum Menschen. Gott meinte es gut, als er diese Welt mit allen ihren Kreaturen schuf. Von einer Verdüsterung durch die Erbsünde kann keine Rede sein. Die Huld Gottes kann dem Menschen überall begegnen, das ist der Sinn dieser Wanderschaft, und Eichendorff ist es darum zu tun, diesem Vertrauen nicht so sehr im einzelnen, wohl aber im ganzen recht zu geben:

> Wem Gott will rechte Gunst erweisen,
> Den schickt er in die weite Welt,
> Dem will er seine Wunder weisen
> In Berg und Wald und Strom und Feld.

Das märchenhafte Glück wird jedoch nur der lauteren Seele geschenkt. Nur der reine Tor kann als verwunschener Prinz auf einem „Schlosse" des Südens leben und für ein verkleidetes vornehmes Mädchen gehalten werden. Das „Schloß" ist bei Eichendorff ein literarischer Topos, der unmittelbar aus dem Volksmärchen stammt. Der Taugenichts hat zwar auch seine Fehler,

er ist keineswegs eine idealisierte Gestalt, aber er hat eine natürliche Gutheit, alles Zweideutige, Intrigierende, Berechnende oder
Gemeine liegt gänzlich außerhalb seines Wesens. Er hat einen
ursprünglichen Adel der Seele, eine Vornehmheit von Natur, die
so naiv ist, weil er selber nicht im geringsten darum weiß.
Auch sein Mangel an Verstand wird in diesem romantischen Raum
zu einem Vorzug, weil gerade der praktische Verstand eines Portiers sich den Blick auf die eigentliche Welt bereits verstellt hat und
nicht mehr imstande ist, diese als eine ursprüngliche, als eine von
Gott geschaffene Welt wahrzunehmen. Das ist nur auf eine närrische, poetische Weise möglich. Reinheit der Seele, Kindlichkeit,
Torheit und poetische Teilhabe an der Welt sind hier unmittelbar
miteinander identisch. Sie charakterisieren den Taugenichts als
den Künstler, der noch nichts vom „Schriftsteller", vom „Zerrissenen" oder vom „Problematischen" an sich hat. Das Künstlertum ist etwas Naives, eine Gabe Gottes, und steht in seiner holden
Naivität noch jenseits der Sphäre der Bildung. Aber auch das
Pathos einer „Sendung" ist ihm gänzlich fremd. Man möchte
dabei an die Verse Mörikes denken:

> Mein Wappen ist nicht adelig,
> Mein Leben nicht untadelig,
> Und was da wert sei mein Gedicht,
> Fürwahr, das weiß ich selber nicht.

Der Künstler befindet sich außerhalb der Gesellschaft, er ist sich
selbst genug, kommt aber trotzdem nicht ernsthaft mit der Gesellschaft in Konflikt. Er hat bereits etwas von einem Vagabunden,
der sich gerne auf der Wanderschaft befindet. Aber er ist dabei in
Gottes Huld und Hand, er lebt sein ganzes Leben als Geschenk
und nicht als Leistung, als Improvisation und Eingebung und nicht
als ordnendes, vernünftiges Tun. Das ist seine besondere Art von
Frömmigkeit. Ähnlich hat später Mörike die Gestalt Mozarts in
seiner Novelle „Mozart auf der Reise nach Prag" gestaltet. Nur
wächst dort die Musik ins Dämonische, und Mozart selbst ist vom
Tode gezeichnet.

So liebenswürdig die Gestalt des Taugenichts auch ist, Eichendorff hat sie dennoch leise ironisiert. Diese zarte Ironie verhindert
es, daß die Vorgänge an irgendeiner Stelle allzu gefühlvoll werden.
Die Torheit des Herzens bleibt anmutig, aber auch Torheit. In
einer Welt, in der das Böse mächtiger wäre, müßte sie scheitern.
Aber gerade das Böse spielt in dieser Erzählung fast gar keine
Rolle. Es verwandelt sich für Eichendorff in das Komische, wie

zum Beispiel in der Gestalt des Spions, der als „ganz kurz und bucklicht" beschrieben wird, mit einem „großen grauslichen Kopf" und „einer langen römischen Adlernase und sparsamen roten Backenbart", „die gepuderten Haare standen ihm von allen Seiten zu Berge, als wenn der Sturmwind durchgefahren wäre". Wenn man mit den Augen des Taugenichts die Welt sieht, so gibt es in ihr zwar Ängste der Phantasie, aber nichts eigentlich Böses. Wo ihn die Menschen ärgern, werden sie zugleich komisch für ihn. Wohl walten in Eichendorffs Welt mancherlei Verwirrungen, aber es sind eigentlich nur solche des Herzens und der Einbildungskraft, sie entstehen gerade beim Taugenichts sehr häufig aus Illusionen; er täuscht sich über seine wirkliche Lage, er verkennt sein Verhältnis zur Umwelt, er verwechselt Personen und Verhältnisse, er kommt mit der Realität nur auf eine komische Weise zurecht. Nur ganz im Hintergrunde deutet der Dichter auch noch objektive gesellschaftliche Schwierigkeiten an, die die Vereinigung der verschiedenen Liebespaare erschweren.

Aber in allen Fällen ist die märchenhafte Saelde stärker; die gleichsam von Fall zu Fall improvisierende Vorsehung findet immer noch einen Ausweg und schenkt die Erfüllung des Glücks. So kann auch die Ironie des Erzählers niemals entwerten, zumal sie Eichendorff immer nur indirekt ausdrückt, weil er sie in der Ich-Erzählung stets seinem Taugenichts in den Mund legen muß. Dieser aber ist seiner ganzen Natur nach zu keiner Ironie fähig. Die Ironie bleibt ein leise verhaltenes Lächeln des Dichters über das „Närrische"; sie stellt den Abstand von Poesie und Wirklichkeit immer wieder her; sie ist der Vorbehalt des biedermeierlichen Eichendorff gegen den Romantiker Eichendorff; sie verhindert, daß die Erzählung sich in die Unwirklichkeit eines bloßen Traumes auflöst. Ironie in diesem Sinne sichert dem Glücksmärchen den Raum der Wirklichkeit; sie hat nichts von dem Vermischenden der „romantischen Ironie", bei der gerade die Grenzen von Sein und Schein aufgehoben werden. Die Eichendorffsche Ironie ist unmittelbar dem Humor verwandt, ja geht häufig direkt in den Humor über, weil sie ein liebevolles Verhältnis zum Belächelten wahrt. Am Ende bekommt der Taugenichts ja auch nicht einen „goldenen Topf" und ein Traumland „Atlantis" geschenkt, sondern ein weißes Schlößchen mit Garten und Weinbergen, in dem er nicht mit einem Schlänglein Serpentina, wie bei Hoffmann, leben wird, sondern mit der als arme Waise aufs Schloß aufgenommenen Tochter eines sehr bourgeoisen Portiers.

Wanderschaft hat im „Taugenichts" einen positiven und einen negativen Sinn: positiv gesehen ist sie von dem Glücksverlangen der Seele getragen, das sich in die große und weite Welt Gottes hinaussehnt; negativ gesehen meint sie die Gefahr der Ortlosigkeit, der Ungeborgenheit und des Sichverlierens. Die Ferne und die Weite, insbesondere das lockende Italien, hinter dem für Eichendorff immer noch das Heidentum und die heidnischen Götter stehen, könnten den Taugenichts in das Chaotische hinablocken, wenn die Heimat nicht der bergende Gegenpol bliebe. Diese Spannung von Heimat und Ferne geht durch die ganze Erzählung hindurch und bestimmt ihren Aufbau. Das elterliche Haus, die schöne Zeit der Kindheit, der heimatliche Strom der Donau, das sind die Wurzeln, die nicht absterben dürfen, wenn der Taugenichts in der Fremde nicht einsam werden und verlorengehen soll. Das Glück wird in der Ferne des Südens gesucht, aber erst in der Heimat, in der Donaulandschaft der blauen Berge, in ihrer Sicherheit und in ihrem Frieden endgültig gefunden. Das Thema von der geliebten schönen Frau erscheint in dieser doppelten Brechung: geheimnisvoll fern in der Nähe des heimatlichen Raumes, geheimnisvoll nahe in der Ferne des „falschen Italien".

Der Taugenichts ist ein Sonntagskind. Vertrauen, Liebe und Phantasie verknüpfen ihn mit der Welt. Aber dennoch kann er ihr auch wieder so isoliert, so für sich allein gegenüberstehen, daß ihn die Schwermut überfällt. Hier beginnt die Vereinsamung des Künstlers. Dann kann er nur noch zu seiner Geige greifen in dem Bewußtsein: „Unser Reich ist nicht von dieser Welt." Zwar hat Eichendorff die gesellschaftliche Welt und ihre politischen, wirtschaftlichen und sozialen Ordnungen in seiner Erzählung weitgehend ausgeklammert. Er schafft durch die ganze Art seiner Darstellung die Illusion, als ob es sich auf eine rein poetische Weise in der Welt leben ließe. Aber dennoch gibt es auch für den Taugenichts Augenblicke, in denen der Einklang zwischen Seele und Welt gestört ist. Dann überfällt ihn die Traurigkeit. Das beglückende Gefühl, in der Welt Gottes für immer beheimatet zu sein, schlägt in die Qual um, in der Welt der Menschen keinen Platz zu haben oder in der Fremde unbehaust zu bleiben. „Es ist, als wäre ich überall eben zu spät gekommen, als hätte die ganze Welt gar nicht auf mich gerechnet." Auch noch inmitten der Natur, etwa in der hohen oder auch bangen Stunde des Mittags, kann dieses sterbensbange Gefühl durchbrechen, oder auch am Abend im Wald kann ihm Angst werden „in dem ewigen einsamen Rauschen der

Wälder". „Ich betrachtete das Firmament, wie da einzelne Wolken langsam durch den Mondschein zogen und manchmal ein Stern weit in der Ferne herunterfiel. So, dachte ich, scheint der Mond auch über meines Vaters Mühle und auf das weiße gräfliche Schloß. Dort ist nun auch schon alles still, die gnädige Frau schläft, und die Wasserkünste und Bäume im Garten rauschen noch immer fort wie damals, und allen ist's gleich, ob ich noch da bin, oder in der Fremde, oder gestorben. — Da kam mir die Welt auf einmal so entsetzlich weit und groß vor und ich so ganz allein darin, daß ich aus Herzensgrunde hätte weinen mögen." Hier erlebt sich das Herz als beziehungslos zur Welt, nur noch sich selbst und seiner eignen Schwermut überlassen. Auch der Trost der Natur versagt dann, weil das Herz keine Wurzeln mehr hat in der Welt, weil die Heimatlosigkeit wie ein böses Verhängnis den Taugenichts um den Segen Gottes, um die Geborgenheit in seiner Schöpfung betrügt. Dann steigt das Weinen „aus dem Grund des Herzens auf", das wilde und zerstörende Gefühl, inmitten dieser Welt völlig allein zu sein:

> Was wisset ihr, dunkele Wipfel,
> Von der alten, schönen Zeit?
> Ach, die Heimat hinter den Gipfeln,
> Wie liegt sie von hier so weit!

Dennoch wird man das alles nicht überbewerten dürfen. Auch die Schwermut behält noch ihren Glanz, ihre „Stimmung". Auch in ihr wird die Welt noch poetisch erlebt. Dazu bedarf es keiner besonderen magischen Verzauberung. Denn die Wirklichkeit selbst, auch und gerade noch in ihrer ganzen Alltäglichkeit, *ist* Zauber, *ist* Poesie. Was Eichendorff von Tieck, Jean Paul und Hoffmann unterscheidet, ist diese naive Fähigkeit, Seele und Welt im Einklang zu erleben. Nur Mörike ist ihm darin noch verwandt gewesen. Es ist in unserer Erzählung nicht nur ein Einklang von Seele und Natur, es ist auch noch ein Einklang von Seele und Menschenwelt. Man sehe sich den beamteten Taugenichts an, den Zolleinnehmer im kleinen, rund umsäumten Zollhäuschen, der sich den prächtigen roten Schlafrock mit den gelben Punkten, die grünen Pantoffel und die Schlafmütze anzieht, die der selige Einnehmer nebst einigen Pfeifen mit langen Röhren hinterlassen hat. Selbst der Schlafrock, das Wahrzeichen der Philisterei und spieß-bürgerlichen Nützlichkeit, wird noch poetisch, funkelt geradezu von Farben, an denen sich hier das kindliche Gemüt, unbeschwert von allen bürgerlichen Sorgen, zu erfreuen vermag.

Auch die Abrechnungen des Herrn Zolleinnehmers sind noch die eines Poeten, dem die Phantasie immer wieder einen Streich spielt. „Denn die Acht kam mir immer vor wie meine dicke, enggeschnürte Dame mit dem breiten Kopfputz, die böse Sieben war gar wie ein ewig rückwärts zeigender Wegzeiger oder Galgen. — Am meisten Spaß machte mir noch die Neun, die sich mir so oft, eh' ich mich's versah, lustig als Sechs auf den Kopf stellte, während die Zwei wie ein Fragezeichen so pfiffig dreinsah, als wollte sie mich fragen: Wo soll das am Ende noch hinaus mit dir, du arme Null? Ohne *sie*, diese schlanke Eins und alles, bleibst du doch ewig nichts!"

Was nützen alle praktischen Vorsätze des Taugenichts, Geld zu verdienen und es „gewiß zu etwas Großem in der Welt zu bringen", wenn er als erstes seinen Kartoffelgarten in einen auserlesenen Blumengarten verwandelt und jeden Abend der schönen Frau im Schlosse einen neuen Strauß auf den steinernen Tisch in der Laube legt. Die Darstellung Eichendorffs ist hier und an vielen anderen Stellen unserer Erzählung humoristisch. Es ist ein Humor, der aus dem Kontrast von Poesie und Wirklichkeit entsteht, aber diesen Kontrast liebevoll zugunsten der Poesie wieder auflöst. Denn das Poetische ist hier nicht mehr ein Bereich jenseits der alltäglichen Erscheinungen, nicht ein Bereich des Sonderbaren, Seltsamen, Exotischen, geheimnisvoll Entrückten. Die „blaue Blume" der Romantik wächst für Eichendorff in den Wäldern der Heimat. Weder ist die Wirklichkeit bizarr, noch ist der Traum geisterhaft, sondern der Zauber liegt im Realen und Wiederkehrenden, in Morgen und Abend, in Wald und Brunnen, in Tälern und Höhen, in Wanderschaft und Frühling. Alles dies hat erst durch Eichendorffs Prosa und Lyrik den romantisch-poetischen Klang erhalten, das Hauchende, Schmelzende, Duftende und Verflimmernde, das aus der Sprache dieser Worte nicht mehr wegzudenken ist.

Diese weitgehende Identität von Poesie und Wirklichkeit war erst und nur an der Grenze von Romantik und Biedermeier möglich. Noch ist der Glaube an die Poesie stark genug, daß die dichtende und musizierende Künstlerseele dieses Taugenichts den Traum der Welt in Wald, Frühling, Mondschein und Gärten zum Klingen bringen kann:

> Schläft ein Lied in allen Dingen,
> Die da träumen fort und fort,
> Und die Welt hebt an zu singen,
> Triffst du nur das Zauberwort.

Der kleine Spruch Eichendorffs ist für seine ganze Weltauffassung zentral und könnte geradezu als Motto über dem „Taugenichts" stehen. Diese Nähe zur Musik und zur melodischen Lyrik ist romantisches Erbe. Die Vorgänge werden zu Bildern, die Bilder zu Stimmungen, und diese wandeln sich wieder in Lieder. Nicht nur aus der Lust am Liede, nicht nur aus der naiven Freude an Ton und Melodie wird gesungen, sondern weil im Liede die Welt ist, weil der Zauber, der in den Dingen schläft, nur durch den Klang gelöst werden kann. So werden Geige und Lied zur einzig möglichen, einzig gemäßen Form der Mitteilung für den Taugenichts. Das Gemüt selbst erklingt bei dieser Berührung mit der Welt, und das Lied des Taugenichts, dieses anonymen Künstlers, der selber keinen Namen hat, ist Lob der Welt, Lob Gottes. Denn in den Tönen und in den Zauberworten offenbart sich das eigentliche, das geheime Wesen der Welt, die „heiligen, unbekannten Quellen" des Lebens. Solche gnadenhafte Gestaltung, die dem Dichter im Liede geschenkt wird, beschreibt Eichendorff bereits im Schlußkapitel seines jugendlichen Romans „Ahnung und Gegenwart": „Es ist, als hörte die Seele in der Ferne unaufhörlich eine große, himmlische Melodie, wie von einem unbekannten Strome, der durch die Welt zieht, und so werden am Ende auch die Worte unwillkürlich melodisch, als wollten sie jenen wunderbaren Strom erreichen und mitziehen."

Noch gilt für Eichendorff: „Der Dichter ist das Herz der Welt", und dieses Erwachen der Welt aus ihrer eignen träumenden Tiefe geschieht auch im „Taugenichts". Noch geht von den allzu menschlichen Schranken der sozialen Ordnungen nicht jene brutale Kraft der Entzauberung aus, die diesen Glauben an die im Dichter singende Welt ernstlich gefährden könnte. Aber schon ist die Wirklichkeit mächtig genug, daß sie mit Humor umspielt werden muß; schon hat sie ihr eignes Recht, und die Poesie kann nicht mehr aus ihr hinausführen in einen „magischen Idealismus" oder in die poetische transzendentale Freiheit des Ich. Auch der Dichter bleibt Kreatur. Die Poesie kann der Wirklichkeit nur das Zuviel an Schwergewicht rauben, indem sie fast alles ausklammert, was dem reinen poetischen Insel- und Feriendasein widerspricht oder widersprechen könnte. So wird auch das Wirkliche leicht und hold, ohne sich in bloße Lyrismen und Empfindsamkeiten aufzulösen. Eichendorff ist Lyriker und Erzähler zugleich, freilich auch als Erzähler immer aus dem Lyrischen der „Stimmung" heraus dichtend. An solcher Grenzscheide von Romantik und Biedermeier ist diese nur einmal, nur damals mögliche Erzählung entstanden; romantisch genug, um die Wirklichkeit in ein Märchen zu verzaubern; wirklichkeitsnah genug, um uns dennoch im realen Leben festzuhalten.

Novellistisch ist das alles freilich nur im geringen Grade. Der Erzählung fehlt die eigentliche Pointe, auch von einer Silhouette wird man nicht sprechen dürfen. Der Charakter des Taugenichts bleibt sich trotz aller Stimmungsschwankungen immer gleich, und die Begebenheit setzt ihn nicht in ein besonderes Licht. Wohl erinnert das komödiantische Spiel mit der Liebe noch an die Frühzeit der italienischen Novellendichtung. Die Freude am Leichten und Beweglichen, an Spielen und Verkleidungen, an Gastereien und Tänzen ist überall spürbar. Auch noch die Studenten bei der Rückreise zeigen eine vagabundierende Geselligkeit, sie sind ein fahrendes Künstlervölklein, spaßig und zugleich gelehrt, Musikanten mit „Vakanz". Aber im Gegensatz zu Boccaccio fehlt jede gesellschaftliche Profilierung. Alles ist hier in ein Glücksmärchen verwandelt. Die Gesellschaft als Gesellschaft wird kaum sichtbar. Sie bleibt eine aristokratische Folie, vom Märchen-Topos des „Schlosses" aus charakterisiert. Ein gewisser Sinn für soziale Vornehmheit, für noble Allüren und verfeinerte Lebensformen ist allerdings nicht zu verkennen. Gesellschaft ist hier eine liebenswürdig heitere und gesellige Welt; es geht in ihr nicht ohne Mißverständnisse, Verwirrungen und Händel zu, aber doch immer so, daß den Herzen die Erfüllung ihrer Glückswünsche gestattet ist. Die erzählte Handlung behält dabei etwas Hingetuschtes, ihre Spannung ist meist nur leise und verhalten, beruht überdies meist auf Komik und Verwechslung. Die Polarität von Heimat und Fremde und das Romanthema von der nahen und doch fernen Geliebten reichen aus, um der Erzählung den nötigen Umriß zu geben. Das romanhaft Abenteuerliche der Liebeshandlungen wird am Ende noch einmal liebenswürdig ironisiert, wenn der Maler Leonhard, der sich nachher als Graf und Mäzen entpuppt, dem Taugenichts sagt — und damit hat er zweifellos recht —, er habe wohl noch keinen Roman gelesen, und ihn darüber belehrt, daß er, der Taugenichts, ohne es zu wissen, in einem solchen mitgespielt hat, in einem Roman der „Konfusion mit den Herzen". Aber das romanhaft Erdichtete, das abenteuerlich Fremdländische, das maskenhaft Verspielte kontrastiert gerade mit der nicht romanhaften, sondern naiv poetischen Weise, wie der Taugenichts die Welt erlebt. Zweifellos liegt auch in diesem Kontrast ein besonderer novellistischer Reiz des Erzählens. So gelingt der Austausch zwischen Roman und Märchen. Die anderen Figuren mögen Romanfiguren sein und sich als solche selbst interpretieren, der Taugenichts hingegen ist ein echter Märchenheld und nicht ein Romanheld, und zwar deshalb, weil er das Phantastische als wirklich, das Poetische als real nimmt und den in der Reflexion gespiegelten Gegensatz von wirklicher und romanhafter Welt gar nicht kennt.

Am deutlichsten wird das in der Art, wie er die Liebe erfährt. Seine eigne Liebesgeschichte ist zwar in den „Roman" der anderen Mitspielenden verwoben, wird aber nicht erst durch das Geschehen „poetisch" und merkwürdig, sondern ist es bereits durch die Liebe selbst. Die Geliebte wird in der Distanz des Vornehmen und Unerreichbaren erlebt. Sie ist umspielt vom Zauber der Ferne und der Kostbarkeit, gehört aber auch in den Bereich der heimatlichen Landschaft. Nach ihrer sozialen Wirklichkeit wird im Grunde gar nicht gefragt. Real gesehen ist sie immer fern, poetisch gesehen immer nah. Am Ende stellt es sich heraus, daß sie gar keine vornehme, unerreichbare Dame ist, sondern die Nichte jenes Portiers, der sich mit seinem hausbackenen Verstand über den närrischen Taugenichts so oft ärgern mußte und für diesen selbst eine unerschöpfliche Quelle der Komik war. Nicht die Ereignisse sind im romanhaften Sinne poetisch, sondern die Liebe als solche ist es. Hier erfährt das Herz den Wechsel von Begnadung und Schwermut, den wir bereits charakterisiert haben. Zu Beginn ist die Geliebte so weit entfernt wie ein Stern am Himmel. Der Taugenichts weiß nicht einmal, wer sie ist. Er versucht auch nicht, etwas darüber zu erfahren. Er liebt sie als den Inbegriff des Wunderbaren und Schönen, nicht eigentlich als sie selbst. Er liebt sie, wie er den Wald, den Garten und die Blumen liebt, als die Gegenwart Gottes in der Welt. Diese Liebe ist Anbetung und Verehrung, und je mehr sie liebt, um so stärker wird ihr Gegenstand in die Ferne eines poetischen, von der Phantasie umspielten Traumes entrückt. Mit realen Fragen setzt sie sich nirgends auseinander. Es wechseln nur die Stimmungen: die höchste Seligkeit, wenn der Taugenichts die Geliebte von weitem im Garten gesehen und sie seinen Blumenstrauß auf der Laube entgegengenommen hat; die bitterste Schwermut, wenn er vergeblich und einsam im Baum auf sie gewartet hat und sie dann an der Hand eines Unbekannten glänzend und schön bei Nacht auf die Schloßterrasse heraustreten sieht.

Der Raum dieser Liebe ist der Garten, ein sinnbildlicher Bereich für das reine poetische Dasein. Josef Kunz hat in seinem Buch über Eichendorff (Oberursel 1951, S. 64–105) in dem Kapitel über den „Taugenichts" mit Recht auf diesen Zauber und Duft des vegetativen Lebens hingewiesen, der auch der Liebe ihren Zauber und ihren Duft gibt. Der Garten — und in geringerer Weise auch das Schloß — sind bei Eichendorff echte Dingsymbole, in denen sich das Erzählte verdichtet. „Die Blumen, die Springbrunnen, die Rosengebüsche und der ganze Garten funkelten von der Morgensonne wie lauter Gold und Edelstein." In einem solchen Satz Eichendorffs ist der anschauliche Raum des Gartens zugleich als poetischer Raum wahrgenommen. Im Umkreis dieses knospenden und blühenden Lebens entfaltet sich der Innenraum der träumenden Liebe. Der Garten symbolisiert die Teilhabe an einer zugleich wirklichen und poetischen Welt. Er besitzt jene inselhafte Abgeschlossenheit, in der das liebende Herz mit der Natur und damit auch mit der Geliebten in Übereinstimmung leben darf. Erst mit den verwelkten Blumen, die nicht mehr entgegengenommen werden, beginnt die Schwermut einer sich verfremdenden Welt.

Wie sieht der Taugenichts die Geliebte? Er sieht sie morgens, wenn ihre Augen zwischen den Blumen aus den halb geöffneten Jalousien hervorleuchten, und er erinnert sich dabei, daß unter ihrem Fenster ein blühender Strauß wuchs. Wenn sie dann „noch heiß und halb verschlafen im schneeweißen Kleid an das offne Fenster" hervortrat, dann ließ sie ihre „anmutig spielenden Augen über Busch und Garten" schweifen, „bald bog und band sie die Blumen, die vor ihrem Fenster standen, oder sie nahm auch die Gitarre in den weißen Arm und sang dazu so wundersam über den Garten hinaus". Diese Symbolik des Gartens bleibt auch dort poetisch, wo sie sich mit dem real Komischen verbindet. Der Taugenichts liegt verborgen hinter seinem Baume, die Geliebte steht wieder am Fenster, alles ist still ringsumher, da fliegt ihm eine fatale Fliege in die Nase, und er muß so erschrecklich niesen, daß es gar nicht enden will. Die Geliebte schaut weit zum Fenster hinaus und sieht den Ärmsten unter dem Strauche lauschen. Auch die kleinen Tücken von „Fliege" und „Niesen" können den Zauber des Gartens nicht zerstören, wohl aber weichen die Liebenden sofort wieder scheu in eine poetische Ferne zurück. Als der Taugenichts nach dem weiten Umweg über den Süden seine immer so ferne und immer so nahe Geliebte wiederfindet, da erblickt er sie — wie könnte es anders sein! — im Garten, und in ihrem schwarzen Haar hat sie einen Kranz von weißen und roten Rosen.

Das Poetische der Liebe darf jedoch nicht mit sentimentaler Schwärmerei verwechselt werden. Eichendorff stellt seinen Taugenichts auch wieder sehr fröhlich und lebensnah dar, er tanzt und küßt gern, und auf der Flucht in die Weite begegnet ihm eine Jungfer, jung, schön und reich, die ihm eine Rose schenkt. Die „philosophischen Gedanken", die ihm dabei kommen, haben etwas sehr Handfestes. „Ich konnte da mein Glück machen, eh' man die Hand umkehrte. Und Hammel und Schweine, Puter und fette Gänse mit Äpfeln gestopft — ja, es war mir nicht anders, als säh' ich den Portier auf mich zukommen: ,Greif zu, Einnehmer, greif zu! jung gefreit hat niemand gereut, wer's Glück hat, führt die Braut heim, bleibe im Lande und nähre dich tüchtig.' " Aber solchen Versuchungen erliegt er eben nicht. Seine Liebe zur „schönen, gnädigen Frau" ist nicht eine Phantasterei, von der ihn ein handfestes bürgerliches Glück befreien könnte, sie ist naiv poetisch und gerade darin wieder so echt und wirklich. Vielleicht könnte man auf diese Art von Liebe das Wort Philinens aus Goethes „Wilhelm Meisters Lehrjahren" anwenden: „Wenn ich dich liebe, was geht's dich an!" Die Liebe ist wie eine reine Musik, sie ist einfach da, sie ist ein Geschenk, das man nicht wollen und dirigieren, sondern immer nur wie von selber finden kann. Als ein solcher poetischer Zustand hat sie mit Besitz oder Besitzenwollen nicht das geringste zu tun.

Auch die Geliebte liebt aus der Ferne, im holden Schweigen oder im mädchenhaften Erröten. Sie bleibt die schöne, stille, gnädige Frau, die man mit Gitarre und Buch durch den Garten gehen sieht oder die hinter Vorhängen hervorschaut und wieder verschwindet, wenn sie bemerkt wird. Nur die Gabe des Blumenstraußes schlingt das verknüpfende Band. Fast liegt eine liebenswürdige Ironie über dem Ende der Erzählung, das die Liebenden so unerwartet zusammenführt. Es ist eine der poetischen Launen des guten Schicksals, das dem Taugenichts hier die Ehe gewährt, so wie es ihm vorher den Posten des Zolleinnehmers gewährt hat. Es will und soll nicht so genau beim Worte genommen werden. Wir möchten es so gerne glauben, weil es die Welt poetischer, „gartenhafter" macht und weil die Poesie dem reinen und treuen Gemüt nichts endgültig versagen darf. Daß der Taugenichts recht behält und nicht der Portier, daß die schönen Blumen köstlicher sind als die Kartoffeln und daß bereits die Blumen als Unterpfand der Liebe genügen, daß in den Träumen des Gemüts mehr Wahrheit ist als in der Ökonomie des realen Lebens — wir lassen uns gerne dazu überreden, wir lieben Eichendorff um dieser Täuschung willen, die die Macht des Tragischen und des Bösen in der Welt durch die Macht der Phantasie gelindert hat.

Was im „Garten" begann und im „Garten" endet, findet seinen Kontrast in der Reise nach Italien. Es wird zum Märchen, obgleich alles natürlich darin zugeht, wenn der aus Liebeskummer in die Welt hinausfliehende Taugenichts hoch oben auf dem Kutschbock sitzt, von einer Station zur anderen reist, ohne eine Ahnung, wohin es geht, ohne ein Wort der fremden Sprache zu kennen, zunächst mit den unbekannten, zufällig im Walde getroffenen Malern, hinter denen sich in Wahrheit ein romantisches Liebespaar verbirgt, dann alleine, immerfort weiter, ohne eigentlich recht anzuhalten, bis in das geheimnisreiche Idyll des spukenden Schlosses hinein, wo wieder einmal eine der Verwechslungen dieser an Verwechslungen so reichen Geschichte gespielt wird. Wie in Eichendorffs Liedern, so glänzt auch hier der Zauber der Weite, des Fremden, Unbekannten, des Wanderns ohne Ziel, des selig blinden Dahinfahrens. Was für ein Land, dieses Italien, ganz anders als das Italien Goethes! Marmorschwellen und Wasserkünste, Mondschein über den Palästen, Gitarren und lockende, närrische Feste mit fremdländischen Liedern, und auch hier immer wieder Gärten, aber nicht so sehr als Orte der Bergung, sondern phantastischer, verzauberter und auch scheinhafter. Es ist die magisch-ferne, die südlich-heiße und helle Welt, in der das Gemüt die Sehnsucht nach dem Rauschen der deutschen Wälder, nach den fernen blauen Bergen überfällt, die das Herz nicht mehr losläßt, bis es wieder eins ist mit dem Frieden der Heimat. Wohl ist Italien ein Inbegriff von Weite und Lebenslust, von Reichtum und Üppigkeit, ein seliges Dolce far niente; aber mehr und mehr enthüllt es sich als das Täuschende, in einen verführerischen Zauber gebannt, eine Atmosphäre des Ungewöhnlichen bis in die gesteigerte Intensität der Farben hinein, das Blau der Blumen, das Dunkelgrün der Landschaft, die Buntheit der Vögel. Wohl steigt mit Rom auch die heilige Stadt auf, die Stadt mit den goldenen Kuppeln, die so herrlich im hellen Mondenschein glänzen, „als ständen wirklich die Engel in goldnen Gewändern auf den Zinnen und sängen durch die stille Nacht herüber". Aber hinter Rom lauert das immer noch lebendige, immer noch gefährliche Heidentum; Rom ist die alte, uralteStadt, von der es heißt, daß hier Frau Venus begraben liegt, und gerade diese dämonische Seite, diesen magischen Bann des antiken Zaubers hat Eichendorff in seiner Novelle „Das Marmorbild" gestaltet. Italien hat etwas Blendendes, aber auch etwas schemenhaft Erstarrtes, eine verzauberte Welt, die kein eigentliches Glück, kein wahres Heil zu spenden vermag. Auch die Menschen, die der Taugenichts hier trifft, die närrischen Genie-Maler, die verrückten Kammerjungfern, die schlanken Mädchen, wie „heidnische Waldnymphen", verwirren uns auf spukhafte Weise und bekommen dadurch etwas Unwirkliches. Alles ist schön und scheinhaft zugleich. Wo er die geliebte Frau zu finden glaubt, da findet er die italienische Gräfin, die etwas große, korpulente, mächtige Dame mit der stolzen Adlernase und den hochgewölbten schwarzen Augenbrauen, „so recht zum Erschrecken schön!". Inmitten fein gesponnener Liebesintrigen kann der durch Rom hindurchtaumelnde Taugenichts wiederum nur Konfusion anrichten. Und so heißt es denn am Ende: „Die Wasserkunst, die mir vorhin im Mondschein so lustig flimmerte, als wenn Engelein darin auf und nieder stiegen, rauschte noch fort wie damals, mir aber war unterdes alle Lust und Freude in den Brunnen gefallen. – Ich nahm mir nun fest vor, dem falschen Italien mit seinen verrückten Malern, Pomeranzen und Kammerjungfern auf ewig den Rücken zu kehren, und wanderte noch zur selbigen Stunde zum Tore hinaus."

Spuk und Wirrung verlöschen dort, wo die Donau rauscht und die vergoldeten Wipfel sich dem Abendwind entgegenneigen. Geborgenheit ist nur in der Heimat möglich. Wohl stand zunächst auch das fremde „Schloß" an der Donau im Kontrast zur heimatlichen Mühle. Aber diese Welt kann für den Taugenichts wiederum zur echten Heimat werden. Italien bedeutete die Gefahr der Entwurzelung. Jetzt kehrt er zu seinem Ursprung zurück. Auch die Menschen, die ihm begegnen, führen ihn fast alle direkt oder indirekt in die Heimat. Von neuem wird der Schwanenteich im Schloßgarten der Ort, wo sich die Liebenden wiederfinden. Hier allein kann sich die Wärme und Treue des Herzens rein entfalten. Hier ist alles, was dem Taugenichts lieb ist: das kleine Häuschen, in dem er gelebt hat, der Garten, die Blumen und die Donau mit ihren blauen Bergen. Nur hier und nicht in der Fremde begegnet ihm das eigentliche Wunder. Die Liebenden, die im Grunde kaum etwas voneinander wußten und sich doch immer liebten, finden sich zum traumhaft glücklichen Ende zusammen. Die Musik schallt herüber, die Leuchtkugeln fliegen vom Schloß durch die stille Nacht über die Gärten, die Donau rauscht dazwischen herauf, „und es war alles, alles gut!".

Ein novellistischer, ja darüber hinaus romanhafter Stoff – Nähe und Ferne der Liebenden, die auf dem Umweg über Italien zueinander geführt werden—, verflochten mit einer parallel laufenden, aber doch nur ganz leise angedeuteten zweiten Liebeshandlung und allen daraus entspringenden Verwechslungen und Täuschungen, das wird von Eichendorff in die reine Form des Märchens verwandelt. Der „Taugenichts" ist eine novellistische Erzählung in der Gestalt eines Glücksmärchens oder, wenn man will, ein Glücksmärchen in der Gestalt einer novellistischen Erzählung. Das konnte in dieser reinen und ungetrübten Form in der deutschen Dichtung nur ein einziges Mal gelingen, und es hat auch keine eigentliche Fortsetzung gefunden. Denn sogar in den Mörikeschen Glücksmärchen, zum Beispiel im „Stuttgarter Hutzelmännlein", treten der Bereich der dinglichen Wirklichkeit und der Bereich der Märchengnade doch sehr viel stärker auseinander. Vielleicht konnte Eichendorff diese wechselseitige Vertauschung von Novelle und Märchen nur darum erreichen, weil er erstaunlicherweise an keiner einzigen Stelle die natürliche Kausalität durch Wunderkausalität durchbricht und weil in dieser realen, novellistischen Begebenheit doch alles so hold und selbstverständlich zugeht wie im wirklichen Märchen. Eichendorff durfte es sich leisten, auf alle Requisiten des Wunderbaren oder Magischen zu verzichten, die bei Brentano eine so große Rolle spielen und ohne die selbst das epische Erzählen Kleists im „Michael Kohlhaas" nicht auskommen konnte. Denn der begnadende oder verwunschene Zauber ist hier in allem Geschehen, in Raum und Zeit schon anwesend; das Poetische ist mit dem Wirklichen identisch oder kann zum mindesten immer wieder im Humor mit ihm ausgesöhnt werden. Nirgendwo stört das Bewußtsein einer sozial bedrängenden und mit ihrem Zwang determinierenden Welt die Freiheit dieses künstlerischen Spiels, das uns ohne jede Gewalt, wie von selbst, dazu bringt, die Wirklichkeit märchenhaft, das heißt hier mit den Künstleraugen des Taugenichts, zu sehen und zu erleben.

ADELBERT VON CHAMISSO

PETER SCHLEMIHLS WUNDERSAME GESCHICHTE

Adelbert von Chamissos 1813 entstandene Erzählung von Peter Schlemihl wird bis heute fast immer als ein rein romantisches Märchen, ja sogar unter Berufung auf Chamisso selbst als ein ausgesprochenes „Kindermärchen" aufgefaßt. Nach der Meinung von Hermann Pongs handelt es sich um eine romantisch-allegorische Stimmungsnovelle, die mit ihren tiefsinnigen Verweisen vom Alltäglichen auf das Wunderbare an Tiecks frühere allegorische Märchen, zum Beispiel an den „Blonden Eckbert", sich anschließt. Nach Richard Benz ist die Erzählung ein Kunstmärchen, das jedoch zugleich Motive des Volksmärchens benutzt wie Fortunati Glückssäckel, das unsichtbar machende Vogelnest, die Tarnkappe und die Siebenmeilenstiefel. Auch Hermann August Korff hat in dem letzten Band „Hochromantik" seines Werkes „Geist der Goethezeit" dieses Märchen als eine „kuriose Geschichte" im Sinne Arnims bezeichnet, gleichsam ein Abfallprodukt echter romantischer Dichtung. Nur Thomas Mann hat in einem sehr lesenswerten Aufsatz über Chamisso in dem Sammelband „Rede und Antwort" entschieden die Märchenthese abgelehnt. Die Erzählung ist, so heißt es dort, „obgleich auf unbestimmtem Grund und Boden spielend, zu novellistischer Natur, bei allem grotesken Einschlag zu ernst, zu modern leidenschaftlich, um der Gattung des Märchens eingeordnet werden zu können... die eigentliche Kunstleistung des Verfassers besteht darin, daß er die realistisch-bürgerliche Allüre bis ans Ende und beim Vortrage auch der fabelhaftesten Begebnisse mit aller Genauigkeit festzuhalten weiß: dergestalt, daß Schlemihls Geschichte wohl als ‚wundersam' im Sinne selten oder nie erhörter Schicksale wirkt, zu denen ein irrender Mensch durch Gottes Willen berufen war, aber nie eigentlich als wunderbar im Sinne des Außernatürlichen und Unverantwortlich-Märchenhaften. Schon ihre autobiographische, bekenntnismäßige Form trägt dazu bei, daß ihr Anspruch auf Wahrhaftigkeit und Realität strenger als beim unpersönlich fabulierenden Märchen betont erscheint, und wenn es darauf ankäme, sie mit einem Gattungsnamen zu bestimmen, so wäre, meinen wir, der einer ‚phantastischen Novelle' zu wählen" (S. 215-216). Dieser Zusammenfassung möchte ich weitgehend zustimmen. Die in Erlangen 1941 vorgelegte und von mir selbst beratene Dissertation von A. P. Kroner „Chamisso, sein Verhältnis zu Romantik, Biedermeier und romanischem Erbe" bringt dafür weitere Belege. Hier wird auch der Ausdruck „Novellen-Märchen" gebraucht, den ich für noch glücklicher halte als Thomas Manns Vorschlag „phantastische Novelle". Denn die Erzählung bewegt sich merkwürdig schwebend zwischen Märchen und Novelle. Ihre meist als selbstverständlich angenommene Zuordnung zur Romantik wird zwar durch das bedeutsame Entstehungsjahr 1813 nahe gelegt, läßt sich aber bei einer näheren Analyse des Erzählstils nicht mehr halten. Wir müssen dabei mit einer einfachen Nachzeichnung der Vorgänge beginnen, um erst allmählich der Art des Erzählens und der besonderen Form dieser Dichtung auf die Spur zu kommen.

Am Eingang schildert Chamisso in der Ich-Form des Peter Schlemihl, wie dieser, ein „armer Teufel", der von der Alleinherrschaft des Geldes überzeugt ist, in einer Hafenstadt auf der Norderstraße das Haus des reichen Thomas John aufsucht. „Wer nicht Herr ist wenigstens einer Million", so erklärt der reiche, selbstzufriedene Herr John, „der ist, man verzeihe mir das Wort, ein Schuft", und dieses kapitalistische Bekenntnis findet den überströmenden Beifall seines Besuchers mit den „bescheidenen Hoffnungen". In der Gesellschaft beobachtet Schlemihl einen „stillen, dünnen, hagren, länglichten, ältlichen Mann", der sehr diskret eingeführt wird, aber dabei die merkwürdigsten Dinge fertigbringt, ohne daß dies von den anderen Anwesenden sonderlich beachtet wird. Er hat in der Schoßtasche seines altfränkischen grauen Rockes alles bereit, was die Gesellschaft braucht, vom englischen Pflaster über das Fernrohr bis zu türkischen Teppichen und drei gesattelten Reitpferden. Erstaunlicherweise fällt das Wunderbare inmitten dieser großbürgerlichen Gesellschaft überhaupt nicht auf. Allerdings hat der Mann, der alles dies herbeizauberte, auch nichts von einer dämonischen Teufelsgestalt an sich. Thomas Mann hat ihn vorzüglich charakterisiert: „Nichts von Pferdefuß, Dämonie und höllischem Witz. Ein überhöflicher, verlegener Mann, der rot wird (ein köstlich überzeugender Zug), als er die entscheidende Unterredung wegen des Schattens einleitet, und den auch Schlemihl, zwischen Respekt und Grauen schwankend, mit bestürzter Höflichkeit behandelt." Zwar wirkt er schauerlich und furchterweckend auf Schlemihl, der ihn anschaut „wie ein Vogel, den eine Schlange gebannt hat". Aber das Grauen dringt nicht recht in sein Wachbewußtsein. Übereilt und ohne jede Überlegung geht er auf den — abseits von der Gesellschaft — von dem Fremden vorgeschlagenen Tausch ein: die Preisgabe des eigenen Schattens gegen einen nie versiegenden Glückssäckel, der Schlemihl noch begehrenswerter dünkt als die anderen Kleinodien, die der merkwürdige graue Mann in seiner Tasche mit sich führt, die echte Springwurzel, die Alraunwurzel, Wechselpfennige, Raubtaler, das Tellertuch von Rolands Knappen, ein Galgenmännlein und Fortunati Wunschhütlein, neu und haltbar restauriert. Der Erzähler behandelt hier seinen Mann im grauen Rock, hinter dem sich der Teufel verbirgt, offensichtlich mit Ironie und nimmt seine dämonischen Züge nicht ganz ernst. Wohl erzählt Chamisso als Peter Schlemihl, behält aber trotzdem die Distanz zu seiner Figur und dem, was ihr begegnet.

Die in einzelne Kapitel eingeteilte Erzählung berichtet dann weiter von den schmerzlichen Erfahrungen, die Schlemihl auf Grund seiner Schattenlosigkeit macht. Sehr bald steigt die Ahnung in ihm auf, „daß, um so viel das Gold auf Erden Verdienst und Tugend überwiegt, um so viel der Schatten höher als selbst das Gold geschätzt werde; und wie ich früher den Reichtum meinem Gewissen aufgeopfert, hatte ich jetzt den Schatten für bloßes Gold hingegeben; was konnte, was sollte auf Erden aus mir werden!" Das Merkwürdige an dieser Stelle ist die nüchterne Feststellung, daß das Gold auf Erden mehr gilt als Verdienst und Tugend, hingegen der Schatten noch mehr als Gold. Der Gradmesser der Schätzung, der hier zugrunde gelegt wird, ist offensichtlich ganz aus der Perspektive der sozialen Umwelt gewonnen. Die Schattenlosigkeit hat die Isolierung zur Folge. Nur mit Hilfe seines treuen Dieners Bendel und seines vielen Geldes, das ihm unbegrenzt zur Verfügung steht, vermag sich Schlemihl im sozialen Zusammenleben mit den anderen Menschen notdürftig weiter zu behaupten, dabei läßt ihn aber die Angst nicht los, daß man dem Geheimnis seiner Schattenlosigkeit auf die Spur kommen könne. Geschieht das tatsächlich, so begegnet ihm Spott oder bestenfalls Mitleid, aber auch Verachtung. Der geheimnisvolle graue Mann spielt zunächst keine Rolle mehr; er ist spurlos verschwunden, hat jedoch seine

Wiederkehr nach einem Jahr versprochen. In der Erzählung folgt ietzt die Schilderung verschiedener Lebensphasen, in denen das Wunderbare keine Rolle spielt. Die kleine Liebesepisode mit der schönen Fanny endet trotz allem Aufwand an „Witz und Verstand" mit der peinlichen Entdeckung der Schattenlosigkeit. Daran schließt sich die breiter ausgemalte Phase der Liebe zu Mina an und die Scheinexistenz in einem kleinen bürgerlichen Städtchen als angeblicher Graf Peter. Schlemihl ist von seinen beiden Dienern gleichsam flankiert. Neben dem treuen, in das Geheimnis der Schattenlosigkeit eingeweihten Bendel steht der ungetreue und verräterische Rascal, der schon durch seinen Namen als Schuft gekennzeichnet ist. Die Begegnung mit Fanny brachte nur eine galante Liebesepisode; Mina hingegen ist das bürgerlicheMädchen, das sich ganz und bedingungslos dem Gefühl der Liebe hingibt. „Ich hatte ihre ganze Phantasie an mich gefesselt, sie wußte in ihrer Demut nicht, womit sie wert gewesen, daß ich nur nach ihr geblickt; und sie vergalt Liebe um Liebe mit der vollen jugendlichen Kraft eines unschuldigen Herzens. Sie liebte wie ein Weib, ganz hin sich opfernd, selbstvergessen, hingegeben den nur meinend, der ihr Leben war, unbekümmert, solle sie selbst zu Grunde gehen, das heißt, sie liebte wirklich." Trotz aller Andeutungen über den „Fluch", der auf Schlemihl laste, vermag sie das wahre Geheimnis zunächst nicht zu erraten. „Sie ahnete ... in mir irgend einen Fürsten, den ein schwerer Bann getroffen, irgend ein hohes, geächtetes Haupt, und ihre Einbildungskraft malte sich geschäftig unter heroischen Bildern den Geliebten herrlich aus." Auf die Dauer ließ sich freilich die Schattenlosigkeit nicht verbergen. Der spionierende Rascal kommt als erster dahinter und behält sein Wissen natürlich nicht für sich, zumal er persönlich an Mina interessiert ist. Die Geliebte ist der Situation in keiner Weise gewachsen. Sie ist völlig hilflos, „wie Arethusa, in einen Tränenquell gewandelt". In dem bürgerlichen Milieu dieser Erzählung sind die Eltern wichtiger als die Braut, wenn es um eine Vermählung geht. Vergeblich versucht Schlemihl ihnen gegenüber die Bedeutung des Schattens zu leugnen; er glaubt selbst nicht recht daran, wenn er, „wie irre redend", ihn ein Nichts nennt und unzulängliche Lügen über seinen Verlust erfindet. Nicht nur der Schatten, auch die Geliebte ist für ihn verloren; sie hat nicht genug eigne Kraft, sich über die Schattenlosigkeit hinwegzusetzen; sie folgt betäubt und willenlos den Entschlüssen ihrer Eltern, die sie mit dem reichen Rascal verheiraten wollen.

Inmitten dieser Krise ist der Mann im grauen Rock wieder auf-
getaucht und ist zur Rückgabe des Schattens bereit, aber nicht
gegen den Glückssäckel. Er entpuppt sich als der Teufel, der den
aus der Faustsage bekannten Pakt vorschlägt, die Seele nach ihrer
natürlichen Trennung vom Leibe ihm zu vermachen. Schlemihl
scheint es jedoch „gewissermaßen bedenklich", seine Seele für
seinen Schatten zu setzen. Schatten und Seele sind offenbar etwas
völlig Verschiedenes. Der Schatten bedeutet sehr viel, mehr als
Gold, aber die Seele bedeutet noch mehr. Wohl sucht der Teufel
den Wert der Seele mit durchaus rationalistischen Argumenten
als wesenlos wegzudisputieren, aber das verfängt bei Schlemihl
nicht. Noch entscheidender als die Wertfrage: Schatten oder Seele
ist jedoch der persönliche Widerwille Schlemihls gegen den häßlichen Schleicher, den hohnlächelnden Kobold, der sich spöttisch
zwischen zwei blutig zerrissene Herzen stellt und gegen den sich
sein innerstes Gefühl empört. So bleibt ihm nur die Einwilligung
in ein verhängtes Geschick und in ein unabwendbares Elend. Dann
wird eine kurze Episode eingeschoben, in der ein anderes Märchenmotiv, das „unsichtbare Vogelnest", eine vorübergehende, aber
nur ganz beiläufige Rolle spielt. Auch hier wird Schlemihl vom
Teufel genarrt. Schließlich macht dieser noch einen letzten Versuch, um den verzweifelten Schlemihl umzustimmen. Beide, der
Schatten und die Braut, sind noch zu retten, wenn er unter-
schreibt. Zweifellos bedeutet das eine große Versuchung in der
ausweglos gewordenen, ja tragischen Lage unseres Schlemihl.
Denn es geht ja nicht nur darum, den Schatten zu retten, sondern
auch die liebende Mina vor dem Ehebündnis mit dem Schurken
Rascal zu bewahren. Ist es nicht fast schon zur sittlichen Pflicht
geworden, in einer solchen Situation sogar die Seele zu opfern?
Aber Chamisso weicht einer solchen Zuspitzung seiner Erzählung
mit voller Absicht aus. Er erspart seinem Helden den eigentlichen
Entschluß, indem er ihn rechtzeitig ohnmächtig werden und so
auch dem Verlust der Seele entgehen läßt. Es ist bezeichnend, daß
gerade an dieser wichtigen Stelle die Ich-Erzählung sich gleichsam
verdoppelt, indem der Autor sich hier nochmals als eine Figur einführt, an die sich Schlemihl wendet und der gegenüber er sich zu
rechtfertigen sucht. Schlemihl und Chamisso sind zwar befreundete,
aber nicht identische Personen. Die Gestalt des Schlemihl ist für
Chamisso gleichsam eine Maske, hinter der er sich versteckt. Noch
in dem späteren Gedicht vom August 1834 „An meinen alten
Freund Peter Schlemihl" wird diese Identität und zugleich Nicht-

Identität der beiden sichtbar. Chamisso setzt sich hier gegen Peter Schlemihl ab als einer, der gerade nicht in die Fänge des grauen Mannes geriet, seinen Schatten nicht verlor, aber trotzdem immer für einen Schlemihl, einen Schattenlosen gehalten wurde. Auch in der Erzählung selbst sind der Erzähler Chamisso und die erzählende Person Schlemihl nicht miteinander identisch. Folgendermaßen rechtfertigt sich Schlemihl gegen Chamisso: „Lieber Freund, wer leichtsinnig nur den Fuß aus der geraden Straße setzt, der wird unversehens in andere Pfade abgeführt, die abwärts und immer abwärts ihn ziehen; er sieht dann umsonst die Leitsterne am Himmel schimmern, ihm bleibt keine Wahl, er muß unaufhaltsam den Abhang hinab und sich selbst der Nemesis opfern. Nach dem übereilten Fehltritt, der den Fluch auf mich geladen, hatt' ich durch Liebe frevelnd in eines andern Wesens Schicksal mich gedrängt; was blieb mir übrig, als, wo ich Verderben gesäet, wo schnelle Rettung von mir geheischt ward, eben rettend blindlings hinzuzuspringen? denn die letzte Stunde schlug. — Denke nicht so niedrig von mir, mein Adelbert, als zu meinen, es hätte mich irgendein geforderter Preis zu teuer gedünkt, ich hätte mit irgendetwas, was nur mein war, mehr als eben mit Gold gekargt. — Nein, Adelbert; aber mit unüberwindlichem Hasse gegen diesen rätselhaften Schleicher auf krummen Wegen war meine Seele angefüllt. Ich mochte ihm Unrecht tun, doch empörte mich jede Gemeinschaft mit ihm. — Auch hier trat, wie so oft schon in mein Leben, und wie überhaupt so oft in die Weltgeschichte, ein Ereignis an die Stelle einer Tat. Später habe ich mich mit mir selber versöhnt. Ich habe erstlich die Notwendigkeit verehren lernen, und was ist mehr als die getane Tat, das geschehene Ereignis, ihr Eigentum! Dann hab' ich auch diese Notwendigkeit als eine weise Fügung verehren lernen, die durch das gesamte große Getrieb' weht, darin wir bloß als mitwirkende, getriebene treibende Räder eingreifen; was sein soll, muß geschehen, was sein sollte, geschah, und nicht ohne jene Fügung, die ich endlich noch in meinem Schicksale und dem Schicksale derer, die das meine mit angriff, verehren lernte."

Diese ganze Stelle ist für den Aufbau der Erzählung ungemein bezeichnend. Dem sittlichen, ja tragischen Konflikt — Rettung der Geliebten und auch eigne Rettung um des Preises der Seele willen — wird ausgewichen. Statt dessen begegnet uns ein bereits biedermeierlicher Quietismus: Nemesis, Notwendigkeit, Schicksal sind die entscheidenden Grundbegriffe, von denen aus die Einwilligung in das Verhängte, in die Fügung gerechtfertigt wird. Das Ereignis mit seinem reinen Geschehnischarakter tritt an die Stelle der Tat und bedeutet mehr als die Tat. Die Ohnmacht im richtigen Augenblick nimmt dem Menschen die Verantwortung für das Geschehen ab. Denn als Schlemihl wieder erwacht, ist die Verbindung von Rascal und Mina bereits vollzogen und damit der Höhepunkt der Krise überwunden. Nun hat er „auf Erden kein Ziel, keinen Wunsch, keine Hoffnung". Der Mann im grauen Rock gesellt sich auf seiner Wanderschaft nochmals zu ihm, leiht ihm sogar vorübergehend den Schatten, sucht aber dabei nach wie vor mit allen möglichen Argumenten dem Schlemihl seine Seele abzulisten. Als jedoch der Teufel aus seiner Tasche die bleiche, entstellte Gestalt des Thomas John, die Gestalt eines Verdammten, herausholt, da faßt Schlemihl ein furchtbares Entsetzen, er wirft den klingenden Säckel in den Abgrund dieser Tasche hinein und beschwört den Teufel im Namen Gottes, von dannen zu gehen und sich nie mehr blicken zu lassen.

Nun ist Schlemihl ohne Schatten, aber auch ohne Geld. Seine Gestalt hat hier durchaus die Züge des alten Pechvogels im Märchen. Deutet ja auch der Name „Schlemihl" nach der Überlieferung auf „Pechvogel" hin. Aber aus dem Pechvogel wird wenigstens einmal ein Glückskind. Wiederum muß ein Märchenrequisit dabei herhalten. Durch Zufall gelangt er zu den Siebenmeilenstiefeln, und auf diese Weise kommt es in einem Spätstadium seines Lebens zu einer Aussöhnung mit seinem Schicksal, in das er sich selber, mehr durch Leichtsinn als durch schwere Verschuldung, verstrickt hatte. Die neugeschenkte Märchengabe wird in einem sehr realen, unmärchenhaften Sinne angewandt. „Durch frühe Schuld von der menschlichen Gesellschaft ausgeschlossen, ward ich zum Ersatz an die Natur, die ich stets geliebt, gewiesen, die Erde mir zu einem reichen Garten gegeben, das Studium zur Richtung und Kraft meines Lebens, zu ihrem Ziel die Wissenschaft." Die Siebenmeilenstiefel werden hier also zu einem Mittel der Weltorientierung und rationalen Weltbewältigung. Freilich ist dabei eine schmerzliche Grenze gesetzt. Schlemihls Bemühungen um die Pflanzen- und Tierwelt müssen Fragment bleiben, weil er das durch das Meer getrennte Neuholland auch mit seinen Stiefeln nicht mehr erreichen kann. Wiederholt hat man auf die merkwürdige Vorahnung hingewiesen; denn auch der spätere Naturwissenschaftler Chamisso konnte das vom Meere abgetrennte Australien nicht mehr erreichen.

Durch Zufall und während einer langen Krankheitszeit gelangt Schlemihl auf seinen Reisen unerkannt in das von Bendel geleitete Schlemihlium, ein zu seinem Andenken gegründetes Hospiz für Unglückliche und Kranke, dem auch die inzwischen verwitwete Mina an Bendels Seite vorsteht. „Sie lebte hier als eine gottesfürchtige Witwe und übte Werke der Barmherzigkeit." Auch hier wird also vom Erzähler die Wendung ins Tragische vermieden. Das Schicksal gestattet eine späte Aussöhnung, die auf Entsagung beruht, aber auch Zufriedenheit gewährt. Alle früheren Phasen erscheinen im Rückblick nur als eine Probe, um „mit kluger Einsicht gerüstet, den wirklichen Anfang zu erwarten". „Man wünscht das erste Gaukelspiel nicht zurück und ist dennoch im ganzen froh, es, wie es war, gelebt zu haben." So erscheint das Leben in seinen leidenschaftlichen Verwirrungen nur als ein Vorspiel, als ein zwar nachträglich bejahtes Gaukelspiel, dem Erfüllung erst durch die Bescheidung und Vernunft des Alters zuteil wird. Alles Frühere war nur eine Probe, um erst jetzt den „wirklichen Anfang" zu setzen. Ähnliches wird uns bei Stifter begegnen. Die Geschichte endet mit dem unerkannt Abschied nehmenden Schlemihl, der aber eine Nachricht hinterläßt, daß es ihm jetzt besser geht und daß seine Buße eine „Buße der Versöhnung" geworden ist. Schlemihl bleibt auch in Zukunft der einsame Wanderer, der sich fleißig und methodisch mit Naturwissenschaft beschäftigt. Er beschließt seine Geschichte mit der Mahnung an Chamisso: „Du aber, mein Freund, willst du unter den Menschen leben, so lerne verehren zuvörderst den Schatten, sodann das Geld. Willst du nur dir und deinem bessern Selbst leben, o so brauchst du keinen Rat."

Trotz der Verwendung zahlreicher Märchenmotive fehlt bei Chamisso jeder Bezug zur magischen Realität einer Märchenwelt, der für Novalis noch selbstverständlich war. Weite Partien der Darstellung bringen die breit ausgemalte bürgerliche Welt der Kleinstadt; zum Beispiel die Eltern Minas, Mina selbst gehören hierhin. Nicht das Wunderbare wie im Märchen, sondern das Alltägliche ist hier das durchaus Selbstverständliche. Dazu gehört auch die schon auf Balzac vordeutende Beschreibung der sozialen Funktion des Geldes: seiner schützenden Kraft, aber auch seiner gefährlichen und höchst ungewissen Wirkungen. Wohl mag der vagabundierende Schlemihl noch an die Wandergestalten der Romantik erinnern, aber es ist ein ähnliches Wandern wie später in „Wilhelm Meisters Wanderjahren". Es geschieht aus einer durchaus unromantischen Entsagung heraus, es bleibt gebunden an die überpersönliche Aufgabe der Naturwissenschaft und gehört daher viel eher in das Weltgefühl des Biedermeiers als in das der Romantik. Sehen wir uns die Stilgebung etwas genauer an, ehe wir auf die Pointierung im nicht nur märchenhaften, sondern auch novellistischen Schattenmotiv näher eingehen. Die räumliche Wirklichkeit wird breit ausgemalt, auch die Zeitfolge ist sorgfältig eingehalten. In dem Konkreten der Beschreibung ist in vielen Zügen bereits der spätere poetische Realismus vorweggenommen. Der Mensch steht durchaus im Geflecht der sozialen Beziehungen und Bedingungen. Ja, es ist geradezu das Thema der Erzählung, wieweit die soziale Situation den Einzelmenschen prägt oder nicht prägt. Raum und Zeit lassen sich nicht mehr in einer poetischen Freiheit aufheben. Die Verwendung des Wunderbaren hat also offensichtlich nicht die Bedeutung, daß damit die Kausalität vernichtet werden soll, um eine Traumwelt noch jenseits des Irdischen sichtbar zu machen. Auch die Stilform der Ich-Erzählung darf nicht in einem romantischen Sinne mißverstanden werden. Damit ist nicht etwa beabsichtigt, dem Innenleben ein Übergewicht zu geben, die Welt als bloßen Stoff zu verwenden für die Bildungsgeschichte eines Einzelwesens, das auf diese Weise seine Einmaligkeit, seine Eigentümlichkeit unmittelbar zum Ausdruck bringt. Vielmehr steht das Ich des Schlemihl immer schon in einer Umwelt, von der es sich gerade nicht frei machen kann und die auf sein Schicksal einen bedeutenden Einfluß ausübt. Kleidung, Körperlichkeit und äußere Bedingungen spielen im Ablauf des Geschehens eine erhebliche Rolle. Aus dem Schweifenden des romantischen Wanderns wird schließlich das sorgfältige Sammeln, Pflegen und Hegen, das Botanisieren und Erforschen, der methodische Umgang mit den Dingen, Wanderschaft also als Pflicht und Entsagung. Das alles hat weit mehr mit Stifter und dem alten Goethe zu tun und nicht mit der Romantik. Die einzelnen Stationen dieser zum Teil durchaus nicht freiwilligen Pilgerschaft sind nicht unbestimmt und verschwimmend — von einer „Landschaft der Seele" kann keine Rede sein —, sondern es sind genau umrissene Orte: das Nordertor, die Norderstraße, dazu zahlreiche, eindeutig fixierte Rastpunkte auf der Reise mit den Siebenmeilenstiefeln durch die Kontinente, ferner die vom Meer versperrten und daher für Schlemihl unerreichbaren Stellen, wie Neuholland, die Sundainseln. Die einzelnen Kapitel zeigen klare Konturen, sind sorgfältig eingeteilt und abgerundet. Chamisso zeigt hier eine typisch romanische Durchsichtigkeit, eine zarte Rationalität, eine formsichere Abgewogenheit und Ausgeglichenheit. Keineswegs steht das Seelische im Vordergrund. Auf „Stimmung" wird in einem solchen Ausmaß verzichtet, daß die Erzählung streckenweise geradezu trocken wirkt. Seelisches wird fast immer indirekt dargestellt. Es äußert sich vor allem im Leiden, das sich mehr verhalten als laut klagend mitteilt. Immer wird es nur von der Oberfläche her aufgefangen; das erinnert uns wiederum an romanische Darstellungskunst. Eine romantische Sehnsuchtsnovelle oder ein romantisches Märchen, denen es um die blaue Blume, um Atlantis oder überhaupt um ein höheres Reich des Traumes und der Kunst geht, ist das alles nicht mehr. In mancher Hinsicht kann man geradezu das Gegenteil behaupten. Die Erzählung bemüht sich um die Kontaktstellen zwischen dem Einzelmenschen und der Wirklichkeit. Auch das Märchenhafte ist noch ein Gleichnis für dieses ganz unmärchenhafte Thema. Seine Symbolik, die wir noch näher erläutern müssen, bezieht sich durchaus und nur auf die diesseitige Welt. Neben dem Märchenhaften steht der breite Bereich des Alltags, der häufig eine solche Vormachtstellung gewinnt, daß die märchenhaften Züge dann fast ganz zurücktreten.

Was aber bedeutet diese Alltäglichkeit? Sie ist nicht etwa die entzauberte Welt, die Welt ohne höhere Weihe wie bei E. T. A. Hoffmann, sondern sie ist der Bereich des reinlich Umschränkten, des Bürgerlich-Sozialen, der von Schlemihl und ebenso auch von Chamisso vergeblich begehrt und erstrebt wird. Darin vollzieht sich die genaue Abkehr von der Romantik. Denn die romantische Dichtung wollte mit dem Märchen der bürgerlichen Ökonomie gerade entfliehen. Die Kritik der Romantiker an den letzten Büchern von „Wilhelm Meisters Lehrjahren" beruhte auf der Ausmerzung des Wunderbaren und auf der Tendenz zur Verbürgerlichung, die sie Goethe vorwarfen. Der Romantiker verlangte eine poetische Freiheit noch jenseits der als banal erlebten Realität. Für Chamisso liegen die Dinge entgegengesetzt. Hier wird die Einordnung in einen keineswegs magischen, sondern friedlich gewöhnlichen Raum durchaus gesucht. Aber sie gelingt nicht, sie ist Peter Schlemihl nicht mehr gestattet. Das Märchenmotiv des verkauften Schattens wird zum dichterischen Gleichnis für diesen verlorenen Bezug zur alltäglichen bürgerlichen Welt.

Man könnte nun meinen, an dem Verlust dieser bürgerlichen Welt seien die dämonischen Mächte schuld. Aber die Geschichte von Peter Schlemihl ist kein Dämonen-Märchen. Auch der Teufel ist weitgehend entdämonisiert. Er wirkt wie ein unangenehmer,

fataler Zeitgenosse, er trägt eine rationalistische Metaphysik mit
wenig Phantasie vor, er ist zweifellos eine ziemlich widerwärtige
Erscheinung; aber sein Handel um die Seele hat nur wenig
Gewicht. Zu einer ernsthaft substantiellen Auseinandersetzung
mit diesem Thema kommt es überhaupt nicht.

Die deutsche und auch besonders romantische Neigung, künstlerische Mitteilungen nur für einen Ausflug in die Metaphysik zu
benutzen, darf man bei Chamisso nicht suchen. Die Perspektive
auf das Jenseits bleibt durchaus blaß und nichtssagend. In keiner
Weise ist das ewige Heil Schlemihls das Thema der Erzählung.
Auch die sittlichen Konflikte werden nicht paradigmatisch genommen. Wir haben die entscheidende Stelle schon analysiert, an
der dem Helden in einer zugespitzten Krise die Entscheidung durch
eine Ohnmacht rechtzeitig abgenommen wird. Schicksal, Fügung,
Nemesis sind die etwas allgemein gehaltenen Begriffe, die auf einen
überpersönlichen Zusammenhang in allem Geschehen hindeuten.

Bezeichnend für die neue Erzählform ist auch die Behandlung
der Traumwelt, die bei romantischen Dichtern wie Novalis und
Tieck eine entscheidende Rolle spielt und den Zugang zum Übersinnlichen zu öffnen vermag. Hier ist alles bereits rationalisiert und
verdinglicht. Wir geben als Beispiel den Traum Schlemihls von
Chamisso. „Da träumt es mir von dir; es ward mir, als stünde ich
hinter der Glastüre deines kleinen Zimmers und sähe dich von da
an deinem Arbeitstische zwischen einem Skelett und einem Bunde
getrockneter Pflanzen sitzen; vor dir waren Haller, Humboldt und
Linné aufgeschlagen..., ich betrachtete dich lange und jedes Ding
in deiner Stube und dann dich wieder; du rührtest dich aber nicht,
du holtest auch nicht Atem, du warst tot." Nüchterner, prosaischer
und alltäglicher kann man wohl kaum träumen. Hier wird man
also die dichterische Substanz der Erzählung auf keinen Fall suchen
dürfen. Wir müssen fragen: Was ist es eigentlich, das ihr bis heute
einen bleibenden Reiz verliehen hat?

Da sind wir nun wieder anscheinend beim Märchen. Denn was
wäre die Geschichte vom Peter Schlemihl ohne das Motiv des
verlorenen Schattens? Es wird nötig sein, festzustellen, was es nun
eigentlich bedeutet und in welcher Weise es die Erzählung profiliert. Das Motiv des Schattens kennt die Literatur auch bereits
vor Chamisso. Aus Chamissos Briefen geht hervor, daß er es — wenn
auch nicht in der Weise des Schattenverlustes — in Wielands „Ab-
deriten", dem Prozeß um des Esels Schatten (nach einer antiken Erzählung) und in Goethes „Märchen" (Der Schatten des

Riesen) kennen und schätzen gelernt hat. Das Motiv vom Schatten-verlust wiederum war verwandt mit jener spanischen Sage vom „Teufel in Salamanca". Diese war in Deutschland im Unter-schied zu Sagen ähnlichen Inhalts bereits vor dem Erscheinen von Chamissos Novelle veröffentlicht worden, und zwar in Johann Limberg von Rodens „Denkwürdiger Reisebeschreibung" vom Jahre 1690. Theodor Körner hat ihr den Stoff für seinen Schwank „Der Teufel in Salamanca" entnommen (vgl. dazu E. Dorer, „Heinrich von Vilenna, ein spanischer Mystiker und Zauberer", Archiv für das Studium der neueren Sprachen, Braunschweig 1887, S. 144). Weitere Hinweise über die Verwendung des Schattens im Volksglauben finden sich in der „Deutschen Mythologie" von Jakob Grimm. Aus ihnen geht hervor, daß das Schattenmotiv in spani-schen Sagen vorkommt, wobei der Schattenlose wie bei Chamisso aus der Gesellschaft ausgeschlossen ist, aber ebenso der Teufel be-trogen wird. Auch im schottischen Aberglauben und im holsteini-schen Märchen ist es zu finden. Die Beziehung zwischen Schatten und Seele, die bis zur Identität beider führen kann, weist auf die indische Mythologie zurück. Es wäre ein eigenes und zweifellos sehr ergiebiges Thema, diesen weitverzweigten Überlieferungen des Schattenmotivs und ihrem Zusammenhang mit Chamissos Er-zählung einmal näher nachzugehen. Wir müssen darauf verzichten, weil es uns in erster Linie auf die Struktur der Erzählung selber ankommt.

Es scheint zunächst sehr verlockend, den Schatten in begriff-licher Weise auf das zurückzuführen, was er bedeutet oder bedeuten könnte. Aber damit kommt man nicht allzu weit. Zwar hat man die Geschichte meistens allegorisch verstanden und ihr die eigent-liche symbolisch-dichterische Kraft abgesprochen. Aber bei der genauen Lektüre wird doch spürbar, daß eine allegorische Er-klärung zu ihrer Deutung nicht genügt. Der verlorene Schatten ist die Kernzone, an der sich die dichterische Eingebung entzündet hat. Chamisso verwendet ihn trotz aller literarischen Anregungen auf eine ganz selbständige Weise. Der Schatten und der Schatten-verlust sind es, die allein seiner Erzählung den Umriß geben; sie schließen das Erzählte erst zur Einheit zusammen und werden so — mit Paul Heyse zu sprechen — zu dem „Falken" der Novelle. Hier tritt der geistige Gehalt unmittelbar und anschaulich ins Bild. Es ist nur eine unzureichende Umschreibung des Symbolwertes, wenn wir sagen, daß durch den Schatten das Wunderbare und das Wirkliche in einer Einheit zusammengefaßt sind, auf die es

Chamisso gerade ankam. Der Schatten als Formprinzip des Erzählens bedeutet nicht ein Ausweichen aus der alltäglich-bürgerlichen Welt in die romantisch-märchenhafte. Dann freilich wäre die Geschichte in der Tat nur „kurios". Vielmehr ist gerade die bürgerliche Welt und ihr bedrückender Verlust der geheime ideelle Gegenstand dieser in ein Märchen verkleideten Novelle, für die das Motiv des verlorenen Schattens zum dichterischen Sinnbild werden konnte. Freilich schwingt nun doch ein allegorischer Bezug in den so einfachen und auch wieder wunderbaren Vorgängen ständig mit und prägt sich uns auf eine ungewöhnlich plastische und sinnliche Weise ein. Der Verlust des Schattens wird unmittelbar fühlbar in der Berührung mit anderen Menschen, ja mit der gesamten sozialen Welt. Zu Beginn ist Schlemihl noch so naiv, seine Schattenlosigkeit überhaupt nicht zu verbergen, weil er sie für bedeutungslos hält. Aber alle Leute rufen bereits etwas hinter ihm her. Immer heißt es: „Der arme Mensch hat keinen Schatten!" oder noch nachdrücklicher in dem Zwischenfall mit dem Kunstsammler: „Wer keinen Schatten hat, gehe nicht in die Sonne, das ist das Vernünftigste und Sicherste." Mit diesen Worten verläßt er ihn mit einem „durchbohrenden" Blick. So wird uns nach und nach suggeriert, daß der Schattenlose ein Gezeichneter, ein Anstößiger, ein Verdammter ist, so daß wir Ausdrücke wie „düsteres Geheimnis" nicht mehr als übertrieben empfinden. Da hilft kein Gold, der Schattenlose fällt unter allen Umständen auf. Er erscheint als zweifelhaft, als unordentlich, als bedenklich. Er wirkt wie ein Abenteurer, ein Vagabund. Man will nichts mit ihm zu tun haben.

Offensichtlich geht es darum, daß, ohne Schatten zu sein, den Verlust des „sozialen Ich" bedeutet, das heißt der jeweiligen Querund Rückverbindung, in der der Einzelmensch mit anderen Menschen steht. Der Schattenlose ist allein. In der Vorrede zu der französischen Ausgabe von 1838 hat Chamisso über den Schatten selber gescherzt. Im Anschluß an ein Zitat aus Haugs «Traité élémentaire de physique» bemerkt Chamisso: «C'est donc de ce solide dont il est question dans la merveilleuse histoire de Pierre Schlémihl. La science de la finance nous instruit assez de l'importance de l'argent, celle de l'ombre est moins généralement reconnue. Mon imprudent ami a convoité l'argent dont il connaissait le prix et n'a pas songé au solide. La leçon qu'il a chèrement payée, il veut qu'elle nous profite et son expérience nous crie: songez au solide.» Aber man darf wohl doch nicht wie Thomas Mann den

Zuruf am Ende dieser Vorrede: «Songez au solide» als ironischen Zuruf des Romantikers an die Bürger und Philister verstehen. Chamissos Erzählung bewegt sich manchmal fast elegant zwischen dem Grotesken und dem Tragischen. Aber der Verlust des Schattens bleibt eine ernste Sache. Denn damit ist ja keineswegs das gemeint, was wir etwa sonst mit der Vorstellung des Schattenhaften verbinden: das nicht oder nur halb Wirkliche, das Scheinbare, das Wesenlose. Doch der Schatten ist wiederum auch nicht mit dem Menschen oder mit seiner Seele identisch. Mit dem „Soliden", auf das wir achten müssen, ist nicht das schlechthin „Wesentliche" gemeint. Der Schatten ist das märchenhafte Symbol für eine durchaus wirkliche Sache, nämlich für die bürgerliche Solidität und menschliche Zusammengehörigkeit. Im Schatten geht es um das Zwischenmenschliche, das Verbindende, um die Kontaktstellen, um das Umgreifende im sozialen Dasein. Josef Nadler bemerkt darüber in seinem Buch „Die Berliner Romantik" (Berlin 1921): „Der Schatten, den der Mensch wirft, wird durch das erzeugt, was ihn von außen her beleuchtet: Volkstum, Bekenntnis, Familie, Rang, Stand, Beziehungen, Ruf und Name. Dieser Schatten ist nicht Gesellschaftsschliff, sondern alles, was das eigenste Selbst eines Menschen gewissermaßen von außen her bestimmt, von rückwärts beleuchtet." Damit ist der Schatten allerdings schon gefährlich nahe an die Allegorie herangerückt. Immerhin wird man vorsichtig etwa so ausdeuten dürfen: Der geworfene Schatten zeigt an, in welcher Weise der Einzelmensch jeweils in das soziale Leben eingeordnet ist. Projiziert sich der Schatten stärker und breiter, so ist auch der Grad der Einordnung ein festerer und verwurzelterer. Das darf jedoch nicht in einem moralischen Sinne mißverstanden werden. Denn Rascal, der ein durchaus übler, ja krimineller Bursche ist, hat es vor dem weitaus anständigeren Schlemihl voraus, über die erfreuliche Solidität eines solchen Schattens zu verfügen.

Der unmärchenhafte Gehalt des märchenhaften Schattenmotivs spiegelt sich aber auch darin, daß weite Partien der Erzählung, zum Beispiel vor allem die Darstellung von Schlemihls Liebe, sich vom Märchen völlig entfernen müssen und durchaus eine novellistische Wirklichkeit geben. Was aber innerhalb dieser real gezeichneten Welt sich abspielt, ist ja gerade die notwendige Ergänzung zum Motiv vom verlorenen Schatten: nämlich das Leben von Menschen und Menschengruppen, die ihren Schatten besitzen und niemals in die Gefahr geraten können, ihn zu verlieren. So hängt also die novellistisch dargestellte Liebesgeschichte mit ihrem besonders pointierten Thema, der Liebe des Gezeichneten, des Gehetzten, des Schattenlosen zu einem reinen und ahnungslosen Mädchen und seiner im Schatten geborgenen Welt, ganz eng mit der symbolischen Silhouette des Ganzen, dem Schatten und seinem Verlust, zusammen.

Es gilt aber nicht nur den Schatten, sondern auch die Schattenlosigkeit aufzuklären. Schattenlosigkeit ist nur dem reinen Ich, in der Terminologie des Idealismus, dem intelligiblen Ich möglich. Das unabhängige reine Selbst ist ohne Schatten. Schattenlosigkeit ist ferner auch im Traume möglich, weil hier der Mensch von den ihn sonst bestimmenden wirklichen sozialen Mächten wie abgelöst scheint, zum mindesten sich in einer solchen Abgelöstheit erleben darf. Der Schatten hingegen ist alles das, was mit uns auf die Welt kommt, das Vorgegebene und Zugeteilte, zum Beispiel der Geburtsschein, beglaubigte Eltern, Heimatberechtigung usw. Zum Schatten gehört aber auch, was noch hinzukommt, da wir ja mit der Welt ständig in Verbindung stehen und von ihr ständig mitgeformt werden. Das alles ist nun nach Chamissos Meinung keineswegs ein Schein, sondern eben Realität, das Solide, im Sinne von „fester Körper", „fester Grund". Auch der körperliche Bereich des Leibes und der Gesundheit dürfte hier noch gemeint sein. Später deutet ja in Hofmannsthals Märchen „Die Frau ohne Schatten" der Schatten wiederum auf den biologischen Umkreis der Fortpflanzung und der Nachkommenschaft hin. Der Schatten als ein Symbol, das zur gesamten Existenz des Menschen gehört, läßt sich gegen einen niederen und gegen einen höheren Wert abgrenzen. Der niedere Wert ist das Geld. Der Schatten erscheint mit ihm verglichen als das Wirklichere und das Wesenhaftere. Denn trotz seiner sozialen Funktion oder vielleicht gerade auf Grund dieser sozialen Funktion behält das Geld etwas Chimärisches, Flüssiges und Wandelbares und daher durchaus Unzuverlässiges. Der höhere Wert ist der Reichtum des eignen „besseren Selbst" und seiner Innerlichkeit, die einmalige Person, die unsterbliche Seele. Aber dennoch wird auch dieser höhere Wert zweifelhaft, wenn man ihm gleichsam den Unterbau der im Schatten verbürgten Existenz entzieht. Wer aber seinen Schatten verloren hat, wer sich aus Volkstum, Stand und Familie durch eigne Schuld oder durch schicksalhafte Einwirkung losgelöst hat, wer ein Entwurzelter, ein Heimatloser, ein Vertriebener geworden ist, dem bleibt nichts anderes übrig, als diese Existenz mit klarem Bewußtsein zu ergreifen. Das heißt, er kann fortan nur vom reinen Selbst her und in der Beziehung zur reinen Natur leben, nicht aber in der Geborgenheit der menschlichen Gemeinschaft. Er ist gleichsam der Mensch ohne Gehäuse. Es braucht wohl kaum daran erinnert zu werden, wie sehr dieses soziologische Problem bei Chamisso aus dem Biographischen herausgewachsen ist, aus der Situation des Mannes, der Franzose und Deutscher zugleich sein mußte, der zwei Vaterländer sein eigen nannte, aber dabei in Gefahr geriet, beide zu verlieren. Es ist gewiß auch nicht zufällig, daß der „Peter Schlemihl" in dem schicksalsvollen Jahr 1813 geschrieben wurde.

Schattenlosigkeit bedeutet für Chamisso fraglos ein Leiden. Das ist keineswegs selbstverständlich. Denn es könnte auch umgekehrt sein: Schattenlosigkeit als Verherrlichung des reinen Ich, so wie es etwa in der Transzendentalphilosophie Fichtes vorkommt. Das soziale Ich wäre unter diesem Aspekt der Bereich, den es grundsätzlich zu überwinden gilt zugunsten des reinen Ich, des absoluten Ich. Denn der Schatten bleibt etwas Bedingtes und Bedingendes. Bei Chamisso jedoch ist der Mensch nicht mehr absolut. Seine Erzählung nimmt bereits die wachsende Verbürgerlichung des 19. Jahrhunderts vorweg. Der Verlust des Schattens macht hier nicht etwa frei zu einer erhöhten aktiven Innerlichkeit, zu einem Reich des Ideals oder zur Liebe als zu einer utopischen Zaubermacht. Auch die Liebe besitzt nicht mehr die Kraft, die sozialen Bedingungen des Menschseins zu transzendieren. Mina ist zwar die eindeutig Liebende, darüber läßt die Erzählung keinen Zweifel, aber sie bleibt passiv, sie gehorcht ihren Eltern, sie will und kann aus ihrem sozialen Raum nicht heraus. Liebe vermag also den Schattenlosen nicht zu erlösen. Wohl steht ihm bis zu einem gewissen Grade, wenn auch unter Schmerzen, die treue Freundschaft noch bei. Daß er überhaupt der Erlösung bedarf und nicht etwa seinen Zustand und seine bindungslose Freiheit überlegen genießt, ist das charakteristisch Neue in Chamissos Situation. Willensentschlüsse nützen dabei nur wenig, richtiger gesagt eigentlich gar nichts. Peter Schlemihl erscheint als der typisch Getriebene, er ist höchst labil in seiner Lebensbahn, auch sein Trotzen gegen den Teufel erfolgt mehr aus Antipathie und nicht etwa aus Willensstärke. Sittlichen Konflikten wird ausgewichen, zur eigentlich tragischen Bedrohung kann es nicht kommen. Dann greift die Vorsehung selbst in Gestalt einer Ohnmacht ein.

So schwer und fast unerträglich auch das Leiden an der Schattenlosigkeit ist, die Seele bedeutet viel mehr noch als der Schatten. Denn der Verlust der Seele wäre der Verlust der menschlichen

Existenz überhaupt. Hier hingegen geht es nur um den Verlust des bürgerlichen und alltäglichen Raumes, der nicht wieder eingeholt werden kann. Ein reines Ich sein zu müssen ist weitaus mehr ein Fluch als eine Gnade. Das Geschenk der autonomen Persönlichkeit, wie es von der Schattenlosigkeit diktiert wird, ist ein Danaergeschenk, eine Teufelsgabe. Wohl besitzt Schlemihl Persönlichkeit, Seele und Vernunft auch ohne Schatten, aber er besitzt nicht mehr die Gemeinschaft. Und gerade auf die kommt es ihm an. Sein Wandern entspringt darum auch nicht aus der Sehnsucht nach dem Unerreichbaren oder gar aus der Sehnsucht nach der Sehnsucht, es setzt vielmehr den Verlust des Angestammten voraus, das alle gewöhnlichen Menschen problemlos besitzen. In der Erzählung von Peter Schlemihl ist nicht das Geniale, Außergewöhnliche, Exzentrische der entscheidende Wert, sondern umgekehrt das Gewöhnliche, ja das Banale; nicht das, was den Menschen von allen anderen Menschen unterscheidet, sondern das, was er mit allen anderen Menschen gemeinsam hat.

Statt des Schattens hat Schlemihl anfänglich das Geld. Aber das Geld ist ohne den Schatten eine Chimäre, es ist das Unsolide, das Flüchtige, das, was keinen Bestand hat. Es vermag zwar dem Grafen Peter eine Art sozialer Scheinexistenz auch ohne Schatten zu gewähren. Aber es ist ein bezeichnender Zug, daß er beim Verderb der kleinbürgerlichen Gesellschaft selber mitwirkt, wenn er einen reichen Handelsmann, der mit ihm wetteifern möchte, zum Ruin bringt. Hier setzen Verschuldungen ein, die gerade aus der Schattenlosigkeit entspringen. Auch der Versuch, als Schattenloser die Liebe auf Umwegen zu erreichen, erscheint als eine Verschuldung gegen das Mädchen. Eigentlich hat nur der zur Liebe noch ein Recht, der richtig und ordentlich im sozialen Raum darinsteht. Das ist das genaue Gegenteil der verklärten romantischen Liebesauffassung. Das Geld wiederum verschafft nachher dem bösen Diener das Übergewicht, zumal er gleichzeitig noch den Schatten besitzt. Vergeblich sucht sich Schlemihl gegen den übermäßigen Druck von außen zu wehren. Am Ende ist er gezwungen, sich völlig von der Umwelt abzuschließen, sich als Individualität zu isolieren. Alle Schutzhüllen, mit denen er sich immer wieder zu umgeben sucht, zerbrechen unter dem schmerzlichen Zugriff einer grausamen Wirklichkeit. Er vereinsamt.

Bezeichnend ist, welche Rolle die Natur in der Erzählung spielt. Sie ist nicht mehr ein dämonischer Raum vegetativer oder vormenschlicher Kräfte wie in Tiecks „Runenberg", auch nicht eine Traumlandschaft der Seele wie bei Eichendorff, sondern sie ist nur noch ein Sachfeld der wissenschaftlichen Forschung. Von einem emotionalen oder irrationalen Verhältnis zur Natur kann hier keine Rede mehr sein. Die Natur ist in dieser Erzählung im wesentlichen dadurch definiert, daß sie nicht in die soziale Welt des Menschen miteinbezogen ist. Sie wird aber dadurch nicht etwa ein Erlebnisbereich des Gefühls, sondern Objekt des forschenden Verstandes. Reine Natur ist die der menschlichen Vernunft aufgegebene Natur. In der Natur zu leben bedeutet nicht eine neue psychische Bergung, die die verlorene soziale ersetzen könnte.

Am Ende bleibt Schlemihl der Trost der Selbstironie, die gelassene Einwilligung in seine erzwungene Schattenlosigkeit, die ihm ja nicht ganz ohne eignes Verschulden zustieß, und die überpersönliche, wissenschaftliche Aufgabe. Das alles kann zwar den bürgerlichen Frieden, die Idylle, die Sicherheit einer mit anderen Menschen gemeinsam geführten Existenz nicht ersetzen. Aber es gestattet dennoch eine begrenzte Versöhnung. Darf man das Märchensaelde nennen? Das Motiv der Siebenmeilenstiefel, ein Geschenk des Glückes, scheint das nahezulegen. Denn ohne sie bliebe ja Schlemihl nur der Verfemte, der Ausgestoßene, der Gehetzte. Er bliebe es vielleicht auch mit ihnen, wenn er sie nicht zu regulieren verstünde. Hier hat Chamisso den reizenden dichterischen Einfall von den „Hemmschuhen" gehabt. Erst so wird das Märchenhafte wiederum plausibel gemacht und kann sich mit der geographischen Genauigkeit bei Schlemihls Wanderungen verbinden. Thomas Mann hat das richtig gesehen: „Indem hier der geläufige Begriff der Hemmschuhe ohne weiteres und mit der unschuldigsten Miene auf die Pantoffeln übertragen wird, die Schlemihl über die Stiefel zieht, wenn er normale und keine Siebenmeilenschritte zu machen wünscht, erhält das ganze Wunder einen Charakter bürgerlicher Wirklichkeit, den es im Märchen niemals besaß." So wird die Märchensaelde also wieder ironisiert, und gerade dadurch entsteht das Groteske in der Situation. Diese groteske Vermischung des Phantastischen mit dem Wirklichen verstärkt sich noch durch die *zwei* Paar Pantoffeln, die Schlemihl als „Hemmschuhe" bei sich trägt, „weil ich öfters welche von den Füßen warf, ohne Zeit zu haben, sie aufzuheben, wenn Löwen, Menschen oder Hyänen mich beim Botanisieren aufschreckten". Noch etwas anderes kommt hinzu. Die höllischen oder auch himmlischen Gaben lassen Schlemihl niemals einen transzendenten Ort jenseits der menschlichen Gesellschaft erreichen. An keinem Punkte, auch als Ausgestoßener nicht, gelangt Chamisso-Schlemihl über diese Gesellschaft hinaus. Er kann die Welt nur verlachen, nicht aber sich über sie erheben. Schlemihl ist der Mensch, der von der Gesellschaft gefoltert wird, obgleich er sich nichts so sehr wünscht, als reibungslos und unauffällig unter seinen Mitmenschen als ein glücklicher Bürger zu leben; er ist der wandernde Romantiker wider Willen, der ein solches exemplarisches Ausnahmelos durchaus nicht begehrt; er ist der willenlos Getriebene, der sich jedoch am Ende zur Freiheit eines sittlichen Entschlusses erhebt, nämlich zur entsagenden Eingliederung in den überpersönlichen geistigen Raum der Naturwissenschaft.

Es ist bezeichnend, daß die Wissenschaft hier noch nicht in ihren sozialen Funktionen gesehen wird, etwa in ihrem Verhältnis zur Technik und zur Politik. Chamisso hält noch an dem Wissenschaftsideal des 18. Jahrhunderts fest. Die Wissenschaft ist frei und kosmopolitisch, sie wird nicht in ihrer Abhängigkeit von sozialen Vorgängen gedeutet. Zu ihrem Wesen gehört die Voraussetzungslosigkeit, und erst das macht sie zu einer Daseinsform ohne „Schatten". Nur wo die Vernunft sich von den sozialen Bedingtheiten, in denen der Mensch sonst mitten darinnen steht, zu befreien vermag, erhebt sie sich zum reinen Ideal einer ungetrübten, interesselosen Kontemplation. Dieser Entschluß Schlemihls, sich in den Dienst der Naturwissenschaft zu stellen, bedeutet aber zugleich auch eine Sühne, weil er die für alle geltenden Schattenverpflichtungen der Gesellschaft verletzt hat. Von einer revolutionären Haltung ist er weit entfernt. Die im Symbol des Schattens gefaßte Existenz als bürgerlich-soziales Ich und die Geltung der gesellschaftlichen Ordnungen wird voll anerkannt. Ohne Bindungen vermag Schlemihl jedoch nicht zu existieren. Als Schattenloser leidet er unter der Bindungslosigkeit; aber am Ende ist ihm doch noch eine Bindung, in der er von seinem Ich absehen kann, nämlich die Bindung an den Geist gestattet. Das bedeutet für ihn die Rettung seines „besseren Selbst". Zwanzig Jahre später, als Chamisso längst seinen gesunden Schatten gefunden hatte, erfolgt sein Zuruf an Schlemihl:

> Wir geben uns die Hand darauf, Schlemihl.
> Wir schreiten zu und lassen es beim Alten:
> Wir kümmern uns um alle Welt nicht viel,
> Es desto fester mit uns selbst zu halten:
> Wir gleiten so schon näher unserm Ziel,
> Ob jene lachten, ob die andern schalten;
> Nach allen Stürmen wollen wir im Hafen
> Doch ungestört gesunden Schlafes schlafen.

Man wird darüber streiten können, wieweit das Motiv des verlorenen Schattens allegorischen oder darüber hinaus symbolischen Gehalt hat. Auf jeden Fall hält es die ganze Erzählung zusammen. Es gibt ihr eine novellistische Pointe, die sich in die Form des Märchens nur verkleidet hat. Vielleicht ist Märchennovelle ein noch besserer Ausdruck für diesen Typus als Novellenmärchen. Denn der eigentliche Gehalt der Dichtung ist durchaus unromantisch und ebenso unmärchenhaft. Das zeigt auch die ganze Struktur der Erzählung und die Art des Erzählens. Die Betonung des Problems der Gesellschaft legt an sich schon mehr die Gattung Novelle als die des Märchens nahe. Auch hier wieder wird der romanische Einfluß bei Chamisso inmitten der deutschen Romantik spürbar. Nicht die Märchenexistenz des Menschen ist das Entscheidende, sondern seine soziale, seine wirkliche Existenz. Das Leiden am Verlust einer solchen Existenz sprach sich in der dichterisch gesteigerten Form des Schattensymbols aus. Dieses gab Chamisso die Möglichkeit, ein Märchenmotiv mit einer Novellenpointe zu verschmelzen. Man wird Chamissos Erzählung nur dann gerecht beurteilen können, wenn man sie nicht nach rückwärts, im Erzählraum der Romantik verankert und als einen blassen allegorischen Ableger betrachtet, sondern wenn man sie von der späteren Entwicklung der deutschen Literatur her deutet, als einen Vorläufer, dem es bereits gelingt, die sozialen Probleme des 19. Jahrhunderts und seiner Verbürgerlichung in einer allegorisch-symbolischen Gestaltungsform auszusprechen. Diese knüpft zwar an die überlieferte romantische Form des Märchens noch an, verwandelt sie aber bereits so entscheidend, daß das neue bürgerliche Bewußtsein des Realismus in ihr schon zum Durchbruch gelangt. Solche Vorwegnahme mußte im Jahre 1813 noch mit einer Erzählform bezahlt werden, die nicht eindeutig sein konnte, sondern sich schwebend zwischen Märchen und Novelle, zwischen Allegorie und Symbol bewegte.

LUDWIG TIECK
—
DES LEBENS ÜBERFLUSS

Keinem andern deutschen Dichter, außer Paul Heyse, verdanken wir eine so reiche Novellenproduktion wie Ludwig Tieck. Es ist sicher nicht zufällig, daß diese Fülle, geistesgeschichtlich gesehen, gerade an der Grenze von Romantik, Biedermeier und poetischem Realismus zu finden ist. Denn die Novelle ist eine Gestaltungsform, die im gleichen Ausmaße ein Verhältnis zum Ungewöhnlichen und Wunderbaren wie auch zum Alltäglichen und Wirklichen, zum Einmaligen und zum Symbolischen, zur naiv gegenständlich gesehenen Welt und zur kunstvollen, verfeinerten Formgebung verlangt. Zum mindesten hat sie sich im Verlauf des 19. Jahrhunderts in Deutschland in der Zeit nach Goethe in dieser Richtung entwickelt, und so vermochte sie auch eine Brücke für die verschiedenen Epochen von der Goethezeit bis zur Neuromantik zu werden. In der Romantik lag freilich das Schwergewicht mehr auf dem Wunderbaren, im poetischen Realismus mehr auf dem Wirklichen.

In der Einleitung zum 11. Band seiner Schriften (Berlin bei Reimer 1829, S. LXXXIV ff.) hat Tieck seine schon in der Einleitung dieses Buches von uns dargestellte Theorie der Novelle entwickelt. Hier grenzt er die Novelle auch gegen Tragödie und Roman ab. Goethes „Wahlverwandtschaften" werden als Beispiel eines tragischen Romans genannt — und Tieck hebt hervor, die Novelle könne „zuweilen auf ihrem Standpunkt die Widersprüche des Lebens lösen, die Launen des Schicksals erklären, den Wahnsinn der Leidenschaft verspotten und manche Rätsel des Herzens, der Menschentorheit in ihre künstlichen Gewebe hinein bilden, daß der lichter gewordene Blick auch hier im Lachen oder in Wehmut das Menschliche und im Verwerflichen eine höhere ausgleichende Wahrheit erkennt. Darum ist es dieser Form der Novelle auch vergönnt, über das gesetzliche Maß hinwegzuschreiten und Seltsamkeiten unparteiisch und ohne Bitterkeit darzustellen, die nicht mit dem moralischen Sinn, mit Konvenienz oder Sitte unmittelbar in Harmonie stehen". Die Novelle wird hier also als eine Form des Kompromisses gesehen; sie steht zwischen dem Komischen und dem Tragischen, zwischen dem Lachen und der Wehmut; sie vermag auszugleichen, zu versöhnen, die Widersprüche des Lebens aufzulösen.

Eines der schönsten Beispiele dieser ausgleichenden Kraft der Novelle ist die Erzählung, die der sechsundsechzigjährige Tieck 1839 veröffentlichte: „Des Lebens Überfluß". Sie stammt bereits aus der „realistischen" Spätzeit Tiecks, ist aber trotzdem auch noch die Dichtung eines Romantikers, der die Wirklichkeit von der Poesie aus wahrnimmt. Ja, wenn Tieck in seinen theoretischen Bemerkungen von der „ausgleichenden Wahrheit" sprach, so haben wir es in diesem Falle mit einer solchen zu tun, die zwischen Seele und Welt, zwischen Poesie und Alltag, zwischen Individualität und Gesellschaft durch die Form der Novelle vermittelt: eine Thematik, die in den gleichen geistesgeschichtlichen Übergang hineingehört, der sich in der Novellendichtung Eichendorffs und Chamissos vollzieht.

Die Erzählung rollt kunstvoll das Geschehen vom Schluß der Begebenheit her auf. Sie berichtet von einem „sonderbaren Tumult", der sich Ende Februar in einem der härtesten Winter in der Residenz ereignet hat. Aber was nun dort in einer Vorstadt tatsächlich geschehen ist, erfahren wir jetzt noch nicht. Wir hören nur von seltsamen und widersprechenden Gerüchten, die bei Gelegenheit dieses Vorfalls verbreitet worden sind. Ist da ein Verräter, ein Rebell, ein Gottesleugner oder der Emissär einer geheimen Gesellschaft festgenommen worden? Hat sich da einer in seiner Wohnung „mit alten Doppelhaken, ja sogar mit einer Kanone" blutig verteidigt? Aber bei genauerem Hinsehen bleibt nur der Tumult vor und in einem kleinen Hause übrig, Polizei war dagewesen, und „im Hause selbst war eine gewisse Zerstörung nicht zu verkennen".

Unsere Erwartung ist gespannt. Was wird uns der Dichter erzählen? Aber statt der angedeuteten Dramatik wird seine Darstellung nunmehr durchaus idyllisch. Die Geschichte greift zurück und berichtet von dem jungen Ehepaar, das dort in einer sehr stillen und zurückgezogenen Weise gelebt hat. Wir lernen die beiden — sie heißen Heinrich und Clara — hauptsächlich in teils verliebten, teils scherzhaften, teils lehrhaften Dialogen kennen. Wir erfahren, daß die junge Frau ihre Eltern dieses Mannes wegen verlassen hat. „Lieben und leben hieß nun unsre Losung; wie wir leben würden, durfte uns ganz gleichgültig sein." „So ist die Armut mit unsrer Liebe eins geworden, und dieses Stübchen, unser Gespräch, unser Anblicken und Schauen in des Geliebten Auge ist unser Leben." Arm wie Kirchenmäuse und verliebt wie am ersten Tag, das ist die Situation dieser jungen Menschen, die offensichtlich mit dem „Schwarm der vornehmen Zirkel" kontrastiert, in dem sie sich früher bewegt haben. Wie ihr literarisches Vorbild, der Siebenkäs des Jean Paul, entwickeln sie eine nicht tragische, sondern humoristische Lebensphilosophie. Aber freilich, ihre wirtschaftlichen Mittel sind erschöpft, die Prosa des Alltags läßt sich nicht so ohne weiteres abschieben, vor allem aber beginnt der Vorrat an Holz in diesem besonders harten Winter knapp zu werden.

Allmählich erfahren wir mehr aus der Vergangenheit. Der Autor wendet einen geschickten Kunstgriff an, um uns zu unterrichten. Er läßt Heinrich seiner Frau aus seinem Tagebuch vorlesen, und zwar von rückwärts, mit der jüngsten Zeit beginnend und so langsam sich zum Anfang zurücktastend. Auf diese Weise wird ständig weiter in die Vergangenheit zurückgeblendet und die Vorgeschichte des liebenswürdigen Paares enthüllt. Aber das geschieht nicht auf eine einfach berichtende Weise, das Erzählte ist von allgemeinen Reflexionen und Betrachtungen umrankt, die im Gespräche der Liebenden auftauchen, Betrachtungen über das Leben, die Liebe, die Ehe, die Poesie, die Gesellschaft, den Staat. Die Gedanken werden zu Arabesken, die das Berichtete gleichsam umspielen. Ein Grundton ist dabei unüberhörbar: auch noch das einfachste, ja das dürftigste Leben läßt sich durch die Kraft der Liebe und der Seele poetisieren! Noch das Anstoßen mit Wassergläsern und die glückselige Umarmung nach primitivster Mahlzeit ist Poesie. Hier steht die Erzählung in der Tradition der deutschen Idylle von Hippel über Jean Paul und Eichendorff bis zu Mörike. In Jean Pauls Vorwort zum „Quintus Fixlein" werden die drei Wege geschildert, auf denen der Mensch glücklicher werden kann. „Der erste ist, so weit über das Gewölke des Lebens herauszudringen, daß man die ganze äußere Welt unter seinen Füßen wie ein eingeschrumpftes Kindergärtchen liegen sieht. Der zweite ist, gerade herabzufallen ins Gärtchen und da sich so einheimisch in einer Furche einzunisten, daß, wenn man aus seinem warmen Lerchennest heraussieht, man ebenfalls keine Wolfsgruben, Beinhäuser und Stangen, sondern nur Ähren erblickt, deren jede für den Nestvogel ein Baum und ein Sonnen- und Regenschirm ist. Der dritte endlich, den ich für den schwersten und klügsten halte, ist der, mit den beiden anderen zu wechseln." Jean Paul faßt diese Lebenslehre in den Satz zusammen: „Verachte das Leben, um es zu genießen. Besichtige die Nachbarschaft dieses Lebens, jedes Stubenbrett, jede Ecke, und quartiere dich zusammenkriechend in die letzte und häusliche Wendung deines Schneckenhauses ein."

Idylle in diesem Sinne bedeutet innere Freiheit bei äußerer Eingeschränktheit; sie verlangt die Lebenskunst, bedürfnislos und dennoch glücklich zu leben. Die Seele behauptet sich auf humoristisch lächelnde Weise auch noch in der widrigsten Lage. Sie kann zwar an deren Realität nichts ändern, aber sie kann sich über sie erheben. In Tiecks Sprache ausgedrückt: Zwar ist „Psyche" an die Leimrute gebunden, die uns klebend hält und von der wir nicht losflattern können, aber wir sollten und brauchten dennoch nicht unser „Gefängnis" mit unserem „besseren Selbst" zu verwechseln. Die Kraft der Psyche, des „besseren Selbst", liegt in der Verwandlung auch noch des unscheinbaren Lebens in Poesie. Dafür stehen in unserer Erzählung die Eisblumen am Fenster stellvertretend: „Ob diese Blumen und Blätter nach gewissen Regeln wiederkehren oder sich phantastisch immer neu verwandeln? Dein Hauch, Dein süßer Atem hat diese Blumengeister oder Revenants einer erloschenen Vorzeit hervorgerufen, und so wie Du süß und lieblich denkst und phantasierst, so zeichnet ein humoristischer Genius Deine Einfälle und Fühlungen hier in Blumenphantomen und Gespenstern wie mit Leichenschrift in einem vergänglichen Stammbuche auf, und ich lese hier, wie Du mir treu und ergeben bist, wie Du an mich denkst, obgleich ich neben Dir sitze." Später, als die Eisblumen unter der Wärme auftauen, ruft Heinrich aus: „Sieh, meine Geliebte, wie das kalte, eisige Fenster in Rührung weint, vor Deiner schönen Stimme zerschmelzend. Immer kehrt die alte Wundergeschichte vom Orpheus wieder." Die Eisblumen als arabeskenhafte, sinnliche und wirkliche Erscheinungen verlieren hier ihre eigne Wirklichkeit; sie werden von den Phantasien der liebenden Seele aus interpretiert, ein „humoristischer Genius" spricht durch sie hindurch, sie sind Ausdrucksformen für dieses innere Leben der Liebe; ja das Fenster selbst weint auftauend in Rührung, weil es die Stimme der Geliebten ist, die es zum Schmelzen bringt.

Auch das Gespräch der Liebenden ist Geisterdialog und Seelengeheimnis, und ihr Kuß wird zum Orakel. Clara philosophiert über die romantische Ehe: „Das Weib hat in ihrer Liebe immer jene zweite, antwortende Stimme oder den richtigen Gegenruf des Geistes." Liebe, Ehe und Poesie sind hier im romantischen Sinne miteinander identisch. Dennoch weiß der schwärmerische Heinrich auch um die Wohltat der Ernüchterung, die dem allzu Begeisterten, allzu Phantastischen entgegentreten muß. Dafür ist die Anekdote von dem schwarzen Hengst bezeichnend, die er seiner Frau erzählt. Heinrichs Vater war, von aller Welt bewundert, einst mit diesem Hengst über einen breiten Graben gesprungen. Aber der alte Stallmeister belehrte den allzu kühnen Reiter, daß der glückliche Sprung nur auf Grund des verständigen Übens und Zureitens gelang, mit dem er, der Stallmeister, lange Zeit vorher den Hengst geschult hatte. Die Anekdote wird um der moralischen Anwendung willen erzählt. Wir dürfen uns der Phantasie, dem Gefühl und der Ahnung nur dann überlassen, wir dürfen nur dann träumen und witzig sein, „wenn jener trockne Verstand die Schule allen diesen Rossen beigebracht hat". Wollen Reiter und Pferd als Dilettanten den kühnen Sprung versuchen, so werden sie „zum Grauen oder Gelächter der Zuschauer" stürzen und bleiben im Graben liegen. Hier sind die Grenzen der poetischen Weltbeseelung von dem Realisten Tieck mit Nachdruck bezeichnet.

Nur sparsam wird mit Hilfe des Tagebuches von vergangenen Ereignissen berichtet: vom notgedrungenen Verkauf des kostbaren Chaucer-Exemplares, das der Freund Andreas Vandelmeer ihm einst geschenkt hat und in das Heinrich die Geschichte dieser Schenkung und eine Nachricht über seine jetzige Wohnung hineingeschrieben hat; von dem Widerstand der Eltern des Mädchens gegen die Liebe des jungen Paares, weil sie ihre adlige Tochter nicht an einen Bürgerlichen verheiraten wollten; von der raschen, gemeinsamen Flucht, von dem Verlust des Postens als Diplomat, von der Verstoßung und Verfolgung, von dem Heinrich gestohlenen Manuskript, das durch den Bankrott des Buchhändlers endgültig verlorenging: eine Kette von Mißgeschicken, um der gemeinsamen Liebe willen erlitten. Clara spricht es aus: „Ja wohl, ... Du hast mir alles aufgeopfert, und ich bin ebenfalls von den Meinigen auf immer ausgestoßen." Die Art, wie wir die Vorgeschichte erfahren, hat nichts Spannendes oder Erregendes. Dem Autor kommt es viel stärker auf die gegenwärtige Atmosphäre an, in der das Vergangene aufgehoben ist: dieses versponnene Liebes- und Eheglück in der Verborgenheit, diese heiteren und besinnlichen Reflexionen, mit denen vor allem Heinrich seine innere geistige Unabhängigkeit auch noch gegen die fatale äußere Lage verteidigt, dabei stets im Einklang mit seiner Clara. „Heitre Träume umgaukelten sie, Glück, Wohlstand und Freude umgaben sie in einer schönen Natur, und als sie aus der anmutigen Täuschung erwachten, erfreute sie die Wirklichkeit doch inniger." Die Träume der Phantasie werden hier also nicht einer beschränkenden und entzaubernden Wirklichkeit entgegengesetzt, sondern es gelingt, die Wirklichkeit von diesen Liebesträumen aus zu verwandeln und ihr so einen erhöhten Wert, sogar noch über den Traum hinaus zu geben. Der anmutige Reiz dieser Novelle liegt in der reinen Gegenwärtigkeit, die Liebenden haben einen Zauberkreis um sich gezogen, ihr phantasierender Geisterdialog spielt mit ihrer Situation und macht sie damit schwerelos. Auch alles Vergangene ist noch in diese Schwebe mit hineingenommen, keine sorgende Frage richtet sich auf die Zukunft. Die Liebenden sind auf eine zärtliche und zugleich geistige Weise einander selbst genug, sie haben die gesamte Außenwelt ausgeklammert, um nur noch in jenem poetischen Überfluß zu leben, den allein die Liebe gewährt.

Diese Situation einer freilich nicht nur gewollten, sondern auch erzwungenen Abgeschlossenheit wird durch die besondere Lage des Hauses und des Zimmers noch eindringlicher gemacht. „Der Erbauer dieser Hütte mußte von seltsamer, fast unbegreiflicher Laune gewesen sein; denn unter den Fenstern des zweiten Stocks, welchen die Freunde bewohnten, zog sich ein ziemlich breites Ziegeldach hervor, so daß es ihnen völlig unmöglich war, auf die Straße hinabzusehen. Waren sie auf diese Weise, auch wenn sie zur Sommerszeit die Fenster öffneten, völlig von allem Verkehr mit den Menschen abgeschnitten, so waren sie es auch durch das noch kleinere Haus, welches ihnen gegenüber stand. Dieses hatte nämlich nur Wohnungen zu ebner Erde; darum sahen sie dort niemals Fenster und Gestalten an diesen, sondern immer nur das ganz nahe, sich weit nach hinten streckende, schwarz geräucherte Dach und rechts und links die steilen, nackten Feuermauern von zwei höheren Häusern, die jene niedrige Hütte von beiden Seiten einfaßten. In den ersten Tagen des Sommers, als sie hier eben erst eingezogen waren, rissen sie, wie es den Menschen natürlich ist, wenn sich in der ganz engen Gasse Geschrei oder Zank vernehmen ließ, schnell die Fenster auf, und sahen dann nichts als ihr Ziegeldach vor sich und das der Hütte gegenüber. Sie lachten jedesmal und Heinrich sagte wohl: Wenn das Wesen des Epigramms (nach einer alten Theorie) in getäuschter Erwartung bestehe, so hätten sie wieder ein Epigramm genossen... Diese Einsamkeit war den Liebenden aber doch erwünscht; denn so konnten sie am Fenster stehen, sich umarmend und küssend, ohne Furcht, daß irgend ein neugieriger Nachbar sie beobachten möchte. So phantasierten sie denn oft, daß jene trübseligen Feuermauern Felsen seien einer wunderbaren Klippengegend der Schweiz, und nun betrachteten sie schwärmend die Wirkungen der Abendsonne, deren roter Schimmer an den Rissen zitterte, welche sich in dem Kalk oder rohen Stein gebildet hatten."

Das Symbolische an dieser realistischen Ortsbeschreibung läßt sich nicht verkennen. Von der Realität aus gesehen, wird wohl kaum jemand Lust verspüren, in den zweiten Stock dieses Hauses ohne eigentliche Aussicht, nur mit dem Blick auf ein schwarz geräuchertes Dach und nackte Feuermauern, einzuziehen. Jede Verbindung zur Außenwelt scheint abgebrochen. Aber gerade dadurch erhält die Phantasie ihre Freiheit. Die beiden Liebenden leben hier beinahe so allein wie Adam und Eva im Paradies. Sie leben zwar, genau genommen, mehr in einer Wüste als in einem Paradies, aber „Psyche" verwandelt das bescheidene Zimmerchen, von dem aus man fast ins Leere schaut, in ein Paradies der Herzen.

Alles Bisherige war freilich nur reine Zustandsschilderung, Rückerinnerung und gedankliche Reflexion, keineswegs Verdichtung zu einer novellistischen Begebenheit. Dennoch gelingt es Tieck, seiner Geschichte eine ganz deutliche novellistische Silhouette zu geben und sie um einen Mittelpunkt zu konzentrieren. Die Liebenden, die eigentlich nur noch durch die Gestalt der alten treuen Dienerin mit der schattenhaft gewordenen Außenwelt verknüpft sind, brauchen nicht nur Nahrung — für diese sorgt die Dienerin —, sie brauchen auch Holz, um den Winter zu überstehen und nicht zu erfrieren. Dazu fehlen aber die nötigen wirtschaftlichen Mittel. Jedoch der humoristische Genius der Liebe hat nicht nur phantastische, er hat auch praktische Einfälle, denen freilich das Phantastische nicht abgeht. Die Liebenden helfen sich dadurch, daß Heinrich, zunächst mit Wissen seiner Frau, das Geländer der Treppe, die zu ihrem Zimmerchen hinaufführt, und dann, zunächst ohne Wissen seiner Frau, die ganze Treppe im Hause während der Abwesenheit des sonst unten wohnenden Hausbesitzers allmählich verheizt. Heinrich parodiert sich dabei selbst als Zauberer, der mit einem magischen Beil umgeht und auf diese Weise alle Überflüssigkeiten der Zivilisation, wie zum Beispiel ein Treppengeländer und nachher sogar eine Treppe, in seine Macht bekommt. „Der Wald ist zu uns gekommen, da er gemerkt hat, daß wir ihn so höchst notwendig brauchen." Die Treppe ist das entscheidende Dingsymbol der Novelle, ihr „Falke", und das einmalige, merkwürdige Verschwinden wird zur unerhörten, wunderbaren und doch auch wieder ganz natürlichen Begebenheit. Wenn man will, kann man im Sinne der Tieckschen Theorie Heinrichs Entschluß zu dieser immerhin etwas befremdlichen Heizmethode als den Wendepunkt der Novelle bezeichnen.

Wir müssen das Dingsymbol dieser verschwundenen Treppe etwas näher erörtern. Zunächst einmal ist damit die völlige Lostrennung von der Außenwelt endgültig geworden. Das insulare Dasein der Liebenden ist hier ins Extreme, ins Groteske gesteigert. Die poetische Welt der Liebe ist sich selbst genug und ohne „Treppe" zur übrigen Welt. Aber der symbolische Bezug der verschwundenen Treppe reicht noch weiter. Mit ihrem Verschwinden scheint der Raum selbst aufgehoben zu sein. Der Raum ist nur abstrakt, ein Nichts, eine Form der Anschauung. „Was ist eine Treppe? ein Bedingtes, aber nichts weniger als ein selbständiges Wesen, eine Vermittelung, eine Veranlassung, von unten nach oben zu gelangen, und wie relativ sind selbst diese Begriffe von Oben und Unten." Das Bedingende des Raumes als Treppe wird hier einem „Ideal unserer Anschauung" aufgeopfert. Der Geist triumphiert über die Wirklichkeit, während nach der gewöhnlichen Ansicht das Geistige vom Irdischen unterjocht und beherrscht wird. Gewiß ist das alles von Heinrich scherzhaft gesagt, aber man spürt dabei die Nachwirkung der romantischen Ironie. Ist nicht hier dem Ich die Freiheit zurückgegeben, das Nicht-Ich beliebig zu erschaffen und auch wieder verschwinden zu lassen? Dennoch hat der Vorgang in dieser Geschichte nichts Magisches oder Phantastisches, er bleibt humoristisch, wenn man will, grotesk. Denn man kann seinen Mitmenschen nicht den gleichen Glauben zumuten, den Don Quixote besaß, als ihm sein Bücherzimmer vermauert wurde und er ohne weiteres die Erklärung hinnahm, ein Zauberer habe ihm nicht nur seine Bibliothek, sondern auch die ganze Stube hinweggeführt. In Wahrheit ist ja der Raum als das Bedingende durchaus nicht aufgehoben, sondern es ist nur die humoristische Illusion geschaffen, als ob es so wäre. Aus der romantischen Ironie, die Sein und Schein zu vertauschen vermag, ist die poetische Freiheit des Gemütes geworden, die Wirklichkeit vorübergehend auszuklammern. Das bedeutet jedoch nicht, daß das Ich die Wirklichkeit als solche vernichten kann. Auch die verschwundene Treppe behält ihre Realität. Heinrich und Clara suchen sich dieser Realität nur zu entziehen, sie leben im Zauberkreis ihrer reinen Gegenwärtigkeit, in dem treppenlosen Dasein der Liebe, aber es bleibt die Frage durchaus offen, wie sich die auf diese Weise ausgeschaltete Wirklichkeit auf die Dauer dazu verhalten wird. „Wir kommen nur zum Bewußtsein der Gegenwart, wir können nur leben und glücklich sein, wenn wir uns ganz in diese stürzen."

So sehr dieses Dasein ohne Treppe als ein Wert erlebt wird, es bleibt gleichzeitig eine Utopie, die im Grunde nicht verwirklicht werden kann. Die Treppe als das Verknüpfende und Verbindende muß am Ende doch wieder hergestellt werden. Das Inseldasein im hohen Stübchen wäre vorher und nachher ohne die von außen helfende Dienerin gar nicht möglich gewesen. Zu guter Letzt stellt das Chaucer-Buch die Kommunikation mit der übrigen Welt wieder her, und bezeichnenderweise wird es eine „Treppe" genannt, und zwar eine Treppe im durchaus positiven Sinn, weil es die beiden Freunde auf eine wunderbare Weise wieder zusammenführt und den Liebenden von neuem die Bergung in der Welt vermittelt.

Vom Dingsymbol der Treppe erhalten noch manche Reflexionen, die in der Erzählung wie beiläufig vorkommen, ihre tiefere Bedeutung. Es wäre ganz unrichtig, solche Gedankenarabesken für überflüssig und störend zu halten. Sie gehören durchaus zu dieser nicht episch berichtenden, sondern humoristisch spielenden Erzählung. Wohl spricht in solchen Reflexionen mehr der alte Tieck als der junge Heinrich. Aber das Verspielte der Begebenheit, das kurios Groteske des Vorfalls mit der Treppe hat auch seine aufs Allgemeine und Gleichnishafte hindeutende Seite; es gilt, die „Widersprüche des Lebens" zu lösen und die höhere „ausgleichende Wahrheit" zu erkennen. Wie sieht die Welt aus, die mit der Treppe gleichsam ausgeklammert ist? Sie ist weitgehend bereits brüchig, zweifelhaft, korrupt und treulos geworden. Das unglückliche Schicksal unseres Liebespaares hat darum über das Private hinaus auch eine öffentliche Bedeutung. Der alte Tieck legt Heinrich seine eigne Zeitkritik in den Mund, und was hier vorgetragen wird, erinnert in mancher Hinsicht an die konservative Position des alten Goethe. „Pflichtlos sein, ist eigentlich der Zustand, zu welchem die sogenannten Gebildeten in allen Richtungen stürzen wollen; sie nennen es Unabhängigkeit, Selbständigkeit, Freiheit.

Sie bedenken nicht, daß, sowie sie sich diesem Ziele nähern wollen, die Pflichten wachsen, die bis dahin der Staat oder die große, unsäglich komplizierte, ungeheure Maschine der geselligen Verfassung in ihrem Namen, wenn auch oft blindlings, übernahm. Alles schilt die Tyrannei, und Jeder strebt, Tyrann zu werden. Der Reiche will keine Pflichten gegen den Armen, der Gutsbesitzer gegen den Untertan, der Fürst gegen das Volk haben, und Jeder von ihnen zürnt, wenn jene Untergebenen die Pflichten gegen sie verletzen." Diese Zeitkritik Tiecks prangert die Beamten und die Vornehmen an, wenn sie zum elenden Minister oder zum trunkenen Fürsten oder zur widerwärtigen Mätresse flehend sagen: Bitte, sei mein Gott!, so wie der trunkene Stefano in Shakespeares „Sturm" vor dem Ungeheuer Caliban niederkniet. Treue hingegen und Aufopferung, wie die der alten Dienerin, gehören den alten poetischen Zeiten an, die im schroffen Kontrast zur modernen Welt gesehen werden.

Hier liegt das Zeitproblem dieser Novelle: in dem Zurückholen und Zurückrufen des Poetischen in eine bereits von dem Übergewicht des Materiellen bedrohte Gesellschaft. Das ist der entscheidende Unterschied zu Eichendorff, dessen Taugenichts die Wirklichkeit noch ungebrochen und naiv unter der Kategorie des Märchens zu erleben vermochte. Bei Tieck ist das ironische, parodistische und groteske Moment weit stärker geworden. Jetzt gelingt die poetische, liebende Teilhabe an der Welt nur in einer von eben dieser Welt bereits aufgedrängten Isolierung, die gegen den Einfluß der Gesellschaft gleichsam immun macht. Dabei bleibt aber die Frage offen, ob nicht auch das verklärte, poetischphantastische Leben in der Abgeschlossenheit dennoch der „Treppe" bedarf, um auf die Dauer existieren zu können.

Treppenloses Dasein wäre in seiner Konsequenz reines Dasein der Seele. Doch es gibt für Tieck keine Seele ohne Körper, und gerade darüber bringt die Erzählung immer wieder neue Reflexionen. Die Gefahr der materialistischen Entzauberung rückt auch in diesem Idyll bedenklich nah. Heinrich selbst bringt Gedankengänge dieser Art, wird dann freilich von seiner Frau zurechtgewiesen, die solchen „gottlosen Witz" ablehnt. Hören wir seine Betrachtungen über die Anatomie des menschlichen Auges: „Wenn man der Anatomie des Auges folgen will, auf wie Seltsames, Wunderliches, Widriges stößt die Beobachtung, um aus diesem glänzenden Schleime und milchigen Gerinne die Göttlichkeit des Blicks herauszufinden." Das zeitgeschichtliche Problem, vor dem Tieck steht und das auch Heinrich lösen möchte, heißt: kann man die romantisch beseelte Welt noch einmal gegen eine zunehmend materialistisch entseelte verteidigen? Denn Schönheit und Anmut — in unserm Beispiel „die Göttlichkeit des Blicks" — dürfen und sollen nicht entzaubert werden, sondern sind um ihrer selbst willen da. Das spielend Graziöse dieser Novelle, ihr seliges Erheben über die Materialität, ihr Triumph über die Schwere aus dem Geist der Poesie und der Liebe heraus, das ist wie eine Mahnung, die Tieck an eine Gesellschaft richtet, welche bereits allzusehr von der Mechanisierung und der Gottlosigkeit bedroht ist. Heinrich-Tieck führt hier den sehr bezeichnenden Begriff der „Schonung" ein. „Alles, was unser Leben schön machen soll, beruht auf einer Schonung, daß wir die liebliche Dämmerung, vermöge welcher alles Edle in sanfter Befriedigung schwebt, nicht zu grell erleuchten. Tod und Verwesung, Vernichtung und Vergehen sind nicht wahrer als das *geistdurchdrungene, rätselhafte Leben*. Zerquetsche die leuchtende, süßduftende Blume, und der Schleim in Deiner Hand ist weder Blume noch Natur. Aus der göttlichen Schlafbetäubung, in welche Natur und Dasein uns einwiegen, aus diesem *Poesieschlummer*, sollen wir nicht erwachen wollen, im Wahn, jenseit die Wahrheit zu finden." Poesie also, mit ihren feinen und leisen Schwingungen, bleibt die Grundlage alles menschlichen Daseins. Freundschaft und Liebe bedürfen der Schonung, damit das Geheimnis des Lebens nicht angetastet, die Täuschung der Erscheinung nicht zerstört wird.

Was aber für das individuelle Leben in Natur, Liebe und Freundschaft gilt, das gilt ebenso von „jenen mystischen Gegenständen, dem Staate, der Religion und der Offenbarung". „Die Einsicht, daß einzelne Mißbräuche da sind, die der Verbesserung bedürfen, gibt noch kein Recht, das Geheimnis des Staates selbst anzurühren. Will man die religiöse Ehrfurcht vor dieser mächtigen, übermenschlichen Zusammensetzung und Aufgabe, durch welche der Mensch in vielfach geordneter Gesellschaft nur zum echten Menschen werden kann, will man jene heilige Scheu vor Gesetz und Obrigkeit, vor König und Majestät, zu nahe an das Licht einer vorschnellen, oft nur anmaßlichen Vernunft ziehen, so zerstäubt die geheimnisvolle Offenbarung des Staates in ein Nichts, in Willkür. Ist es mit der Kirche, der Religion, der Offenbarung und diesen heiligen Geheimnissen anders beschaffen? Auch hier muß eine stille Dämmerung, ein zartes Gefühl der Schonung das Heiligtum umschweben." So wird den entzaubernden, rationalistischen und materialistischen Tendenzen des Zeitgeistes ein Halt zugerufen. Tieck wirft seiner Epoche vor, daß „allenthalben in unsern Tagen der Sinn für ein großes Ganze, für das Unteilbare, welches nur durch göttlichen Einfluß entstehen konnte, sich verloren hat".

Das „geistdurchdrungene, rätselhafte Leben", der „Poesieschlummer", die „mystischen Gegenstände" des Staates, der Religion und der Offenbarung, „die Erscheinung in ihrer Fülle", das alles ist eine noch einmal heraufgerufene, romantisch-poetische Welt, die der „Schonung" bedarf, wenn nicht Unersetzliches zerstört werden soll. Der modernen Sucht zur Negation wird das Positive, in der Sprache Goethes das „alte Wahre", entgegengehalten.

Das Dasein der Liebenden in ihrem erzwungenen Idyll der Armut ist individuelles, poetisches und damit wahres, geistdurchdrungenes Leben. Auch dies bedarf der „Schonung", wenn es bestehen soll. Wie sehr jedoch diese in die utopische Isolierung hineingetriebene poetische Daseinsform bereits gefährdet ist, das zeigt nicht so sehr der Zwang, sich treppenlos von jeder Außenwelt abzusondern, ein Zwang, der ja auf der anderen Seite auch wieder als ein Glück erlebt wird, sondern spiegelt sich viel stärker in der Symbolik des von Heinrich erzählten Traumes, der der Symbolik der verschwundenen Treppe gleichsam kontrapunktisch entgegengesetzt wird und in der Erzählung ihr vorausgeht. Der Traum wird zu einem Schlüssel für die ganze Erzählung. Das ist nicht mehr der romantische Traum von der „blauen Blume", der in Novalis' „Heinrich von Ofterdingen" den Zugang zu einem universellen poetischen Dasein eröffnet, es ist weit eher ein antiromantischer Traum von der modernen gesellschaftlichen Welt mit ihren generalisierenden und ökonomischen Maßstäben, die den Wert des Individuellen überhaupt in Frage zu stellen droht. Es ist nicht ein lyrisch verklärender, sondern ein grotesk verzerrender Traum — nicht mehr Märchen, sondern ein Antimärchen. Wohl steigt dieser Traum aus dem Unbewußten der Person auf, wird ihr aber nicht zur Hilfe und zum Heil, sondern zur Qual. Es handelt sich um einen ausgesprochenen Angsttraum. Wer in der Liebe oder in der Kindheit lebt, mag wohl ahnen, „daß das Individuelle, das Einzige, das Wesen, das Rechte, das Poetische und Wahre sei". Der Traum jedoch, den Heinrich seiner Frau berichtet, stellt gerade diesen Glauben in Frage.

Der Einzelmensch erlebt sich hier als verdinglicht; er wird auf einer Auktion zur öffentlich ausgebotenen Sache. Es stellt sich zu seiner größten Beschämung dabei heraus, daß er völlig wertlos ist und eine ganz minimale Werterhöhung nur dadurch gewinnt, daß drei Tagesschriftsteller zu diesem Angebot noch dazugeschlagen werden. Dann erscheint Clara, die Geliebte. Sie steigert den Preis für den verauktionierten jungen Diplomaten ungeheuer hinauf. Die Damenwelt fängt an, sich gegenseitig mit Nachdruck zu überbieten. Am Ende wird er zum Preise von zweimal hunderttausend Talern einer rotnasigen, alten, häßlichen Dame zugesprochen. Gegen alle Gesetze der Auktion erhält er im Traume selbst diese für ihn gebotene Summe. Nunmehr will aber auch die Geliebte nicht zurückstehen und unterwirft sich freiwillig dem gleichen harten Schicksal der Verdinglichung. Sie läßt sich versteigern. Der Liebende mit seiner ungeheuren Summe überbietet alle andern. Aber er übernimmt sich, das Geld reicht nicht aus, als es an das Auszahlen geht. Die Folge sind Gefängnis und Schande für beide. Die Gesellschaft urteilt, sie hätten sich „übermäßig ... als Wunderwerke der Schöpfung" herausgestrichen. „Aller moralischer Wert ginge bei so bösen verderblichen Beispielen unter und die Schätzung der Tugend verschwinde, wenn Individuen so taxiert und übermäßig hoch geschätzt würden." Die riesenhaften Summen würden der „Konkurrenz" und dem „allgemeinen Nutzen" entzogen. „Als wir zur Hinrichtung geführt wurden — erwachte ich und fand mich in Deinen Armen."

In diesem Traume klingt natürlich die Lebensgeschichte des liebenden Paares nach. Wichtiger ist jedoch die hoffnungslose Isoliertheit, in die das Individuum durch eine Gesellschaft gerät, die seinen Wert nicht mehr angemessen taxieren kann. Der Einzelmensch hat in der Welt keinen Platz mehr, er hat für sich allein genommen keinen Kredit, und Heinrich wird als das angesehen, „was die Welt einen Lumpen" nennt. Durch die Geliebte wird ihm wiederum neuer, gesteigerter Wert verliehen. Dennoch muß die Geliebte mit ihren Angeboten zurückbleiben. Denn der Wert des Einzelmenschen ist auf diesem dinglich-ökonomischen Wege überhaupt nicht taxierbar. Auch die Werterhöhung durch die reichen Damen ist nur eine scheinbare. Heinrich kommt zwar zu Besitz und vorübergehend auch zu Ansehen, aber er bleibt verdinglichtes „Objekt" der Gesellschaft, er ist gewissermaßen „Mode" geworden. Der eigentliche und wahre Wert des Individuums liegt jenseits des Ökonomischen. Er wird in der wechselseitigen Aufopferung der Liebenden sichtbar; die Geliebte läßt sich freiwillig versteigern, um das harte Los des Geliebten zu teilen, dieser wiederum sucht sie dann mit Überspannung aller seiner wirtschaftlichen Mittel zu retten. Auch hier muß der ökonomische Weg scheitern. Am Ende bleibt den Liebenden im gesellschaftlichen Raum nur noch die gemeinsame Schande, der gemeinsame Tod. Denn die Gesellschaft versteht ihrerseits den höheren, ökonomisch nicht faßbaren Wertbereich, den sich die Liebenden in ihrer Liebe erschaffen, als einen unerlaubten und selbstsüchtigen Angriff auf ihre generalisierenden und normierenden Maßstäbe („moralischer Wert", „Schätzung der Tugend").

Der Traum ist wie das Antimärchen zum Märchendasein ohne Treppe. Beides gehört zusammen und ergänzt sich wechselseitig. Die Gesellschaft in ihrer rationalisierenden, ökonomisch zweckhaften Wirklichkeit droht die individuelle, poetische Existenz auszulöschen. So zeigt es der Traum. Diese wiederum kann nur in der utopischen Isolierung, im Dasein ohne Treppe, den poetischen Raum der Liebe verwirklichen. Solche, wenn auch nur verhalten angedeuteten, Widersprüche drängen die Erzählung in eine groteske Darstellungsform hinein. Der Traum ist grotesk, weil er das Individuelle in einer phantastischen Weise der Verdinglichung unterwirft; die Wirklichkeit im Dachstübchen ist grotesk, weil das Dingliche hier in phantastischer Weise der poetischen Freiheit des Einzelmenschen unterworfen wird. Die verschwundene Treppe ist wie eine Antwort auf den vorher erzählten Traum. Wenn die Gesellschaft jeden Instinkt für den Wert des Individuums verloren hat, weil sie nur ihre ökonomischen und abstrakt moralischen Maßstäbe kennt, dann muß das Individuum umgekehrt zum mindesten versuchen, seine absolute, wahre und poetische Idealität auch noch allem Dinglichen gegenüber durchzusetzen.

Das isolierte Dasein der Liebenden wird zum „Märchen", „so wunderlich, wie es nur in der Tausend und einen Nacht geschildert werden kann". Das Märchenhafte liegt in der Abgeschiedenheit des Idylls, „daß wir hier von aller Welt so völlig abgetrennt sind, von keinem Menschen abhängig und keines Menschen bedürftig". Dennoch wäre es schlimm, wenn die Realität der Außenwelt diesen Traum auf eine allzu harte Probe stellen würde. Tieck gibt seiner Novelle am Ende daher auch die typische Wendung eines Glücksmärchens. Es ist müßig zu erörtern, was geschehen wäre, wenn die Harmonie mit der Welt dort draußen zu guter Letzt nicht doch wiederhergestellt würde.

Zunächst gibt es einen humoristischen Disput mit dem unerwartet zurückgekehrten Hauswirt, der sich in sein Haus ohne Treppe nicht hineinzufinden vermag, dann herbeigerufene Polizei und eine vorgetäuschte Verteidigung. Das alles wird unbeschwert und heiter erzählt. Schließlich rettet der unerwartet ankommende Freund die Situation; die Vermögen sind erhalten, die Eltern versöhnt, und die reibungslose Rückkehr in das soziale Dasein ist gesichert. Sogar das verlorene Manuskript findet sich wieder und hat beim Publikum Erfolg. „Gern ließen sie die notgedrungene Philosophie der Armut fahren, deren Trost und Bitterkeit sie bis auf den letzten Tropfen ausgekostet hatten." Es war also doch kein eigentliches Märchen, sondern vielleicht noch mehr die liebenswürdige Verhüllung einer an sich sehr bitteren Situation durch die innere Freiheit des Gemütes und durch die Liebe. Der poetische Zauberkreis, den das Paar um sich zog, verliert nachträglich etwas von seinem romantischen Glanz, wenn man ihn an der Macht der gesellschaftlichen Wirklichkeit mißt, die die Liebenden in diese Verbannung hineinstieß und auf die sie auch jetzt noch angewiesen sind, um wieder aus ihrem Elend gerettet zu werden. So gesehen wird der von den Liebenden geschaffene poetische Zauberkreis auch zu einem Produkt der Resignation.

In Tiecks Erzählung setzt sich die „Innerlichkeit" der Liebenden mit einer bedrängenden Außenwelt auseinander, aber doch so, daß die märchenselige Welt des Herzens triumphiert. Das Thema wird nicht tragisch, sondern humoristisch behandelt. Humor bedeutet hier Unabhängigkeit des Gemütes und des Geistes, auch noch in der engsten und widrigsten Situation. Allerdings kann das von der Seele erblickte Ideal („innere Anschauung") in der trüben Wirklichkeit nie ganz aufgehen. Es bleibt ein Rest, der Ergebung und Verzicht fordert. Ist doch der Mensch eine „wundersam komplizierte Mischung... von Materie und Geist, von Tier und Engel" mit unendlich verschiedenen Nuancen. In dieser Bereitschaft, auch das Recht der Wirklichkeit anzuerkennen, kündigt sich die Wendung von der Romantik zum Biedermeier an. Eine uneingeschränkte Herrschaft der Poesie über das Leben ist nicht mehr möglich. Aber auch umgekehrt wird die gemeine Ansicht abgewiesen, daß das Irdische immerdar das Geistige unterjochen und beherrschen müsse. Durch „Schonung" läßt sich beides zum Ausgleich bringen.

Was von der inneren Anschauung als Ideal erblickt wird, heißt Poesie, Glück, Liebe, Überfluß des Lebens. Die davon radikal abgetrennte Wirklichkeit wäre in unserem Falle nur Armut, Bedürftigkeit, soziale Verfolgung, Kälte, Elend. Aber die Novelle versöhnt beides miteinander auf eine schwebende und humoristische Weise. Wie konnte ihr das gelingen? Friedrich Hebbel hat darauf in seinem Tagebuch am 16. Februar 1839 eine schöne Antwort gegeben: „Des Lebens Überfluß, neuste Novelle von Ludwig Tieck, macht auf innig ergötzliche Weise anschaulich, daß der reine Mensch dem Schicksal gegenüber immer seine Selbständigkeit zu behaupten vermag, wenn er Kraft und Mut genug besitzt, mit der ihm aufgebürdeten Last zu spielen, sie als ein nur zufällig ihm nahgerücktes Objektives zu betrachten." Das graziös Spielende, das Hebbel mit Recht hervorhebt, verbindet sich jedoch bei Tieck mit einem leichten Spott, der dem Überschwenglichen von Poesie und Liebe gilt. Es ist, als ob er sagen wollte: Vergiß nicht ganz, daß auch die Rosse der Begeisterung nicht ohne die Schule des trockenen Verstandes reiten! Diese Mischung des Enthusiastischen mit dem leicht Ironischen, des Poetischen mit dem Humoristischen, des Spielerischen mit dem Grotesken gibt der ganzen Erzählung etwas bezaubernd Reizvolles.

Noch sind Leben und Wirklichkeit poetisch, wenn der Mensch es versteht, sie poetisch zu nehmen. Die Poesie des Lebens muß aus ihm gleichsam herausgeholt werden. Das verbindet Eichendorff mit Tieck an der Grenzscheide von Romantik und Biedermeier. Aber die entwertende, die entzaubernde Kraft der Gesellschaft rückt nunmehr Tieck bedrängend nahe. Die Poesie des Lebens bedarf der „Schonung", wenn sie erhalten bleiben soll. Wer hier mit unzarter Hand zugreift, vergreift sich zugleich an den heiligen und mystischen Gegenständen des Daseins. Zur „Schonung" gehört vielleicht auch, daß Tieck die dramatisch-tragische Darstellung vermeidet; nur im Traum Heinrichs beginnt bezeichnenderweise die schonungslose Darstellung des von der Gesellschaft als Ware taxierten Individuums. Auch das Didaktische in der Erzählung, ihr zuweilen belehrender Ton, bleibt in der Nähe des Spiels, so wie umgekehrt alles rein Lyrische wieder durch zarte Ironie gedämpft wird, damit es nicht ganz aus der Wirklichkeit herausfällt. Tieck erreicht noch den Ausgleich und die Versöhnung der Widersprüche des Lebens aus dem Geist des Humors heraus. Poesie und Wirklichkeit treten zwar schon gegeneinander, können sich aber dennoch wechselseitig durchdringen. Hierfür gilt das Wort von Jean Paul aus der „Vorschule der Ästhetik": „Der Humor, als das umgekehrte Erhabene, vernichtet nicht das Einzelne, sondern das Endliche durch den Kontrast mit der Idee. Es gibt für ihn keine einzelne Torheit, keine Toren, sondern nur Torheit und eine tolle Welt,... weil vor der Unendlichkeit alles gleich ist und Nichts." Bei Hoffmann sind die Bereiche der Wirklichkeit und der Poesie aufs schärfste kontrastiert; bei Tieck gibt es trotz des auch hier angedeuteten Kontrastes noch die humoristische Versöhnung, aber nur in der freiwilligen Beschränkung, in der Anerkennung der Grenzen; wohl als ein Überfluß des Herzens, aber als ein Überfluß, der auch wieder „Entsagung" verlangt. Denn die Freiheit des Geistes, sich über das Gefängnis der Materie zu erheben, bleibt, wenn man genauer hinsieht, eine bedingte Freiheit. Sie ist die Freiheit des Spiels; das Schwere wird nicht vernichtet, sondern im Spiele leicht gemacht. Auch die verschwundene Treppe ist keine Hexerei, nur vorübergehend lassen sich die Schranken der Realität scheinbar aufheben. Der Dichter erwartet von uns, daß wir diesen Schein gelten lassen. In solchem Sinne steht die ganze Begebenheit von der Treppe stellvertretend für das „geistdurchdrungene, rätselhafte Leben", dem wir mit „Schonung" begegnen müssen. Ist der Mensch noch frei und unabhängig? Der Dichter weiß, daß er es in Wahrheit niemals oder zum mindesten niemals völlig ist. Aber schon die Illusion — nur im Spiele ist sie möglich —, daß es so sein *könne*, bedeutet unendlich viel. So ist auch dies noch Schonung, daß es zu keiner Entzauberung kommt, daß noch einmal die Märchengnade gerufen wird, um den so unselig und zugleich so selig Eingeschlossenen ihre Hilfe zu bringen. Auch die Welt dort draußen behält ihr Gutes. Die Schwere des Schicksals, die Zerstörung durch das Tragische, das Erbarmungslose der Gesellschaft, das alles kann und darf noch einmal zurücktreten. Denn die Lebensstimmung der Poesie triumphiert hier zum letzten Male, gleichsam schon am Abend, da die Sonne sinkt, mit graziöser Heiterkeit, spielender Phantasie und geistvoller Ironie über alles Beladene und Erdrückende unseres irdischen Daseins.

DER ARME SPIELMANN

Franz Grillparzer begann seine Erzählung „Der arme Spielmann" bereits im Jahre 1831; sie erschien aber erst 1848 in dem
Almanach „Iris". Als er sie am 20. November 1846 einsandte,
fügte er ein Schreiben bei, in dem er die Bezeichnung „Novelle"
für diese Dichtung ausdrücklich ablehnte, wenn er sie auch in
einem späteren Brief an Paul Heyse vom 16. Juni 1870 selber
verwendet. In der Tat läßt sich Grillparzers eigne Auffassung von
der Novelle wohl kaum oder zum mindesten nur sehr beschränkt
mit dieser Erzählung vereinbaren. In seinen Tagebüchern heißt es:
„Die Novelle ist das Herabneigen der Poesie zur Prosa, der Roman
das Hinaufstreben der Prosa zur Poesie. Weiter zu entwickeln."
(Hist.-krit. Gesamtausg. von August Sauer, Tagebücher, vierter
Teil, Nr. 3281, S. 194). Eine weitere Stelle führt das genauer aus:
„Unterschied von Roman und Novelle. Die Novelle ist das erste
Herabneigen der Poesie zur Prosa; der Roman das Hinaufsteigen
der Prosa zur Poesie. Jede gute Novelle kann man in Verse
bringen, sie ist eigentlich ein unausgeführtes poetisches Süjet; ein
versifizierter Roman wäre ein Unding. Daher im Roman die
Begebenheiten vielfach vermittelt, in der Novelle positiv auftretend,
so daß in ersterem die Ursachen vorherrschen, im zweiten die
Wirkungen. Der Roman psychologisch, die Novelle psychopa-
thisch; der Roman, wie schon Goethe bemerkt hat, retardierend;
die Novelle fortschreitend" (ebenda Nr. 3476, S. 286).

Ganz abgesehen davon, daß sich eine gute Novelle keineswegs
in Verse bringen läßt, „Der arme Spielmann" ist dazu besonders
ungeeignet. Er ist im Gegenteil eine durchaus realistische Erzählung, die keine spezifisch romantischen Züge mehr aufweist und
sich überdies von der Gattung des Märchens eindeutig entfernt.
Eher könnten wir Grillparzers Kategorie des „Psychopathischen"
darauf anwenden, aber ebenso liegt die Bezeichnung „psychologisch" nahe. Die Erzählung erhebt nicht den Anspruch, „große

Ideen" zu vermitteln; ja, Grillparzer wendet sich mit Nachdruck gegen eine Kritik, die gegen diese Dichtung einwendet, derartige Armseligkeiten dürfe man dem Publikum nicht vorführen. Das könne man ebenso gegen Goethes „Geschwister" sagen. „Es geht eben mit der Betrachtung von Kunstwerken wie mit der Beschauung von Naturgegenständen. Während der stumpfe Sinn des gewöhnlichen Hinschlenderers beim Anblick eines Baumes eben nichts bemerkt, als daß er grün ist, sieht das scharfe, wohl gar kunstgeübte Auge eine solche Welt von Abstufungen der Farbe und des Lichts, daß er stundenlang stehen und immer wieder den Baum betrachten kann, ja, wenn er Maler ist und eine Nachbildung versuchen will, gerät er in Verzweiflung, auf der Palette jene Farbe zu finden, die der andere mit der allgemeinen Bezeichnung ‚grün' so schnell abgefertigt hat."

Diese kunstkritische Betrachtung Grillparzers wirkt bereits wie ein Vorklang späterer realistischer und naturalistischer Theorien. Auf der gleichen Linie liegt es, wenn die Erzählung Grillparzers sich von der Novelle als einer aristokratisch gesellschaftlichen Form bewußt abkehrt und statt dessen in sehr viel stärkerem Ausmaß den niederen volkstümlichen Bereich betont, aber mehr im tragischen als im komischen Sinne. Geistesgeschichtlich gesehen gehört Grillparzers Erzählung „Der arme Spielmann" in den Prozeß der Verbürgerlichung des 19. Jahrhunderts hinein, in jenen sich immer mehr ausbreitenden Realismus, der die Stilform der heroischen Tragödie ablehnen mußte. Der Mensch wird bereits als ein gebrochenes und durch seine Umwelt vielfach bedingtes Wesen gesehen, seine charakterologische Anlage und der Umkreis, in dem er aufwächst, haben für sein Schicksal eine bestimmende und wesentliche Bedeutung. Ilse Münch sagt in ihrem Buch über Grillparzer (Berlin 1931) folgendes darüber: Grillparzer „empfand die Macht der Umwelt, der Vererbung, und vor allem der psychologischen individuellen Eigenart ...; die letzte Ursache des tragischen Leidens aber suchte er in der Grundveranlagung des Menschen, ... weitergeführt zu der intuitiven Erkenntnis, daß die Probleme des Charakters zugleich ewige unlösbare Grundlagen des Daseins sind, daß in der Eigenart des Lebens selbst das Tragische liegt." Aber darf man diese Erzählung überhaupt als „tragisch" bezeichnen? Darüber gehen die Meinungen der Interpreten — und es gibt deren eine ganze Anzahl — erheblich auseinander. H. Pongs hat in seinem Buch „Das Bild in der Dichtung" (II. Bd., Marburg 1939, S. 221 ff.) eine gute Übersicht gegeben. Die Schwierigkeiten ergeben sich vor allem aus der Beurteilung des Spielmanns selbst. Josef Nadler weist in seiner Literaturgeschichte auf den „tragischen Unterton der österreichischen Seelenlage" hin, auf einen „Zwieklang von morgenländischem Fatalismus und jener volkhaften Schwermut, die von Slawen, Madjaren und Juden nach Wien wehte". Die Anlage zur Willensschwäche sei bereits mit dem österreichischen Stammestum gegeben. Johannes Volkelt spricht von dem Tragischen einer dem Leben nicht gewachsenen Innerlichkeit, die man später auch in Gerhart Hauptmanns Menschendarstellung finden wollte. Alker im Neophilologus (1926) und B. Seuffert in der Festschrift für Sauer (1925) betonen im Gegensatz dazu, es sei keine tragische Novelle, vielmehr eine sich dem Tragikomischen nähernde psychologische Studie, in der nicht der Spielmann, sondern die Umwelt die Verantwortung trage. Ganz anderer Meinung ist wiederum Gerhart Reckzeh in seiner Arbeit über „Grillparzer und die Slawen" (Weimar 1929); er nennt den Spielmann einen slawischen Charakter, der sich bis zur Ausschweifung selbst erniedrige. Wo hingegen die Interpreten die Innenseite, das rein Menschliche, betonen, da wird der Spielmann wiederum als sehr positive Figur gesehen. Schon Gottfried Keller sprach in diesem Zusammenhang von der „Gewalt der absolut reinen Seele über die Welt". Nadler, in seiner Biographie über Grillparzer (Vaduz 1948), sieht im Spielmann ein Eigenbild Grillparzers, „elegisch verklärt und kaum spürbar mit einem Hauch guter Laune umweht. Es war nach soviel Ansätzen der einzige Versuch, sich über sein eigenes Wesen hinauszuschwingen und, nachdem er sich jahrzehntelang medusisch im Spiegel seiner tragischen Gestalten beschaut hatte, nun einmal von der guten Seite zu nehmen. Doch auch dieser humoristische Ichroman hatte sich unter seinen Händen in eine tragische Novelle verwandelt" (S. 289). K. K. Klein wendet in seinem Buch „Zur Weltdeutung in Grillparzers Novellen" (1928) das Wort Rilkes auf den Spielmann an: „Denn Armut ist ein großer Glanz von innen", und auch Joachim Müller gibt in seiner kurzen Analyse (Zeitschr. für Deutschkunde 55, 1941, S. 158-162) eine erneute Verteidigung der Gestalt. Ebenso hat Walter Silz in „Realism and Reality" (1954) den Spielmann in Analogie zu einem Heiligen verstanden, der in der Welt, aber nicht von dieser Welt ist.

Bei solcher Verschiedenheit der Beurteilung verwundert es nicht, wenn die Erzählung jedesmal in einem anderen Lichte erscheint. Hermann Pongs versucht allerdings diese Widersprüche durch die Zweiheit von Rahmen und Binnenerzählung auszugleichen. Vom Rahmen her gesehen wirke der Spielmann in der Tat tragikomisch und ironisch; in seiner von ihm selbst erzählten Lebensgeschichte hingegen überwiege die „Reinheit des Seelenwertes" und der Eindruck echter Tragik. Pongs spricht zusammenfassend von „rein ontischer Tragik", deren Gebrochenheit in dieser doppelten Beleuchtung sichtbar werde, unter die Grillparzer sie gestellt habe.

Versuchen wir, uns von diesen etwas verwirrenden Urteilen frei zu machen und zunächst in der Nacherzählung einen Weg zur Interpretation zu bahnen. Die Erzählung geht auf eine wirkliche Begebenheit zurück, über die uns Grillparzer selbst unterrichtet hat. Er sagt darüber: „Ich speiste viele Jahre hindurch im Gasthause ‚Zum Jägerhorn' in der Spiegelgasse. Da kam häufig ein armer Geiger und spielte auf. Er zeichnete sich durch eine auffällige Sauberkeit seines ärmlichen Anzuges aus und wirkte durch seine unbeholfenen Bewegungen rührend komisch. Wenn man ihn beschenkte, dankte er jedesmal mit irgendeiner kurzen lateinischen Phrase, was auf eine genossene Schulbildung und auf einstige bessere Verhältnisse des greisen Mannes schließen ließ. Plötzlich erschien er nicht mehr, und so eine lange Zeit nicht. Da kam die große Überschwemmung im Jahre 1830. Am meisten litt die Brigittenau, wo ein berühmter Kirchtag, ein lustiges Volksfest, jeden Sommer gefeiert wurde. Ich wußte, daß der arme Geiger dort wohnte, und da er nicht mehr aufspielen kam, so glaubte ich, daß auch er unter den Menschenopfern in der Brigittenau seinen Tod gefunden habe. Ich wurde eingeladen, für ein Taschenbuch eine Novelle zu schreiben, und so versuchte ich eine solche, in welcher mein armer, guter Bekannter als Held figuriert" (Grillparzer, Gespräche, Schriften des Literarischen Vereins, Bd. 20, S. 279 f.).

Die Erzählung gehört zu einem bestimmten Typus der Novelle, nämlich zur Rahmennovelle, wie wir sie ja auch in anderer Weise häufig bei C. F. Meyer oder bei Theodor Storm finden. Innerhalb des Rahmens führt sich der Autor selbst, ähnlich wie in Brentanos Erzählung „Vom braven Kasperl und dem schönen Annerl", als teilnehmende Person ein, aber nicht mithandelnd, sondern in der Distanz der Beobachtung; er nennt sich einen „leidenschaftlichen Liebhaber der Menschen, vorzüglich des Volkes", er bezeichnet sich als einen Mann mit „anthropologischem Heißhunger". Darum interessiert ihn auch ein Volksfest wie die Kirchweihe auf der Wiener Brigittenau; denn hier lernen die „Massen für einige Zeit der einzelnen Zwecke vergessen und sich als Teile des Ganzen fühlen, indem denn doch zuletzt das Göttliche liegt — als einem solchen ist mir jedes Volksfest ein eigentliches Seelenfest, eine Wallfahrt, eine Andacht". In solcher „rauschhaften Losgebundenheit der Lust" „ist keine Möglichkeit der Absonderung". Es sind gerade die unberühmten, alltäglichen Menschen, die die psychologische Neugierde des Autors fesseln. „Wahrlich! man kann die Berühmten nicht verstehen, wenn man die Obskuren nicht durchgefühlt hat. Von dem Wortwechsel weinerhitzter Karrenschieber spinnt sich ein unsichtbarer aber ununterbrochener Faden bis zum Zwist der Göttersöhne, und in der jungen Magd, die, halb wider Willen, dem drängenden Liebhaber seitab vom Gewühl der Tanzenden folgt, liegen als Embryo die Julien, die Didos, die Medeen." Diese viel zitierte Stelle zeigt einen wichtigen geistesgeschichtlichen Wechsel in der Auffassung vom menschlichen Schicksal. Auch hier ist bereits der kommende Naturalismus vorweggenommen. Eine Begebenheit ist nicht dadurch ungewöhnlich, daß sie ein mythologisches Kostüm erhält oder sozial herausgehobenen Menschen zustößt; vielmehr enthält gerade der durchschnittliche und anonyme Lebensbereich eine Fülle von Problemen der Liebe und der Leidenschaft, die man erst einmal richtig verstehen muß, wenn man das Wesen des Menschen und sein Schicksal erfassen will.

So sehr auch im Rahmen dieser Erzählung vom „Volk" und seiner Göttlichkeit die Rede ist — der romantische Volksbegriff klingt darin wohl noch nach —, die Erzählung selbst verweilt dann doch beim Einzelfall eines Bettelmusikanten, der aus diesem Rausch der allgemeinen losgebundenen Lust gerade herausfällt. Er steht in einer Umwelt, die mit krassem, ans Groteske grenzendem Naturalismus charakterisiert wird: die Harfenspielerin „mit widerlich starrenden Augen", der alte, invalide Stelzfuß mit seinem „entsetzlichen" Instrumente, der lahme, verwachsene Knabe, der den endlos fortrollenden Walzer „mit all der hektischen Heftigkeit seiner verbildeten Brust" herabspielt. Davon hebt sich der arme, alte, etwa siebzigjährige Spielmann ab, der auf seiner Geige musiziert, dürftig, aber nicht unreinlich gekleidet, mit einer lächelnden, sich selbst Beifall gebenden Miene. Allerdings ist die Musik, die er auf seiner alten, zersprungenen Violine hören läßt, einfach fürchterlich. Er gibt den Takt nicht nur durch Aufheben und Niedersetzen des Fußes an, sondern markiert ihn zugleich durch eine damit „übereinstimmende Bewegung des ganzen gebückten Körpers". „Aber all diese Bemühung, Einheit in seine Leistung zu bringen, war fruchtlos; denn was er spielte, schien eine unzusammenhängende Folge von Tönen ohne Zeitmaß und Melodie." Mit starrer Aufmerksamkeit schaut er auf seine schmutzigen, zergriffenen Noten, „die das in schönster Ordnung enthalten mochten, was er so außer allem Zusammenhange zu hören gab". So hat er denn auch keinen Erfolg, sein Hut bleibt leer; dennoch geht er mit ungetrübter Heiterkeit und merkwürdigerweise mit einem lateinischen Horaz-Vers von dannen: „Sunt certi denique fines." Der Bettelmusikant wird hier als ein Original, als ein Sonderling eingeführt, eine Gestalt aus der anonymen Volksmenge, dürftig, aber doch edel, erfolglos, aber trotzdem von unbesiegbarer Heiterkeit, von größtem Kunsteifer bei ebenso großer Unbeholfenheit. Der Autor ist begierig auf seine Lebensgeschichte.

Es gelingt ihm, dem Alten nachzuspüren, und nach und nach erfahren wir mehr. Der Musikant lebt nach einer genauen Ordnung. Er teilt sein ärmliches Zimmer mit zwei Handwerksgesellen; die Hälften sind durch einen dicken Kreidestrich sorgfältig abgetrennt, „und man kann sich kaum einen grelleren Abstich von Schmutz und Reinlichkeit denken, als diesseits und jenseits der gezogenen Linie, dieses Äquators einer Welt im Kleinen, herrschte". Wie sein Zimmer stets peinlich sauber, so ist auch sonst sein Leben pedantisch geregelt. Der Morgen gehört der Übung, der Mittag ist dem Broterwerb gewidmet, und abends phantasiert er ohne Noten für sich allein und für den lieben Gott in seinem dürftigen Kämmerlein. Sonderbarerweise spielt er mit seinen ungelenken Fingern auch die schwierigsten Kompositionen berühmter Meister in der „angenehmen", aber doch recht merkwürdigen Hoffnung, für solches Spiel nicht nur die ihm zukommende Gabe zu erhalten, sondern auch auf diese Weise zur „Veredlung des Geschmackes und Herzens" seiner Zuhörer beizutragen. In Wahrheit gibt er jedoch nur ein höllisches Konzert, an ein Erkennen der gespielten Stücke ist nicht zu denken. Dennoch ist seine Tollheit nicht ohne Methode, wenn sich diese auch nur nach und nach entdecken läßt. Der Musikant verweilt entzückt beim Wohlklang und geht dem Übelklang bewußt aus dem Wege. Er verlängert und wiederholt daher die Noten und Intervalle, die seinem Gehör angenehm sind, während er die Dissonanzen so kurz wie möglich abtut. Dadurch geht natürlich jede Betonung nach Sinn und Rhythmus verloren. Hinzu kommt, daß er beim Spielen nach Noten die schweren Passagen, „von denen er aus Gewissenhaftigkeit nicht eine Note fallen ließ, in einem gegen das Ganze viel zu langsamen Zeitmaß vortrug", und „so kann man sich wohl leicht eine Idee von der Verwirrung machen, die daraus hervorging". Bisher erscheint uns vom Rahmen aus der Alte als ein absonderlicher, pathologisch anmutender Fall, wenn auch nicht ohne sympathische Züge: in seiner verblendeten Hingabe an die Kunst, in seiner Sauberkeit, in seiner Gewissenhaftigkeit, in dem Bedürfnislosen seiner Erscheinung und vor allem in seiner einfachen und kindlichen Gesinnung, die allmählich im Verlauf der Erzählung immer deutlicher hervortritt.

Vom Rahmen hebt sich die „Geschichte" des armen Spielmanns ab, die von ihm selbst erzählt wird. Für ihn ist freilich nicht viel Besonderes daran; dem Autor ist sie jedoch interessant, zumal er ja mit „anthropologischem Heißhunger" hinter sonderbaren Fällen herläuft. Der arme Spielmann war der Sohn eines einflußreichen Staatsmannes, stammte also aus einem sehr wohlhabenden, aristokratischen Milieu. Aber sein durchaus „langsamer Kopf" enttäuschte den brennenden Ehrgeiz des Vaters. „So ward ich denn immer gedrängt", sagt er selbst darüber. Den Geigenunterricht, zu dem er in seiner Jugend gepreßt wurde, erlebte er damals als eine Qual, eine Folter. Gerne wäre er ein einfacher Drechsler oder Schriftsetzer geworden, aber er wollte seinen Vater nicht kränken. Trotz aller Hilfe versagte er völlig in der Lateinprüfung, und von diesem Tage an wandte sich sein Vater von ihm ab und sprach kein Wort mehr mit ihm. Auch sein Versprechen, „durch Fleiß den Mangel an Talenten zu ersetzen", hat keinen Erfolg; der Vater, der ihn nicht mehr auf der Schule haben wollte, „nahm... nie einen Entschluß zurück". Jedoch auch der Versuch, ihn in eine Rechenbehörde zu bringen, mißlingt. Den Antrag, ins Militär zu treten, weist er mit Abscheu zurück. „Ich kann noch jetzt keine Uniform ohne innerlichen Schauder ansehen." „Blutvergießen und Verstümmelung als Stand, als Beschäftigung" ist ihm völlig unbegreiflich. So kommt er denn als Abschreiber in die Kanzlei. Hier wäre er durchaus am richtigen Platz gewesen, aber bei allem Fleiß ist er zu ängstlich und gerät dadurch in den Ruf, nachlässig zu sein. Er arbeitet dort ein paar Jahre ohne Gehalt; eine dann anstehende Beförderung verhindert sein Vater. Von der Mutter ist nirgends die Rede, nur an einer Stelle wird kurz bemerkt: „Die Mutter lebte seit lange nicht mehr." Offensichtlich kreist die ganze Jugendgeschichte um die unglückliche Bindung des Sohnes an den Vater. Die Frage liegt nahe: Ist der arme Spielmann von Natur lebensuntüchtig oder wird er erst durch seinen Vater in eine solche Bahn hineingedrängt? Bezeichnenderweise läßt sich das nicht klar beantworten. Der arme Spielmann zeigt sich auch später dem Leben nicht gewachsen. Wer will entscheiden, wieweit der Einfluß des Vaters eine in der Anlage schon gegebene Lebensschwäche noch erheblich gesteigert hat? Zweifellos hätte jedoch die erzieherische Beeinflussung in einer ganz anderen Richtung erfolgen müssen.

Aber kehren wir zur Lebensgeschichte zurück. Ein einfaches, von einem Mädchen in der Nachbarschaft gesungenes Lied weckt in dem Spielmann die Liebe zur Musik, in der er von nun an einen bleibenden Trost findet. So scheußlich er auch spielt, seine Aussagen über die Musik haben etwas Frommes, Feierliches und Mystisches. „Sie spielen den Wolfgang Amadeus Mozart und den Sebastian Bach, aber den lieben Gott spielt keiner. Die ewige Wohltat und Gnade des Tons und Klangs, seine wundertätige Übereinstimmung mit dem durstigen, zerlechzenden Ohr, daß" — fuhr er leiser und schamrot fort — „der dritte Ton zusammenstimmt mit dem ersten, und der fünfte desgleichen, und die Nota sensibilis hinaufsteigt wie eine erfüllte Hoffnung, die Dissonanz herabgebeugt wird als wissentliche Bosheit oder vermessener Stolz und die Wunder der Bindung und Umkehrung, wodurch auch die Sekunde zur Gnade gelangt in den Schoß des Wohlklangs." Die Musik bedeutet für diesen vom Leben mißhandelten Menschen ein „Ein- und Ausatmen der Seele", einen reinen Trank, der unmittelbar von Gott stammt, „ein ganzes Himmelsgebäude, eines ins andere greifend, ohne Mörtel verbunden, und gehalten von Gottes Hand". Der Spielmann berichtet dann weiter über das einzige Liebeserlebnis, das er in seinem Leben gehabt hat. Es handelt sich um das Mädchen Barbara, das das Lied gesungen hat und das als Kuchenverkäuferin gelegentlich die Kanzlei besucht. Von ihr sucht er die Noten des Liedes zu bekommen und lernt sie so näher kennen. Inzwischen ist er endgültig aus seinem Vaterhaus vertrieben worden. Diese undramatische Lebensgeschichte bekommt einen neuen Einschnitt durch den unerwarteten Tod des Vaters. Es ist bezeichnend, wie der Sohn darauf reagiert. „Ich hatte ihn nicht mehr sprechen können; ihn nicht um Verzeihung bitten wegen all des Kummers, den ich ihm gemacht; nicht mehr danken für die unverdienten Gnaden — ja Gnaden! denn seine Meinung war gut, und ich hoffe ihn einst wiederzufinden, wo wir nach unsern Absichten gerichtet werden und nicht nach unsern Werken." Kein Wort fällt darüber, daß vielleicht auch umgekehrt der Vater ihn um Verzeihung hätte bitten müssen wegen der Härte und Kälte, mit der er ihn behandelt hat. Der arme Spielmann ist zu einer solchen feindlichen Haltung nirgends fähig, mag die Umwelt ihn auch noch so sehr tyrannisieren. Nun hat er mit dem Tod des Vaters seine Freiheit und überdies ein bescheidenes Vermögen. Barbara warnt ihn davor, jedermann sein Vertrauen zu schenken. Ja, sie warnt ihn sogar vor ihrem eignen Vater, dem „Griesler", eine Gestalt, die in der Erzählung vulgär possenhafte und zynisch grobe Züge zeigt. Leider bleiben diese Warnungen im Grunde vergeblich. Unser Spielmann vermag eben nicht zweckmäßig und praktisch zu denken. Geht er ja auch mit den Kunden im Geschäft von Barbaras Vater viel zu höflich um. Jetzt hat er sich in ein gefährliches Kompaniegeschäft mit dem Sekretär seines verstorbenen Vaters eingelassen; er will ein Auskunfts-, Kopier- und Übersetzungskontor errichten und ist bereit, die ersten Einrichtungskosten dafür vorzuschießen, der Sekretär seinerseits sollte die Direktion übernehmen. Auch auf Musikalien möchte er die Kopierarbeiten ausdehnen. Zwar gibt er, nunmehr etwas vorsichtiger geworden, das erforderliche Geld gegen „eine Handschrift", schießt darüber hinaus aber noch eine Kaution vor, die der Sekretär bei den Gerichten hinterlegen soll. Doch bei alledem hat er abermals Pech. Der Kompagnon stellt sich als Betrüger heraus und wird mit Steckbriefen verfolgt; das Geld ist natürlich nicht hinterlegt, auch der Empfangsschein ist nicht da, und so ist alles verloren. Damit hat auch die so zart angesponnene Liebesgeschichte ihr frühzeitiges Ende gefunden. So bleibt der Tag, an dem ihn Barbara ohrfeigt und küßt, der einzige Glückstag seines Lebens. Für ihn selber sieht es freilich anders aus. „Denn der Mensch hat viele Gnaden von Gott." Ob er wohl mit Barbara glücklich geworden wäre? Wir wissen es nicht. Gewiß kennt sie seine Schwäche: er ist nicht imstande, Wichtiges von Unwichtigem zu unterscheiden und seine eigenen Angelegenheiten selbständig zu führen; aber sie weiß auch um sein ehrliches Gemüt. Nun wird nichts aus dem Putzladen, den er an sich bringen wollte, und das Mädchen muß „hinaus unter die groben Leute", wogegen sie sich so lange gesträubt hat. Sie heiratet den Fleischer, der sich seit geraumer Zeit um sie bemühte. Wieder hat der arme Spielmann eine merkwürdig illusionistische Meinung von dem traurigen Vorfall. Wie immer denkt er auch diesmal gar nicht an sich selbst. Ja, er spricht von einer „seligen Empfindung", da Barbara „nun alles Kummers los war, Frau im eigenen Hause, und nicht nötig hatte, wie wenn sie ihre Tage an einen Herd- und Heimatlosen geknüpft hätte, Kummer und Elend zu tragen, das legte sich wie ein lindernder Balsam auf meine Brust, und ich segnete sie und ihre Wege". Damit ist die Geschichte des armen Spielmanns eigentlich schon zu Ende. Wir erfahren nur noch, daß er später durch Musik sein Fortkommen suchte, mit dem Rest seines Geldes die Werke großer Meister studierte und abschrieb und, als der letzte Groschen ausgegeben war, zum Bettelmusikanten wurde. Barbara war inzwischen Mutter von zwei Kindern, und der älteste Knabe — er hieß wie der Spielmann Jakob — erhielt von diesem Unterricht auf der Violine. Zu mehr als dem Lied der Barbara hat er es freilich nicht gebracht.

Die Lebensgeschichte des Alten mündet dann wieder in den Rahmen, in den Bericht des Autors. Der Schluß ist kurz und pointiert. Der Dichter hat bald darauf eine Reise angetreten und seinen Spielmann so ziemlich vergessen. Erst bei Gelegenheit des furchtbaren Eisganges und der dadurch entstandenen Überschwemmung in den niedrig gelegenen Vorstädten erinnert er sich wieder an ihn. Jedoch die Hilfskollekte, die er für ihn gesammelt hat und ihm bringen will, kommt zu spät. Wohl war der arme Spielmann hoch oben in seinem Stübchen vor der Überschwemmung sicher. Als aber das Wasser kam und er die Kinder schreien hörte, da sprang er hinunter und brachte sie in Sicherheit, wobei ihm „der Atem ging wie ein Schmiedegebläs". Doch er tat noch mehr. Er rettete auch noch die Steuerbücher und die paar Gulden Papiergeld, die sein unangenehmer Hauswirt im Wandschrank vergessen hatte. Das brachte ihm eine Erkältung ein, an der er starb. Seine Beerdigung findet auf Kosten der Frau Fleischermeisterin statt. Als der Autor ein paar Tage darauf, von seiner „psychologischen Neugierde getrieben", die Wohnung des Fleischers noch einmal aufsucht und die Geige des alten Spielmanns erwerben will, da lehnt die Frau ab, da die Geige unverkäuflich sei. „Ihr Gesicht war dabei von mir abgewandt, so daß ich nicht sehen konnte, was etwa darauf vorging." Dennoch fällt noch ein letzter Blick auf sie. „Sie hatte sich umgewendet und die Tränen liefen ihr stromweise über die Backen." Damit schließt die Erzählung.

Adalbert Stifter hat über diese Novelle gesagt: „In der Kindlichkeit dieser Dichtung liegt es wieder so klar, was uns aus den Schöpfungen der größten Künstler entgegentritt und was selber in der Unschuld und Majestät des Weltalls liegt, daß alle Kraft, alle

Begabung, selbst der schärfste Verstand nichts ist gegenüber der Einfalt sittlicher Größe und Güte. Dieses letztere ist der höchste Glanz und die höchste Berechtigung des menschlichen Geschlechtes." Aber ist diese Dichtung „kindlich"? Betrachtet man sie näher, so stellen sich erhebliche Zweifel ein. Stofflich gesehen haben wir es mit einer Musikernovelle zu tun, die an Erzählungen Hoffmanns, wie an den „Rat Krespel" und „Ritter Gluck", erinnern könnte. Aber eine dämonische Selbstzerstörung durch die Macht der Musik findet bei Grillparzer nicht statt. Auch wenn wir den Kapellmeister Berglinger aus Wackenroders „Herzensergießungen eines kunstliebenden Klosterbruders" zum Vergleich heranziehen, ergeben sich wichtige Unterschiede. Dort war es eine empfindsam künstlerische Existenz, die in einem unaufhebbaren Widerspruch zur bürgerlichen Welt ihrer Herkunft und zur aristokratischen der gesellschaftlichen Salons stand. Wohl besitzt die Musik auch in Grillparzers Erzählung noch etwas von dem göttlichen Seelengeheimnis, dem heiligen Mysterium, das sie für Wackenroder, ja für die ganze Romantik bedeutete. Sie ist auch hier der reine Trank, der von Gott kommt, „ein ganzes Himmelsgebäude, eines ins andere greifend, ohne Mörtel verbunden, und gehalten in Gottes Hand". Aber das gilt nur für den Spielmann allein und niemanden sonst, der ihn anhört. Grillparzer ist durchaus nicht bereit, wie Eichendorff in seinem „Taugenichts", uns die Welt nur mit solchen Augen sehen zu lassen und uns durch die Macht der Poesie zu einer solchen Verklärung zu überreden. Gewiß ist die Musik der große und eigentlich einzige Trost in der unbarmherzigen Härte dieses hier erzählten Lebens. Aber die Wirklichkeit wird dadurch nicht verwandelt, sondern bleibt durchaus „unpoetisch". Die Mystik der Musik tritt so isoliert auf, daß es auch wieder möglich ist, sie als eine einzige groteske Selbsttäuschung des Spielmanns zu bezeichnen. Oder darf man hier von einer Kraft der Illusion sprechen, die sich ihr eignes, nur ihr gehöriges Reich erschafft und vielleicht vor Gott recht hat? Steht nicht vielmehr der Spielmann mit seiner Musik so unverbunden, so kontaktlos in der Wirklichkeit, daß er bereits auf eine beängstigende Weise aus ihr herausfällt? Denn die gleiche Musik ist ja für alle anderen, auch für den Autor selbst, ein unerträglicher Höllenspektakel. Sie bleibt also nur für diesen einzigen Menschen ein Heil und eine von Gott geschenkte Gnade, und es ist gewiß nicht zulässig, die Welt dafür verantwortlich zu machen, wenn sie ein Künstlertum nicht versteht, das bei genauerem Zusehen eben doch kein

Künstlertum ist. Die Musik wird für den Spielmann eine Flucht aus der Brutalität des Lebens, der er sich als Person nicht gewachsen fühlt. Sie ermöglicht ihm ein subjektives Scheindasein; sie gestattet ihm sogar eine hohe individuelle Glückserfüllung, aber das alles wird mit einer Vereinzelung bezahlt, die es praktisch unmöglich macht, diesen so empfundenen und erlebten Wert noch in irgendeiner Weise mit einer allen anderen Menschen gemeinsamen Welt zu verknüpfen. Seele und Wirklichkeit klaffen beziehungslos auseinander, so daß beides nicht mehr miteinander vereinigt werden kann. Auch Peter Schlemihl war bereits isoliert, aus der bürgerlichen Welt ausgeschlossen, aber er konnte immerhin in der Naturwissenschaft noch eine überpersönliche Aufgabe finden, die sich vom reinen, schattenlosen Ich aus verwirklichen ließ. Die Musik des Spielmanns hingegen hat keinerlei überpersönliche Bedeutung mehr. Vielleicht wird sie noch von Gott gehört, so wie sie gemeint ist. Aber wer könnte das entscheiden? Auf Erden zeigt sie nur die Atmosphäre eines tröstlich verhängten Wahns, hinter den ein unglücklicher Mensch sich noch einmal zurückziehen kann. Diese Musik ist vollendeter Solipsismus. Das ganze „Himmelsgebäude", über das der Spielmann so schöne und überzeugende Worte findet, ist in dieser Weise doch nur für den *einen* Menschen da, ohne daß er die furchtbare Isolierung bemerkt. Ja, er befindet sich in einer andauernden Selbsttäuschung, wenn er glaubt, damit der Veredlung des Geschmackes und des Herzens zu dienen, und die Almosen mit einem bescheidenen Stolz entgegennimmt als etwas, das ihm zukommt. Nur das schlichte Lied, das als einziges Dingsymbol durch die ganze Geschichte hindurchgeht, bedeutet mehr; es wird zum Zeichen einer verhaltenen, zarten und kaum ausgesprochenen Liebe, aber auch der Liebe bleibt die Erfüllung in der Wirklichkeit verwehrt. Dieses Lied „steigt gleich anfangs in die Höhe, kehrt dann in sein Inwendiges zurück, und hört ganz leise auf": eine ganze Bewegung der Schönheit ist hier beschrieben.

Zu dem Versagen als Musiker, das vom Spielmann selber nicht gewußt und erkannt wird, tritt das Versagen im bürgerlichen und praktischen Dasein, über das er sich durchaus im klaren ist. Der Spielmann erstrebt zwar nur eine kleine, bescheidene, zurückgezogene, kleinbürgerliche Existenz, und er sehnt sich von Anfang an aus dem wohlhabenden aristokratischen Elternhaus hinaus in einen solchen eingeschränkten Umkreis. Aber auch das gelingt ihm nicht, nicht etwa, weil ihn sein Künstlertum daran hindere, sondern weil sein Wille zu schwach, sein Verstand zu mäßig, sein Wesen zu passiv ist, um das soziale Leben auch nur im bescheidenen Ausmaß zu meistern. Sogar die Liebe wird von diesem sozialen Scheitern mit betroffen. Wohl ist bei alledem auch Unglück und Pech mit im Spiele, aber doch nicht in einem erdrückenden Ausmaß. Ja, man wird sogar fragen müssen, ob das Versagen in der Liebe nicht auch Schuld bedeutet. Denn nun ist er gezwungen, die Geliebte den „groben Leuten" zu überlassen, denen die praktische Barbara mit ihren verborgenen Gefühlsbedürfnissen gerade entfliehen wollte. Freilich muß es auf der anderen Seite auch wiederum offen bleiben, ob eine Ehe mit dem Spielmann auf die Dauer das Richtige für sie gewesen wäre.

Es wäre ungerecht, wenn wir die positiven Eigenschaften des Spielmanns verschweigen würden. Aber auch diese haben etwas merkwürdig Ambivalentes und Zweideutiges. Wie steht es mit seiner christlichen Demut? Der Psychologe wird immerhin fragen dürfen: Ist sie nicht bloße Selbsterniedrigung? Wie steht es mit seiner gelassenen Einwilligung in das Schicksal, seinem Hinnehmen des Lebens als „Gnaden Gottes"? Ist es nicht bloß krankhafte Willensschwäche? Wie steht es mit seiner Bereitschaft, immer an andere zu denken, sie nicht kränken zu wollen? Ist es nicht vielleicht nur ein Mangel an positivem Selbstbewußtsein? Wie steht es mit seiner stillen Heiterkeit, die die Bedrohungen der Außenwelt kaum wahrnimmt? Ist es am Ende nur ein bequemes Verharren in der Illusion? Pongs spricht von der „tragischen Gefährdung des künstlerisch verinnerlichten Gefühlsmenschen" und erinnert wie Ilse Münch an Grillparzers eigne Tragik und wie Nadler an die des österreichischen Menschen. Aber wer die Geschichte nicht kennt, würde sich unter der Formel „künstlerisch verinnerlichter Gefühlsmensch" kaum eine so groteske Gestalt wie den armen Spielmann vorstellen.

Allerdings ist es ganz sicher auch die Absicht des Dichters, unser Mitleid für seine Gestalt zu wecken. Man spürt die Nähe Grillparzers zur Schopenhauerschen Philosophie. Das Leben ist Leiden, und auch die Liebe entwickelt sich im Mit-Leid, im gütigen Verstehen und Erbarmen. Solches Leiden hat nichts vom tragisch Heroischen. Es ist fast etwas Alltägliches, ja Banales; es gehört zum Kreatürlichen des Menschseins und wird am stärksten von den Erniedrigten, Beleidigten und Ausgestoßenen erduldet. Durch diese Unterstreichung des Leidens hätte für die Erzählung die Gefahr einer verschwommenen Rührung entstehen können, einer nur larmoyanten, aber nicht eigentlich verpflichtenden Anteilnahme. Von „tragischem Mitleid" wird man nicht sprechen dürfen; dazu ist der Spielmann zu sehr ein vereinzeltes Original, ein wenn auch liebenswürdiger Sonderling. Dennoch ist es Grillparzer gelungen, die bloße Gefühlserweichung zu vermeiden, die uns leider bei Storm zuweilen in einer fatalen Weise begegnet. Der Realismus der Beobachtung, das Unerbittliche des Rahmens, in den die Ich-Erzählung hineingestellt ist, das alles macht eine bloße „Wonne der Tränen" beim Leser unmöglich. Auch versteckt ja der Autor selbst seine eigne Teilnahme und gibt vor, ein Beobachter mit psychologischer Neugier zu sein. Der Spielmann wird in die Distanz eines Falles gerückt, mag der Dichter noch so viel von sich selbst in ihn hineingelegt haben. Die rein psychologische Einstellung zum anderen Menschen ist jedoch immer ohne Liebe. Sie sieht ihn von außen, sie versucht analytisch sezierend in sein Innerstes einzudringen. Der Mensch bleibt für sie „Objekt", er wird nicht als „Subjekt" gesehen.

Dürfen wir nach allen diesen Erwägungen noch von der Gewalt der reinen Seele, von der kindlichen Einfalt und sittlichen Größe sprechen, so wie es Keller und Stifter und zuletzt Silz getan haben? Sicher nur in einem eingeschränkten Sinne. Denn dem Spielmann fehlt jede echte geistige Freiheit und damit die Überlegenheit, die auch in der Demut sein kann. Er ist kein „Heiliger". Seine Gestalt behält vom Anfang bis zum Ende die verzerrten, skurrilen und grotesken Züge. Alles, was er sagt und tut, beruht auf einer völligen Verkennung seines Verhältnisses zur Welt. Selbst sein Tod hat noch diese merkwürdige Zweideutigkeit. Wohl ist dieser Tod eine Tat der christlichen Nächstenliebe, denn er rettet die Kinder und denkt dabei nicht an sich selbst. Aber das ist nur die eine Seite. Ist es nicht grotesk, wenn er um der Steuerbücher und um der paar Gulden des harten Hauswirtes willen noch einmal in das Wasser hineingeht, „das ihm schon an die Brust reichte", und sich wahrscheinlich gerade dadurch die tödliche Erkältung zuzieht? Auch hier verkennt er die Wirklichkeit. Der Aufwand an Opferwilligkeit steht in keinem sinnvollen Verhältnis mehr zu dem Wert oder — richtiger gesagt — Unwert, um den es hier geht. Die erste Tat, die Rettung der Kinder, ist edel; die zweite, die Rettung der Steuerbücher, ist nur töricht. Aber es charakterisiert gerade seine Gestalt, daß sich beides nicht trennen läßt; der Spielmann ist rein, einfach und edel, zugleich jedoch töricht, wahnhaft und skurril. Vorbildlich ist seine Haltung zum Leben gewiß nicht, und er selbst würde sie am wenigsten dafür halten. Dennoch kann er nicht anders denken und handeln, als er es tut. Es wäre müßig, derartiges überhaupt von ihm zu verlangen.

Sicher hat der Dichter seine Gestalt auch „kindlich" gemeint. Aber er untersucht bereits auf kritische Weise die psychologischen Bedingungen solcher „Kindlichkeit", und nicht nur der Rahmen, auch die Lebensgeschichte selbst zeigt das an. Zunächst müssen wir den „Vaterkomplex" erwähnen, der ihn der Selbständigkeit beraubt und von frühester Kindheit an unfähig macht, sich in der Welt einzurichten. Ferner darf die Passivität im Triebleben nicht verschwiegen werden, die ihn zu keiner Lebensgestaltung kommen läßt, nicht nur im ökonomischen, auch im geistigen Sinne. Gewiß, die Art seines Musizierens mag kindlich in der Gesinnung sein, in ihrer unmittelbaren Erscheinung bleibt sie grotesk. Die „Innerlichkeit" der reinen Seele und die Wirklichkeit des sonstigen Lebens sind in dieser Erzählung so radikal voneinander geschieden, daß dadurch beides fragwürdig wird. Allerdings wird durch diesen Kontrast die Gestalt des Spielmanns auch wieder bedeutsam gehoben. Grillparzer hat die Welt um ihn herum durchaus mit einem bösen Blick gesehen. Da haben wir das aristokratische Milieu des Elternhauses mit dem herzlosen, eiskalten, ehrgeizigen Vater, die lieblosen Bediensteten, die beiden Brüder, von denen der eine durch eine törichte Wette zugrunde geht, der andere ein lügnerischer, gegen seine Landesvorgesetzten intrigierender Aufwiegler ist, darin vom Vater selbst unterstützt; da haben wir die kleinbürgerliche Welt des Grieslerladens mit ihrer schmutzigen Berechnung oder die proletarische der beiden Handwerksburschen mit ihrer Unsauberkeit und der grotesken Gestalten beim Volksfest. Das alles ist in einer beklemmenden Weise entwertet, ist schal und leer geworden. Abgesehen von Barbara und natürlich dem Spielmann selbst tritt keine einzige Gestalt in der Erzählung auf, mit der wir uns einigermaßen befreunden können. Selbst Barbara ist von Grillparzer als „Wunschbild" und „Schreckbild" zugleich gezeichnet; die psychologischen und erotischen Probleme in Grillparzers Verhältnis zu Kathi Fröhlich haben zweifellos bestimmte Züge zum Bilde der Barbara geliefert.

In einer solchen grausamen Welt ohne Liebe ist die „Innerlichkeit" des Spielmanns, seine Sehnsucht nach Kunst, Schönheit und Harmonie, seine Kindlichkeit, Demut und Güte, der einzige und letzte Wert, den diese Welt noch besitzt. Aber auch dieser Wert besteht keineswegs mehr unangefochten. Bezeichnend ist nicht nur die Ambivalenz im Spielmann selbst, sondern ebenso die Art

und Weise, wie Grillparzer ihm gegenübertritt. Man kann und
darf diese Gestalt auch als die böseste Selbstentzauberung Grillparzers auffassen, als eine bis ins Groteske getriebene Karikatur
seiner selbst, auch als ein „Schreckbild" seines eignen unzulänglichen Künstlertums, eine Figur, durch die er mit sich selbst
abrechnet bis in die aus dem Unbewußten kommenden Fehlhand-
lungen des Spielmanns hinein. Man kann und darf sie aber
ebenso als ein „Wunschbild" ansehen, mit dem Grillparzer seinem
eignen grausamen Zwiespalt von Wollen und Können zu entfliehen
suchte. Das Ergreifende dieser Gestalt ist unverkennbar, ein
Stück Grillparzerscher Lebensbeichte und Selbstrechtfertigung
steckt mit darin. Selbst noch in dieser grotesken Figur begegnet
uns etwas von der ewigen Einsamkeit des Künstlerschicksals, so
wie später in Franz Kafkas „Hungerkünstler". Bis in Einzelzüge
hinein erinnert der Spielmann an Grillparzer selbst: die unter-
setzte schmächtige Gestalt, die altmodische Gravität, die sich auch
in der Art der Rede zeigt, die übertriebene Höflichkeit usw.
Wunschbild ist der Spielmann mit seinem Leben in der Verborgenheit; von innen gesehen ist er glücklich, zufrieden und rein
und weiß sich im Besitz eines mystischen Geheimnisses der Kunst,
das nur ihm selbst gehört. Solches Inseldasein wird von Grillparzer
durchaus bejaht. Der Spielmann ist der Künstler ohne Gelingen
mit einer rührenden Demut zum Leben; er ist eine Gestalt des
Leides, die um ihr Leid nicht weiß und dadurch von ihm befreit
ist. Er ist trotz aller seiner Zweideutigkeit, die sich psychologisch
umkreisen läßt, eine durch und durch wahrhaftige und echte
Natur. „Raumnot der Liebe im Umkreis des wirklichen Lebens"
(Kunz) ist eine treffende Formulierung für Gnade und Elend
solchen Inseldaseins.

Aber Grillparzer hat sich nicht nur in diese Gestalt verkleidet
und ihr noch in der Erniedrigung seine geheimsten Träume ge-
liehen, er hat sich auch von ihr abgelöst und sich selbst als Autor
in die Geschichte eingeführt als den psychologischen Beobachter,
für den dieser skurrile Alte nur ein interessanter „Fall" ist. Diese
Doppelheit deutet auf eine Spaltung in Grillparzers eignem
Wesen hin. Hier sieht er sich gleichsam von außen. Dürfen wir
noch an das Mysterium einer Musik glauben, die für alle anderen
Menschen ein unsinniger Lärm ist? Noch ein Schritt weiter, und
der Musikant endet im Irrenhaus, vielleicht selbst dort auf seine
Art glücklich und zufrieden. Grillparzer unterwirft die Existenz
des Spielmanns bereits der kritischen Analyse. Das gilt nicht nur

von seiner Kunst, sondern auch von seinen sittlichen Werten. Sie lassen sich auch in einer standortgebundenen Weise betrachten und werden dann relativ. Sind nicht Einfalt, Demut und Kindlichkeit hier die Reaktionen eines passiven, schwachen, von Natur aus weichen Menschen auf eine härtere, bösere, nicht bewältigte Umwelt? Nietzsche hätte das wohl schon domestikenhaft genannt und aus dem Ressentiment des schlecht Weggekommen abgeleitet. Sicher ist das nicht Grillparzers Meinung. Aber die Gestalt läßt sich immerhin auch so sehen, und Grillparzer hat diese Ambivalenz möglicher Betrachtungen als Dichter mit vollem Bewußtsein sichtbar gemacht. Freiwillige Armut kann ein echtes Freisein von den Gütern der Welt sein, ebenso aber auch nur einen illusionistisch verklärten Mangel bedeuten. Es bleibt durchaus offen, wie es damit hier bestellt ist. Grillparzer rückt seinen Spielmann und damit sogar noch sich selbst in eine zweideutige Beleuchtung. Gerade das macht den ungewöhnlichen Reiz dieser Novelle aus. Seit Brentano beginnt der Künstler auf diese Weise mit sich selbst abzurechnen. Indem er sich unterbietet, wird die Problematik seiner gesamten Existenz sichtbar.

Ist diese Erzählung eine Novelle? Eine „sich ereignete unerhörte Begebenheit" will sie gewiß nicht sein. Wohl haben wir einen scharf profilierten novellistischen Rahmen und einen zugespitzten novellistischen Abschluß. Im ganzen wird uns ein seltsamer Einzelfall, ja noch eine ganze Lebensgeschichte berichtet, aber in einer Verdichtung, wie sie nur dem meisterhaft novellistischen Erzählen gelingt. Nach der Meinung von Pongs handelt es sich um die Darstellung einer „ontischen Tragik". Aber was ist damit gemeint? Läßt sich überhaupt die Bezeichnung „tragisch" auf diese Erzählung anwenden? Wohl ist das Leben in seiner Durchschnittlichkeit bereits für Grillparzer ebenso wie für Schopenhauer Leiden, auch ohne besonderen Wertekonflikt. Diesem wird ja im Grunde bewußt ausgewichen. Die Verhältnisse sind so, wie sie sind. Alles in allem sind sie kalt, grausam und böse. Der Mensch kann wenig daran ändern. Eine soziale Anklage wird in diesem Zusammenhange nicht erhoben. Was nun wiederum den Charakter des Spielmanns betrifft, so fehlt ihm durchaus ein eignes „tragisches Bewußtsein". Seine Gestalt hat rührende, komische, groteske und ergreifende Züge, aber in seinem Leben ist nichts eigentlich Dramatisches, auch im Verhältnis zum Vater nicht. Zunächst möchte man die Thematik eher für komisch als für tragisch halten: das Mißverhältnis zwischen dem eignen, überwiegend harmonischen Innenleben bis in die gewaltsam festgehaltenen Harmonien der Musik hinein und der wirklichen, ausweglosen Lage, in der er sich befindet und die sich immer mehr verschlimmert. Der Autor und der Leser überschauen das, der Spielmann selbst kann es nicht. Darin liegt das Groteske seiner Situation. Vielleicht hätte sich dieser durchgehende Dualismus von Innen und Außen im Hinblick auf das Transzendente, das Göttliche, auflösen lassen. Aber das geschieht nicht oder zum mindesten wieder nur auf eine zweideutige Weise. Mit Dostojewskis „Idiot" darf man den Spielmann nicht gleichsetzen. Er lebt nicht wie dieser in der Welt, ohne von dieser Welt zu sein; er lebt in der Welt gleichsam ohne Welt; er hat sich in einen noch freigelassenen Raum geflüchtet und gibt sich in solcher Weltlosigkeit Gott anheim. Auch das steht in der Doppelbeleuchtung von fragwürdiger Illusion und echter Frömmigkeit, ebenso ambivalent wie alle anderen Züge dieser Erzählung. Die Leiden des Spielmanns haben keine stellvertretende religiöse Bedeutung. Bis in den Tod hinein behält er das Zweideutige; dieser Tod ist zwar die Folge einer Tat der christlichen Nächstenliebe, aber ebenso einer törichten Handlung, die ans Absurde grenzt.

Dennoch dürfen wir den Spielmann keineswegs als nur komisch oder nur ironisch auffassen. In seiner Verkauztheit steckt ein Wert, der sich jeder Relativierung entzieht: eine Intimität des Scheuen, Insichgekehrten, eine ihm selbst nicht bewußte Güte, die gewiß alles andere eher als närrisch ist. Auch sein Verhältnis zur Kunst behält etwas von einer echten Liebe zum Schönen. Diese Werte können sich jedoch in seiner gesamten sozialen Umwelt nicht mehr entfalten. Darin liegt nun doch eine zwar indirekte, aber vielleicht gerade darum um so vernichtendere Kritik Grillparzers an der Gesellschaft. Es wäre anders, wenn die Gesellschaft den Schwächen des Spielmanns etwas Positives gegenüberstellen könnte. Aber gerade das ist nicht der Fall. So ist es nicht nur das eigne Versagen, sondern auch das Versagen der Welt, das den Spielmann zwangsläufig in die Verelendung abdrängt, in ein Randdasein als Sonderling, aber nicht in Spitzwegscher Behütetheit, sondern gleichsam ohne Gehäuse, ausgesetzt, wehrlos preisgegeben. In der Paria-Situation innerhalb der Welt liegt zugleich die Stärke und die Schwäche des Spielmanns: Schwäche, weil er weder die vitale noch die geistige Kraft besitzt, sein eignes Dasein als „Ausnahme" einer durchaus korrupten Welt entgegenzustellen; Stärke, weil er nur auf diese Weise seine

Frömmigkeit noch bewahren und das Leben als „Gnaden Gottes"
hinnehmen kann. Der Spielmann ist kein Bohemien — schon sein
Ordnungsliebe und Pedanterie zeigen das an —, er will nicht „ins
Wilde und Unaufhaltsame" geraten. Wie Peter Schlemihl geht es
ihm um die Einordnung in den bürgerlichen, ja, hier sogar in den
kleinbürgerlichen Raum, und wie dieser wird er dort nicht mehr
zugelassen. Soziologisch gesehen ist er der unter die Künstler ver-
setzte Kleinbürger, dem es weder vergönnt ist, Bürger noch
Künstler zu sein. Daher bleibt ihm nur noch der eine Weg: das
Untertauchen in der Armut und in der Anonymität des Volkes.

Auch der Ausdruck tragi-komisch wird einer solchen Daseinsform nicht ganz gerecht, wenn es auch zutrifft, daß sie weder dem
rein Tragischen noch rein Komischen mehr zugehört. Im „Armen
Spielmann" zeigt sich bereits die Verfremdung der Welt, die nunmehr groteske und bodenlose Züge aufweist. Darum kann sich auch
die dichterische Sehnsucht Grillparzers nach dem Höchsten
und Reinsten nur noch in einer entstellenden, karikierenden
Weise aussprechen. Darin ist diese Novelle ganz erstaunlich
modern. Eine solche Erzählung setzt das Erlebnis einer bereits
vieldeutigen Weltstruktur voraus; Franz Grillparzer stellt den
„Helden" als einen abgedrängten Sonderfall dar, dessen gesellschaftliche und psychologische Bedingungen mit dem erbarmungs-
losen Blick der Kritik analysiert werden; aber in diesem Sonderfall
wird zugleich etwas vom ewigen, unzerstörbaren Wesen der
menschlichen und auch noch der künstlerischen Seele sichtbar, das
sich allen analytischen Kategorien entzieht. Das haben Stifter und
Keller so stark empfunden, während für unsere heutige Sehweise
sich das grotesk Verfremdende deutlicher heraushebt. Seele und
Wirklichkeit sind wie durch einen Abgrund geschieden, so daß
nicht einmal ein tragischer Konflikt zwischen beiden möglich ist.
Was bleibt der Seele, wenn sie in dieser Weise mit sich selbst und
mit Gott allein ist? Was bedeutet ihr Dasein für eine bereits böse,
materielle, entseelte, grausam gewordene Welt? Nur an einigen
wenigen Stellen wird das mit gewollter Sparsamkeit in bildhaften
Zeichen verdichtet. Da haben wir das gesungene und später
gespielte Lied, das durch diese Geschichte hindurchgeht und
gerade in seiner Schlichtheit zum Symbol einer menschlichen
Sehnsucht nach dem Schönen und Leisen werden kann; da sehen
wir am Ende die weinende Barbara, deren Liebe niemals aufgehört
hat, die nicht verkäufliche Geige, den Sohn mit dem gleichen
Namen, der das Lied lernt, und die geretteten Kinder des Haus-

wirtes. Das alles bewahrt die Existenz des Spielmanns vor dem nur Monomanischen und Fratzenhaften und gibt ihr eine für das Menschliche stellvertretende Bedeutung. Aber er ist nicht mehr der Held der heroischen Tragödie, nicht mehr der Held mit Pathos und Würde, er ist auch nicht ein Märtyrer, Dulder und Heiliger, er ist der „gebrochene“, der „ambivalente“ Held, der Held der anonymen Volksmenge, den dann die Literatur der Jahrhundertwende so gern bevorzugt, ein Held noch gegen seinen eignen, durchaus unheldischen Willen. In solcher bis an die Grenze des Grotesken gehenden Verlarvung hat Grillparzer nicht nur seine schärfste Kritik an der Wirklichkeit ausgesprochen, nicht nur eine Abrechnung mit sich selbst vollzogen, sondern auch noch seine geheimste und zarteste Sehnsucht dichterisch gestaltet.

ANNETTE VON DROSTE-HÜLSHOFF
—

DIE JUDENBUCHE

Es gilt als selbstverständlich und unbestritten, daß die „Juden-buche" der Droste zu den unvergänglichen Schöpfungen deutscher Novellenkunst gehört. Sie entstand im Rüschhaus in den Jahren 1837-1841. Versucht man jedoch, diese Erzählung von der Gattung Novelle aus zu interpretieren, so stößt man auf manche unerwarteten Schwierigkeiten. Die Droste-Forschung hat sich zwar auch mit der „Judenbuche" beschäftigt – ich verweise auf die For-schungen von K. Schulte-Kemminghausen, Staiger, Heselhaus, Joachim Müller, Pongs, Erik Wolf und Lore Hoffmann –, aber es handelte sich dabei fast immer um einzelne Beiträge zum Gesamt-werk der Droste, ohne daß „Die Judenbuche" als ein selbständiges und künstlerisch abgeschlossenes Ganzes in den Blick rückte. Auch Hermann Pongs hat im Rahmen seiner Untersuchungen über das Tragische in der Novelle vorwiegend die universale Seinstragik beschrieben, die er hier zu finden glaubte, ist aber dabei nicht auf den besonderen Erzählstil und seine Eigenart eingegangen. In jüngster Zeit hat Walter Silz „Die Judenbuche" als „Entwick-lungsnovelle" zu deuten versucht.

Gewisse Züge sind freilich von jeher hervorgehoben worden: die merkwürdige Dichte des Erzählens, das geheimnisvolle Dunkel, in das so manche Begebenheit wie mit Absicht gehüllt scheint, der „Realismus" der Darstellung, der sich an das sinnlich Beschreib-bare hält und auch bei der Darstellung des Phantastischen den Umkreis von Raum und Zeit nirgends überschreitet. Aus den durch Schulte-Kemminghausen vermittelten Vorarbeiten wissen wir, daß die Knappheit der Erzählung erst ein Endstadium ist und außer-ordentlich kühne Kürzungen früherer Vorlagen vorausgegangen sind, Kürzungen, die dann freilich in manchen Fällen bis an die Grenze des kaum noch Verständlichen geführt haben. Aber die zusammengedrängte, überall nur auf das Wesentliche gerichtete Darstellungsform, die sich aller Schnörkel und Arabesken enthält, genügt doch wohl nicht allein, um die Erzählung als Novelle zu bezeichnen. So manches deutet in eine ganz andere Richtung. Nicht eine einmalige, unerhörte Begebenheit, wie sie Goethe in seiner berühmten Definition von der Novelle verlangte, wird hier erzählt, sondern eine ganze Lebensgeschichte mit genauer Chronologie. Friedrich Mergel ist 1738 geboren und stirbt in seinem 50. Lebensjahr. Einzelne Ausschnitte aus seiner Entwicklung werden besonders herausgehoben: der Tod des Vaters im 9. Lebensjahr des Sohnes, die neu einsetzende Periode mit dem Oheim Simon Semmler im 12. Lebensjahr, die Begegnung mit dem Förster Brandes im 18., schließlich der Mord an dem Juden Aaron im 22. und der Selbstmord im 50. Lebensjahr. Die dazwischenliegende längere Abwesenheit vom westfälischen Heimatort — die Zeit seiner Sklaverei in türkischer Gefangenschaft — wird nur knapp zusammengefaßt und nachträglich berichtet.

Lediglich die letzten Partien der Novelle gehen auf den Stoff zurück, den die Gerichtsakten über den „Algierer Sklaven" boten, von dem die Droste sowohl aus Familienerzählungen wie aus der schriftlichen Aufzeichnung ihres Onkels August von Haxthausen (1818) Kenntnis hatte. Hier findet sich bereits das Motiv von dem Baum, unter dem der Jude erschlagen und der dann von der Judenschaft mit dem magischen Blutbann gezeichnet wurde. An diesem Baume mußte sich das Schicksal des Mörders erfüllen, und — so heißt es in der Quelle — „weil Blut für Blut, Leben für Leben eingesetzt ist, ihn aber menschliches Gesetz nicht mehr erreichte, hat er, nachdem er lange Jahre fern umhergeschweift, wieder durch des Geschicks geheimnisvolle Gewalt zu dem Kreis, Ort und Boden des Verbrechens zurückgebannt, dort sich selbst Gerechtigkeit geübt". Hier in dieser einfachen, wahren und doch ganz ungewöhnlichen Begebenheit lag für die Droste das tragische Erz des Stoffes verborgen, und sie selbst hat von ihm bekannt, daß er ihr „in vielen Jahren immer interessanter geworden ist und jedesmal ein immer tiefer dämmrigtes Nachdenken zurückläßt". So dürfen wir das Dingsymbol der durch den hebräischen Spruch gezeichneten Buche — Chiffren, die erst ganz am Ende der Erzählung entziffert werden —, jener Buche, die zum Ort des Mordes und zum Ort der vom Täter selbst vollzogenen Vergeltung wurde, als die novellistische Kernzone, als den durch die Quelle überlieferten Bereich bezeichnen, an dem sich die Eingebung der Dichterin entzündet hat. Ausdrücklich betont sie, daß sie eine wahre Begebenheit erzählt. „Es würde in einer erdichteten Geschichte unrecht sein, die Neugier des Lesers so zu täuschen. Aber dies alles hat sich wirklich zugetragen; ich kann nichts davon- oder dazutun."

Aber die Erzählung scheint sich freilich von dem in der Quelle viel nachdrücklicher unterstrichenen novellistischen Bereich der magisch-furchtbaren Buche eher zu entfernen als auf ihn hin zu bewegen. Die Dichterin hat offensichtlich bis in die Dialoge hinein sehr viel mehr hinzugetan, als sie wahrhaben will. Denn nunmehr haben wir zwei Erzählungen, die nur lose miteinander verklammert sind, nämlich die halb bewußte Beihilfe beim Mord des Försters Brandes und den Judenmord und seine Folgen. Damit scheint die der Novelle eigentümliche Neigung zur Profilierung und Pointierung weitgehend wieder aufgegeben. Ist es doch für den Erzählstil der Novelle bezeichnend, daß sie *einen* exemplarischen Sonderfall heraushebt, in *einem* Ereignis das Erzählen stilisierend verdichtet und von da aus, je nach den besonderen Umständen, auch einen besonderen Charakter entscheidend beleuchtet oder ihn gegebenenfalls unter einen deutlich erkennbaren Wendepunkt rückt, von dem aus er in einer bestimmten Weise sichtbar wird, die sonst nicht in Erscheinung getreten wäre. Alle diese für die Gattung Novelle bezeichnenden Züge wollen für „Die Judenbuche" nicht recht stimmen. Friedrich Mergel wächst aus den sehr differenzierten Bedingungen seiner Umwelt heraus, zunächst verwurzelt in der Landschaft und Stammesart eines westfälischen Walddorfes. So knapp verdichtet auch schon die Eingangsschilderung bei der Droste ist, sie liest sich trotzdem wie eine lebendige, ausführliche sozial-psychologische Studie, in der der Milieubegriff des späteren Naturalismus bereits vorweggenommen zu sein scheint. Friedrich Mergel ist eben nicht der Glückliche, „geboren und gehegt / Im lichten Raum, von frommer Hand gepflegt", wie es in den Eingangsversen heißt, sondern Glied einer Dorfgemeinschaft mit „höchst einfachen und häufig unzulänglichen Gesetzen", die die Begriffe der Einwohner von Recht und Unrecht einigermaßen in Verwirrung gebracht haben. Die Zweideutigkeit der Rechtssituation — neben dem gesetzlichen Recht steht ein anderes Recht, das Recht der öffentlichen Meinung, der Gewohnheit — prägt schon von Jugend an die Lebensgeschichte Mergels. „Des Vorurteils geheimen Seelendieb" nennt es die Droste in den Eingangsversen, das mit jedem unvergessenen Wort „in junge Brust die zähen Wurzeln trieb" und die Reinheit der Seele trübte. Wächst ja doch Friedrich unter einem Menschenschlag auf, der unruhig und unternehmender ist als seine Nachbarn, bei dem die gesetzliche und die ungesetzliche Partei sich gegenseitig an Gewalt und List zu überbieten suchen. Zu dem „Milieu" des Dorfes im weiteren Sinne tritt das „Milieu" des Hauses im engeren Sinne, die unglückliche zweite Ehe des Vaters, aus der Friedrich Mergel hervorging, die verschluderte häusliche Wirtschaft und die verhängnisvolle Vaterbindung, von der sich Friedrich Mergel auch und gerade später, nach dem Tode seines Vaters, nie richtig lösen konnte. Der Charakter Mergels steht also nicht etwa plötzlich vor uns da, von einer Schicksalswende jäh beleuchtet, sondern er entwickelt sich in allmählichen Übergängen und Schattierungen. Bis ins einzelne hat die Droste hier sehr sorgsam motiviert; vielfältig und verwickelt sind die sozialen und psychischen Voraussetzungen, unter denen sich das unheilvolle Werden eines Mörders entfaltet. Das alles wäre aber weit eher romanhaft, nicht novellistisch. Gewiß stehen Friedrich Mergel und sein Schicksal im Mittelpunkt der Erzählung. Aber die Schilderung des Dorfes B., die Vorgeschichte der beiden Ehen seines Vaters gehen voraus; der Oheim Simon Semmler und der Doppelgänger Johannes rücken dann Mergel unter weitere Perspektiven, die von der novellistischen Kernzone des schauervollen Baumes wiederum fortzuführen scheinen. Wo ist die Einheit dieser trotz allem so geschlossenen Erzählung zu finden, deren dichter Erzählstil aller Bemühungen des Interpreten spottet, sie voreilig von einer bestimmten Stelle aus zu öffnen?

Die Droste hat immer nur von der Kriminalerzählung Friedrich Mergel oder von dem Judenmord aus dem Paderbornischen gesprochen, der Untertitel nennt die Geschichte „ein Sittengemälde aus dem gebirgichten Westfalen". Erst Hermann Hauff, der Bruder des Dichters und damalige Schriftleiter des „Morgenblatts für gebildete Leser", hat ihr nach der dreimal im Text vorkommenden Bezeichnung den Titel „Die Judenbuche" gegeben. Aber dennoch wird sich niemand der Suggestion dieses Titels entziehen können. Hier hat die dichterische Eingebung ihre Wurzel gehabt; in welcher Weise konnte sie in dem vielfältigen Gewebe der Erzählung ihre Gestaltung finden? Beschäftigt man sich mit den Vorarbeiten, so überrascht die Unbestimmtheit, mit der das durch die Erzählung hindurchgehende Dingsymbol hier noch behandelt wird. Die Bezeichnungen Buche — Eiche wechseln ziemlich willkürlich miteinander ab. Zwar ist das Gespräch zwischen Simon und seinem Neffen bereits in der ersten Fassung lokalisiert: „Sie waren unter eine weitzweigige Buche (gelangt), die den Ein-

157

gang der sehr schattigen Schlucht bildete"; die Försterszene wiederum spricht von einer engen, grasreichen Talschlucht des Gebirgswaldes, in der wir Friedrich vorfinden, „gelehnt an eine (breite alte) Buche, (in) deren jungen Blättern der Morgenwind mit leichtem flatterndem Geräusche umherstrich"; der Förster selbst wird dann aber nicht an einer Buche, sondern mit Richtung auf eine Eiche den falschen Weg geschickt, und die Frau des Juden findet die Leiche ihres Mannes im Brederholz gleichfalls nicht unter einer Buche, sondern unter einer Eiche. Dieses offensichtlich noch recht wahllose Durcheinander in den zugeordneten Bäumen treffen wir in der endgültigen Fassung nicht mehr. Vielmehr lassen sich die entscheidenden Situationen – sie haben eine auffallende Ähnlichkeit mit dramatischen Szenen – durchaus mit der zunächst unmerklichen, dann immer deutlicher werdenden Baumsymbolik verknüpfen. Die Erzählung berichtet dabei nicht kontinuierlich in allmählichen Übergängen, sondern springt in einer dem Heldenlied und der Ballade verwandten Weise von Gipfel zu Gipfel. Nur kurze Übergänge liegen dazwischen. Darin zeigt sich die novellistische Kunst der Verdichtung. Die Deutung der Erzählung als „Entwicklungsnovelle" scheint mir diese Stileigentümlichkeit zu verkennen. Dieser Ausdruck hebt die Novelle als Novelle wieder auf. Fast ganz wird auf die erklärenden Zwischenglieder verzichtet. Lediglich die wechselnde seelische Situation Friedrich Mergels wird intimer behandelt, aber nicht etwa durch ein Hineinleuchten in seine verschiedenen Seelenvorgänge, sondern gleichsam von außen in einer objektiv zusammenfassenden Beschreibung. Im ganzen bleibt die Dichterin immer beim Vorgang; das macht ihre Darstellung so ausgesprochen episch. Es ist freilich nicht *ein* Vorgang, auf den hier alles abzielt. Es sind vielmehr verschiedene, in Vorgang umgesetzte Situationen, die aber jedesmal eine Art Gipfelcharakter haben und die in ihrer Verknüpfung so etwas wie eine elektrische Kette ergeben. Wir werden noch zu zeigen haben, wie diese verschiedenen, zu Gipfelpunkten hochgeführten Situationen alle auf eine gemeinsame Symbolebene erhoben sind, von der aus gesehen sie alle eine einzige große Gipfelsituation bilden. Alles, was dazwischenliegt, wird nur angedeutet oder ganz weggelassen.

Dieser Erzählstil ist auch für die Deutung von höchster Wichtigkeit. Denn man kann zwar, vom Eingang aus gesehen, den Eindruck einer fast deterministischen, sozial-psychologischen Studie gewinnen; im weiteren Verlauf der Erzählung jedoch wird gerade dieser Darstellungsstil mit voller künstlerischer Absicht zurückgedrängt, der bloße „Naturalismus" der Bedingungen wird durch die Unmittelbarkeit der Vorgänge überwunden. Das Symbolhaltige wächst dabei aus dem Wirklichen selbst, weil jeder der Gipfelpunkte die Begebenheit des Ganzen schon in sich enthält und sie auf seine Weise widerspiegelt. „Die Judenbuche" ist ein unerschöpfliches Beispiel für die Möglichkeit echter Symbolik innerhalb des realistisch-epischen Stils, die man keinesfalls mit einem gewollten „Symbolismus" verwechseln darf.

Unsere aus der inneren Form heraus gewonnene These von dem Symbolgehalt der Gipfelpunkte müssen wir interpretierend deutlicher machen. Der Eingang brachte Zustandsschilderung, der es gelang, trotz der Knappheit eine fast romanhafte Breite vorzutäuschen. Dann folgt sehr rasch und plötzlich der erste Gipfel: der Tod des Vaters. Das Ereignis ist eine Nachtszene und gehört dem Bereich des Unheimlichen an. Eine harte, stürmische Winternacht! Der Vater ist zu einer entfernten Hochzeit fortgegangen. Die Droste bringt einen kurzen Dialog zwischen Mutter und Sohn vor dem Schlafengehen:

„Mutter, kommt der Vater heute nicht?"

„Nein, Kind, morgen."

„Aber warum nicht, Mutter? Er hat's doch versprochen."

„Ach Gott, wenn der alles hielte, was er verspricht! Mach, mach voran, daß du fertig wirst."

Inmitten der entfesselten Elemente, die Mutter und Sohn nicht schlafen lassen, gewinnt der Dialog, der vielleicht im gleichen Augenblick stattfindet, als der Vater im Brederholz einen häßlichen, unfrommen Tod findet, an hintergründiger Bedeutung:

„Aber wenn nun der Vater kommt?"

„Den hält der Teufel fest genug!"

„Wo ist der Teufel, Mutter?"

„Wart, du Unrast! Er steht vor der Tür und will dich holen, wenn du nicht ruhig bist!"

Wenige Stunden später — „der Wind hatte sich gewendet und zischte jetzt wie eine Schlange durch die Fensterritze" an das Ohr des immer verstörteren Knaben — bringen sie den tot im Holz aufgefundenen Vater, von dem wir später erfahren, daß er unter einer breiten Eiche gefunden wurde, nach Simons Worten, „als er in der Betrunkenheit ohne Buße und Ölung zum Teufel gefahren war". Der Vorgang wird hier ganz vom Knaben aus nachgezeichnet, wie er ihn akustisch, in seiner Unheimlichkeit, gleichsam als Zeuge beobachtet und erlebt. Dadurch erreicht es die Droste, daß auch der Leser seinerseits, fast noch, ohne es zu wollen, in das Geschehen mit hineingerissen wird und doch auch wieder die Distanz des Zuschauers behält. Der tote Mergel wird dann zur dämonologischen Figur, zum Gespenst des Brederholzes, umwittert von der Sage. „Einen Betrunkenen führte er als Irrlicht bei einem Haar in den Zellerkolk; die Hirtenknaben, wenn sie nachts bei ihren Feuern kauerten und die Eulen in den Gründen schrien, hörten zuweilen in abgebrochenen Tönen ganz deutlich dazwischen sein: ‚Hör mal an, feins Liseken', und ein unprivilegierter Holzhauer, der unter der breiten Eiche eingeschlafen und dem es darüber Nacht geworden war, hatte beim Erwachen sein geschwollenes blaues Gesicht durch die Zweige lauschen sehen." Auch noch bei der späteren Ermordung des Juden und den sich daran anschließenden Vorgängen glauben sich die Kleinknechte des Herrn von S. vom Geist des alten Mergel im verrufenen Brederholz verfolgt.

Mit dem Gespräch zwischen Mutter und Sohn über den Vater, der nicht kommt, weil er vom Teufel festgehalten wird, korrespondiert das nachträglich berichtete Geschehen von seinem düsteren Sterben im Brederholz. Erst jetzt erhält dieser Ort endgültig seinen verwunschenen und gespensterhaften, seinen heillosen und bösen Charakter. Ein Baum, eine Eiche, wird zum Sinnbild dieses an den Ort gebannten Grauens. Hinzu kommt die nunmehr gleichsam fixierte Bindung des Knaben an den Vater, der in der Erinnerung „eine mit Grausen gemischte Zärtlichkeit in ihm zurückgelassen" hat und nicht nur ein Gespenst des Brederholzes ist, sondern auch ein Gespenst im Herzen des Sohnes, das ihn immer wieder auf die falschen und gefährlichen Wege abdrängt. Schon hier sind alle Grundzüge der Novelle auf wenigen Seiten in einem durchaus novellistischen Ereignisstil verdichtet: die radikale Bedrohtheit jeder menschlichen Ordnung durch den Einbruch des Elementaren und des dämonisch Bösen, eine Nacht des Teufels, die Vater und Sohn unheilvoll verklammert, der verrufene Ort und der verrufene Baum als ein magischer Raum, in dessen dunkle Mitte der Mensch wie in einen unheimlichen Sog hineingezogen wird.

Nur wenige, knappe Andeutungen verknüpfen diese Gipfelsituation — sie ist realistisch und phantastisch zugleich — mit dem „Milieu" des Dorfes. Denn bereits zwei Tage nach dem Tod des Vaters hat die redliche und fromm bemühte Mutter ein Gespräch mit dem Sohn über sittliche Fragen der Gemeinschaft, in dem sie alle Juden für Schelme und alle Förster für Feinde hält und die

Dorfmoral von dem freiwachsenden Holz und dem niemand gehörenden Wild wie etwas Selbstverständliches proklamiert. Das Labile und Schwankende, das Relative in den sittlichen Wertungen der Menschen dieses Dorfes, wie es auch an anderen Stellen der Erzählung deutlich hervortritt, wird sicher nicht ohne künstlerischen Grund gerade nach der Nachtszene von Mergels Tod noch einmal unterstrichen.

Fast unmittelbar darauf folgt der zweite Gipfel. Der Oheim Simon Semmler holt den Knaben ab, um ihn für seine dunklen, zweideutigen Geschäfte zu mißbrauchen. Er tarnt das freilich mit den besten Absichten. Beide gehen miteinander fort. „Simon voran, mit seinem Gesicht die Luft durchschneidend, während ihm die Schöße des roten Rocks wie Feuerflammen nachzogen. So hatte er ziemlich das Ansehen eines feurigen Mannes, der unter dem gestohlenen Sacke büßt." Bis ins Physiognomische hinein erinnert die Beschreibung an den Teufel. Friedrich folgt ihm nach, „fein und schlank für sein Alter, mit zarten, fast edlen Zügen und langen blonden Locken, die besser gepflegt waren, als sein übriges Äußere erwarten ließ; übrigens zerlumpt, sonneverbrannt und mit dem Ausdruck der Vernachlässigung und einer gewissen rohen Melancholie in den Zügen". So verschieden auch Friedrich und sein Oheim sind, die Familienähnlichkeit beider ist nicht zu verkennen, und es klingt wie eine düstere Vorahnung, wenn Friedrich im Bilde des seltsamen Oheims gleichsam wie „in einem Zauberspiegel das Bild seiner Zukunft mit verstörter Aufmerksamkeit betrachtet". Nicht nur auf den Kopf dieses unheimlichen Mannes wird von der Droste das Bild des „Hechtes" angewandt, auch von Friedrich heißt es, daß sein blonder Kopf wie „ein Hecht" auf und nieder taucht, „der sich im Wasser überschlägt". Beide gelangen ins Brederholz und führen am Eingang einer düsteren Schlucht „unter dem Schirme einer weiten Buche, die den Eingang überwölbte", ein knappes, aber durch und durch unheimliches, tückisch verstecktes Gespräch, wie es nur einer großen Dichterin gelingen konnte:

„Betet die Mutter noch so viel?"

„Ja, jeden Abend zwei Rosenkränze."

„So? Und du betest mit?"

Der Knabe lachte halb verlegen mit einem durchtriebenen Seitenblick.

„Die Mutter betet in der Dämmerung vor dem Essen den einen Rosenkranz, dann bin ich meist noch nicht wieder da mit den Kühen, und den andern im Bette, dann schlaf ich gewöhnlich ein."

„So, so, Geselle!"

Vielleicht könnte man einwenden, das sei kein Höhepunkt, weil
hier nichts Ereignishaftes geschieht. Aber das hieße die Situation
verkennen. Die Dichterin wußte sehr genau, warum sie das Dingsymbol der Buche gerade jetzt zum ersten Male einführte und kurz
nachher jene breite Eiche, unter der der alte Mergel den Tod
gefunden hat und auf die der Ohm mit häßlichen Worten über den
Vater seinen Neffen mit Nachdruck aufmerksam macht. Es geht
um die Atmosphäre des Brederholzes zwischen Buche und Eiche,
die den Knaben schwankend und wie im Traume einherschreiten
läßt und die ihn mit „einer ungeheuren, doch mehr phantastischen
als furchtsamen Spannung" erfüllt. Es geht um das Böse, das hier
gleichsam noch in der Luft spürbar ist und an den Bäumen des
Gehölzes hängt, in Wahrheit sich aber in den Seelen und in dem
Dialog ereignet, der unter der Buche kommenden Unheils gesprochen wird. Die halb verlegene, halb durchtriebene Verleug-
nung des Gebetes liegt genau in der Richtung, die der Oheim sich
im geheimen wünscht, ohne es direkt auszusprechen. Es ist, als ob
Friedrich sich hier, unter dem dämonischen Einfluß des ihm so
familienähnlichen Oheims, der Welt des Heilen und Lichten, dem
Raum der Gnade willentlich verschlösse. Zwar geschieht keine
böse Tat wie später, aber das Undurchsichtige und Vieldeutige des
Dialogischen und das atmosphärisch Düstere des Naturraumes
klingen in jener Dissonanz zusammen, aus der die bösen Taten
wachsen. Auch noch das Bild des Baumfrevels, der überall
angerichteten unbarmherzigen Zerstörung, gehört mit zu der
traumhaften, vom Mond hell beleuchteten Unwirklichkeit dieser
Nachtszene, in der sich das Heimliche, das Unerlaubte, das phantastisch Düstere gleichsam zwischen den Worten und zwischen den
Dingen ereignet. Besteht nicht ein geheimer, unsichtbarer Zusammenhang zwischen jener Nacht, in der der Vater Mergel unter
der Eiche vom Teufel geholt wurde, dazu verdammt, Gespenst des
Brederholzes zu werden, und dieser, in der Oheim und Neffe unter
der Buche des Unheils Worte wechseln, wie sie dem Menschen
nicht mehr erlaubt sind? Sind nicht beide Male Magie des
Ortes, Bedrohtheit der menschlichen Seele und Verstrickung in das
Verhängnis untrennbar miteinander verbunden? Gewinnt nicht in
beiden Fällen die Situation ihre Dringlichkeit und Zugespitztheit
aus dem Frage-und-Antwort-Spiel, das auch Lore Hoffmann in
ihrer Studie zum Erzählstil der „Judenbuche" (Jahrbuch der
Droste-Gesellschaft 1948/50, S. 137—147) beobachtet hat: „Jeder

versucht, mit allen Mitteln dem anderen sein Geheimnis abzulisten, ohne das eigne preisgeben zu müssen"?
Die böse Saat, die hier gesät wurde, geht auf. Das nächste
Ereignis, das die Droste berichtet, liegt nur einen Tag später.
Trotzdem ist es von entscheidender Bedeutung. Es handelt sich
um die Einführung des Doppelgängermotivs; das uneheliche Kind
des Oheims — auch dies bleibt freilich in Dunkelheit gehüllt —, der
Friedrich so ähnliche Knabe Johannes tritt hier zum ersten Male
auf. Diese Situation hat zwar nicht den ausgesprochenen Gipfelcharakter wie die bisher berichteten Ereignisse. Das Ganze wird
eher beiläufig erzählt; der Leser, der die „Judenbuche" zum ersten
Male liest, wird die Stelle wahrscheinlich kaum beachten, zum
mindesten bleibt sie für ihn ziemlich unverständlich. Jedoch ist es
für die Erzählform der ganzen „Judenbuche" bezeichnend, daß
sie Geheimnisse bewußt verschweigt und gerade auf diese Weise
mitteilt. Hier tritt dies besonders deutlich hervor. Lore Hoffmann
hat mit Recht von der „wissenden Unwissenheit" gesprochen, in
der die Droste ihren Leser zu halten versteht. Das gilt durchaus
auch von Johannes. Warum wird aber der geheimnisvolle Doppelgänger gerade an dieser Stelle eingeführt, nicht etwa früher oder
später? Johannes ist Friedrich und doch ein anderer; er ist ein
Spiegelbild seiner verkümmerten, aber zunächst noch schuldlosen
Kindheit. In dem Augenblick, als Friedrich ihm das Spielzeug
seiner Kindheit, die Holschenvioline, in einem „mehr selbstischen
als gutmütigen Mitgefühl" schenkt, löst er sich von dieser Kindheit
ab und tritt in den gefährlichen Raum der Eitelkeit und Groß-
mannssucht. Erst jetzt nimmt er die Haltung bewußter Würde und
Selbständigkeit an, erst jetzt kann er einen anderen für geringer
achten als sich selbst. Die gefährliche Vereinzelung in das Selb-
stische, in das Böse beginnt. Zum ersten Male zeigt hier sein Auge
„in fast glasartiger Klarheit ... den Ausdruck jenes ungebändigten
Ehrgeizes und Hanges zum Großtun..., der nachher als so starkes
Motiv seiner meisten Handlungen hervortrat". Mit der Erscheinung des Doppelgängers tritt auch die Zweideutigkeit und Gespaltenheit in Friedrichs Charakter deutlicher hervor.

Sehr viel später, am Ausgang der Geschichte, sucht sich Friedrich
hinter den Schatten dieses zweiten Ich, das ein „Niemand" ist, zu
flüchten, zunächst bei seinem Fortgange aus dem Dorfe, als er ihn
mitnimmt, dann bei seiner Rückkehr, als er sich selbst hinter dieser
Maske verbirgt, um sich noch ein Stück elendes Dasein und ein
christliches Begräbnis zu erschwindeln. Der Doppelgänger, der

Schatten oder Halbschatten Johannes, hat zwar nichts von dem Mysteriösen der romantischen Dichtung. Johannes ist ganz real der uneheliche, vom Vater verleugnete und mißbrauchte Vetter des Friedrich. Schuld der Eltern, zum mindesten des Vaters, gibt auch seiner Existenz den tragischen Hintergrund. Doch wird das nur ganz knapp angedeutet. Aber dennoch ist seine Funktion in der Erzählung rein symbolisch. Das nächtliche Gespräch mit dem Oheim unter der Buche und das erste Auftreten des Johannes Niemand folgen keineswegs zufällig so dicht hintereinander. Hier vollzieht sich, wenn auch von der Dichterin nur vorsichtig angedeutet, eine Art Wendepunkt in der Entwicklung Friedrich Mergels, der aber, so wichtig er auch ist, keine entscheidende novellistische Bedeutung erlangt. Mit dem Verlust der Kindheit – und zur Kindheit gehört das Unreflektierte des Gebetes – beginnt der unwiderrufliche Einbruch des Bösen. Nunmehr hat es Friedrich verlernt, sich kindlich vor dem Teufel zu fürchten. In der Symbolik des Doppelgängers erscheint sein Ich unter einem doppelten Aspekt: dem einer jetzt endgültig verkümmerten und abgestoßenen Kindheit und dem des prahlerischen Heraustretens, das immer deutlicher als entscheidender Charakterzug des vom Vater-Idol beherrschten Sohnes sichtbar wird. Auch noch die Spaltung von verträumtem, zerlumptem Hirtenbuben und anerkanntem Dorfelegant gehört mit in diese ans Schizoïde grenzende Problematik Friedrichs hinein. Am Ende seines Lebens versucht er, sich schließlich eine armselige Anonymität in der Gestalt des Doppelgängers zu erschleichen. Aber das ist vergeblich. Dem ehernen Gesetz der mythischen Buche, über das wir noch zu sprechen haben, kann keiner ausweichen. Hier versagen alle Tarnungen. Man kann nicht „Niemand" werden. Die von der Droste im Anschluß an das Gespräch im Brederholz eingefügte Szene mit Johannes Niemand gibt diesem ganzen Wendepunkt in Friedrichs Entwicklung eine verstärkte, ins Symbol gehobene Ausstrahlung. Auch hier wieder ist die reale Wirklichkeit, wie sie diese Novelle gestaltet, zugleich sinnbildhaft für das Ganze des Seins selbst, dessen geheimnisvolle Transzendenz in jedem episch erzählten Augenblick anwesend ist.

Nach der so beiläufig eingeführten Gestalt des Johannes Niemand wird in der Erzählung wiederum ein ganzer Zeitraum eingespart. Nur mit wenigen Worten ist von ihm die Rede. Von neuem verdichtet die Droste das Erzählte in einem einmaligen Ereignis, das zeitlich genau bestimmt ist: „Es war im Juli 1756 früh um drei." Solche mehr oder weniger exakten Zeitbestimmungen finden sich wiederholt, und zwar bezeichnenderweise meist dann, wenn die balladenhaften Gipfelpunkte durch deutliche Markierungen unterstrichen werden sollen. Die genauen Zeitangaben betonen die Bedeutung des Kommenden und grenzen es gegen den sonstigen Fluß des Lebens ab. Wir treten dann stets aus dem bloßen Bericht, der zurückgreift oder zusammenfaßt, heraus und stehen mitten in der novellistischen Situation, die jedesmal einen fast dramatischen Charakter annimmt. Der Leser ist ganz im Vorgang darin, unwiderstehlich hineingerissen in das konkret Gegenwärtige des düsteren Ablaufes. Was geschieht in diesem bedeutsamen Zeitaugenblick, von dem nunmehr die Rede ist? Friedrich liegt in der ihm eignen Träumerei im Grase, wohl am Eingang jener engen Talschlucht, die von den ersten schmalen gelben Streifen der Sonne wie mit einem Goldbande umschlossen ist. Seine Augen haben den „eigentümlichen glasartigen Glanz", von dem wiederholt die Rede ist. Beides, das Träumerische seines Wesens und das Glasartige seiner Augen, gehört zusammen. Es deutet auf die gefährliche, introvertierte Vereinzelung hin, die sich in seinem Charakter vollzieht. Eine besessene, böse Starre hat sich seiner bemächtigt. Fern im Walde hört man einen dumpfen, krachenden Schall, von dem wir später erfahren, daß es die „Blaukittel" sind, die hier ihren Waldfrevel begehen. Wiederum wird damit der gesetzlose Hintergrund des Dorfes sichtbar, das Einbezogensein des Bösen in Friedrich in das Böse einer im Gewissen und im Rechtsgefühl geschwächten Gemeinschaft. Das Motiv des Frevels am Wald geht durch die ganze Novelle hindurch. Die Natur wird entweiht, erniedrigt, zerstört; die Natur ist es, die dann später stellvertretend das Werk der Rache übernimmt. Kein einziges Mal treten die „Blaukittel" persönlich auf. Man hört sie nur in der Ferne, man erfährt von ihrer unheimlichen Tätigkeit. Aber sie sind die mitspielende anonyme Macht, von der sich das individuelle Schicksal Friedrichs gleichsam abhebt. Er gehört mit dazu, ist mit geprägt durch diesen dauernden Frevel am Wald; aber es ist ihm bestimmt, auch den Halt, den selbst diese Gemeinschaft noch gibt, zu verlieren und nur noch einsam als verlorene Seele in der Welt zu sein. Noch ist es nicht soweit, noch gehört er dazu. Das zeigt sich in der jetzt einsetzenden Szene mit dem Förster Brandes. Die Droste berichtet ganz direkt: der gelle, anhaltende Pfiff, der Steinwurf nach dem Hund, die plötzlich auftauchenden Förster, das hinterhältige, zeugenlose Gespräch mit Brandes. Aber der Leser muß den Motivzusammenhang erraten. Beinahe plump ist es, wenn wir berichten, was nicht gesagt wird. Friedrich warnt die Blaukittel, wahrscheinlich auch den Oheim, der Steinwurf nach dem Hund ist ein Ablenkungsmanöver, als ob der Pfiff ihm gegolten hätte; Brandes durchschaut die List, daher seine Wut in dem nachfolgenden Gespräch. Auch hier wieder wird die Situation im Dialog dramatisch, auch hier wieder ein versteckter, bewußt unaufrichtiger Dialog, ein Frage- und Antwortspiel, das verhörähnlichen Charakter hat und dessen Pointe eine das Leben des Försters bedrohende Lüge ist. Gespräche sind bei der Droste keine Brücken von Mensch zu Mensch, sondern fast immer — zum mindesten in der „Judenbuche" — in eine Atmosphäre des Unheils getaucht. Die Menschen verstricken sich wechselseitig gerade in ihren Gesprächen, diese klären nicht auf, sondern behalten das gefährlich Lauernde und Versteckte, das auch sonst durch die ganze Novelle hindurchgeht. Dieses innerlich vergiftete Gespräch lockt in den falschen Weg an der Buche hinauf, es gipfelt im Tod. Die Dichterin überläßt auch an dieser Stelle die Zusammenhänge dem Leser. Wir erfahren lediglich, daß der Förster zu einem späteren Zeitpunkt an einer anderen Stelle mit der Axt erschlagen wurde. Der Mord selbst bleibt unaufgeklärt. Das Gespräch, das, halb gewollt, halb ungewollt, in den Mord hineinführt, ist das Entscheidende, nicht das Faktum des Mordes als solches. Friedrich selbst hat dann später für die strittige Zeit sein klares Alibi. Dennoch ist alles wie in ein Halbdunkel gehüllt, wenn auch ein weiterer Dialog zwischen Friedrich und dem Oheim durchscheinen läßt, wer hier der Mörder ist und wen Friedrich in der Gerichtsverhandlung gedeckt hat.

Wir wollen nicht mit Bestimmtheit behaupten, daß die Buche, die den Förster in seinen Todesweg hineinlockt, mit der späteren Judenbuche identisch ist. Es bleibt ungewiß, ob wir wieder im Brederholz sind. Zu Beginn der Szene war freilich von dem „Eingang in eine enge Talschlucht" die Rede. Aber vielleicht ist das gar nicht so wesentlich. Denn auf jeden Fall steht auch hier eine Buche als Dingsymbol für ein Geschehen des Unheils. Sie hat mit jener anderen Buche zum mindesten eine Art anonymer Identität. Es ist so, als ob sich das böse Tun des Menschen auf den Ort übertrüge oder auch umgekehrt der Ort ihn mit in das Dämonische hineinzöge. Sicher weiß Friedrich nicht genau, was geschehen wird; aber unbestreitbar ist es seine Absicht, den Förster, der bereits die entscheidende Karte in der Hand zu haben schien, in eine Falle zu locken. Die Droste hat die Krisis seines Schuldgefühls, die diese Tat verursacht, bis ins physische Leiden hinein ergreifend geschildert.

Der Oheim hat ihm eine schwere Gewissenslast auferlegt. Aber trotzdem findet er nicht den Weg zur Beichte. Wiederum ist diese Situation in einem jener gnadenlosen Dialoge zwischen Oheim und Neffen festgehalten:

„Ohm, seid Ihr's? Ich will beichten gehen."

„Das dacht' ich mir; geh in Gottes Namen, aber beichte wie ein guter Christ."

„Das will ich."

„Denk an die zehn Gebote: du sollst kein Zeugnis ablegen gegen deinen Nächsten."

„Kein falsches!"

„Nein, gar keines; du bist schlecht unterrichtet; wer einen andern in der Beichte anklagt, der empfängt das Sakrament unwürdig."

Solche Theologie der Hölle versperrt den Zugang zum Himmel. Das Gespräch ist hier durchaus eine Kampfszene, aber heimtückisch und hinterhältig. Die Menschen öffnen sich nicht wechselseitig im Gespräch, sondern verschließen sich und suchen durch solches Verschließen den Gesprächsgegner zu überlisten. Das Ergebnis dieses Gespräches heißt: „Friedrich ging an diesem Morgen nicht zur Beichte."

Immer wieder nimmt uns „Die Judenbuche" gefangen durch die Unentrinnbarkeit, mit der sich alles vollzieht. Vielleicht wäre hier noch einmal, gerade aus der Gewissenskrise heraus, eine Wende zum Guten möglich gewesen. Aber die Dichterin berichtet knapp und sachlich: „Der Eindruck, den dieser Vorfall auf Friedrich gemacht, erlosch leider nur zu bald." An diese Bemerkung knüpft sich dann eine etwas längere, diffizile Analyse Friedrichs. Seine an sich nicht unedle Anlage wird hervorgehoben, sein sehr empfindliches Ehrgefühl, seine anscheinende Treuherzigkeit, seine listigen, prahlerischen, oft rohen, ja, tückischen Charaktereigenschaften. Die Droste faßt summarisch zusammen: „Er gewöhnte sich, die innere Schande der äußern vorzuziehen." Sie scheint hier geradezu unbeteiligt über den Ereignissen zu stehen, die sie eben noch so zusammengeballt hatte, daß der Leser wie im Fieber mit hineingerissen wurde. Eben das ist für ihren Erzählstil bezeichnend. Wir wollen uns diese Weise des Erzählens noch einmal rückblickend verdeutlichen. Eine besondere Situation wurde balladenhaft im Ereignis verdichtet; sie spitzte sich zu in einem knappen, verhängnisvollen Dialog; das Geschehen mündete dann im Dingsymbol der Buche, die den falschen Weg, den Weg in den Tod anzeigte. Alles das ist ganz episch, ganz anschaulich, der Vorgang behält seine volle Unmittelbarkeit. Nichts wird kommentierend erklärt. Es folgte dann ein kurzer Bericht über die Auswirkungen des Mordes an dem Förster, dann wiederum einer jener knappen, unheimlichen Dialoge, die gerade im Verhüllen die Wahrheit durchscheinen lassen, das gesamte Geschehen noch einmal einkreisend und auf diese Weise zugleich weitertreibend. Erst jetzt wird neuer Abstand gewonnen durch die Analyse der seelischen Situation Friedrichs: das Zusammengefaßte wird in Elemente zerlegt, die kommende Entwicklung vorausgeahnt. Die Dichterin wechselt also zwischen der dramatisch zugespitzten Ereignisverdichtung, dem bloß weiterlaufenden und zusammenraffenden Bericht und der analytischen Beschreibung, mit der sie sich an einigen wenigen Stellen der Erzählung gleichsam außerhalb des Geschehens stellt und in scheinbar interesseloser Objektivität die psychologischen oder soziologischen Faktoren des Geschehens zergliedert. Gerade dieser Wechsel im Erzählstil erzeugt die ungewöhnliche Spannung der Novelle. Wir stehen entweder im Geschehen mitten darin, gleichsam von Gipfel zu Gipfel springend, oder wir überschauen das Ganze von jener objektiven Warte aus, die keine Parteinahme zuläßt. Aber durch solche Erzähltechnik gelingt es der Droste, den Zusammenhang zwischen ihren novellistischen Gipfelpunkten stets von neuem wiederherzustellen. Der Leser merkt es kaum, wie knapp diese Stellen des bloßen Zwischenberichtes oder der aus der Distanz gewonnenen Analyse sind, und erhält so die Illusion einer epischen, fast romanhaften Tiefenwirkung. Dennoch wird er aus dem Geschehen niemals entlassen, jedenfalls nicht endgültig entlassen, sondern immer wieder in seine reale dramatische Gegenwärtigkeit und Unentrinnbarkeit hineingezwungen.

Der nächste Gipfel liegt erst vier Jahre später, vier Jahre, über die einfach hinweggegangen wird. Wiederum leitet eine genaue Zeitangabe das Ganze ein: „Es war im Oktober; der milde Herbst von 1760 ..." Dieser gleichsam mehrgliedrige Gipfel behandelt in einem Zeitraum von etwa vier Tagen das Ereignis des Judenmordes. Alles ist aufs engste zusammengedrängt: die relativ breit dargestellte Dorfhochzeit, Friedrichs Prahlen mit der silbernen Taschenuhr, die öffentliche Demütigung durch den Juden, daran anschließend der Mord, der nicht direkt geschildert wird, sondern in ein geheimnisvolles Dunkel gehüllt bleibt, an den

Vatergeist des alten Mergel im Brederholz geknüpft, aber doch so, daß die tatsächlichen Vorgänge auch in ihren phantastischen Zügen später rückwirkend aufgeklärt werden. Die Frau des Juden findet unter der am Berghang stehenden Buche den erschlagenen Mann, Friedrich gerät in Verdacht, wird aber trotz Haussuchung nicht mehr gefunden; am Ende dieser Ereignisreihe kauft die Judenschaft die Buche und gräbt wie ein Anagramm den zunächst nur zeichenhaft dastehenden hebräischen Spruch in sie ein. Nur ganz kurz wird im Anschluß an diese unerhört geballten Ereignisse noch über den Zeitraum eines halben Jahres berichtet. Der Brief des Präsidenten des Gerichtes zu P. scheint den davongelaufenen Friedrich von dem Verdacht des Mordes zu entlasten.

Zweifellos sind diese gedrängt sich jagenden Vorgänge, die auf wenigen Druckseiten beschrieben werden, so zu verstehen, daß das Dingsymbol völlig in den Mittelpunkt rückt und alles andere nur dazu hinführt. Die Dialoge treten nunmehr fast ganz zurück. Aber die Spannung hat keineswegs nachgelassen. Sie wächst aus dem Jagenden der zugleich realistischen und phantastischen Vorgänge, sie gipfelt in dem Seltsamen, Unerwarteten des doppelt gezeichneten Baumes, gezeichnet durch den Mord, der unter ihm begangen wurde, und durch den Spruch, der den Mörder einst ereilen soll. Bezeichnenderweise bleibt völlig unausgesprochen, was sich in der Seele des Mörders selbst vollzogen hat. Auch hier kann der Leser wiederum nur erraten: das gedemütigte Selbstgefühl war die Wurzel, aus der die Tat erwuchs. Ebenso bezeichnend ist es, daß der Mord als solcher hinter die Szene verlegt wird in jenes böse Dunkel, das ihm zukommt und das dem Spruch der Buche erst seine ganze Wucht gibt. Es ist gewiß kein Zufall, daß fast alle entscheidenden Szenen der „Judenbuche" bei Nacht spielen.

Versuchen wir, das Dingsymbol der Buche interpretierend etwas zu erhellen. Anfänglich bildete sie noch einen Bestandteil des Brederholzes, aus dem sie sich nur unmerklich heraushob. Jetzt wird sie zu dem alleinstehenden, ragenden Baum im rings abgeholzten Schlag, der gleichsam ohne Umwelt ist. Eine unausgesprochene Identität zwischen der Buche und Friedrich Mergel läßt sich durchspüren. Auch dieser stand zunächst noch durchaus im umweltlichen Sein, im Guten, freilich mehr noch im Bösen mitgetragen von der gesetzlosen, aber doch auch wieder eindrucksvollen und lebenskräftigen Gemeinschaft seines Dorfes, im verschwiegenen Bund mit den „Blaukitteln". Das alles fand im Brederholz seine symbolhafte Spiegelung. Nicht der einzelne Baum war zunächst entscheidend, sondern das Holz als solches, ein Dickicht des Unentwirrbaren, Verrufenen und Bösen. Erst durch den Mord an Aaron hat sich Friedrich Mergel aus dieser Gemeinschaft endgültig gelöst; nun wird er der Ausgestoßene, der Vereinzelte, in dem zwar, neben anderen Seiten seines Wesens, die Möglichkeit zu einem solchen Mord immer schon angelegt war, der ihr jedoch erst jetzt endgültig erlegen ist. Dem Gezeichnetsein des Mörders entspricht die isolierte Buche, die mit ihrem Spruch nicht nur den Ermordeten bei sich weiter beheimatet, sondern auch den Mörder zu einer unabwendbaren Identifizierung mit dem mythischen Baum treibt. Der Geist des Ermordeten lebt noch um die Buche, uralte religiöse Vorstellungen von dem Baum als dem Sitz der Seelen mögen dabei mitspielen. Es ist so, als ob die Buche eine mythische Erinnerung an das Erlittene habe, den Ermordeten und den Mörder als unverwechselbare Personen behält und beide für immer zusammenzwingt. Es ist nicht nötig, daß man den Inhalt des Spruches kennt. Das Zeichen als solches vertritt hier den Logos und hat magische Kraft. Nicht menschliche Gerechtigkeit ist gemeint — gerade diese versagt eigentlich überall in dieser Erzählung, und der Mensch als Richter verkennt nur allzu oft die wirklichen Zusammenhänge —, aber auch nicht eine göttliche, die für das menschliche Verstehen begreifbar wäre. Vielmehr entzieht sich die geheimnisvolle Rache des Kosmos, richtiger gesagt durch den Kosmos hindurch, jeder verstehbaren Zuordnung. Der Baum ist ein mythischer Baum geworden, Baum des Bösen, aber auch einer Gerechtigkeit, die nicht nach menschlichen Maßstäben mißt. Das alttestamentarische „Auge um Auge, Zahn um Zahn" und das Naturmagische sind dabei eine merkwürdige Verbindung miteinander eingegangen. Die Juden haben die Rache an dem Mörder nicht den Menschen, sondern dem Kosmos selbst anheimgestellt. Die Inschrift identifiziert den Ermordeten, den Mörder und den Ort, an dem das alles geschah. Keiner kann mehr vom anderen loskommen. Erst in der letzten Zeile der Geschichte wird die Schrift an dem Baum enträtselt: „Wenn du dich diesem Orte nahest, so wird es dir ergehen, wie du mir getan hast." Die Deutung scheint zunächst völlig klar und einfach. Du, Friedrich Mergel, hast mich, Aaron, den Juden, erschlagen, und hier an dieser Stelle wirst du, Friedrich Mergel, auch den Tod finden. Aber man muß doch wohl anders interpretieren. Der Ort selbst, der Baum spricht mit seiner Inschrift, er bezieht sich gleichsam naturmagisch auf sich selbst. Er als Ort ist beleidigt, ist durch den Menschen entweiht, und der Ort verlangt, im magischen Blutbann der Zauberformel, daß der Täter hier eine ebensolche Herabwürdigung erfährt, wie sie ihm durch den Täter zugefügt wurde. Das geschieht dann später — nach einer sehr langen Zeitpause — durch jene letzte Aufgipfelung im Selbstmord Friedrich Mergels an der Buche. Der Zurückgekehrte treibt sich um das von ihm gemiedene Brederholz dennoch zwangshaft herum, es zieht ihn unwiderstehlich. Von dem magischen Ort der Buche geht die Kraft aus, den Täter zum Gericht der Selbstvernichtung herbeizuzwingen. Von einer bewußten Handlung der Sühne kann dabei keine Rede sein. Es ist ein unheimlicher Zauber, gegen den sich Friedrich Mergel vergeblich zur Wehr setzt. Aller Rache der Menschen scheint er längst entronnen, zur Läuterung des Gewissens, zur Umkehr aus eigner Kraft ist er zu schwach. Aber der Baum mit seinem Zauberspruch bleibt wartend, lockend, aus dem Dunkel herbeinötigend, unbegreiflicher Träger eines unvermeidlichen Verhängnisses. Die Buche kümmert es nicht, was Mergel schon an Furchtbarem in türkischer Gefangenschaft erlitten hat; sie weiß nichts davon, sie ist nur der beleidigte mythische Ort, der seine Unheilskräfte weiter ausstrahlt, und zwar auf den, der sich an ihr und damit zugleich am gesamten Kosmos versündigt hat. Nicht *an* der Judenbuche hängt sich Friedrich Mergel auf, sondern gleichsam mitten *in* sie hinein, längere Zeit fast unsichtbar, völlig verschmolzen mit dem furchtbaren Baum. Eben dadurch wirkt dieser Gerechtigkeit in einem übermenschlichen Sinne; eben dadurch deutet er auf einen Grund des Seins hin, der mit einer bloß kausalen Zuordnung nicht mehr erfaßbar ist. Das Naturmagische der Buche verweist ins Transzendente.

Wahrscheinlich hat die Judenschaft, die den Spruch eingehauen hat, die Buche nur als ein Mittel betrachtet, um sich an dem Täter für den Mord zu rächen. Aber es ist gewiß nicht zufällig, daß diese Judenschaft in der weiteren Erzählung gar keine Rolle mehr spielt. Von der Frau des ermordeten Aaron heißt es sogar: Sie „tröstete sich am Ende und nahm einen anderen Mann". Das Gewicht des Mordes wird dadurch keineswegs aufgehoben. Denn es gehört einem anderen Bereich als dem nur menschlichen an. Vielleicht wollte die Dichterin mit ihrer unheimlichen Buche auf das unerforschliche Walten einer göttlichen Nemesis hindeuten. Vielleicht dachte sie an das Wort aus Hebräer 10, 31: „Schrecklich ist es, in die Hände des lebendigen Gottes zu fallen." Aber sie hat das nirgendwo direkt ausgesprochen. Durch die Buche hat sie nur den geschlossenen Umkreis der Novelle nach oben hin geöffnet. In keiner Weise jedoch vermißt sie sich, die Wege der Vorsehung zu durchschauen oder zu deuten. Sie erzählt nur und verdichtet im Erzählen, sie verdichtet ganz besonders im undurchdringlichen Symbol ihrer Buche.

Freilich durfte sie trotz allem ihrer Erzählung jene Verse voransetzen, die geradezu für Friedrich Mergel Partei ergreifen. Sie zeigen ein menschliches Erbarmen mit dem „arm verkümmert Sein"; sie entschuldigen weitgehend diesen Unglücksmann, der unentrinnbar den Weg des Bösen und des Elends gehen mußte; ja, diese Verse verbieten geradezu ein richtendes menschliches Urteil über das Geschehen, weil sich hier etwas von der Erbsünde jeder menschlichen Kreatur vollzieht.

Leg hin die Waagschal, nimmer dir erlaubt!
Laß ruhn den Stein — er trifft dein eignes Haupt!

Das bedeutet allerdings nicht, daß die Droste die Tat des Mordes bloß auf soziale und psychische Bedingungen zurückführt und damit ihr düsteres Schwergewicht vermindert. Als Erzählerin bleibt sie unerbittlich; sie verbietet sich jede subjektive Einmischung; sie stellt nur dar, was geschah und wie es geschah. Ein merkwürdiger Kontrast wird hier sichtbar zu dem geheimen Mitgefühl, das die Dichterin für ihren Friedrich Mergel trotz allem besitzt und dem sie in den lyrischen Strophen des Eingangs auf eine fast zaghafte Weise ergreifenden Ausdruck verliehen hat. Indessen geht das Tremendum ihrer Novelle, wie es im Brederholze seine geisterhafte, heillos düstere Kernzone hat, weit über den Bereich des menschlichen Mitleidens hinaus. Der so real geschilderte und doch naturmagische Raum deutet auf die unbegreifliche Wirklichkeit Gottes hin, vor der alle unsere menschlichen Vorstellungen von Heil und Unheil, ja sogar noch von Recht und Unrecht versagen müssen. Wer will entscheiden, warum Friedrich Mergel dies alles widerfährt, während von seinem tückischen Oheim nur berichtet wird, daß er verarmt und in einem fremden Schuppen gestorben ist! Der Selbstmord an der Buche wird entdeckt durch den Sohn eben jenes Försters, der einst durch eine Buche — sei es diese oder eine andere — von Friedrich auf den Weg des Todes gelockt wurde. Vielleicht ist auch dies noch Nemesis. Die Dichterin sagt jedoch mit voller Absicht nichts darüber, auch hier bleibt sie rein berichtend. Der Leser oder gar der Interpret muß sich davor hüten, die erzählte Begeben-

heit in eine rational durchschaubare Zurechnung von Tat und
Strafe, von Schuld und Sühne aufzulösen. Eine solche Rechnung
will offensichtlich nicht aufgehen. Wir können nur daran festhalten, daß die in sich so geschlossene realistische Darstellung im
Dingsymbol der Buche über unser zeitliches und räumliches
Begreifen hinausweist auf einen dahinter liegenden Grund, der
sich nur noch im dichterischen Symbol aussagen ließ.

Zwischen dem Mord an Aaron und der Rückkehr Friedrichs
liegen 28 Jahre. Sie werden übersprungen und nur nachträglich
im Bericht des Entflohenen, der sich für Johannes Niemand aus-
gibt, notdürftig aufgehellt. Auch am Schluß der Erzählung kommt
es der Dichterin wiederum auf eine Aufgipfelung an, in einem
zeitlichen Einsatz festgehalten: „Es war am Vorabende des
Weihnachtsfestes, den 24. Dezember 1788." Das schlichte Weihnachtslied, das der krank, verkrüppelt und gebrochen zurück-
kehrende Mergel hört und bei dessen Klang er schluchzend und
weinend in die Knie bricht, es ist der einzige Augenblick in dieser
Erzählung, in der sie aus der furchtbaren Düsternis des Brederholzes und seiner Taten heraustritt. Aber es bleibt eben nur ein
kurzer Augenblick ohne weitere Folgen.

Wir brauchen den oft durchgeführten Vergleich dieser Schluß-
partien mit der Geschichte August von Haxthausens über den
Algierer Sklaven nicht zu wiederholen. Im ganzen ist die Quelle
versöhnlicher und milder. Bei Friedrich Mergel findet, von der
Erschütterung durch das Weihnachtslied abgesehen, keinerlei
innere Umkehr statt. Bis zum Schluß flüchtet er sich in die Ver-
stellung der Lüge, in die Anonymität des Doppelgängers. Trotz
aller Leiden, die er in den 28 dazwischenliegenden Jahren
erfahren hat, wird ihm nichts davon angerechnet, ja, die Droste
geht über diesen Zeitraum in bewußter Absicht sehr schnell hinweg. Nur die drei Vierteljahre zwischen Rückkehr und Tod
werden noch, aber gleichfalls verdichtet, erzählt. Sie enthalten
zusammengerafft alles in den vergangenen Jahren erfahrene Leid.
Friedrichs Tod ist grauenvoll und ohne Erbarmen, so, wie es der
hebräische Spruch am Baume verkündet hat. Aber auch er wird in
das Dunkel hinter der Szene verlegt, nur die Auffindung der bereits von Würmern zerfressenen Leiche wird mit naturalistischer
Kraßheit berichtet. Wieder werden die inneren Vorgänge, die
Friedrich zum Selbstmord getrieben haben, nicht berichtet. Es
wird nur von dem Kind erzählt, das ihn gesehen hatte, „wie er am
Rande des Brederholzes saß und an einem Löffel schnitzelte. ‚Er

schnitt ihn aber ganz entzwei', sagte das kleine Mädchen." Auch hier ist alles in einem nur knapp angedeuteten Dingsymbol aufgefangen: die Gespaltenheit des Mörders mit der Doppelrolle, der mit dem entzweigeschnittenen Löffel gleichsam in einer unbewußt symbolischen Handlung seine eigne Vernichtung vorwegnimmt. Am Ende heißt es kurz und lapidar: „Die Leiche ward auf dem Schindanger verscharrt". Trotz allen Mitgefühls, das sich die Droste in den Strophen des Eingangs auszusprechen erlaubte, wird jede empfindsame oder gefühlvolle Erweichung im Bericht über Leben und Tod Friedrich Mergels streng vermieden. Es ist, als ob die Dichterin sagen wollte: So geschah es, und nicht anders. Und so, wie es geschah, mußte es geschehen, nicht im Sinne eines fatalistischen Schicksalsglaubens der Romantik, sondern im Sinne jener unbegreiflichen Gerichte Gottes, die auch dem Kosmos anvertraut sein können.

Kommen wir noch einmal auf die Buche selbst zurück. Das Geheimnisvolle und Außerordentliche der Begebenheit liegt darin, daß hier ein Ding, eine Buche, stellvertretend für rein sittliche Vorgänge in der Menschenwelt stehen durfte. Die schauerliche Wirklichkeit des Bösen ist für die Droste nicht auf den Menschen und die menschlichen Ordnungen begrenzt; sie strahlt auf die ganze Natur aus und macht auch diese, soweit sie daran Anteil hat, zum mindesten für das menschliche Bewußtsein verrufen. Natur und Menschenwelt sind hier keineswegs streng geschieden. Der Mensch versündigt sich nicht nur am Mitmenschen und an Gott, sondern auch an den Orten der Natur, die er mit dem Bösen seiner Gedanken oder seines Tuns belastet. Das bleibt auch noch die Voraussetzung für den magischen Blutbann; denn die ins Mythische erhobene Buche ist nicht nur ein Sinnbild des Bösen, das hier und auch ihr geschah, sondern zugleich des Gerichtes, der Wiederherstellung, Träger einer über allem Menschlichen stehenden undurchschaubaren Ordnung, die auch die Natur mit unter sich begreift.

Wir tun gut daran, hier anzuhalten und die Dichtung noch einmal als Ganzes ins Auge zu fassen. Wo liegt ihre Einheit? Es bleibt zu unbestimmt, wenn wir diese Einheit lediglich wie die meisten Interpreten in der Atmosphäre des Bösen suchen, die überall spürbar ist und die zugleich eine Atmosphäre des Tremendum ist. Das Böse ist ein Mysterium, ebenso wie das Gericht, das ihm zugeordnet ist. Vom Erzählstil her gesehen, wird die Einheit jedoch dadurch erreicht, daß die Erzählung von Gipfel zu Gipfel springt, und zwar so, daß eine in sich geschlossene Erzählsituation auf diese Weise jedesmal eine neue Spiegelung erhält. Das grauenvolle Sterben des alten Mergel ist noch in den Gesprächen zwischen Oheim und Neffen spürbar, die zwischen Buche und Eiche geführt werden; das Zwielicht des Dialoges zwischen Brandes und Friedrich und alles, was daran anschließend an Lauerndem und Tückischem, ja, Mörderischem geschieht, vertieft sich in der furchtbaren Dunkelheit des Judenmordes und gibt erst so der von den Juden gezeichneten Buche das volle Gewicht des erhabenen mythischen Baumes. Auf diese Weise erzielt die Dichterin den Eindruck einer unentrinnbaren höheren Notwendigkeit. Die Form der Novelle nähert sich damit dem Drama, dem sie ja an sich schon verwandt ist. Die verschiedenen novellistischen Einzelsituationen konnten nur darum eine Einheit bilden, weil sie in wechselseitiger Spiegelung das nirgends ganz aufgelichtete Geheimnis als Geheimnis bewahren und zugleich erst offenbar machen. Sie sind nicht bloße romanhafte Stadien innerhalb einer Lebensgeschichte, sondern dramatische Höhepunkte eines Geschehens, in dessen Mittelpunkt zuerst das düstere Brederholz als anonymes Ganzes und dann später die isolierte Buche steht. Gewiß sind die einzelnen Situationen in einem verdichtenden Realismus herausgearbeitet, aber erst die Zuordnung zu der Symbolkraft des Brederholzes und der Buche, erst die geheimnisvolle Verkettung der dem Bösen so hoffnungslos verfallenen Menschenwelt mit der Magie des in den Baumsymbolen schicksalhaft gefaßten Ortes gibt dem Ganzen die novellistische Einheit. So wehrlos das „Ding" auch dem Menschen gegenüber ist, gleichsam nur passiv erduldend, am Ende ist es trotzdem stärker als der Mensch und vollzieht gerade damit einen geheimen Willen Gottes. Eine solche Geschichte ist über „Kriminalerzählung" und „Sittengemälde" weit hinausgewachsen. Es dürfte in der Geschichte der deutschen Novelle wohl ein einmaliger Fall sein, daß der Ort selbst durch seine Symbolkraft, deren magisches Zeichen am Ende die Judeninschrift in der Buche ist, stellvertretend steht für das Geheimnis des Seins, dem sich der Mensch jetzt und immer gegenübersieht. Aber diese Transparenz eines ewigen Grundes, der durch die Buche gleichsam hindurchleuchtet, konnte nur dadurch erreicht werden, daß das Erzählen selbst sich ganz in die Zeitlichkeit jäh aufeinanderfolgender, dramatisch-dialogisch zugespitzter Situationen hineinstellte, von deren dynamischem, unaufhaltsamem Wechsel sich der mythische, fast zeitlose Baum um so gültiger und unerbittlicher abheben mußte.

JEREMIAS GOTTHELF

—

DIE SCHWARZE SPINNE

Jeremias Gotthelfs Erzählung „Die schwarze Spinne" erschien zum ersten Male in den „Bildern und Sagen aus der Schweiz" im Jahre 1842. Sie gilt seitdem mit Recht als ein Meisterstück erzählender Dichtung überhaupt und hat auch in der literarhistorischen Forschung wiederholt Beachtung gefunden. J. Müller, H. Pongs, vor allem aber K. Fehr und W. Muschg haben sich auf eindringliche Weise mit ihr beschäftigt. Die Symbolik dieser Erzählung ist unverkennbar; gleichwohl ist man zu den verschiedensten Deutungen gelangt: als Darstellung des Dämonischen, als christlicher Mythos, als Sinnbild des Zeitgeistes, ja, die Spinne wurde sogar psychoanalytisch als ein Frauen- und Muttersymbol ausgelegt. Ich gehe entsprechend der überall in diesem Buche eingeschlagenen Methode dem Bildsymbol als solchem nach und werde zu zeigen versuchen, wie Gotthelf von hier aus die Erzählung zur Novelle verdichtet hat.

Aber ist es eine Novelle? Zunächst liegt es sehr viel näher, von einer Sage zu sprechen, in der noch die überlieferten Berichte vom „schwarzen Tod", der Heimsuchung durch die Pest, nachklingen. Allerdings nähert sich diese Sage deutlich dem Mythos und nimmt überdies die Züge einer christlichen Legende an. Märchen- und Traumhaftes, Phantastisches, Groteskes und Legendäres vermischen sich in der Stilgebung. Wird hier nicht in einem mythischen Sinnbild die stets auf der Lauer liegende Bedrohung durch das Böse geschildert, die als Not, Unheil und Verdammnis in die geordnete Welt des Menschen einbricht und nur durch die legendäre christliche Liebestat, die märtyrerhafte, freiwillige Aufopferung des eignen Lebens, überwunden werden kann? Kann man eine solche Dichtung zwischen Mythos und Legende noch Novelle nennen? Niemand wird daran zweifeln, daß Gotthelfs Dichtung aus einem echten christlichen Glauben herausgewachsen ist. Aber mit dieser Feststellung ist sie als Dichtung noch nicht hinreichend gedeutet, und wir müssen daher zunächst einmal zeigen, in welcher Weise hier überhaupt erzählt wird.

Die Erzählung gliedert sich deutlich in einen Rahmen — die festliche Kindtaufe in einem wohlhabenden Bauernhause an einem Himmelfahrtstag — und in eine Erzählung in der Erzählung, den Bericht des Großvaters über unheimliche, atemberaubende Ereignisse in der Vergangenheit, die in einer zweimaligen Variierung vorgetragen werden. Rahmen und Erzählung sind im schärfsten Kontrast einander gegenübergestellt: das eine Mal eine mit fröhlichem Behagen breit ausgesponnene idyllische Welt, die in ihrer Fülle und Farbigkeit ein anschauliches Bild des bäuerlichen Hausverbandes und der bäuerlichen Sitte gibt; das andre Mal ein Strudel von furchtbarer Begebenheit, der alle Ordnungen des Lebens aufzulösen und radikal zu vernichten droht. Rahmen und Erzählung sind dann aber auch wieder verklammert durch das Dingsymbol des düsteren, schwarzen Fensterpfostens, das alte Holz mit der abgeriegelten Spinne, das auch in das neue Haus mit eingebaut ist. So ragt in sinnlicher Gestalt die Vergangenheit unmittelbar in die Gegenwart hinein. Entgegensetzung und Verkoppelung von Rahmen und Erzählung werden auch im gemeinsamen Thema der Taufe deutlich: die Feier der Kindtaufe im Rahmen; der grausige, vom Teufel persönlich inszenierte Kampf um das ungetaufte Kind in der Binnenerzählung. Zweifellos ist also die ganze Dichtung durchaus in novellistischer Weise aufgebaut: Kontrast von Rahmen und erzählter Geschichte, Verknüpfung von beiden im Dingsymbol, die Erzählung in der Erzählung ihrerseits verdichtet in dem mythischen Bild der Spinne, dessen anschauliche Kraft durchaus die der Judenbuche der Droste erreicht, wenn nicht gar übertrifft.

Die Darstellung des Rahmens verzichtet fast ganz auf Spannung. Ein soziales Lebensgefüge wird hier in seiner Breite sichtbar gemacht. Es scheint fest, fast unverrückbar gegründet, ist aber dennoch etwas geschichtlich erst Gewordenes. Alles Brauchtum, alle Zeremonie bis in den Umgang mit Möbeln und Geräten hinein gehört noch mit in diese keineswegs konventionell erstarrte, sondern im lebendigen Tun aufgebaute Gemeinschaft. Auch das Werden und Vergehen im Wechsel der Jahreszeiten ist ein Teil dieses geschichtlich-organischen Lebensgefüges. Die Mitte des Ganzen ist das Haus und damit, als die Urzelle alles gemeinschaftlichen Lebens, die Familie; das Ereignis aber, in dem sich eine solche Welt in gedrängter Fülle spiegeln kann, ist das Fest und in diesem besonderen Falle das Fest der Kindtaufe. Die durchaus konkrete Schilderung erwächst hier nicht aus einer Darstellung des Individuellen, sondern vielmehr des Typischen. Wir lernen die Vorbereitungen zur Taufe in Küche, Haus und Flur kennen, den Familien- und Sippenverband vom Großvater über die Großmutter, Sohn und Frau des Sohnes, Hebamme, Patin, Pate und Kind bis zu dem Gesinde und den Gästen, ferner die Tischsitten und Tischunterhaltungen, dann den Gang zur Kirche mit der starken, schönen Gotte (der Patin) und dem Bübli, weiter den Akt der Taufe selbst und am Ende die unter einem Baum im Obstgarten ruhende Taufgesellschaft, die die Fortsetzung des Taufmahles erwartet und nunmehr angesichts des schwarzen Fensterpfostens im neuen Hause die Geschichte von der schwarzen Spinne von dem Großvater zu hören bekommt. So sehr hier jedes Ding, jedes Tier und jeder Mensch seinen bestimmten und erprobten Ort im Gefüge des sozialen Ganzen hat, so sehr hier auch noch das scheinbar Äußerlichste und Nebensächlichste in die bäuerliche Lebensordnung sinnvoll eingebunden bleibt, so sehr hier ein Gleichgewicht erreicht ist, das eine dauernde Harmonie verspricht, so fehlt es doch auch im Rahmen nicht an leisen, ins Komische gewendeten Spannungen. Da haben wir die stichelnden Tischgespräche über das Heiraten, da haben wir die verhalten sich anspinnende Liebesgeschichte zwischen der Gotte und dem Götti, vor allem aber jene schreckliche Angst der Patin auf dem Taufwege, weil sie den Namen nicht kennt, den das neugeborene Kind erhalten soll und den sie nach alter Übung dem Pfarrer zuzuflüstern hat, damit er ihn nicht mit einem anderen verwechselt. Wohl könnte sie danach fragen, aber des Vaters Schwester, die Base, hatte ihr das ein für allemal verboten. „Denn sobald eine Gotte nach des Kindes Namen fraget, so werde dieses zeitlebens neugierig." Nun, es geht dann doch alles gut ab, und der Pfarrer tauft kein Mädeli, kein Bäbeli, sondern einen ehrlichen, wirklichen Hans Uli.

Der geordneten Welt des Rahmens mit seiner Festlichkeit am hohen kirchlichen Feiertag, in der „die durch Gottes Hand erbaute Erde und das von Menschenhänden erbaute Haus im reinsten Schmucke" erglänzt, der Harmonie der bäuerlichen Lebensordnung, welche von der kosmischen noch überwölbt ist, steht die durchaus ungeordnete Welt gegenüber, in der die schwarze Spinne ihre Herrschaft errichtet. Die Erzählung greift in sagenhafter Weise mehr als sechshundert Jahre zurück und berichtet von den leibeignen Bauern, die dem brutalen, leichtsinnigen und wüsten Ritter Hans von Stoffeln aus dem Schwabenlande ihre Frondienste leisten mußten. Es ist der gleiche landschaftliche Raum, in dem diese Erzählung sich abspielt, aber alle Vorzeichen sind umgekehrt. Die Schilderung des Rittersaales und seiner Bewohner hat zwar auch noch komische Züge, aber bereits ins schauerlich Groteske gesteigert. „Darinnen saßen um den schweren Eichentisch die schwarzbraunen Ritter, wilde Hunde zu ihren Füßen, und obenan der von Stoffeln, ein wilder, mächtiger Mann, der einen Kopf hatte wie ein doppelt Bernmäß, Augen machte wie Pflugsräder und einen Bart hatte wie eine alte Löwenmähne." Die hungernden, zitternden und gedrückten Bauern, die ihm in der wüsten Einöde ein Schloß gebaut haben, kommen auch danach nicht zur Ruhe, sondern sollen dem Fronherrn in Monatsfrist hundert Buchen als Schattengang pflanzen. Unmöglich scheint es, diese Aufgabe zu erfüllen, wenn nicht der eigne Acker — und noch dazu im Maimond, wo der Bauer sich rühren muß — völlig brachliegen soll. In der Stunde der Not ist hier nicht Gott, sondern der Teufel der Nächste. Plötzlich und unerwartet steht er vor den Bauern, eine unheimliche Gestalt, die von Gotthelf in grotesker, aber nicht mehr komischer Weise charakterisiert wird. Als lang und dürr wird er beschrieben, ein grüner Jägersmann, auf dem kecken Barett eine rote Feder, im schwarzen Gesicht ein flammendes rotes Bärtchen, das knisterte wie „Feuer im Tannenholz". Grün, schwarz, rot, die Farben werden in ihrer Anschaulichkeit bis ins Extreme gesteigert, hinzu treten die gebogene Nase und das zugespitzte Kinn, dazwischen der fast unsichtbare Mund „wie eine Höhle unter überhangendem Gestein", der sich dann „wie ein Pfeil" spitzt und „ganz holdselig und mild" zu reden beginnt. Die phantastische Schilderung ist von beklemmender Deutlichkeit; das Dämonisch-Böse hat sich im knisternden Bärtchen, in den funkelnden Schlangenaugen, im greulichen Lachen so versinnlicht, daß der unerhört grausame Handel — ein ungetauftes Kind als Gegengabe für die rechtzeitig gepflanzten Buchen — mit einer geisterhaften Klarheit vor uns steht, die keiner weiteren Erklärungen mehr bedarf. Noch sind Verstörung und Schrecken bei den Bauern zu groß, als daß es dazu kommt. Aber nun wird die Partnerin des Teufels eingeführt, das entwurzelte, landfremde, böse Weib mit den wilden schwarzen Augen, das keine Furcht kennt, weder vor Gott noch den Menschen und nicht einmal vor dem Teufel: Christine, die Lindauerin, die den furchtbaren Pakt schließt, nachdem der Teufel die Arbeit der Bauern immer wieder auf geheimnisvolle Weise zunichte gemacht hat.

Bereits hier am Anfang erreicht die Geschichte ihren ersten Höhepunkt. Es geht um den Einbruch des Chaos in eine bisher geordnete, allerdings in dieser Erzählung in der Erzählung von Anfang an bedrohte Ordnung der Menschen. Dabei erhebt sich noch der gesamte Kosmos zum Mitspieler. Den inneren Vorgängen mit ihrem Brausen und Sausen, „als ob ein mächtiges Wasser seine Fluten wälze über turmhohen Felsen hinunter in schwarzen Schlund", entspricht die wilde schwarze Nacht mit ihrem Heulen und Tosen, „als ob die Geister der Nacht Hochzeit hielten in den schwarzen Wolken" und die Winde zu ihrem grausen Tanz die wilden Reigen aufspielten, mit den Blitzen als Hochzeitsfackeln und dem Donner als Hochzeitssegen. Hochzeit ereignet sich, grauenvolle Hochzeit zwischen Christine und dem Teufel. Der Vorgang zeigt eine dreifache, untrennbar verschmolzene Dämonie: die des Elementaren, des Erotischen und des Bösen. Wieder ist der Böse mit seiner langen schwarzen Hand, mit seinem grinsenden Gesicht und seiner lustig schwankenden Feder auf dem Hute mit erschrekkender Plötzlichkeit da, und während die Männer davonstieben „wie Spreu im Wirbelwinde", steht Christine wie gebannt, und bei der Berührung der Teufelshand ist es ihr, „als zische Fleisch zwischen glühenden Zangen". Die Szene zwischen den beiden mit ihrem Gemisch von Grauen, Lüsternheit, Gier nach Sensation und Bereitschaft zum listigen weiblichen Betrug gipfelt im Teufelskuß als dem Unterpfand für das erste ungetaufte Kind im Dorfe, diesem Kuß aus dem „spitzigen Mund", bei dem es Christine zumute ist, „als ob von spitzigem Eisen aus Feuer durch Mark und Bein fahre, durch Leib und Seele; und ein gelber Blitz fuhr zwischen ihnen durch und zeigte Christine freudig verzerrt des Grünen teuflisch Gesicht, und ein Donner fuhr über sie, als ob der Himmel zersprungen wäre". Die tosende Nacht macht die Pferde und die Ochsen scheu, läßt sie die Wagen zertrümmern und sich über Felsen stürzen, „und schwer verwundet stöhnte mancher in tiefem Schmerze, laut auf schrie mancher, dem man zerrissene Glieder einzog und zusammenband". Das unbestimmte „mancher" läßt den ganzen Vorgang geradezu in einen verworrenen Alptraum einmünden.

Halten wir hier einen Augenblick an, um die Art dieser Schilderung besser zu verstehen. Sie zeigt den Einbruch des Dämonisch-Bösen in die Menschenwelt, der sich in einer atemberaubenden Folge immer mehr steigern wird. Bereits der Beginn ist ein solcher extremer, phantastischer Höhepunkt, daß eine Überbietung kaum mehr möglich scheint. Aber die Gotthelfsche Stilgebung läßt die im Rahmen geschilderte verweilende und breit ausgemalte epische Zuständlichkeit hier weit hinter sich und gestaltet nunmehr eine mythische Wirklichkeit, mit der sich die geordnete geschichtliche Welt des Menschen in eine unheimlich groteske, verfremdete Welt verwandelt, die von der Angst und vom Grauen beherrscht ist. Auch der Ausdruck „böse" ist nur eine Chiffre für diesen grotesk phantastischen Vorgang, der sich mit sittlichen Kategorien allein nicht mehr fassen läßt. Wohl ist die Begebenheit — und das gilt auch vom Späteren — von konkreter Anschaulichkeit, sogar die Vorgänge im Innern des Menschen werden versinnlicht. Nicht nur die Augen der Christine brennen im dunklen, unheimlichen Feuer, ebenso wird das Gemüt im Brausen und Sausen geschildert. Aber diese Sinnlichkeit gestaltet nicht mehr unsere wirkliche Welt, sie gestaltet eine Welt, in der die Heere der wilden Jäger vorübersausen, in der die Pfosten des Hauses wanken, in der die Balken sich biegen, in der die Bäume am Hause splittern „wie die Speere auf einer Ritterbrust". Es ist die mythische Welt, aus der die schwarze Spinne in Christines Gesicht gezeugt und später geboren wird. Die Steigerung der Farben und Töne, die expressive, geballte Kraft der Mitteilung, die groteske Mischung des Phantastischen mit dem Realen, das alles beschwört mit einem Male und dann in einer sich ständig noch aufgipfelnden, spannenden Reihe von Situationen eine solche Intensität des Grauens, eine solche verzweifelte Bodenlosigkeit, daß die Welt hier zum Unbehausten schlechthin wird und damit dem Gegensymbol des Hauses erst seinen ganzen gnadenvollen Sinn verleiht.

Ein unschuldiges Büblein darf als einziger ungestraft und ungefährdet sehen, wie der Teufel das Werk der Baumpflanzung vollbringt. „Als er gegen den Kilchstalden kam, sah er von dort die Buchen auffahren, vom Boden, jede von zwei feurigen Eichhörnchen gezogen, und nebenbei sah er reiten auf schwarzem Bocke einen grünen Mann, eine feurige Geißel hatte er in der Hand, einen feurigen Bart im Gesichte, und auf dem Hute schwankte glutrot eine Feder. So sei der Zug gefahren hoch durch die Lüfte über alle Egg weg und schnell wie ein Augenblick. Solches sah der Knabe, und niemand tat ihm was." Wenn Martini für die moderne deutsche Prosa vom „Wagnis der Sprache" redet, das in ihr Gestalt gewinnt, so läßt sich das auch schon von Gotthelf sagen. Die gespenstische Schilderung wächst aus der Mischung der Farben „schwarz",„grün" und „blutrot", dann folgt die dreifache Parallele:

feurige Eichhörnchen, feurige Geißel, feuriger Bart, ferner das groteske Bild, wie die leichten, grazilen, aber schnellen Eichhörnchen die schweren Buchen ziehen — die ganze Schilderung gestaltet eine einzige Bewegung, das Auffahren vom Boden, den Zug durch die Lüfte, die in einem knappen Augenblick zusammengedrängte Schnelligkeit. Mit solchen Mitteln schafft die Gotthelfsche Sprache in dieser Erzählung eine sinnlich-übersinnliche, phantastisch groteske, ins Unheimliche und Schaudervolle entstellte Welt! Aber wir wollen der Erzählung weiter nachgehen. Der Teufel hat sein Werk für die Bauern geleistet. Die hundert Buchen stehen unverdorrt in Reih und Glied, aber sie bringen — unheimlich, wie sie sind — den Rittern keine Freude, und nur „die wilde Jugend tanzte im Schattengange." Nun soll der Böse mit Hilfe des Priesters überlistet werden. So sehr sich auch der fromme Mann über den furchtbaren Handel entsetzt, er zieht dennoch kühn „in den Kampf mit dem gewaltigen Widersacher". Aber der Sieg des Priesters, der die Schwelle segnet und ungestört das erste neugeborene Kind tauft, führt zu keinerlei Buße und Umkehr bei den Bauern. Von neuem beginnt der Einbruch des Grauenhaften und diesmal in noch gesteigerterer Form. Die Erzählung verdichtet sich zu einem zweiten mythischen Höhepunkt. Christine gebiert aus ihrer Wange die schwarze Spinne. Wiederum ist der Vorgang von plastischer Deutlichkeit: zuerst das seltsame Zucken im Gesicht, dann das Gefühl, als ob man ihr plötzlich ein feuriges Eisen auf die Stelle drücke, wo sie den Kuß des Grünen empfangen hatte, dann das Weiterbrennen des Fleckes, „auf dem ihr eine giftige Wespe zu sitzen schien, die ihr einen glühenden Stachel bohre bis ins Mark hinein", weiterhin das Größerwerden des schwarzen Punktes, auf dem sich ein Höcker mit auslaufenden dunklen Streifen zu pflanzen schien, am Ende schließlich der Brand in der Wange und die giftige Kreuzspinne im Gesicht. Aber der Dichter steigert noch weiter. Er setzt die Geburt der Spinne in einen dramatischen Vorgang um. Christine möchte dem Priester das nächste Neugeborene entreißen, um von ihrer höllischen Qual befreit zu werden. Bereits während der Geburt des Kindes war es ihr, „als umwalle sie ein Feuermeer, als wühlten feurige Messer in ihrem Mark, als führen feurige Wirbelwinde durch ihr Gehirn. Die Spinne aber schwoll an, bäumte sich auf, und zwischen den kurzen Borsten hervor quollen giftig ihre Augen". Das in mehrfacher Wiederholung gebrauchte Bild des Feuers verwandelt hier geradezu die gesamte physische Existenz in höllisches Feuer. Christines Verzweiflungsweg zum

Priester bleibt vergeblich. Zwar glotzt die Spinne schon schreck-lich schwarz, mit gräßlichen Blicken aus Christines rot angelau-fenem Gesicht nach den heiligen Geräten und Zeichen des Priesters. Aber dieser kann sich mit Hilfe des ihn begleitenden star-ken Sigristen gegen das wütende Weib wehren und das Kind noch rechtzeitig in das schützende Haus bringen, um es hier in die Hände Gottes zu legen. Nunmehr ist die Geburt der Spinne unab-wendbar. Der in so vielen Stufen des Grauens vorbereitete Prozeß dieser Geburt findet wiederum sein kosmisches Begleitspiel. „Das Vieh schlotterte in den Ställen und riß von den Stricken, die Eichen im Walde rauschten auf, sich entsetzend."

Was geschieht in diesem Augenblicke mit Christine? Das glühende Brennen geht in kreißende Wehen über. Da war es ihr, „als ob plötzlich das Gesicht ihr platze, als ob glühende Kohlen geboren würden in demselben, lebendig würden, ihr gramselten über das Gesicht weg, über alle Glieder weg, als ob alles an ihm lebendig würde und glühend gramsle über den ganzen Leib weg. Da sah sie in des Blitzes fahlem Scheine, langbeinig, giftig, unzählbar schwarze Spinnchen laufen über ihre Glieder, hinaus in die Nacht, und den Entschwundenen liefen langbeinig, giftig, unzählbar andere nach. Endlich sah sie keine mehr den frühern folgen, der Brand im Gesichte legte sich, die Spinne ließ sich nieder, ward zum fast unsichtbaren Punkte wieder, schaute mit erlöschen-den Augen ihrer Höllenbrut nach, die sie geboren hatte und aus-gesandt zum Zeichen, wie der Grüne mit sich spaßen lasse." Mit der mythischen Geburt der vielen kleinen Spinnen aus der einen Spinne des Gesichtes heraus gewinnt dieses schwarz-giftige Symbol mit seinem glühenden Grauen eine furchtbare Kraft, nämlich die, sich über die Welt auszubreiten und ihr seinen höllischen Stempel aufzudrücken. Erst jetzt wird die Begebenheit als Begebenheit voll sichtbar: sie zeigt die phantastische Verkehrung der irdischen Welt des Menschen in das grotesk Unheimliche und unaufhaltsam Anarchische. Dem Bösen folgt der Tod auf dem Fuße. Zunächst erstreckt sich zwar das schwarze Sterben nur auf das Vieh in den Ställen und auf der Weide, aber währenddessen wächst die Spinne bereits von neuem im Gesicht der verwilderten, rachedurstigen und gefolterten Christine. Die von Schuld und Angst geplagten Bauern wollen nicht etwa ihr helfen, sondern denken an ihren eignen Besitz, wenn sie sich nunmehr zu einem schmählichen, geheimen Verrat an einem jungen Weibe zusammenschließen, dessen erwartetes Kind man mit Hilfe ihres eignen Mannes dem Grünen opfern will.

183

Denn „die Furcht vor des Teufels Plagen war stärker als die Furcht vor Gott".

Es ist nötig, an dieser Stelle das Schuldproblem der Erzählung näher zu erörtern. Es handelt sich keineswegs nur um die Schuld eines einzelnen, so sehr auch Christine durch ihre dämonisch-erotische Gemeinschaft mit dem Teufel in den Mittelpunkt rückt. Schuldig waren bereits die Ritter, als sie in vermessener Überheblichkeit von den Bauern Unmögliches verlangten. Schuldig aber waren erst recht die Bauern, als sie daraufhin den Handel mit dem Teufel zuließen. Denn man kann das Böse nicht überwinden, indem man ihm ein neues Böses entgegenstellt. So taten es die Bauern gegen die Ritter. Damit gerieten sie selbst in das Entartete und Vermessene hinein. Wenn sie jetzt sogar bereit sind, ein unschuldiges Kind zu opfern, um der eignen Bedrängnis zu entfliehen, so begehen sie eine Kollektivschuld, die für Gotthelf eine der schwersten Sünden ist: den Verrat am unersetzlichen Wert einer einzelnen Seele und damit auch an ihrer eignen Gemeinschaft, für die jedes Kind eine Bürgschaft Gottes ist. Wohl mochten die Bauern meinen, ein einziges ungetauftes Kind sei nicht so viel wert wie sie selbst, sie vergaßen aber dabei, „daß die Schuld an einer Seele tausendmal schwerer wiege als die Rettung von tausend und abermal tausend Menschenleben". Wenn diese Bauern immer mehr von Angst und Schuld geschlagen sind, geschlagen aber auch von der schwarzen Spinne, so sind das nur zwei Seiten des gleichen Vorgangs; denn das Wirken der Spinne spiegelt sich nicht nur in der physischen Vernichtung, sondern auch in der psychischen Untergrabung: sie ist mythisches Ungeheuer und Seelendämon zugleich.

Nun soll ein Kind endgültig geopfert werden. Es scheint verloren, denn der eigne Vater zögert absichtlich auf seinem Gange zum Priester; Christine ihrerseits entreißt es in dieser Zeit der wehrlosen Wöchnerin, die mit ihr im gleichen Hause wohnt und keine Verwandten mehr hat. Schon scheint der Teufel seinem Ziel nahe, und die Spinne beginnt „in sanftem Jucken" Christine zu liebkosen. In diesem Augenblick erreicht die Erzählung ihre dritte Aufgipfelung nach der ersten Erscheinung des Grünen und nach der Geburt der Spinne. Das beginnt mit dem Kampf des herannahenden Priesters, der sich Christine und der Spinne entgegenwirft. Wieder ist der Vorgang von den entfesselten Elementen begleitet: brüllendem Donner, zornvoll heulendem Sturm, niederstürzenden Fluten. Aber der Priester mit seinen geweihten heiligen

Waffen läßt sich durch alles dies nicht zurückhalten; er ist durchaus die Heiligenfigur der Legende, deren Fuß an keinen Stein stößt, deren Auge durch keinen Blitz geblendet wird, wenn sie mit den Flügeln des Gebetes vorwärts eilt. Er ist der Streiter für Gott. Von weitem sieht er in des Blitzes Schein das schwarze Haupt mit der roten Feder und ihm entgegenfliegend, „wie gejagt von des Windes wildestem Stoße", eine wilde Gestalt. Im „Wilden" werden Christine und das Element geradezu identisch. Nun stürzt sich der Priester „wie der Held zur Schlacht", er sprengt heiliges Wasser über das Kind und Christine; „mit fürchterlichem Wehegeheul", „wie ein glutroter Streifen" zuckt der Grüne dahin, „bis die Erde ihn verschlingt". Was sich nunmehr ereignet, überbietet an grauenvoll Groteskem alles Vorausgegangene: Christine verwandelt sich in die Spinne. „Vom geweihten Wasser berührt, schrumpft mit entsetzlichem Zischen Christine zusammen, wie Wolle im Feuer, wie Kalch im Wasser, schrumpft zischend, flammensprühend zusammen bis auf die schwarze, hoch aufgeschwollene, grauenvolle Spinne in ihrem Gesichte, schrumpft mit dieser zusammen, zischt in diese hinein, und diese sitzt nun giftstrotzend, trotzig mitten auf dem Kinde und sprüht aus ihren Augen zornige Blitze dem Priester entgegen." Schrumpfen und Zischen, vom Flammensprühen begleitet, das sind die sinnfälligen Vorgänge, mit denen Christine buchstäblich in die Spinne übergeht. Die „Verwandlung" des Menschen in einen riesengroßen, scheußlichen Käfer bei Kafka ist nicht grauenvoller; sie wird dort sachlich und nüchtern konstatiert, während sich hier ein mythisches Ereignis abspielt, das ebenso phantastisch wie real ist, aber zugleich mit der höchsten Steigerung des Ausdrucks erzählt wird. Die glotzende, giftige Spinne, in die sich Christine verwandelt hat, wird vom Priester mit „feurigem Glaubensmut" überwunden, er faßt sie mit kühner Hand, es ist ihm, als ob er in glühende Stacheln hineingriffe, aber er schleudert das „Ungeziefer" fort und bringt das Kind ohne Zögern zur Mutter.

Die Züge der grotesk dämonischen Welt verbinden sich hier mit denen der Heiligenlegende; das Groteske erhält auf diese Weise eine Deutung. Der Heilige — in der Gestalt des Priesters — steht außerhalb der Verfremdung und vermag sie dadurch zu überwinden. Erst damit wird der religiöse Dualismus sichtbar, der durch die Erzählung hindurchgeht. Dem Feuer der Hölle steht das Feuer des Himmels gegenüber. Bis in die Sprache hinein sind die Anklänge an die Bibel spürbar. So total auch die Herrschaft der Spinne scheint, total im Bereich des Leibes und der Seele, es ist dennoch möglich, sie auf den Bereich des Leibes einzuengen. Wer genügend Kraft und Mut in der Seele aufbringt, vermag sich und die andern zu retten, wenn auch um den Preis des Leibes. Erst von der Märtyrerlegende aus kann die ins Groteske entstellte Welt als die böse Welt interpretiert werden. Der Anspruch auf Totalität, mit dem sie uns bisher entgegentrat, ist — etwa im Gegensatz zu Kafka — zurückgewiesen. Wohl bleibt auch so die Herrschaft der Spinne furchtbar. Der Leib des dem Tode verfallenen Kindes, auf dem die Spinne saß, ist mit „Brandflecken" gezeichnet, aber seine Seele gehört Gott; der Priester wiederum, der sie ergriffen hat, bezahlt das mit einem geschwollenen Arm, mit schwarzen Beulen, und schließlich mit dem Tode; aber auch er stirbt im Frieden des Herrn. Der Vater jedoch, der Frau und Kind verriet, verliert Leib und Seele. Der Pfarrer findet ihn auf dem Rückwege. „Hochgeschwollen und brandschwarz war sein Gesicht, und mitten auf demselben saß groß und schwarz und grausig die Spinne." Noch einmal stehen sich hier die Spinne und ihr Todfeind, der Priester, gegenüber. Wiederum ist die Schilderung der Spinne von grotesker Scheußlichkeit: die Haare auf ihrem Rücken bäumen sich giftig auf, ihre Augen glotzen giftig und sprühen, sie rüstet sich wie eine Katze zum Sprung. Als aber der Priester mit seinen heiligen Waffen sie bannt, da schrickt sie zusammen, kriecht langbeinig vom schwarzen Gesicht fort und verliert sich im „zischenden Grase". Giftig sich bäumende Haare, giftig glotzende und sprühende Augen, katzenhaftes Zum-Sprung-Ansetzen, langbeiniges Kriechen und zischendes Gras — das ist schon längst keine wirkliche Spinne mehr, sondern gerade in den extremen Widersprüchen etwa von Glotzen und Sprühen ein mythisches Fabelwesen, eine groteske Figur von zugleich naturalistischen und phantastischen Ausmaßen, ein Bildsymbol, wie es in der ganzen deutschen Dichtung fast einzig dasteht.

Zu dem Geisterhaften der Spinne gehört ihre Pluralität. Sie ist die *eine* Spinne und erscheint doch in der Vielheit. Ist die Spinne, der der Pfarrer auf dem Rückwege begegnet, die gleiche gräßliche, in die Christine verwandelt wurde und über die man nunmehr „seltsam verwirrte Worte" hört? Wir wissen es nicht und brauchen es nicht zu wissen. Denn die Spinne ist in allen ihren Geschöpfen des Grauens die gleiche. Nach den drei geschilderten Höhepunkten der Erzählung, die jedesmal das mythische Bild bis ins riesenhaft Verzerrte gesteigert haben und es jedesmal in der sprachlichen

Ausdruckskraft doch noch zu überbieten vermochten, beginnt das anonyme Wirken der Spinne, die überall und nirgends ist und ein endloses Sterben und eine „namenlose Angst" verbreitet. Sie ist unten im Tal, sie ist oben auf den Bergen, sie überrascht am Mittag und in der Nacht, im Walde und im Stalle, unter freiem Himmel und im eignen Hause. „Sie zischte durchs Gras, sie fiel von der Decke, sie tauchte aus dem Boden auf." Sie ist eine Inkarnation der Angst und der Schuld, die in den Menschen lebt, aber auch wieder eine eigne, allen Raum und alle Zeit durchkreuzende Macht, die diese Angst erst hervorruft. Sie kennt keine sozialen Unterschiede, sondern vernichtet die Ritter und die Bauern. Sie sitzt in „übernatürlicher Größe" auf dem schwarzen Helm des Ritters, der sie verfolgt und nicht ahnt, daß sie bereits bei ihm ist. Sie brennt ihm bis ins Gehirn hinein den schrecklichsten Brand, so daß der wütende, tolle und brüllende Reiter am Ende mit seinem Roß „über eine Fluh hinab zu Tale" stürzt. Sie ist aber auch beim Festmahl im abgeriegelten Schloß auf der Glatze des gottlosen Pfaffen und lodert ihren Brand „vom Kopfe herab durch Mark und Bein"; sie läuft in schrecklicher Schnelle allen Rittern über das Gesicht, so daß keiner sich wehren kann; sie wird immer boshafter und teuflischer, sitzt dreist vor dem Menschen im Grase, hängt über ihm am Baume, immer glotzend, immer giftig, rasch vernichtend oder böse zuwartend, am Ende stets tödlich. Da helfen keine zentnerschweren Steine, keine Keulen, keine Beile, keine Flucht, kein Widerstand, dieses mythische Ungeziefer scheint unüberwindlich.

Noch einmal erreicht die Erzählung einen Gipfelpunkt und damit zugleich ihre legendäre Wende, die bereits im Kampf des Priesters mit der Spinne vorbereitet war. Nun aber geht es um die endgültige Niederlage der Spinne. Sie wird nur möglich durch den Beistand Gottes und durch die Frömmigkeit eben jenes Weibes aus Christines Haus, dessen Kind zwar sterben mußte, aber vor dem Zugriff des Bösen gerettet wurde, und das nunmehr für sein anderes Bübchen und dessen Schwesterchen bangt. Noch hat die Spinne dieses Haus verschont, Haus der Christine und Haus der jungen Mutter, aber in jedem Augenblick kann sie auch hier einbrechen und die Kinder vernichten. Aus der Liebe der Mutter für die Kinder wächst die rettende Tat. Sie bohrt ein Loch in den Fensterpfosten, der ihr am nächsten liegt zur rechten Hand, und wenn sie bei der Wiege ihres Kindes sitzt, rüstet sie einen Zapfen, der in das Loch paßt, weiht ihn mit geheiligtem Wasser, legt einen Hammer zurecht und betet nun Tag und Nacht zu Gott, daß er ihr die Kraft zur Tat gebe. Abermals geht die Erzählung in die Heiligen- und Märtyrerlegende über. Die liebende, fromme Mutter ergreift wie der Priester als einzige die Spinne mit der Hand, ehe sie das Gesicht ihres Bübleins erreichen kann, drückt sie dann unter gräßlichen Schmerzen in das bereitete Loch, mit der anderen Hand schiebt sie den Zapfen davor und schlägt ihn mit dem Hammer fest. Auch sie muß die rettende Tat mit dem Tode bezahlen. In der Erzählung dieses Vorgangs tritt das Groteske und Grauenvolle fast ganz zurück, das Schwergewicht liegt jetzt durchaus auf der Märtyrerin, die die schwarze Spinne ins Loch bannt und damit dem ganzen Tal den Frieden zurückgibt.

Die schwarze Spinne im schwarzen Fensterpfosten, im alten Holz gefangen; damit mündet die Erzählung in der Erzählung wieder in den Rahmen. Denn der wüste Pfosten ragt ja aus der Vergangenheit in die Gegenwart hinein und wird zum Sinnbild einer ständig auf der Lauer liegenden Bedrohung. Die Novelle könnte hier zu Ende sein, aber Gotthelf läßt den Großvater einen zweiten Bericht anschließen, der von dem nochmaligen Ausbruch der schwarzen Spinne handelt. Zwischen den beiden Berichten liegt nur eine kurze, humoristisch gefärbte Überleitung. Es ist, als ob die Spinne mit einem Male in der heiteren Taufgesellschaft anwesend wäre. Aber der Schrecken, den sie hier verbreiten kann, hat nichts von der mythischen Angst, wie sie uns in der Erzählung entgegentrat, sondern bleibt bloße Angst der Phantasie, die vom Bilde des Erzählten noch nicht loskommt. Dennoch bedeutet die Geschichte von der Spinne weit mehr als einen phantastischen Traum. Das wird gerade in der Wiederholung der Erzählung sichtbar. Die zweite Geschichte ist knapper als die erste, erreicht aber dennoch die gleiche geballte Wucht und plastische Kraft, die uns schon bei der vorigen entgegentrat. Leicht hätte das Wiederholen ein Abschwächen sein können. Aber die Wiederholung hat hier ihre bestimmte novellistische Funktion. Mit ihr wird das Ereignis von der schwarzen Spinne zu mehr als dem nur sagenhaften Bericht einer weit zurückliegenden Begebenheit, der die geordnete gegenwärtige Welt im Grunde nicht allzuviel angeht und nur einen abergläubischen Schauer in ihr hervorrufen kann. Die mythische Spinne ist überzeitlich und kann darum jederzeit wieder in die Geschichte der Menschen eintreten. Darin liegt ihre schreckliche, immer wieder von neuem mögliche Konkretheit. Sie ist kein Gegenstand des „Aberglaubens", auch nicht ein bloßer Alptraum der Phantasie, sondern eine Wirklichkeit, die auch dort noch bestehen bleibt, wo sie in der unmittelbaren Welt des Menschen nicht mehr anwesend, sondern in die Tiefe des Pfostens hinabgebannt ist. Sie bleibt auch so ein geheimer Bestandteil des Hauses, obwohl gerade das Haus als Urzelle aller menschlichen Gemeinschaft ihr eigentlicher symbolischer Gegenpol ist. Sie gehört zur Geschichte dieses Hauses, in dem sich die Feier der Kindtaufe ereignet, sie gehört auch noch in das neue Haus, das mit dem Pfosten die Vergangenheit beherbergt und diese zugleich immer wieder von neuem überwinden muß. Die geheime Anwesenheit der Spinne bedeutet aber für die Menschen jetzt nicht Angst, sondern Mahnung. Ohne Furcht und Zagen hat der Großvater schon viele tausend Tage vor dem Zapfen gesessen. „Nur wenn böse Gedanken in mir aufstiegen, die dem Teufel zur Handhabe werden konnten, so war es mir, als schnurre es hinter mir, wie eine Katze schnurret, wenn man sich mit ihr anläßt, ihr den Balg streicht, ihr behaglich wird, und mir fuhr es den Rücken auf seltsam und absonderlich. Sonst aber hält sie sich mäusestill da innen, und solange man hier außen Gott nicht vergißt, muß sie warten da innen."

Die neue Erzählung des Großvaters berichtet von dem zweiten Einbruch der Spinne in die Menschenwelt, als die Menschen wieder einmal Gott vergessen hatten. Nach einer Zeit des Wohlstandes und des Segens kam der Wurm in diesen Segen, so daß die Bauern über ihren goldenen Kälbern den vergaßen, dem sie allen Reichtum verdankten. Wieder ist es eine Frau aus der Fremde, hoffärtig und hochmütig, zwar keine Lindauerin, aber in vielem Christine ähnlich, die nach zweihundert Jahren von neuem das Unheil entfesselt. Sie hat einen freundlichen und gutartigen Sohn, der jedoch von ihr und von seiner durch die Mutter ausgesuchten, gleichfalls hoffärtigen und hochmütigen Frau allzusehr beherrscht wird. Die beiden Frauen wollen nicht mehr in dem alten Hause wohnen, in dem es ihnen immer unheimlicher wird. „Wenn sie hier am Tische saßen, so war es ihnen, entweder als schnurre hinter ihnen behaglich die Katze, oder als ginge leise das Loch auf, und die Spinne ziele nach ihrem Nacken. Ihnen fehlte der Sinn, der das Loch vermachte, darum fürchteten sie sich immer mehr, das Loch möchte sich öffnen." Das alte Haus wurde daher dem Gesinde überlassen, während die Frauen in Hochmut und unerhörter Pracht ein neues bauten. Im alten, unbeaufsichtigten Hause aber entwickelt sich nunmehr ein wüstes Leben der Knechte und der Mägde, ohne Furcht vor Gott und den Menschen, mit dreisten Spielen und Schamlosigkeiten. Auch hier spielt wieder das Erotisch-

Dämonische hinein. Die Hauptfigur ist diesmal ein vermessener Knecht, der sanft wie ein Lamm tun kann und reißender wie ein Wolf ist, der das Vieh quält und den Weibsbildern am besten gefällt, wenn sie mit ihm alleine sind. Die Gespaltenheit im Wesen des Knechtes macht Gotthelf in der Schilderung der Augen und des Haares auf eine sehr eindringliche Weise sichtbar. „Er hatte ungleiche Augen, aber man wußte nicht, von welcher Farbe, und beide haßten einander, sahen nie den gleichen Weg, aber unter langem Augenhaar und demütigem Niedersehn wußte er es zu verbergen. Sein Haar war schön gelockt, aber man wußte nicht, war es rot oder falb, im Schatten war es das schönste Flachshaar, schien aber die Sonne darauf, so hatte kein Eichhörnchen einen rötern Pelz." An dem Abend vor der Heiligen Nacht — während ein fürchterliches Unwetter mit Blitz und Sturm am Himmel heraufzieht — erreicht das zynische Spiel des Knechtes mit dem Pfosten, das den Mädchen Angst einjagen und sie gefügig machen soll, seinen Höhepunkt. Am Ende wird aus dem Spiel ein fürchterlicher Ernst. Der Knecht ist es, der mit seinem Bohrer die Spinne befreit. „Da bebte von ungeheurem Donnerschlag das ganze Haus, der Missetäter stürzte rücklings nieder, ein roter Glutstrom brach aus dem Loche hervor, und mittendrin saß groß und schwarz, aufgeschwollen im Gifte von Jahrhunderten, die Spinne und glotzte in giftiger Lust über die Frevler hin, die versteinert in tödlicher Angst kein Glied bewegen konnten, dem schrecklichen Untiere zu entrinnen, das langsam und schadenfroh ihnen über die Gesichter kroch, ihnen einimpfte den feurigen Tod." Die Stube wird zur Totenkammer, der Knecht hält noch den Bohrer in seiner scheußlich entstellten Hand und auf des Bohrers Spitze den furchtbaren Zapfen. Schreckliches Wehgeheul, „wie hundert Wölfe es nicht auszustoßen vermögen, wenn der Hunger sie peinigt", ertönt aus dem neuen und dem alten Hause. Auch die Mutter und die Frau Christens gehen mit „hochaufgelaufenen, schwarzen Gesichtern" zugrunde. Wieder beginnt die Spinne ihr anonymes Wirken, noch schneller, noch giftiger als das frühere Mal, als ob sie wüßte, ihr sei diesmal nur wenig Zeit vergönnt. Am liebsten lauert sie auf die Züge, welche die Toten zur Kirche geleiten sollen, und fällt dann ganze Haufen von Menschen an. „Da wurden keine Toten mehr zur Kirche gebracht, niemand wollte sie tragen, niemand geleiten; wo der Tod sie streckte, da ließ man sie liegen."

Alle Wut und Verzweiflung der Menschen richtet sich jetzt auf den Sohn Christen, der das alte Haus nicht hätte verlassen dürfen.

„Und war er doch vielleicht unter allen der Beste, aber sein Wille lag gebunden in seiner Weiber Willen, und dieses Gebundensein ist allerdings eine schwere Schuld für jeden Mann, und schwerer Verantwortung entrinnt er nicht, weil er anders ist, als Gott ihn will." Auch jetzt ereignet sich die Wende der Not durch ein freiwilliges Opfer, in dem die Tat der Ahnfrau noch einmal durch einen späteren Nachfahren wiederholt wird. Die apokalyptischphantastische Situation vom Ausbruch der Spinne, durch menschliche Schuld hervorgerufen, wird vom Dichter mit einer Märtyrergeschichte verknüpft, in der die heile Welt zum zweitenmal wiederhergestellt wird.

Jedoch ist der Vorgang diesmal weit verwickelter als das erste Mal. Er hat eine längere Vorgeschichte. Ein wildes Weib ohne Gottvertrauen, aber mit desto mehr Haß und Rache im Herzen, sollte ein Kind gebären, und die alte Angst kehrt bei den Leuten wieder, daß die befreite Spinne das ungetaufte Kindlein holen könne, „das Pfand ihrer alten Pacht". Wohl macht sich der Mann des bösen Weibes rechtzeitig zum Priester auf, aber er kehrt nicht früh genug zurück, und das verzweifelte, wütende Weib stürzt in der Stunde der herannahenden Geburt in Christens Haus, damit er ihr helfe. Sie scheint Christine in ihrer ursprünglichen Gestalt zu sein. — Auf der Schwelle des Hauses wird ein Söhnlein geboren. Christen hält das unschuldige Kind in den Armen, während die verzerrten Augen des Weibes ihn wild, stechend und giftig anstarren, „und es ward ihm immer mehr, als trete die Spinne aus ihnen heraus, als sei sie es selbst". Wieder wird hier die Identität eines bösen Weibes mit der mythischen Spinne spürbar. Christen aber springt über das glotzende Weib hinweg und will das Kindlein zur heiligen Taufe tragen. Noch einmal verdichtet sich das Erzählen in einer Opfertat, bei der diesmal die legendären und grotesken Züge miteinander verschmelzen. Auf dem Wege glüht es plötzlich, im Busch regt es sich, wieder sitzt die Spinne wartend da und hebt sich wie zum Sprung, im Busche wankt rot ein Federbusch. Hier ist die Welt ins Unheimliche verkehrt: das „Es" in der sprachlichen Gestaltung bringt alles ins Unbestimmte, das Glühen und Sichregen, hinter dem die Spinne und der Teufel lauern. Aber die verfremdete Welt wird nur einen kurzen Augenblick lang sichtbar, dann triumphiert bereits die märtyrerhafte Tat. Christen kann gerade noch rechtzeitig das Kind in die Hände des unschuldigen Bübchens legen, der es dem Priester verständig entgegenträgt. Darauf beschwört Christen die Spinne mit heiligen Worten, ergreift sie mit starker Hand, eilt mit dem Brand in der Hand und dem Gift in den Gliedern noch ins Haus zurück, kämpft sich hier gegen das wütende Weib frei, das sich von ihm betrogen glaubt und sich ihm daher entgegenwirft, bis es ihm gelingt, „ins alte Loch die Spinne zu drängen, mit sterbenden Händen den Zapfen vorzuschlagen".

Die Leute, die später vorsichtig und angstvoll zurückkommen, finden das Loch verschlagen und nicht nur Christen tot, sondern auch das Weib versengt und verzerrt im Tode, den sie sich an Christens Hand geholt hat. Dann kommt der Priester herbei, der das gerettete Kind schnell nach damaliger Sitte getauft hat, auch er bereit, dem gleichen Kampf entgegenzugehen, in dem sein Vorgänger siegreich das Leben gelassen. „Aber ein solch Opfer forderte Gott nicht von ihm, den Kampf hatte schon ein anderer bestanden." Das neue Haus brennt auf geheimnisvolle Weise nieder; doch bleibt die Tat Christens unvergessen. Seine Kinder werden von der Gemeinde fromm und wacker aufgezogen, und keine Hand vergriff sich an ihrem Gute, „obgleich keine Rechnung zu sehen war". „Und so blieb es in der Familie, und man fürchtete die Spinne nicht, denn man fürchtete Gott, und, wie es gewesen war, so soll es, so Gott will, auch bleiben, solange hier ein Haus steht, solange Kinder den Eltern folgen in Wegen und Gedanken." Damit schließt die zweite Erzählung des Großvaters.

Vergleicht man sie mit der ersten, so muß man die kunstvolle Abwandlung der gleichen Grundmotive bewundern. Die legendäre Opfertat erhält hier einen breiteren Erzählraum und steht unter weitaus erschwerteren Bedingungen, die die höchste sittliche und physische Kraft des Mannes erfordern. Aber ohne die gnadenvolle Hilfe Gottes wäre sie trotzdem unmöglich. In der stellvertretenden Handlung von Mutter und Vater für die Kinder, und damit für die menschliche Gemeinschaft überhaupt, werden die Grundlagen aller auf die Familie gegründeten Kultur sichtbar. Was nun die Spinne betrifft, so begegnet sie auch jetzt in einer geheimnisvollen Pluralität. Sie scheint in dem bösen, wilden Weib zu stecken, das am Ende dennoch an ihr zugrunde geht, sie ist aber auch die Gegenspielerin des unschuldigen, neugeborenen Kindes, dem sie sich in den Weg stellt, als Christen es zum Priester tragen will. Die Geschichten in der Geschichte berichten eine mythische Begebenheit; in ihrer zeitlosen Bedeutung ist es in beiden Fällen die gleiche Geschichte, bezogen auf die polare Spannung des Dämonisch-Bösen zum Heilig-Märtyrerhaften. Aber das Mythische begibt sich jedesmal anders, weil es sich unter den konkreten Bedingungen von Raum und Zeit verwirklicht. Darin liegt seine Geschichtlichkeit. Die Situationen, in denen es sich ereignet, sind verschieden geartet. Das eine Mal haben die Bauern, durch die Ritter bedrängt, ein Zuwenig an Freiheit, das andere Mal, durch ihren schwelgerischen Wohlstand, ein Zuviel. Beides kann zur Ausgangssituation für den Einbruch des Bösen werden. So wie sich die Märtyrertat auf die beiden Geschlechter verteilt, so auch der Handel mit dem Teufel. Das eine Mal war es Christine, die Lindauerin, die die mythische Hochzeit mit dem Teufel beging, das andere Mal ist es der frevelnde Knecht, der die Mägde unterwerfen will und im glaubenslosen Hohn den Pfosten anbohrt. Die mythische Begebenheit ist die gleiche, aber ihre geschichtlichen Erscheinungsformen wechseln.

Um Dauer und Wandel im Ablauf der Geschichte geht es nicht nur in der Erzählung, sondern auch im Rahmen. Das wird sichtbar am Schicksal des Hauses und der in der Kette der Generationen weiterlebenden Familie. Ist ja doch die vom Großvater erzählte Mythe auch noch ein Stück Familiengeschichte. Das Haus, in dem sich die Feier der Taufe ereignet, ist in einem doppelten Sinne geprägt: als das Haus, in dem Christine gewohnt hat und in das Christine gleichsam zum zweiten Male wiedergekehrt ist; aber auch als das Haus, von dem zweimal die rettende Märtyrertat ausging, als Tat der Mutter und als Tat des Vaters, beide Male um der Kinder willen. Solcher Vorfahren braucht man sich nicht zu schämen. Zwar ist es heute nicht mehr das selbe Haus, aber durch den Pfosten bleibt es mit dem vergangenen Haus identisch. Der symbolische Sinn des Hauses in Gotthelfs Erzählung muß in dieser zweifachen Bedeutung von Bleiben und Vergehen verstanden werden. Kein Glied einer Familie darf vergessen, „was ein Haus bauet und ein Haus zerstört, was Segen bringt und Segen vertreibt". Wohl müssen die alten Häuser den neuen weichen. In diesem dynamischen Wechsel des geschichtlichen Ablaufs liegt eine ständige Gefährdung der Menschenwelt. Das neue Haus, das Christens Frau und Mutter mit Frevel und Übermut bauten, ging zugrunde. Aber im Laufe der Jahrhunderte ist es dennoch in einem guten Sinne mehrmals neu gebaut worden. Zwei Dinge waren jedoch dafür unerläßlich: „das alte Holz, worin die Spinne sei" und der alte Sinn, „der ins alte Holz die Spinne geschlossen". Nur so kann der alte Segen im neuen Hause sein. „Denn wo solcher Sinn wohnet, darf sich die Spinne nicht regen, weder bei Tage noch bei

Nacht. Was ihr aber für eine Macht wird, wenn der Sinn ändert, das weiß der, der alles weiß und jedem seine Kräfte zuteilt, den Spinnen wie den Menschen." Der „alte Sinn", das „alte Holz", beides gehört zum Bleibenden des Hauses, das alles Vergängliche überdauern soll. Der „alte Sinn", das ist nicht nur Frömmigkeit und Demut, sondern auch die Bereitschaft, den Kampf mit den dämonischen Mächten jederzeit wiederaufzunehmen, so wie es die Ahnen des Hauses getan haben; das „alte Holz", das ist die sinnliche Gegenwart dieser Mächte, auch noch im Frieden des Hauses, doch gebannt, ihrer Kraft beraubt, in die Tiefe hinabgestoßen und abgeriegelt, aber dennoch als Mahnung da, sie in keiner Stunde zu vergessen.

Blicken wir auf die Novelle als Ganzes zurück. Sie verdichtet in Bildsymbolen von mythischer Kraft und gibt ihnen durch Wiederholung eine noch verstärkte Eindringlichkeit. Im Mittelpunkt des Ganzen steht die schwarze Spinne, welche Einheit ist, auch noch in der Vielheit ihrer Erscheinungen. Es ist sinnlos, sie auf eine abstrakte Weise gedanklich ausdeuten zu wollen, so sehr es auch den Leser immer wieder dazu verlocken mag. Das Symbol als solches behält eine Tiefe, die sich in der Reflexion nicht erschöpfen läßt. Darum suchten wir es auch in erster Linie in der Beschreibung zu vergegenwärtigen. In diesem Symbol öffnete sich uns eine verfremdete, groteske, vergiftete und grauenvolle Welt, die mit dem Bösen und dem Tode verschmolzen ist. Der Tod ist der Sünde Sold. Die Novelle handelt von der mythischen Begebenheit, in der das zeitlos Überdauernde der schwarzen Spinne — denn auch in den Pfosten gebannt, ist sie noch weiter da — in die Welt der Geschichte tritt. Der Großvater als Erzähler berichtet zweimal das selbe und doch andere. Denn die Begebenheit von der schwarzen Spinne ist zu allen Zeiten die gleiche, aber ihr Einbruch in die geordnete, auf Gott bezogene Welt des Menschen vollzieht sich stets unter neuen konkreten Bedingungen.

Dem Mythos von der schwarzen Spinne entspricht in der geschichtlichen Welt des Menschen als Gegenpol das Symbol des Hauses mit dem schwarzen Holzpfosten. Auch hier ist das Zeitlose mit dem Zeitlichen verschmolzen. Im Rahmen haben wir die gegenwärtige, fest gegründete Hausgemeinschaft, auf der der Segen ruht, und das Fest der Taufe als Mittelpunkt, zugleich aber in diese Gegenwart hineinragend die Bedrohung des Hauses durch die Mächte des Bösen, gegen die es sich auch in Zukunft abzuschirmen gilt, wenn ihr zweimaliger Einbruch sich nicht von neuem wiederholen soll. In solchem Wechsel der Geschichte vermag nur die Bewahrung des alten Sinns und des alten Holzes eine unerschütterliche Dauer zu gewähren.

Die mythische Begebenheit von der schwarzen Spinne entwickelt sich in einer Folge von sich steigernden Höhepunkten: zuerst in der Hochzeitsnacht zwischen dem Teufel und Christine, in der die Spinne im Teufelskusse gezeugt wird, dann in der furchtbaren Geburt der vielen kleinen Spinnen aus der einen des menschlichen Gesichtes heraus, weiterhin im Kampf des Priesters mit dem höllischen Ungeziefer, schließlich in der Märtyrertat der liebenden Mutter, die sie in den Pfosten bannt. Die zweite Erzählung des Großvaters gipfelt diese Reihe noch einmal auf in die beiden polaren Ereignisse: den Ausbruch der Spinne aus ihrem Loch durch menschliche Mitwirkung, ohne die er unmöglich wäre – denn er ist keinerlei Zufall unterworfen –, und die heldenhafte Überwindung durch den zunächst als schwach charakterisierten Christen. Die mythische Erzählung verbindet sich dreimal mit der Legende. Die ins Groteske verzerrte Welt kann nur durch dreifache Opfertat – durch Priester, Mutter, Vater – in ihre geschöpfliche, Gott unterworfene Ordnung zurückgeholt werden. Das alles wird novellistisch verklammert durch das zeitlos mythische Symbol der Spinne und das kulturell-geschichtliche Symbol des Hauses, beides wieder miteinander verschmolzen in dem Dingsymbol des schwarzen Holzes, in dem die Spinne sitzt. Dieses kann seinerseits wieder Rahmen- und Binnenerzählung sinnvoll miteinander verknüpfen und die geschichtlich gewordene Welt des Menschen mit der überzeitlichen der schwarzen Spinne vereinigen. Im schwarzen Holz des Hauses lebt nicht ein Aberglaube fort, sondern eine echte Urerinnerung, die von Geschlecht zu Geschlecht gehütet werden muß, damit der „alte Sinn" weiter bewahrt bleibt.

Gotthelfs Erzählung „Die schwarze Spinne" gestaltet als Novelle *eine mythische Begebenheit*, die jeweils ihren legendären Wendepunkt hat, an dem durch die freie Opfertat des Menschen eine wiederhergestellte, Gott unterworfene geschichtliche Welt sich von neuem entfalten kann.

Diese Novelle gehört zu den größten Prosadichtungen, die in deutscher Sprache geschrieben sind.

ADALBERT STIFTER

—

BRIGITTA

Adalbert Stifters Erzählung „Brigitta" erschien zuerst in dem Taschenbuch „Gedenke Mein!" für das Jahr 1844 und dann, in umgearbeiteter Gestalt, 1847 im vierten Band der „Studien". In der zweiten, endgültigen Fassung ist das Leidenschaftliche und Sinnliche noch stärker zurückgedrängt als in der ersten. Die Erzählung ist in einzelne Kapitel gegliedert, deren Überschriften: Steppenwanderung, Steppenhaus, Steppenvergangenheit, Steppengegenwart alle auf den landschaftlichen Raum der ungarischen Pußta als auf den Mittelpunkt des Ganzen hindeuten. Obgleich Stifter die ungarische Steppe nur ganz flüchtig aus dem Vorbeifahren 1841 kannte, ist die Landschaftsschilderung nicht etwa romantisch unbestimmt, sondern von höchster Genauigkeit und gegenständlicher Treue bis in die Nuancen der Form und der Farbe hinein (vgl. dazu auch: Johannes Pfeiffer „Wege zur Erzählkunst", Hamburg 1953, S. 21-29). Die Erzählung setzt mit einer allgemeinen Reflexion über das Wesen der „inneren Schönheit" ein, die sich auch und gerade auf einem häßlichen Gesicht noch spiegeln kann, und nimmt damit die novellistische Thematik, den besonderen Fall, um den es hier geht, vorweg. Dann führt sich der Autor selbst als Gestalt ein, als noch jugendlichen Wanderer, der einen älteren Freund, einen Major, den er in Unteritalien zum erstenmal kennengelernt hatte, nach langen Jahren der Trennung auf seinem Gut im östlichen Ungarn besuchen will. Erst sehr allmählich, sehr diskret und behutsam wird uns die „Vorgeschichte" dieses Freundes enthüllt; das gegenwärtige Leben des Majors in der Heimat erhält so seine richtige und angemessene Deutung. Zunächst jedoch ist es für den Dichter wichtiger, die Personen seiner Erzählung zurücktreten zu lassen und statt dessen die Welt zu schildern, in der sie leben, in der sie „zu Hause" sind. Das geschieht in einer sehr ausführlichen, episch genauen und weitgehend auf erzählerische Spannung verzichtenden Weise. Die Welt als Natur begegnet uns in zweifacher Gestalt. Einmal ist sie bereits vor dem Menschen da, ein bestimmter, landschaftlich umrissener Raum, der seinen Schwerpunkt in sich selbst hat: die Urlandschaft der ungarischen Steppe. Sie hat ihre eigne Vergangenheit, ihre eigne Gegenwart und auch noch ihre eigne Zukunft, und das Leben der Menschen ist nur ein Teil davon. Der Mensch durchwandert sie oder baut sich in ihr ein Haus, aber immer findet er sie in ihrer unermeßlichen Weite bereits vor; sein individuelles Schicksal erhält von dieser Mitte der Steppe her die besondere Färbung und Tönung. Gleich zu Beginn der Erzählung wird die prachtvolle Öde der Pußta, in der der Autor monatelang herumreist, in ihrem ganzen Stimmungsgehalt, in ihrer naturhaften Wiederkehr des Gleichen und in ihrer räumlich-dinglichen Zuständlichkeit geschildert. „Anfangs war meine ganze Seele von der Größe des Bildes gefaßt: wie die endlose Luft um mich schmeichelte, wie die Steppe duftete und ein Glanz der Einsamkeit überall und allüberall hinaus webte – aber wie das morgen wieder so wurde, übermorgen wieder – immer gar nichts als der feine Ring, in dem sich Himmel und Erde küßten, gewöhnte sich der Geist daran, das Auge begann zu erliegen und von dem Nichts so übersättigt zu werden, als hätte es Massen von Stoff auf sich geladen."

Die zweite Gestalt, in der uns die Natur dieser Pußta begegnet, wird später im Zusammenleben mit dem Major sichtbarer. Da erscheint sie als ein Bereich, der in die Hut und Pflege des Menschen gestellt ist. Sie wird zur tätig geschaffenen und umgeschaffenen Gutswelt der Gärten, Obstanlagen, Glashäuser, Weinpflanzungen, Schäfereien, der Trockenlegung von Sümpfen usw. Im leidenschaftslosen Zusammenleben des Menschen mit einer leidenschaftslosen Natur erfährt diese ihre Veredelung und er selbst seine Bergung. Natur in solchem Sinne ist eine sittliche Aufgabe, die den Menschen auch das rechte Maß für sein Inneres gewinnen läßt. Urlandschaft und Raum der Kultivierung zugleich, so steht die in epischer Breite dargestellte Pußta vor uns: ursprünglich, wild und üppig, auf kommende Zeiten vordeutend und des Vergehenden müde, ein Land des feurigen Werdens, zu dem die endlosen Dörfer, die aufstrebenden Weinhügel, die Sümpfe und Röhrichte und weit draußen die sanften blauen Berge gehören.

Inmitten dieser feierlichen Öde, inmitten dieses Nichts, das dennoch übersättigt, taucht die Erinnerung an den Mann auf, der hier seine Heimat wiedergefunden hat und – wie wir später erfahren – diese Heimat gestaltet und umgestaltet. Nur in spar-

samen Andeutungen wird uns etwas von seinem früheren Schicksal
berichtet. In der der Pußta verwandten Landschaft von Unteritalien hat ihn der Autor zum ersten Male kennengelernt: ein sehr
schöner Mann von sanfter Hoheit, in allen Gesellschaften gefeiert;
trotz seiner fast fünfzig Jahre blieb er das Ziel mancher schönen
Augen; ja, es ging von ihm die Sage, er habe einst auf Frauen-
herzen geradezu sinnenverwirrend gewirkt, obgleich selbst die
größte Schönheit ihn nicht länger zu fesseln vermochte, als ihm
beliebte. Aber auch eine stille Schwermut wurde ihm nachgesagt,
sie mochte mit einer bedeutenden Vergangenheit zusammenhängen, deren Rätsel um so verlockender waren, als niemand
diese Vergangenheit kannte. Es war lediglich bekannt, daß er sich
jetzt nachdrücklich mit den Wissenschaften beschäftigte, daß er
Lava und Altertümer sammelte. Der Autor erinnert sich, daß ihm
„etwas Ursprüngliches und Anfangsmäßiges" eigentümlich war,
so als habe er „seine Seele bis jetzt aufgehoben, weil sie das Rechte
nicht hatte finden können". Diese Seele war ihm bei näherem
Umgang als „das Glühendste und Dichterischste" erschienen, was
ihm je begegnet war; so mochte es kommen, „daß sie das Kindliche,
Unbewußte, Einfache, Einsame, ja oft Einfältige an sich hatte". Wie
wird dieser glatte, feine Mann der Gesellschaft mit seinem „Spielen
und Glänzen" in der ungarischen Pußta sich ausmachen? Denn
hier sah alles anders aus, „und oft, wenn ich ganze Tage nichts sah
als das ferne, rötlich blaue Dämmern der Steppe und die tausend
kleinen weißen Punkte darinnen, die Rinder des Landes, wenn zu
meinen Füßen die tiefschwarze Erde war und so viel Wildheit, so
viel Üppigkeit, trotz der uralten Geschichte so viel Anfang und
Ursprünglichkeit, dachte ich, wie wird er sich denn hier benehmen".

Noch erfahren wir es nicht, denn nun wird erst Brigitta in die
Erzählung eingeführt, ohne daß ihr Name genannt würde. Inmitten
dunkler, wogender Maisfelder, von der Glut der Abendsonne
beschienen, kommt dem Autor aus einer Arbeitergruppe eine
Reitergestalt entgegen. „Dieser aber war nichts anderes als ein
Weib, etwa vierzig Jahre alt, welches, sonderbar genug, die weiten
landesmäßigen Beinkleider an sich hatte und auch wie ein Mann zu
Pferde saß." Der Autor weiß jedoch nicht, daß sie Herrin eines
großen Besitzes ist und verwechselt sie mit einer Art Schaffnerin,
als sie ihm auf dem Weg zum Major behilflich ist. Das namhafte
Geldstück, das er ihr für ihre Dienste überreichen will, ist freilich
nicht am Platze. „Sie... lachte nur und zeigte hiebei eine Reihe

sehr schöner Zähne." Dann wird der mit dem Knecht Milosch gerittene Weg zum Hause des Majors genauer beschrieben, vorbei an dem Galgen und der Todeseiche, dem Baum, an dem früher die Übeltäter aufgehängt wurden, bis zum Empfang durch die schönen, edlen Hunde vor dem Anwesen des Majors. Was nunmehr folgt, ist wiederum nur Beschreibung: die Treppe mit den hohen, seltsamen Steinbildern in weiten Stiefeln und schleppenden Gewändern, die wohl ungarische Könige sein mochten, dann der lange, mit Rohrmatten belegte Gang und — eine Treppe höher — wieder ein solcher Gang, schließlich das Zimmer für den Gast mit seinen ungebräuchlichen Geräten, der Kerzenbeleuchtung, den Waffen aus den verschiedensten Zeiten der Geschichte, die an den Wänden hängen, auch Bogen und Pfeile sind dabei, weiterhin die zwei kleineren Nebenzimmer mit ihren Stühlen, Tischen, Schränken, Waschgeräten, das Schreibzeug, die Bücher auf dem Nachttisch, ja noch die Decke auf dem Bett, die eigentlich keine Decke ist, sondern jenes weite volkstümliche Kleidungsstück, welches sie hier „Bunda" nennen, ein von Stifter genau geschilderter Mantel aus Fellen. Der Major ist bei dieser Ankunft gerade abwesend. Daher bleibt der Gast zunächst sich selbst überlassen, schaut noch einmal vor dem Schlafengehen aus dem Fenster in das Mondlicht, ohne viel zu erkennen. „Wie eine andere, nur riesengroße ‚Bunda' lag der dunkle Fleck des Waldes oder Gartens unten auf die Steppe gebreitet — draußen schillerte das Grau der Haide — dann waren allerlei Streifen, ich wußte nicht, waren es Gegenstände dieser Erde oder Schichten von Wolken."

Das von uns charakterisierte Kapitel „Steppenwanderung" bringt nur ein Minimum an Geschehen: eine lange Wanderung durch die Pußta, die kurze Begegnung mit der wie ein Mann gekleideten Frau und die Aufnahme in das Haus des Majors. Durch das Verweilen des Dichters beim Räumlichen scheint die Zeit fast stille zu stehen. Der ganze Nachdruck liegt auf dem Ausschnitt von Welt, der hier sichtbar gemacht wird. Wir werden eingestimmt auf das, was wir später erfahren sollen. Mit bloßer Milieuschilderung darf man das nicht verwechseln. Es geht um die Landschaft in dem bereits von uns angedeuteten doppelten Sinn: als Urlandschaft und als Leistung und Werk des Menschen. Beide Bereiche sind von Stifter deutlich gegeneinander abgesetzt. Galgen und Todeseiche werden zur symbolisch trennenden Stelle. Diesseits der Eiche haben wir einen mit Steinen bestreuten, schlangenartigen Steppenpfad, während jenseits der Eiche ein gerader, weißer Weg mit einer Allee junger Pappeln auf das Anwesen des Majors hinführt. Auch zu Brigitta gehört von Anfang an ihr Besitztum Maroshely mit den Weinbergpflanzungen und den ausgedehnten Wirtschaftsgebäuden. Das Schicksal des Menschen ist in dieser Erzählung nur bedeutsam, soweit es durch die Welt, in der er lebt, seine besondere Prägung erhält. Auch das zweite Kapitel „Steppenhaus", in dem wir den Major persönlich kennenlernen — er ist seit den früheren Jahren nur leicht gealtert —, verweilt ausführlich beim räumlichen Nebeneinander. Der gemeinsame Morgenritt der beiden Männer führt uns Schritt für Schritt in die umgebende Welt ein: an den großen Rinderherden vorbei zu den Gestüten und Schäfereien mit dem Blick auf die Weinberge von Maroshely, dann auf dem Rückwege über Gärten, Obstanlagen und Glashäuser. Auch mit dem Austrocknen von Sümpfen werden wir genauer vertraut gemacht. Das Mittagessen findet mit den Knechten und Mägden in einer Art Vorhalle unter einem ungeheuren Vordache statt, „an dem ein riesiger Nußbaum stand". Durchziehende Zigeuner musizieren dazu, ein ungewöhnlich schöner Jüngling ist zu Gast mit Briefen aus der Nachbarschaft, er wird von dem Major sehr achtungsvoll, fast zärtlich behandelt. Abends reiten die beiden Freunde in die Heide hinaus. Im Abendrot bietet sie einen prachtvollen Anblick. „Auf der ganzen schwarzen Scheibe der Haide war die Riesenglocke des brennend gelben, flammenden Himmels gestellt, so sehr in die Augen wogend und sie beherrschend, daß jedes Ding der Erde schwarz und fremd wird. Ein Grashalm der Haide steht, wie ein Balken, gegen die Glut, ein gelegentlich vorüber gehendes Tier zeichnet ein schwarzes Ungeheuer auf den Goldgrund, und arme Wacholder- und Schlehenbüsche malen ferne Dome und Paläste. Im Osten fängt dann nach wenigen Augenblicken das feuchte, kalte Blau der Nacht herauf zu steigen an und schneidet mit trübem und undurchsichtigem Dunste den eigentlichen Glanz der Kuppel des Himmels." So wie hier von ungewöhnlichen, elementaren Natureindrücken die Rede ist, so auch weiterhin zunächst nur von der gegenständlichen Welt und kaum von den Menschen. Neben der Urlandschaft steht die Arbeitswelt: das Schlagen der Gräben, die Gewächsanlagen, die Gärtnerstube, das Abstauben und Reinigen der grünen Kamelienblätter, die vielen reinen, weißen Sandbeete der Glashäuser, die Welt der Hirten und des Hirtenfeuers und der Weinpflanzungen. Auch die Tiere, vor allem die Doggen, die Pferde und die Pferdezucht, gehören mit in diesen Umkreis hinein. So baut der Dichter allmählich und behutsam diese vom Major und seinen Leuten tätig durchdrungene Welt auf. Sie wird ohne Hast, ganz gegenständlich wahrgenommen. Sie ist jedoch keineswegs geringfügig, sondern verlangt vom Menschen ein hohes Maß an Aufmerksamkeit und Umsicht. Bereits hier ist das Thema der Schönheit das Leitmotiv für die ganze Erzählung. Das Land selbst ist ein Kleinod, aber seine Blüte und seine Schönheit müssen erst entdeckt, hervorgezogen und kultiviert werden. Das Kleinod „muß noch immer mehr gefaßt werden". Erst im liebevollen Umgang, erst in der Bergung und Hegung durch den Menschen kann das ursprünglich Kraftvolle, wild Üppige dieses Landes zu seiner vollen Entfaltung gelangen. Der Umgang mit den Dingen verlangt, daß man an ihrem Wachstum und an ihrem Gedeihen Anteil nimmt. Wer auf die rechte Weise mit der Einheit und Mannigfaltigkeit dieser immer ganz konkret geschilderten Natur zusammenlebt, der ist damit in der Nähe der „Sage von dem Paradiese". Eingesponnen in „das gleichförmig sanfte Abfließen" der Tage und Geschäfte, erfährt er das Glück der Wiederkehr der natürlichen Dinge. Dazu gehört auch noch das patriarchalische Verhältnis des Grundherrn zu seinen Untergebenen. In Kleidung und Sitten lebt der Major unter seinen Leuten und hat sich dadurch Achtung erworben. So ist es ihm, als hätte er sich „dieses und jenes Glück errungen, das ich sonst immer in der einen oder der anderen Entfernung gesucht habe". In der Schilderung dieses Landlebens vermischen sich die christlich-paradiesischen Züge mit den römisch-bukolischen.

Allmählich, sehr allmählich erfahren wir mehr über den merkwürdigen Mann. Früher einmal hat er geglaubt, er sei zum Künstler oder zum Gelehrten berufen. Nun aber hat er eingesehen, daß Künstler und Gelehrte ein „tiefes, ernstes Wort" zu der Menschheit sagen müssen, ein Wort, „das sie begeistert und edler und größer macht — oder daß wenigstens der Gelehrte Dinge zu Tage schaffe und erfinde, welche die Menschen in dem irdischen Gute, in den Mitteln fördern und weiterbringen. In beiden Fällen aber ist es notwendig, daß ein solcher Mensch zuerst selber ein einfaches und großes Herz habe. Aber da ich dies nicht besitze", fährt der Major fort, „so ließ ich alles wieder fahren, und es ist nun vorbei". Hier wird der Umgang mit den Dingen als ein freiwilliger Verzicht aufgefaßt, ja als eine Art Sühne. Der Autor spürt ebenso wie der Leser, daß auf dem Grunde dieses „reinen, geschäftigen Lebens" irgendein „Bodensatz" liegt, der diesen Mann nicht zu völliger Abklärung kommen läßt; eine Art Trauer ist um ihn, wenn sie sich auch nur durch Ruhe und Ernst ausdrückt.

Der Eindruck eines verschwiegenen Geheimnisses verstärkt sich für den Leser und für den Autor durch das Bild, das auf dem Tisch im Schreibzimmers des Majors steht: das verkleinerte Bild eines Mädchens von vielleicht zwanzig bis zweiundzwanzig Jahren. Mochte es der Maler noch so sehr verschleiern wollen, dieses Mädchen war nicht etwa schön, sondern häßlich; aber in der dunklen Farbe des Angesichtes, im seltsamen Bau der Stirne und im wilden Blick verrieten sich Stärke, Entschlossenheit und Kraft. Erst später wird dem Leser deutlicher, daß hier zum zweitenmal, wiederum nur in sparsamer Andeutung, von Brigitta die Rede war: Brigitta aus einer früheren Zeit.

Dem ebenso beschaulichen wie tätigen Leben soll ein Besuch bei der Nachbarin in Maroshely folgen. Vorher lernen wir noch Brigittas Sohn kennen, eben jenen schönen, kraftvollen und doch auch wieder demütigen Jüngling — er heißt Gustav —, der bereits an anderer Stelle beiläufig erwähnt wurde. Über Brigitta bemerkt der Major kurz, aber vielsagend: „Sie werden in meiner Nachbarin Maroshely das herrlichste Weib auf dieser Erde kennen lernen." Durch Mitteilungen des Gutsnachbarn Gömör verwirrt sich das Bild. Brigittas Gatte, ein junger, leichtsinniger Mann, soll die eher unschön als angenehm zu nennende Frau verlassen haben und sei nicht wiedergekommen. Damals habe sie auf dem Sitze Maroshely, wo sie mit ihrem Kinde auftauchte, zu wirtschaften begonnen, bis heute noch wie ein Mann gekleidet und reitend. Sie sei tätig und arbeite von morgens bis in die Nacht. Der Major sei im Anfang, als er sich in Uwar niedergelassen habe, mehrere Jahre nicht zu ihr hinübergekommen. Aber einmal habe er doch den Ritt zu der Todkranken gemacht, sie gesund gepflegt, und von der Zeit an wäre er immer wieder dagewesen. Die Leute sprächen von Heilkräften des Magnetismus, über die er verfüge. Nun habe sich ein mehr als freundschaftliches, ein ungewöhnlich inniges Band entwickelt, aber die Leidenschaft des Majors zu der häßlichen und schon alternden Brigitta erscheine als etwas ganz Unnatürliches.

An diesem Punkt der Erzählung hat sich das Thema so weit verdichtet, daß der Dichter nunmehr zurückgreift und im nächsten Kapitel „Steppenvergangenheit" uns die ehemalige Geschichte des Mädchens Brigitta genauer erzählt. Wir werden durch diese Vorgeschichte auf den Besuch bei Brigitta gleichsam vorbereitet und neu eingestimmt. Das Motiv der Novelle, das Ungewöhnliche ihrer Begebenheit, handelt von der Liebe zu einem häßlichen Mädchen. Als Ouvertüre wurde dieses Thema gleich zu Beginn der Erzählung in einer allgemeinen Betrachtung vorweggenommen: „Es gibt oft Dinge und Beziehungen in dem menschlichen Leben, die uns nicht sogleich klar sind und deren Grund wir nicht in Schnelligkeit hervor zu ziehen vermögen. Sie wirken dann meistens mit einem gewissen schönen und sanften Reize des Geheimnisvollen auf unsere Seele. In dem Angesichte eines Häßlichen ist für uns oft eine innere Schönheit, die wir nicht auf der Stelle von seinem Werte herzuleiten vermögen, während uns oft die Züge eines andern kalt und leer sind, von denen alle sagen, daß sie die größte Schönheit besitzen." Diese einleitende Reflexion betont, daß es „sittliche Gründe" sind, die das Herz herausfühlt und die allein eine solche merkwürdige Liebe verständlich machen. „Wir glauben daher, daß es nicht zuviel ist, wenn wir sagen, es sei für uns noch ein heiterer, unermeßlicher Abgrund, in dem Gott und die Geister wandeln." Diese Betrachtungen am Anfang der Geschichte werden durch solche zu Beginn des dritten Abschnittes „Steppenvergangenheit" ergänzt und machen so das merkwürdige Thema von der Liebe eines schönen Mannes zum häßlichen Mädchen leitmotivisch noch eindringlicher. „Es liegt im menschlichen Geschlechte das wundervolle Ding der Schönheit. Wir alle sind gezogen von der Süßigkeit der Erscheinung und können nicht immer sagen, wo das Holde liegt. Es ist im Weltall, es ist in einem Auge, dann ist es wieder nicht in Zügen, die nach jeder Regel der Verständigen gebildet sind. Oft wird die Schönheit nicht gesehen, weil sie in der Wüste ist oder weil das rechte Auge nicht gekommen ist — oft wird sie angebetet und vergöttert und ist nicht da: aber fehlen darf sie nirgends, wo ein Herz in Inbrunst und Entzücken schlägt oder wo zwei Seelen aneinander glühen; denn sonst steht das Herz stille, und die Liebe der Seelen ist tot. Aus welchem Boden aber diese Blume bricht, ist in tausend Fällen tausendmal anders; wenn sie aber da ist, darf man ihr jede Stelle des Keimens nehmen, und sie bricht doch an einer andern hervor, wo man es gar nicht geahnet hatte. Es ist nur dem Menschen eigen und adelt nur den Menschen, daß er vor ihr kniet — und alles, was sich in dem Leben lohnt und preiset, gießt sie allein in das zitternde, beseligte Herz. Es ist traurig für einen, der sie nicht hat oder nicht kennt oder an dem sie kein fremdes Auge finden kann. Selbst das Herz der Mutter wendet sich von dem Kinde ab, wenn sie nicht mehr, ob auch nur einen einzigen Schimmer dieses Strahles an ihm zu entdecken vermag."

Die Paradoxie dieses Gegensatzes von innerer und äußerer Schönheit könnte eine psychologische Darstellungsform nahelegen.

Ja, das Thema bietet durchaus die Möglichkeit, daß der Dichter sich dabei auf Gewagtes und Bedenkliches einläßt. Das alles tritt bei Stifter zurück. In mancher Hinsicht steht seine Geschichte sogar noch in der Tradition der „moralischen Erzählungen", deren Pointe durchaus in einem sittlichen Resultat liegt. Dennoch interessiert den Dichter auch und gerade das Abwegige seines Falles, weil er nur scheinbar abwegig ist und zum Beispiel für ein sanftes, für alle Menschen geltendes Gesetz werden kann. Die Erzählung von dem Kinde Brigitta ist die Geschichte einer inneren Wüste, die Geschichte eines häßlichen und darum nicht geliebten Mädchens. Für diese verhüllte Seele und ihre verborgene Schönheit fand sich kein Auge. So wurde das Kind in das Störrische und Stumme hineingetrieben, und es drohte ihm die Selbstverachtung. Hier setzt die Geschichte von Stephan Murai und Brigitta ein. Dieser Mann, dem man nachsagte, „daß er etwas Wildes und Scheues an sich habe und daß man es ihm ansehe, daß er in dem Walde auferzogen worden sei", vermochte die innere Schönheit in diesem Mädchen mit der versäumten Jugend zu sehen, und darum mußte er sie lieben. Zum ersten Male in ihrem Leben konnte Brigitta „Seelentränen" weinen. Wohl warnt sie den um ihre Liebe werbenden Murai und als er sie erstaunt fragt, warum er denn seine Werbung bereuen solle, antwortet sie leise: „Weil ich... keine andere Liebe fordern kann als die allerhöchste. Ich weiß, daß ich häßlich bin, darum würde ich eine höhere Liebe fordern als das schönste Mädchen dieser Erde. Ich weiß es nicht, wie hoch, aber mir ist, als sollte sie ohne Maß und Ende sein. Seh'n Sie — da nun dies unmöglich ist, so werben Sie nicht um mich. Sie sind der einzige, der danach fragte, ob ich auch ein Herz habe, gegen Sie kann ich nicht falsch sein." Murai verehrt sie aber weiter als einen Engel des Lichtes, und „auch an ihr begann nun die dunkle Macht und die Größe des Gefühles in der verarmten Seele zu zittern". So entfaltet sich eine ungewöhnliche Liebe, eine starke und keusche Liebe, durch die der Odem eines ungeschwächten Lebens weht. Sie war ungeteilt und ganz, und sie ruhte auf dem Erkennnen. Denn das Gesetz der Schönheit liegt nur im Herzen. „Es ging die Zeit mit rosenfarbnen Flügeln und in ihr das Geschick mit seinen dunkeln Schwingen."

Zunächst scheint dieser Liebe nur Erfüllung beschieden. Murai faßt es in die Worte zusammen, die er am Abend seines Vermählungstages spricht: „Wie gut und herrlich ist alles abgegangen, und wie schön hat es sich erfüllt, Brigitta! Ich habe dich erkannt. Da ich dich das erste Mal sah, wußte ich schon, daß mir dieses Weib nicht gleichgültig bleiben werde; aber ich erkannte noch nicht, werde ich dich unendlich lieben oder unendlich hassen müssen. Wie glücklich ist es gekommen, daß es die Liebe ward!" Aus dieser Ehe stammt ein Sohn, von dem wir später erfahren, daß es Gustav ist. Aber das Geschick mit seinen dunklen Schwingen läßt sich nicht aufhalten. Die Störung, die auf eine entscheidende Weise einbricht, heißt Gabriele, ein wildes Geschöpf, auf dem Lande aufgewachsen, ungewöhnlich schön, im Scherzen, Necken und Wettreiten mit Murai „ein Abgrund von Unbefangenheit", „ein himmlisches, tolles, glühendes Rätsel". Die Verwirrung durch die Leidenschaft wird von Stifter nur knapp berichtet, aber die Folgen für die Ehe zwischen Murai und Brigitta sind die schwersten. Auf die inneren Vorgänge wird kaum eingegangen. Der Dichter erzählt nur in gedrängter Zusammenfassung. „Brigittas Herz aber war zu Ende. Es war ein Weltball von Scham in ihrem Busen empor gewachsen, wie sie so schwieg und, wie eine schattende Wolke, in den Räumen des Hauses herum ging. Aber endlich nahm sie das aufgequollne, schreiende Herz langsam in ihre Hand und zerdrückte es." Dann trägt sie Murai, der von einem entfernten Landgut zurückkommt, „mit sanften Worten die Scheidung an". Auf sein heftiges Erschrecken und auf seine Einwände hat sie immer nur die gleiche Antwort: „Ich habe es dir gesagt, daß es dich reuen wird, ich habe es dir gesagt, daß es dich reuen wird." Da springt er auf, nimmt sie bei der Hand und sagt „mit inniger Stimme": „Weib, ich hasse dich unaussprechlich, ich hasse dich unaussprechlich." Die widerspruchsvolle Dynamik dieser Vorgänge der Leidenschaft – innig und hassend zugleich – wird von Stifter in den Abstand der Vergangenheit gerückt und damit ihres unmittelbaren Stachels beraubt, so wie es ja in ähnlicher Weise auch im „Nachsommer" geschieht. Brigitta hatte damals die letzten heißen Tränen dem noch immer Heißgeliebten nachgesandt, dann keine mehr. Er selbst war von dannen geritten, auch an dem Balkon des Schlosses vorbei, auf dem Gabriele stand, „aber er hatte nicht hinaufgesehen und war weitergeritten". Nach einem halben Jahr wurde die Scheidung ausgesprochen; Brigitta erhielt den Knaben. Sie führte dann jenes tätige Leben, das wir bereits kennengelernt haben; „der Himmel des Erschaffenen senkte sich in sie", „ihr Geist fing an, die Öde rings um sich zu bearbeiten"; erst nach fünfzehn Jahren kam auch der Major auf seinen benachbarten Landsitz zurück, nach den unsteten Jahren seiner Wanderung nunmehr ununterbrochen für die Heimat wirkend und dabei ganz erfüllt von jener tiefen und verspäteten Neigung zu der Frau, von der er seit langem geschieden war.

Das dritte Kapitel, „Steppenvergangenheit", hat das vergangene Lebensschicksal der beiden Menschen berichtet, die wir erst jetzt im Kapitel „Steppengegenwart" zum ersten Male gemeinsam auf gemeinsamem Schauplatz erleben. Es wäre aber völlig verfehlt, würde man die Erzählung des Vergangenen als eine bloße Einlage auffassen, als eine Novelle in der Novelle, die von der Liebe zu dem häßlichen Mädchen Brigitta und der dann doch erfolgenden Abwendung und Schuld des Mannes berichtet. Vielmehr gehört das alles, wie schon die Kapitelüberschriften andeuten, in die geheimnisvolle Öde und Weite der ungarischen Steppe hinein. Darum kann auch nur hier das Schicksal der beiden Menschen seine endgültige Auflösung finden, über die uns das letzte Kapitel berichtet. Wohl ist in der „Steppenvergangenheit" von der Landschaft nicht mehr die Rede, nur das menschliche Geschehen scheint in diesem Kapitel von Bedeutung. Aber gerade darin beweist sich Stifters große Kunst, daß wir die vorher so eingehend geschilderte Steppe auch hier nicht vergessen können und auch gar nicht vergessen sollen. Brigitta mit ihren „großen, wilden Augen", mit den „kleinen Würzlein", die sie „in den Fels des eignen Herzens schlagen" mußte, mit der inneren „Wüste" und der phantastischen verstümmelten Welt in ihrer Seele, diese Brigitta mit einem Körper von „fast Manneskraft" und der verhüllten, lange Zeit von keinem Menschen gesehenen Schönheit, das ist eine Gestalt, die unmittelbar in dies merkwürdige Land gehört, ja vielleicht sogar auf eine geheimnisvolle Weise mit ihm identisch ist, ohne daß Stifter diese verborgene Symbolik auch nur im geringsten unterstrichen hätte. Aber gewiß ist es nicht zufällig, sondern innerlich notwendig, daß die zerstörte Ehe zwischen Murai und Brigitta dann doch noch in dem gemeinsamen Dienst an diesem ursprünglichen Land, dessen Schönheit erst entdeckt und gepflegt werden muß, ihre Erfüllung finden darf. Wenn uns nunmehr der Besuch bei Brigitta geschildert wird, so zeigt sich nichts von einer unheimlichen Leidenschaft, einem fieberhaften Begehren oder gar einer Art von Magnetismus, sondern es ist die gemeinsame Arbeitswelt, in der diese beiden Menschen zusammengehören. Wohl liegt eine Art Zärtlichkeit in der Weise, wie sich der Major um die Angelegenheiten Brigittas kümmert, und auch „ihre Augen... waren noch schwärzer und glänzender als die der Rehe und mochten heute besonders hell strahlen, weil der

Mann an ihrer Seite ging, der ihr Wirken und Schaffen zu würdigen verstand. Ihre Zähne waren schneeweiß, und der für ihre Jahre
noch geschmeidige Wuchs zeugte von unverwüstlicher Kraft." Der
Dichter hat es verstanden, vor allem durch die Schilderung der
schwarzen und glänzenden Augen und der schneeweißen Zähne,
auch beim Leser der Erzählung die Suggestion einer mehr schönen
als häßlichen Brigitta hervorzurufen. Richtiger gesagt: er stellt
eine Schönheit dar, die in Wuchs und Kraft, also dynamisch, noch
über alle Häßlichkeit triumphiert. Das innere Leuchten dieser
Schönheit spiegelt sich in den Augen als den Pforten zur Seele,
diesen Augen, die sogar noch schwärzer und glänzender als die der
Rehe sind. Offensichtlich sollen wir Brigitta mit den Blicken des
Majors sehen und nicht etwa aus der Distanz eines kühl beobachtenden Psychologen, für den diese Frau zunächst einmal
häßlich ist und weiter nichts. Auch darin zeigt sich etwas von der
sittlichen Tendenz in Stifters Erzählung. Es geht hier nicht um
eine Häßlichkeit, die absonderlicherweise für schön gehalten,
sondern es geht um eine Schönheit, die absonderlicherweise von
den meisten Menschen für häßlich gehalten wird. Der Mangel
liegt bei den anderen, nicht bei Brigitta. Nur Murai ist der
wahrhaft Schauende. Daß er das Geschaute trotzdem vorübergehend wieder vergessen konnte, bleibt seine Schuld. Stifter ist es
gelungen, uns zu der wahren, eigentlichen Schönheit seiner Brigitta
zu überreden, einer Schönheit, die einen Akt des liebenden Er-
kennens verlangt. Darin liegt ein besonderer Reiz seiner Erzählung.

Wir erleben den Major und Brigitta in dieser Spätphase ihrer
immer noch geschiedenen Ehe in einer ruhigen Heiterkeit des
Gespräches, aber eine heimliche Innigkeit zittert hindurch, „der
sich beide schämten Raum zu geben, wahrscheinlich weil sie sich
für zu alt hielten". Auf dem Rückwege bekennt dann der Major
dem Autor ohne Leidenschaft, aber mit einer überzeugenden Ruhe
der Gewißheit: „Freund! ich bin oft in meinem Leben heiß
begehrt worden, ob auch so geliebt, weiß ich nicht; aber die
Gesellschaft und die Achtung dieser Frau ist mir ein größeres
Glück auf dieser Welt geworden als jedes andere in meinem Leben,
das ich für eines gehalten habe."

Der Erzähler verbringt noch einen Sommer und einen Winter
bei dem Major und nimmt wachsenden Anteil an seiner Welt.
Ja, er faßt rückblickend die ganze gemeinsame Zeit als eine
Erziehung für sein späteres Leben auf. „Daß ich nun einen Haus-

stand habe, daß ich eine liebe Gattin habe, für die ich wirke, daß ich nun Gut um Gut, Tat um Tat in unsern Kreis herein ziehe, verdanke ich dem Major. Als ich einmal ein Teil jenes einträchtigen Wirkens war, das er entfaltete, wollte ich doch die Sache so gut machen, als ich konnte, und da ich mich übte, machte ich sie immer besser, ich war nütze und achtete mich — und da ich die Süßigkeit des Schaffens kennenlernte, erkannte ich auch, um wieviel mehr wert sei, was ein gegenwärtig Gutes setzt als das bisherige Hinschlendern, das ich Erfahrungen sammeln nannte, und ich gewöhnte mich an Tätigkeit." Die feste, beharrende, tätige Welt mit ihrer gleichmäßigen Wiederkehr und ihrer „Süßigkeit des Schaffens" wird hier allem wandernden Hinschlendern, aller romantischen Unbestimmtheit und allen abenteuerlichen Erfahrungen als der höhere und gültigere Wert gegenübergestellt. Mag der Major in seiner Vorgeschichte noch so sehr gefehlt haben — und er selber klagte sich ja an, daß er kein einfaches und großes Herz habe —: jetzt ist er doch zu einer vorbildlichen Gestalt geworden, die noch die spätere Entwicklung des Autors entscheidend beeinflußt. Stifter berichtet über diesen längeren Zeitraum, wie es oft bei ihm geschieht, nur in wenigen Sätzen. „So ging die Zeit nach und nach hin, und ich war unendlich gerne in Uwar und seiner Umgebung." Alles Dynamische und Dramatische ist in solcher Darstellung bewußt ausgeklammert. Nur das Verhältnis des Majors zu Brigitta wird noch einmal, und zwar jetzt ohne jede Trübung, charakterisiert. „Es war ohne Widerrede das, was wir zwischen Personen verschiedenen Geschlechtes Liebe nennen würden, aber es erschien nicht als solches. Mit einer Zartheit, mit einer Verehrung, die wie an die Hinneigung zu einem höheren Wesen erinnerte, behandelte der Major das alternde Weib; sie war mit sichtlicher innerlicher Freude darüber erfüllt, und diese Freude, wie eine späte Blume, blühte auf ihrem Antlitze und legte einen Hauch von Schönheit darüber, wie man es kaum glauben sollte, aber auch die feste Rose der Heiterkeit und Gesundheit. Sie gab dem Freunde dieselbe Achtung und Verehrung zurück, nur daß sich zuweilen ein Zug von Besorgnis um seine Gesundheit, um seine kleinen Lebensbedürfnisse und dergleichen einmischte, der doch wieder dem Weibe und der Liebe angehörte. Über dieses hinaus ging das Benehmen beider nicht um ein Haar — und so lebten sie neben einander fort." Die beiden Menschen haben sich freiwillig eine Grenze gesetzt, Freundschaft der schönsten Art, gegenseitige Aufrichtigkeit, gleiches Streben und gemeinsame Mitteilung, „aber

weiter nichts; an diesem sittlich festen Altare wollen sie stehen-
bleiben, vielleicht glücklich bis zum Lebensende — sie wollen keine
Frage weiter an das Schicksal tun, daß es keinen Stachel habe und
nicht wieder tückisch sein möge". Der Major erklärt: „Dies sei nun
schon mehrere Jahre so und werde so bleiben."

Die Novelle hätte in dieser leisen Weise ausklingen können, in
Bescheidung und freiwilliger Resignation. Dann hätte ihr allerdings die eigentliche Zuspitzung gefehlt. Denn das entscheidende
Ereignis lag ja bereits in der Vergangenheit und wurde uns nur
im nachträglichen Bericht zugänglich gemacht. Wie so oft bei
Stifter sollte die Leidenschaft nur im Abstand der Erinnerung
sichtbar werden. Aber das Ungewöhnliche der Begebenheit liegt ja
gar nicht in der kaum dargestellten Gefährdung durch Gabriele,
sondern in dem Paradox der Schönheit. Nicht Gabriele, wohl aber
Brigitta besitzt die wahre Schönheit. Denn diese gehört der Seele
an und muß erst entdeckt werden, sie verlangt sittliche Organe, sie
muß aufgenommen, gepflegt und erhalten werden, so wie auch die
Schönheit dieser ungarischen Landschaft. Ist es nicht die gleiche
urtümliche Kraft, das ewig Jugendliche und Kraftvolle, das Un-
verbrauchte und Zukunftverheißende, das sich ebenso in der
Landschaft wie in den Gestalten des Majors und der Brigitta
spiegelt? Auf einen markierenden Symbolismus konnte Stifter
dabei verzichten. Aber welcher aufmerksame Leser würde diesen
symbolischen Bezug, der hier zwischen Landschaft und Menschen-
schicksal, zwischen Landschaft und Menschencharakter besteht,
nicht überall hindurchspüren! Zum Endlosen der ungarischen
Steppe gehört die endlose Aufgabe, die hier dem Menschen gestellt
ist. Mag die Erzählung von dem Mädchen Brigitta auch noch so
sehr dem Allgemeinmenschlichen angehören, so, wie sie der Dichter
schildert, konnte sie sich nur in der Pußta ereignen und nur durch
die Pußta ihre Auflösung erfahren. Aber das Ganze bliebe doch
allzu zuständlich, entbehrte jedes dramatischen Momentes, wenn
nicht Stifter seiner Erzählung einen rasch ansteigenden, ereignis-
geladenen Schluß gegeben hätte. Schicksal war es, wenn auch nicht
ohne eignes Verschulden, das die Liebenden so jäh und scheinbar
für immer getrennt hat. Schicksal ist es, das sie ebenso plötzlich
und unerwartet am Ende, aber diesmal endgültig und für immer
zusammenführt.

Noch einmal spielt die Landschaft dabei eine entscheidende
Rolle. Als der Autor bei seinem Gastfreund einritt, begegnete er
schon dem „Galgen" und der „Todeseiche", an der früher die

Übeltäter aufgehängt wurden. Die alte, naturhafte Welt (Eiche) und die neue, vom Menschen errichtete (Galgen) standen hier direkt nebeneinander, in beiden Fällen eine Symbolzone des Todes, der Bedrohung und auch noch des Bösen, die im Ganzen dieser Dichtung etwas Inselhaftes hat, von der sich die Natur als Urlandschaft und als vom Menschen bewältigte Welt um so gültiger abhebt. Der anfangs nur stimmungsmäßig eingeführte Ort — neben ihm schillerte und glänzte der Bach und ringelte sich in Binsen wie eine tote Schlange — dieser Ort geheimen Grauens, an dem der Autor sich plötzlich allein gelassen sah, ist die gleiche Stelle, wo jetzt der Knabe Gustav von einem Rudel von Wölfen angefallen wird; er wäre ihnen trotz der großartigen Wut seiner Abwehr erlegen, wenn nicht im Augenblick der höchsten Not der Major hinzugekommen und sich den Wölfen, fast selber wie ein Raubtier, entgegengeworfen hätte. Dann folgt die Schilderung des wilden Rittes der Pferde in Todesangst, hinter ihnen die Herde der Wölfe, aber die kleine Gruppe kann das Haus des Majors noch rechtzeitig erreichen. Die gemeinsame Sorge um das beiden gehörende Kind — Gustav hatte einen leichten Biß im Schenkel erhalten — führt das Paar von neuem zusammen. Erst jetzt darf sich der Major zu seinem Sohn bekennen.

Wieder ist von dem Gesetz der Schönheit die Rede, das Murai in der ganzen Welt suchte, bis er gelernt hatte, daß es im Herzen liegt. Nun erst erkennen die Liebenden sich ganz und wirklich. Darum ist ihnen das späte Glück des Stifterschen Nachsommers gegönnt, dieses Nachsommers ohne gelebten Sommer. „Die Welt stand wieder offen. Eine Freude, wie man sie nur an Kindern findet, war an ihnen — — in dem Augenblicke waren sie auch unschuldig wie die Kinder; denn die reinigendste, die allerschönste Blume der Liebe, aber nur der höchsten Liebe, ist das Verzeihen, darum wird es auch immer an Gott gefunden und an Müttern. Schöne Herzen tun es öfter — schlechte nie." Die Novelle endet mit dieser nachsommerlichen Blume des Glückes, mit diesem schöneren, natürlicheren Bunde, zu dem die bereits Alternden noch einmal zusammengeführt werden. Das Glück einer solchen Liebe, wie es trotz vorausgegangener Wirrung verspätet, aber nicht zu spät, geschenkt wird, ist ein für Stifter besonders charakteristisches Motiv und darüber hinaus ein Motiv des Biedermeier. Die Erzählung ist also keineswegs tragisch. Sie vermeidet aber auch jede billige Sentimentalität, die im lyrischen Überfließen des Gefühlvollen die Novellenstruktur auflösen würde. Sie behält ihre novellistische Profilierung durch das Thema von der Liebe zu der häßlichen Frau. Der Major liebt Brigitta, nicht etwa, weil er für Schönheit unempfindlich wäre — gerade seine flüchtige Gefährdung durch Gabriele macht ja auch die andere Seite im symbolischen Kontrast deutlich —, sondern er liebt sie, weil er das höchste Gesetz der Schönheit sucht und es nur hier, wie er zunächst instinktiv und dann klar bewußt erkennt, im Herzen dieser Frau allein finden kann. Brigitta fällt nicht, wie sie selber glaubt, aus dem „sanften Gesetz der Schönheit" heraus, sondern sie erfüllt es gerade, und zwar reiner und ursprünglicher als jede andere Frau, die nur durch ihre äußere Erscheinung blendet. Nicht Gabriele, wohl aber Brigitta steht stellvertretend für das Gesetz der Schönheit. Stifter vermeidet jede Zergliederung seines Themas ins psychologisch Interessante. Von den Vorgängen in den menschlichen Seelen wird nur wenig berichtet, selbst dann meist auf Umwegen und in bewußter Verhüllung. Er behält den Ton des epischen Erzählers, und das gelingt ihm, indem er die Geschichte dieser Liebe hineinstellt in die ungarische Steppe, in jenes Doppelbild der Landschaft als Urlandschaft Gottes und als bebaute und gepflegte Welt des Menschen. Erst auf einem Umwege findet der Major zu dem rechten Maß der Schönheit und damit zu dem eigentlichen Ziel seines Lebens hin, und dieser Umweg führt über den Umgang mit den Dingen. Die Welt der entsagenden Tätigkeit mit ihrer freiwilligen Einschränkung bedeutet für den Major und auch noch für Brigitta eine Art Sühne für die Verfehlungen der früheren, in den Abstand der Vorgeschichte gerückten Zeit. Besonders gilt das für den Major. Wohl liegt das Rechte, das Gute und Schöne im menschlichen Herzen, aber der Mensch vermag es nur dort zu finden, wo er sich zu jener dienenden und pflegenden Haltung bekennt, die die Natur als eine anvertraute Aufgabe ansieht, in deren Bewältigung er das Maß der Dinge und damit auch das Maß seines eignen Innern findet.

Wir mußten die breite Zuständlichkeit in der epischen Schilderung genau nachzeichnen, weil es sich hier nicht um mehr oder weniger als Rankenwerk gedachtes Milieu handelt, sondern um Formelemente der Erzählung, die die Geschichte dieser paradoxen Liebe in die verbindliche symbolische Beleuchtung rücken und auf diese Weise ihre Paradoxie ins sittlich Beispielhafte auflösen. Stifter verzichtet fast ganz auf herausgehobene Dingsymbole. Nur der Galgen und die Todeseiche sind hier zu nennen, in denen die Gegenwelt des Dämonischen sich für einen knappen Augenblick verdichtet. Er kann darauf verzichten, weil die Landschaft als Ganzes zum Symbol dieser Begebenheit wird, die sich zwischen zwei menschlichen Herzen abspielt. Bekräftigung und Gewähr des hier geschlossenen Bundes ist der Sohn Gustav, von dem es heißt: „In seinen schönen Augen lag Begeisterung für die Zukunft und unendliche Güte für die Gegenwart." So wie Gabriele im leidenschaftlich Ungebändigten und nur vorübergehend Faszinierenden die Kontrastfigur zu Brigitta ist, so hebt sich von der lichten Gestalt Gustavs, mag diese auch erzählerisch etwas farblos geraten sein, der Baum der Todeseiche ab, der dunkle, gefährliche, häßliche und böse Ort, an dem ihn beinahe das Verhängnis eines frühen Todes ereilt hätte.

Das geheimnisvolle Wort der Einleitung von dem „heiteren, unermeßlichen Abgrund, in dem Gott und die Geister wandeln", deutet die Göttlichkeit der Schönheit als Paradoxon, heiter und abgründig zugleich. Auch das Schöne hat seine tragische Seite. Auch hier ist ständig die Möglichkeit der Bedrohung und des Abfalls gegeben. In Brigitta lebt der Abglanz der göttlichen Schönheit, aber in entfremdeter Gestalt, in einer Verkörperung, die von ihr und ihrer Umwelt als häßlich empfunden wird. Doch nicht dieser „gnostische" Widerspruch (vgl. J. Kunz, Spalte 1796) ist das eigentliche Thema der Novelle, sondern die endgültige Bergung des göttlich Schönen auch noch in der Welt der irdischen Verdeckungen. Das aber ist nur durch das wahre Schauen, die richtige Erkenntnis und das liebevolle Hegen des Schönen möglich. Auf solche Weise wird die ursprüngliche Welt vor dem Sündenfall der Menschheit wiederhergestellt. Trotz allem Realismus in der Schilderung der Arbeitswelt, trotz aller in die Vorgeschichte zurückverlegten Gefährdung durch die Leidenschaft geht die eigentliche Sehnsucht Stifters auf eine utopische Erneuerung des Paradieses.

EDUARD MÖRIKE

—

MOZART AUF DER REISE NACH PRAG

Eduard Mörikes Novelle „Mozart auf der Reise nach Prag" — sie wurde 1855 zum ersten Male gedruckt — ist lange Zeit als eine biedermeierlich behagliche Dichtung aufgefaßt worden, als Zeugnis einer anmutigen Lebenskunst und harmonischen Idylle, ein spielerisches und sogar etwas verspieltes Gebilde, an dem sich bereits die Kinder erfreuen können. Heute wissen wir, daß diese vollkommene Schöpfung weit mehr enthält. Hinter dem scheinbar Anspruchslosen, eher Unter- als Überbietenden dieser Novelle verbirgt sich eine Meisterschaft, die auf leise, fast unmerkliche Weise ein solches Gleichgewicht von Form und Gehalt erreicht, daß sich auch auf diese Dichtung der berühmte, in jüngster Zeit zwischen Heidegger, Staiger und Spitzer umstrittene Mörikesche Vers aus dem Gedicht „Auf eine Lampe" anwenden läßt: „Was aber schön ist, selig scheint es in ihm selbst."

Mehr noch als sonst hat der Interpret hier die Scheu, an ein solches Kunstwerk heranzugehen, das schon durch seinen persönlich intimen Charakter jeden gewaltsamen Zugriff verbietet und in seiner einzigartigen Mischung von guter Laune, liebenswürdigem Humor, festlichem Glanz und verhaltener Schwermut sich allen Kategorien nachdrücklich entzieht, die es sozusagen etikettieren und klassifizieren wollen. Obwohl nun weder tragisch noch komisch, weder romantisch noch realistisch, weder provinziell noch europäisch, weder biedermeierlich noch dämonisch, wenngleich von all dem immer etwas mitschwingen mag, läßt sich dieses Kunstwerk dennoch auf eine gerade für unsere Untersuchungen sehr bedeutsame Weise bestimmen, die man vielleicht am wenigsten erwarten möchte: es ist nämlich eine Novelle. So unvergleichbar, so durchaus individuell diese Mörikesche Erzählung auch ist, das Wesen der Gattung Novelle und das Spezifische des novellistischen Erzählens kann auch an ihr, an der Meisterschaft dieses Stils, verdeutlicht werden.

Auf den ersten Blick sieht es zwar anders aus. Wohl haben wir es mit einer Künstlergeschichte zu tun, die an eine große geschichtliche Gestalt, an Mozart, anknüpft und uns über ihn eine völlig frei erfundene Begebenheit berichtet. Was jedoch erzählt wird, scheint zunächst nicht allzu bedeutend. Mozart unternimmt im Jahre 1787, in Begleitung seiner Frau, eine Reise nach Prag, um dort den „Don Juan" zur Aufführung zu bringen. Unterwegs gerät er bei einem Reiseaufenthalt zufällig in einen ihm unbekannten Schloßgarten, pflückt und zerschneidet dort zerstreut eine Pomeranze von einem Bäumchen mittlerer Größe, wird von einem Gärtner zur Rechenschaft gezogen und bleibt, gleichsam sich selbst bewachend, allein im Garten zurück. Dem etwas bedenklichen Abenteuer folgt die Einladung in das Schloß, gemeinsam mit seiner Frau Konstanze. Dort wird gerade an diesem Tage die Verlobung der Nichte Eugenie gefeiert. Das Fest, umrankt von Erinnerungen Mozarts an die Vergangenheit und von Anekdoten, die seine Frau auf dem Abendspaziergang den Damen erzählt, erreicht seinen Höhepunkt mit der Wiedergabe Mozartscher Musik, vor allem ganzer Teile des „Don Juan", die Mozart hier zum ersten Male einer Gesellschaft mitteilt. Am nächsten Morgen reist er mit seiner Frau weiter nach Prag in einem neuen hübschen Reisewagen, der ihm vom Besitzer des Schlosses, einem Grafen, geschenkt wurde. Schwermütige Betrachtungen der Eugenie über Mozart und seinen vorausgeahnten Tod beschließen die Erzählung.

Eine solche Geschichte, die den Zeitraum von vierundzwanzig Stunden nicht überschreitet, könnte man für eine ausgesponnene Anekdote halten, hübsch und liebenswürdig, aber ohne erregende Wendungen, ohne eigentliche „Silhouette" und weit entfernt von einer „unerhörten Begebenheit". Mörike hat auch an den meisten Stellen alles vermieden, das Erzählte in seiner Bedeutsamkeit herauszustreichen, er bleibt puladernd bis in die österreichische Mundart hinein, er täuscht eher Oberfläche als Tiefe vor, er gibt vieles ganz beiläufig und ohne jeden Aufwand. Auch das Phantastisch-Romantische, das Märchenhaft-Abenteuerliche, das wir aus Mörikes anderen Erzählungen kennen, fehlt hier ganz. Wir sind inmitten einer sehr realen, im Dinglichen behaglich ausgemalten Welt, die ihr besonderes historisches Kolorit hat, als Welt des ancien régime vor der Französischen Revolution, und wenn auch die erzählte Begebenheit in keiner Weise geschichtlich gemeint ist, besitzt sie dennoch ihre eigne Wirklichkeitsnähe sowohl in der Charakterisierung Mozarts wie auch in der Schilderung des Schloßparkes, des Schlosses und seiner Bewohner.

Wahre, wirkliche, gegenständliche gesellschaftliche Welt, die am Ende dennoch mit Mozarts „Don Juan" ins Übergesellschaftliche und Geisterhafte hineinragt, damit wird bereits ein novellistischer Grundzug dieses Erzählens sichtbar. Hinzu kommt weiter die Verdichtung der Begebenheit in Dingsymbolen, die das Erzählte zum sinnbildhaft Gültigen zusammenschließen. So verschieden auch die Droste und Mörike berichten, so wenig sich die düstere Welt der Judenbuche mit der heiteren des Pomeranzenbaumes vergleichen läßt, beiden Dichtern ist gemeinsam, daß sie den Raum eines realistischen Erzählens nicht verlassen und dennoch an den entscheidenden Stellen dem Dinglichen eine symbolische Prägnanz geben, durch die es die gleichsam spiegelnde Kraft erhält, eine ganze Fülle von Strahlen und geheimen Bedeutsamkeiten aufzufangen. Von dem Rang dieses Erzählens kann nur eine genaue Interpretation eine Vorstellung geben.

Die Geschichte beginnt mit der Schilderung des „wohlgelaunten Ehepaares", das in einer stattlichen, gelbroten Kutsche unterwegs ist. Zeit und Stunde der Reise sind genau angegeben. Sowohl die Kutsche wie das Kostüm der beiden Passagiere werden in ihrer freundlichen Farbigkeit eingehend beschrieben. Alles Gegenständliche ist von vornherein bedeutsam, weil es einen warmen Kontakt zwischen den Menschen und den Dingen schafft. Mörike setzt jedoch — anders als Stifter — solche Darstellung sehr schnell in die Bewegtheit scherzhafter Situationen und Dialoge um. Sogleich ist der Eindruck reiner Gegenwart da, der während der ganzen Erzählung erhalten bleibt. Mozart wird nicht mit dem Pathos des großen Künstlers eingeführt, sondern als der hemdsärmelige Mann, der sich wegen der Hitze des Rockes entledigt hat, dessen starker, in einen Zopf gefaßter Haarwuchs nur nachlässig gepudert ist und der achtlos den Flakon seiner Frau mit dem kostbaren Riechwasser über Kleider und Polster vergießt. Fehler und Vorzüge des merkwürdigen Mannes vermischen sich bereits in dieser ersten Charakteristik. Wieviel leichtsinnige Unordnung, aber auch wieviel Leichtigkeit in der Art, sich zu geben! Der „Götter-Riechschnaps" der Frau Gemahlin hat glücklicherweise — so meint er — den Backofen von Wagen ausgekühlt, und nun wollen sie ihre „zwei wienerische Nos'n" „recht expreß" in die grüne Wildnis des Tannenwaldes stecken. Von romantischer Naturschwärmerei kann keine Rede sein. Jeder empfindsame Ton ist vermieden. Aber gerade in dem

Unterbietenden der Schilderung wird das eigentliche Wunder des Waldes sichtbar, wo die Bäume wie von selbst gekommen sind und dastehen, „nur eben, weil es lustig ist beisammen wohnen und wirtschaften". Mozart nennt sich selbst einen „Gimpel", der wie von ungefähr „in einem ordinären Tannenwald an der böhmischen Grenze" steht, „verwundert und verzückt, daß solches Wesen irgend existiert, nicht etwa nur so una finzione di poeti ist wie ihre Nymphen, Faune und dergleichen mehr, auch kein Komödienwald, nein aus dem Erdboden herausgewachsen, von Feuchtigkeit und Wärmelicht der Sonne großgezogen". Im scherzhaften Kontrast zur dichterischen Erfindung und zum Phantastischen des Theaters ist Mozart hier in das poetisch Wirkliche verliebt. Die Wende von der Romantik zum Biedermeier, wie sie den Dichter Mörike charakterisiert, wird hier gleichsam auf Mozart übertragen, wenn der „ordinäre Tannenwald" in seiner naiven Ursprünglichkeit mehr bedeutet als alle willkürlichen Einfälle der Einbildungskraft. Anmutiges Plaudern ist es, als Mozart den stillen böhmischen Tannenwald zum Anlaß nimmt, um über den Wienerschen Prater und sein „Spektakel der Welt" herzufallen, von Frau Konstanze aber noch rechtzeitig daran erinnert wird, mit welchem Vergnügen er gerade dort seine „Backhähnl" zu speisen pflegte. Der Grundton ist gute Laune, freimütige Lebensbejahung, spielender Witz und Hingabe an den Augenblick, an die „kleinen unschuldigen Freuden, die einem jeden täglich vor den Füßen liegen". „Die Erde ist wahrhaftig schön und keinem zu verdenken, wenn er so lang wie möglich darauf bleiben will." Mit diesem Bekenntnis Mozarts ist alles Aufgelichtete, Erwärmende und Festliche der Erzählung bereits vorweggenommen. Denn die Geschichte berichtet uns von einem Tag aus diesem Mozartschen Leben, an dem die ganze Gnade des Lebens, sein ganzer Überfluß geschenkt ist.

Aber Mörike nimmt nun auch schon das Gegenmotiv vorweg, das uns bis an das Ende dieses Tages begleitet und das gerade an seinem Ausgang erhöhte Bedeutung gewinnen wird: die Bedrohung dieser von den Göttern geschenkten Gabe, den Augenblick nicht nur voll auszuschöpfen, sondern darüber hinaus auch voll zu gestalten, durch das Unaufhaltsame der Zeit und die ahnungsvolle Nähe eines frühen Todes. „Allmittelst geht und rennt und saust das Leben hin — Herr Gott! bedenkt man's recht, es möcht einem der Angstschweiß ausbrechen." Das Gespräch, das nunmehr eine ernste Wendung nimmt, wird uns jedoch nicht mehr auf direkte Weise berichtet. Vielmehr schaltet sich jetzt der Erzähler selbst ein, und seine schmerzlichen Betrachtungen, die er an dieser Stelle rück- und vorblickend über Mozart anstellt, untermalen die Heiterkeit des Augenblickes und die geniale Gabe der Improvisation mit so dunklen Farben, daß bereits hier der ganze Mozart mit seinen beiden sich widersprechenden Gesichtern in den Blickkreis kommt: ein ebenso glückliches wie unglückliches Wesen, ein Genius, der das Vollkommene seiner Kunst mit dem Widerspruchsvollen seiner Existenz und seines Lebens bezahlen muß. Dieser „feurige, für jeden Reiz der Welt und für das Höchste, was dem ahnenden Gemüt erreichbar ist, unglaublich empfängliche Mensch" mußte, „soviel er auch in seiner kurzen Spanne Zeit erlebt, genossen und aus sich hervorgebracht, ein stetiges und rein befriedigtes Gefühl seiner selbst doch lebenslang" entbehren. Die Problematik Mozarts, hinter der sich eine Selbstdeutung Mörikes verbirgt, entsteht aus seinem Dasein als Ausnahme. Was allen Menschen sonst ziemt und frommt, konnte man ihm nicht gewaltsam aufdringen, wenn man nicht zugleich sein wunderbares Wesen damit zerstören wollte. Denn seine unüberwindlichen Schwächen standen immer schon in einer unlösbaren Verbindung mit „alle dem, was an Mozart der Gegenstand unsrer Bewunderung ist". Die Tragik des Goetheschen Tasso, daß sein Charakter zur Selbstvernichtung hindrängt, aber die gleichen Eigenschaften Voraussetzungen seines einmaligen Künstlertums sind, wiederholt sich hier auf andere Weise.

Mozart ist freilich nicht wie jener der reine Phantasiekünstler, der die Wirklichkeit trügerisch umdichtet und damit die nur eingebildete Gefahr einer völligen Isolierung erst selber herbeiführt. Vielmehr ist er der Mann der geselligen Freuden, der es versteht, „den glücklichen Moment bis auf die Neige auszuschöpfen". Er ist der Besucher der Kaffeehäuser und Wirtschaften, der Bälle und Redouten, der seinen Spaß an Volksfesten hat, „wo er als Pierrot maskiert erschien". So fand sein „lang gespannter Geist nach ungeheurem Kraftaufwand die nötige Rast", oder er empfing nebenbei die flüchtigen Eindrücke, die gerade das Genie zu befruchten vermögen, wenn es auf „geheimnisvollen Wegen... sein Spiel bewußtlos treibt". Solche Hingabe an Schaffen und Genuß kannte jedoch „gleichwenig Maß und Ziel". Indem Mozart das Leben verschwenderisch verbrauchte, ein genialer Konsument, verbrauchte er zugleich sich selbst. „Seine Gesundheit wurde heimlich angegriffen, ein je und je wiederkehrender Zustand von Schwermut wurde, wo nicht erzeugt, doch sicherlich genährt an eben diesem Punkt und so die Ahnung eines frühzeitigen Todes, die ihn zuletzt auf Schritt und Tritt begleitete, unvermeidlich erfüllt. Gram aller Art und Farbe, das Gefühl der Reue nicht ausgenommen, war er als eine herbe Würze jeder Lust auf seinen Teil gewöhnt. Doch wissen wir, auch diese Schmerzen rannen abgeklärt und rein in jenem tiefen Quell zusammen, der, aus hundert goldenen Röhren springend, im Wechsel seiner Melodien unerschöpflich, alle Qual und alle Seligkeit der Menschenbrust ausströmte." In dieser Beschreibung Mörikes wird die ganze Ambivalenz des Genius sichtbar, seine Begabung für den Augenblick, aber auch sein Gezeichnetsein durch den Tod, das Erregende und Bezaubernde seines Daseins, aber auch seine Unfähigkeit, als Haushalter, Ehemann und Bürger sich vernünftig und besonnen in dieser Welt einzurichten. Wer das Leben in solcher Weise mit der Grazie des Spiels und dem Überschwang des Herzens zwar nicht meistert, aber schwerelos macht, bezahlt seine leichtsinnige Verschwendung, die auch wieder lachende Großmut ist, mit jener herben Würze von „Gram" und „Reue", die sich dort einstellen muß, wo die Gnade des glücklichen Augenblickes sich dem Künstler versagt. So war es ja auch bei Mörike selbst. Der Mangel an Umsicht und Klugheit, aber auch die Ungunst der Zeit und der Einfluß der Feinde, „Schicksal und Naturell und eigne Schuld", alles wirkte zusammen, diesen einzigen Mann Mozart nicht gedeihen zu lassen. Nur im reinen Gelingen der Kunst — und wie wäre das möglich ohne solche Einzigkeit des Dascins? — vermochte er alle diese Widersprüche zu verwinden und aufzuheben.

Mit liebenswürdiger Anmut und in gutgelaunter Plauderei begann die Erzählung; nun hat der Vor- und Rückblick Mörikes mit einem Male die Gestalt Mozarts in eine ganz neue und unheimliche Beleuchtung gerückt. Hinter dem Antlitz des spielbegabten Lebenskünstlers öffnet sich das durchaus andere des tragischen Genius. Aber die Novelle läßt diesen dunklen Ton zunächst wieder zurücktreten; der Gemahlin Konstanze gelingt es „in ihrer fröhlichen und blühenden Manier" im scherzhaft vergnügten Dialog mit den „bunten Seifenblasen einer erträumten Zukunft" zu spielen, so daß sich die Situation zwischen den beiden Ehegatten „zuletzt in hellen Mutwillen, Lärm und Gelächter" auflöst. Dennoch schafft Mörike zu solchem Vergnügtsein eine leise Distanz, wenn er uns zu verstehen gibt, daß diese Zukunft „leider niemals, auch nicht im bescheidensten Maße, erfüllt werden sollte".

Alles bisher Erzählte mit seiner unmerklichen, scheinbar absichtslosen Mischung von Hell und Dunkel ist wie eine Ouvertüre zum eigentlichen Thema, das erst jetzt in der Erzählung von Mozarts Orangendiebstahl sich zur Begebenheit verdichtet. Konstanze bleibt im Gasthof des Dorfes allein zurück, während Mozart einen hohen alten Lindengang entlang in den Schloßgarten schlendert, vor sich in geringer Entfernung das Schloß von italienischer Bauart, „hell getüncht mit weit vorliegender Doppeltreppe; das Schieferdach verzierten einige Statuen in üblicher Manier, Götter und Göttinnen, samt einer Balustrade". Zum Rokokoschloß gehört der Rokokogarten mit seinem noch reichlich blühenden „Blumenparterre", den buschigen Teilen der Anlage, den schönen dunklen Piniengruppen, den vielfach gewundenen Pfaden. Das alles gipfelt im lebhaften Rauschen des Springbrunnens, der aus einem ansehnlichen, ovalen Bassin hochsteigt, „rings von einer sorgfältig gehaltenen Orangerie in Kübeln, abwechselnd mit Lorbeeren und Oleandern umstellt". Hier findet sich die Laube mit Tisch und Bank, in der sich Mozart niederläßt, das „Ohr behaglich dem Geplätscher des Wassers hingegeben, das Aug' auf einen Pomeranzenbaum von mittlerer Größe geheftet, der außerhalb der Reihe, einzeln, ganz dicht an seiner Seite auf dem Boden stand und voll der schönsten Früchte hing".

Eine gartenhafte, behütete und zugleich kultivierte Welt, durchaus ohne märchenhafte Züge und doch in reiner, holder Gegenwärtigkeit, die sich an alle Sinne wendet, an das Ohr, an das Auge und weiterhin mit der gepflückten Pomeranze auch an Geruch und Gefühl, wie ein Stück Paradies, in dem der Märchentopos des Schlosses und des Schloßgartens immer noch nachklingt, so wie auf andere Weise in Eichendorffs „Taugenichts". In solcher, wie durch einen unsichtbaren Zauberkreis von allem Lauten und Rastlosen abgeschiedenen Welt, in die Mozart ganz zufällig durch das offene Gittertor hineingerät, darf der Künstler die immer nur geschenkte und nie erzwingbare Stunde der Eingebung haben. Es gehörte das Genie Mörikes dazu, diesen Kairos des Künstlers noch zum Gegenstand einer Dichtung selbst zu machen. Nicht das Pflücken der Orange ist das Entscheidende, sondern die Verschmelzung von Gegenwart und Vergangenheit, aus der eine längst vergessene musikalische Reminiszenz von neuem aufsteigt, die sich hier auf einem jener geheimnisvollen Wege, „auf welchen das Genie sein Spiel bewußtlos treibt", in künstlerische Produktion verwandelt. Aber das erinnernde geistige Schauen dieses Vorgangs bedarf der fast unbewußt erlebten Nähe einer zarten sinnlichen Gegenwart, die in der köstlichen Frucht, ihrer herrlichen Ründe, ihrer saftigen Kühle und ihrem eingeatmeten Geruch ganz gegenständlich begegnet.

Was der Knabe Mozart im Süden einst als holdes Bild erblicken durfte, steigt beim Anblick des Pomeranzenbaumes von neuem träumerisch im Manne auf und führt zu jener merkwürdigen Zerstreutheit, die in Wahrheit ein Zustand höchster Sammlung und Inspiration ist: Abwesenheit des Geistes im Reiche der Kunst. „Zerstreut hat er zum zweitenmal die Pomeranze angefaßt, sie geht vom Zweige los und bleibt ihm in der Hand. Er sieht und sieht es nicht; ja so weit geht die künstlerische Geistabwesenheit, daß er, die duftige Frucht beständig unter der Nase hin und her wirbelnd und bald den Anfang, bald die Mitte einer Weise unhörbar zwischen den Lippen bewegend, zuletzt instinktmäßig, ein emailliertes Etui aus der Seitentasche des Rocks hervorbringt, ein kleines Messer mit silbernem Heft daraus nimmt und die gelbe kugelige Masse von oben nach unten langsam durchschneidet. Es mochte ihn dabei entfernt ein dunkles Durstgefühl geleitet haben, jedoch begnügten sich die angeregten Sinne mit Einatmung des köstlichen Geruchs. Er starrt minutenlang die beiden innern Flächen an, fügt sie sachte wieder zusammen, ganz sachte, trennt und vereinigt sie wieder."

Die Pomeranze ist hier wie ein sinnliches Medium, und das gilt sogar noch von dem kleinen Messer mit silbernem Heft, woran der sachte trennende und wieder vereinigende künstlerische Geist zur vollkommenen Schöpfung des Tanzliedes im Sechsachteltakt gelangt — eine Weise „einfältig und kindlich und sprühend von Fröhlichkeit über und über", eine jener niemals erzwingbaren „Kleinigkeiten", die sich „gelegentlich von selber machen". Diese Beschreibung Mozarts, wie er sie später der Gesellschaft des Schlosses vorträgt, darf nicht dahin mißverstanden werden, als ob es sich hier um etwas Geringes handle. Das in der Eingebung Geschenkte, die Kleinigkeit, die sich von selber macht, gerade das ist das wahre Geheimnis der Kunst; und die Begebenheit unter dem Pomeranzenbaum, verspielt, zweideutig, liebenswürdig, aber auch heitergrotesk, ist eine Begebenheit, wie sie nur dem Künstler widerfährt: dem Vaganten im Schloßgarten, in den er eigentlich nicht hineingehört, dem leichtsinnigen Träumer, dem ein Orangenbaum zum Abenteuer werden kann, dem Künstler, der Vergangenheit und Gegenwart in eins verschmilzt und dem in der Bezauberung eines solchen Augenblickes das beschwingte hochzeitliche Tanzliedchen gelingt, „ein frischer Busenstrauß mit Flatterband dem Mädel angesteckt".

Die bedenkliche Begebenheit von dem reisenden Musikanten, der in einem fremden Schloßgarten sich ungehörig benimmt, wird damit zugleich zur unerhörten Begebenheit von der Stunde der Eingebung, in der der Künstler — mitten im Raum und in der Zeit — seine Rückkehr in das zeitlose Reich der Urbilder vollzieht. Denn das Seligsein des Schönen in sich selbst bedeutete für Mörike immer auch ein Zurückholen des verlorenen Paradieses. Im Symbol der Pomeranze und des Pomeranzenbaumes hat die Erzählung ihre novellistische Silhouette, von der aus Mörike das heiter Komische und das ergreifend Feierliche auf eine in der deutschen Prosa völlig einmalige Weise vereinigen konnte.

Zwar hat neuerdings K. K. Polhcim bestritten, daß der Orangenfrevel eine unerhörte Begebenheit sei; daher dürfe man auch nicht von starker Symbolkraft sprechen; das Schwergewicht der Komposition liege nicht auf diesem Eingang, sondern auf der Gestalt Mozarts, „um die sich symmetrisch die anderen Abschnitte, immer mit dem Blick auf die Gestalt Mozarts, gruppieren". Polheim möchte von „Figurennovelle" sprechen und nicht von „Handlungsnovelle" und ruft dafür Mörike selbst als Kronzeugen an unter Hinweis auf seinen Brief an den Verleger Cotta vom 6. Mai 1855: „Meine Aufgabe bei dieser Erzählung war, ein kleines Charaktergemälde Mozarts (das erste seiner Art, soviel ich weiß) aufzustellen" (Briefe, hrsg. von Friedrich Seebaß, Tübingen 1939, S. 730). Dagegen ist zu sagen, daß es eine „Figurennovelle" überhaupt nicht gibt. Auch hier sind deutlich zwei Vorgänge gestaltet, das Abenteuer am Pomeranzenbaum und später das Fest der Gesellschaft mit dem Höhepunkt der Mozartschen Musik. Das Dingsymbol des Pomeranzenbaumes bleibt für die beiden Handlungen das Verknüpfende. Denn die Begebenheit im Garten ist mit dem Eintritt in die Festgesellschaft nicht zu Ende, sondern findet erst dort ihre von Mozart selbst erzählte Deutung, so wie umgekehrt die ganze Symbolkraft des Baumes erst jetzt für den Leser enthüllt wird. Nimmt man den zerstreuten Gartendiebstahl als isoliertes Vorkommnis, so ist er in der Tat nur eine einleitende Anekdote. Aber das Dargestellte so sehen heißt, es nur von außen sehen. Dann freilich wäre alles scherzhaft, amüsant, zweideutig und beiläufig, aber gewiß nicht „unerhört". Warum soll ein eigenwilliger und etwas ungestümer Musiker, der eben noch ein Riechfläschchen vergossen hat, nicht auch einmal eine Pomeranze vom Baum pflücken, ohne gleich böse Absichten damit zu verbinden? Aber auf diese Weise wird der eigentliche Sinn des Erzählten verkannt. Bedeutend, einmalig und „unerhört" wird es erst durch den inneren Vorgang, der sich dabei abspielt, durch das Wunder der künstlerischen Eingebung, die mit dem Komischen der äußeren Situation durchaus kontrastiert.

Es hieße den Vorgang solcher Begnadung völlig mißverstehen, wollte man ihm den Symbolgehalt nur darum absprechen, weil alles so naiv real, so verspielt, so von leichter Hand dabei zugeht. Zur Geschichte im Garten gehört ihre Spiegelung, die erst in Mozarts Erzählung, der Mitte der ganzen Geschichte, erfolgt und die das Amüsante zum Bedeutenden erhebt, mag dies auch noch so liebenswürdig und unaufdringlich geschehen. Symbolik bedeutet hier allerdings nicht, daß man etwas besonders Tiefsinniges und erhaben Metaphysisches „hinter" dem Berichteten zu suchen hat. Soweit Polheim das unter der von ihm abgelehnten „geistesgeschichtlichen Interpretation" versteht, bin ich mit ihm einer Meinung. Der Interpret hat bei der zum Bild verdichteten Begebenheit zu bleiben. Im Bilde ist bereits alles enthalten. Aber es weist auch eines auf das andere hin, so wie der alte Goethe von dem künstlerischen Mittel spricht, „durch ... sich gleichsam ineinander abspiegelnde Gebilde den geheimeren Sinn dem Aufmerkenden zu offenbaren" (Brief an Iken vom 23. September 1827). Solche wechselseitige Spiegelung verstehen wir bereits besser, wenn wir erwägen, daß Mozarts zerstreuter Gartendiebstahl seine Geschichte hat, durch die er erst zu einer Mozartschen Begebenheit wird, daß aber ebenso der Pomeranzenbaum kein gewöhnlich alltäglicher Baum ist, sondern in die Geschichte der Familie dieses Schlosses hineingehört. Beides wird später beim Fest der Verlobung erzählt, wir nehmen es aber schon hier vorweg, um dem Aufmerkenden „den geheimeren Sinn" des Erzählten besser zugänglich zu machen.

Die Pomeranze des Baumes in ihrer sinnlichen Gegenwart verschmilzt in Mozarts Erinnerung mit einem anderen Bild, das sich dem dreizehnjährigen Knaben bei einer Reise nach Italien in Neapel eingeprägt hat. Eine Gruppe von sizilianischen Komödianten produzierte damals unter dem blauen Sonnenhimmel auf dem Meere eine Reihe von „lauter Schiffer-, Schwimm- und Taucherstücken". Sie gipfelten in der Begegnung zweier zierlicher, sehr leicht gebauter Barken, die eine mit fünf Jünglingen „von idealischem Aussehen" besetzt, alle in hochroter Kleidung, und mit einer gleichen Anzahl artiger Mädchen, die andere nur mit männlicher Jugend, in seegrünen Gewändern. Zwischen den beiden Booten entwickelte sich ein Pomeranzenspiel, ein gegenseitiges Zuwerfen nach dem Takt der Musik, die auf dem Uferdamm aufgestellt war. „Wahrscheinlich waren es nur gelbe Bälle, den Früchten ähnlich nachgemacht." Auge und Ohr sind in gleicher Weise aufs lieblichste beschäftigt. „Es waren gegen vierundzwanzig Bälle unaufhörlich in der Luft, doch glaubte man in der Verwirrung ihrer viel mehr zu sehen. Manchmal entstand ein förmliches Kreuzfeuer, oft stiegen sie und fielen in einem hohen Bogen; kaum ging einmal einer und der andere fehl, es war, als stürzten sie von selbst durch eine Kraft der Anziehung in die geöffneten Finger." Die gelben Bälle sind hier zum Sinnbild für die Schwerelosigkeit der Kunst geworden, für jene anmutige Heiterkeit, die wie von selbst gelingt und die sich damals im südlich-antikischen Raum mit allen seinen Farben und Lichtern entfaltete. Mozart berichtet dann noch weiter vom Verlauf der „Posse" — das unterbietende Wort darf den Leser nicht dazu verführen, das geistreich Bedeutende der Mitteilung zu unterschätzen —; er berichtet von dem großen, blau, grün und gold schimmernden Fisch, den die Grünen ins Meer warfen, um auf diese Weise die Roten aus ihrem Schiff zu locken, von dem Schwimmen in den Wellen, von der Eroberung des anderen Bootes, von der unnützen Wut der Roten, dem Angstgeschrei und vergeblichen Widerstand, dem Bitten und Flehen der Mädchen, von dem aufgehenden Segel und dem rosigen Knaben mit silbernem Bogen, Pfeil und Köcher, der in anmutsvoller Haltung frei auf der Stange schwebte. Mehr noch als die Tätigkeit der Ruderer „schien die Gegenwart des Gottes und seine heftig vorwärtseilende Gebärde das Fahrzeug fortzutreiben, dergestalt, daß die fast atemlos nachsetzenden Schwimmer, deren einer den goldenen Fisch hoch mit der Linken über seinem Haupte hielt, die Hoffnung bald aufgaben und bei erschöpften Kräften notgedrungen ihre Zuflucht zu dem verlassenen Schiffe nahmen". Am Ende kam es dann doch zur Aussöhnung, und nur ein Mädchen blieb mit Willen auf dem fremden Schiff bei ihrem eigentlichen Liebhaber zurück.

Das ganze Bild ist wirkliche Natur und gespielter Schein zugleich. Gerade in dieser Vermischung des antik Lebendigen mit einer kunstvollen Szenerie, in diesem Wechsel der Farben, wie ihn Himmel und Meer des Südens, aber auch das produzierende Komödiantentum hervorbringen, liegt ein besonderer Reiz. Alles ist reine Anschauung, Bild und Farbe und zugleich Bewegung und Musik. Eugenie deutet das Erzählte als „eine gemalte Symphonie" und überdies als „ein vollkommenes Gleichnis... des Mozartschen

Geistes selbst in seiner ganzen Heiterkeit". Zwischen der Stunde im Garten und dem letzten schönen Abend am Golf von Neapel besteht eine traumhafte Einheit, aus der heraus Mozart das in der Phantasie wie schleierlos erinnerte himmlische Bild von Meer und Gestade, Berg und Stadt und dem wundersamen Spiel der Bälle mit dem Südlichen der Rokokowelt an der Grenze des nördlichen Niederösterreich verwebt. Nicht nur Duft und Anblick der Pomeranzen, auch die Lorbeeren und Oleander und die heitere Götterwelt der Architektur gehören noch zu diesem Augenblick, in dem das Vergangene aus dem Gegenwärtigen neue Kraft gewinnt und in solcher zarten Verschmelzung das kleine Tanzliedchen, Duett und Chor einer ländlichen Hochzeit für den „Don Juan", wie von selbst empfangen wird.

Als Gegenwart erlebt Mozart die traumhaft gewordene Stille des Schloßgartens, das lebhafte Rauschen des künstlichen Springbrunnens und die natürlichen, am Baum gewachsenen Früchte; aus dem Vergangenen steigt das ganz in spielende Bewegung umgesetzte farbige Bild des südlichen Meerfestes auf mit jenen den Orangen nachgemachten Bällen, in denen das Absichtsvolle der Kunst gleichsam zur zweiten Natur geworden ist. Welche bezaubernde Mischung von Sein und Schein, beides mit der gleichen Hingabe der Sinne erfahren! In der Beglückung dieses doppelten Schauens, Erinnerung und Gegenwart zugleich, entsteht das Brautlied aus dem Stegreif, das später als Gabe für das Verlobungsfest der Eugenie neben der zerschnittenen Pomeranze liegt. Wieviel mehr bedeutet dieses Geschenk des Genius als die Zerstörung, die er anrichtete und die doch zur Voraussetzung für eben dieses Geschenk wurde!

Hüten wir uns jedoch, von dem Pomeranzenbaum und seinen Früchten allzu gering zu denken. Denn er ist durchaus ein besonderer, einmaliger Baum, und der zunächst vom Oheim geäußerte Ärger über den Lumpen von Wiener Musikus, der einfach mitnimmt, was er findet, wird verständlicher, wenn wir nachher die Geschichte und die Bedeutung dieses Baumes erfahren. An ihn knüpft sich die hundertjährige Erinnerung an eine ausgezeichnete Frau, eine Ahne des Hauses, Renate Leonore, die aus der Hand einer der edelsten Damen jener Zeit, der Frau von Sévigné, „bei einem Feste zu Trianon, auf der Terrasse des Gartens, den blühenden Orangenzweig empfing, den sie sofort auf das Geratewohl in einen Topf setzte und glücklich angewurzelt mit nach Deutschland nahm. Wohl fünfundzwanzig Jahre wuchs das Bäumchen unter ihren Augen allgemach heran und wurde später von Kindern und Enkeln mit äußerster Sorgfalt gepflegt. Es konnte nächst seinem persönlichen Werte zugleich als lebendes Symbol der fein-geistigen Reize eines beinahe vergötterten Zeitalters gelten, worin wir heutzutage freilich des wahrhaft Preiswerten wenig finden können, und das schon eine unheilvolle Zukunft in sich trug, deren welterschütternder Eintritt dem Zeitpunkt unserer harmlosen Erzählung bereits nicht ferne mehr lag".

Mit einem Male ist aus dem bescheidenen Bäumchen ein Sinn-bild geworden, nicht nur für die Tradition einer kultivierten, adligen Familie, sondern für das ganze Zeitalter des ancien régime und seine in der Gesellschaft sich entfaltenden feinen, geistigen Reize. So wie auf die Heiterkeit des Mozartschen Geistes der Schatten eines baldigen frühen Todes fällt, so steht auch die Anmut des Rokoko bereits unter der Drohung der Französischen Revo-lution. Nur noch eine ganz kurze Frist ist beiden vergönnt. Aber der Pomeranzenbaum bedeutet noch mehr. Er ist das Vermächtnis der würdigen Ahnfrau an Eugenie, die ihm eine besondere Liebe entgegenbrachte und der es um so schmerzlicher sein mußte, ,,als der Baum im Frühling des vorigen Jahres, den sie nicht hier zu-brachte, zu trauern begann, die Blätter gelb wurden und viele Zweige abstarben". Man achte auf die Zartheit dieser Mitteilung. Der Baum beginnt zu welken, als er Eugenie und ihre Liebe ent-behren muß. Inzwischen hat ihn der Graf in einem abgesonderten Raum ganz insgeheim behandeln lassen, um seine Nichte mit dem wieder zu neuer Kraft und voller Fruchtbarkeit gelangten ,,alten Freund" beim Fest der Verlobung zu überraschen. Die Eindring-lichkeit dieses Dingsymbols ist unverkennbar: Baum der Familie und ihres wohltätigen Wachstums, Sinnbild des bereits vom kom-menden Untergang überschatteten, schimmernden und festlichen Zeitalters, vor allem aber Baum der Eugenie und darüber hinaus Unterpfand ihres an diesem Tage geschlossenen Verlöbnisses, damit Segen und Fruchtbarkeit das Bündnis ihres Lebens be-gleiten. So haben die Dinge bei Mörike ihre Geschichte und ge-hören auf diese Weise zum schicksalhaften Raum unseres mensch-lichen Daseins.

Noch bis in das gesellschaftliche Spiel hinein behält der Po-meranzenbaum seine Bedeutung, wenn der geistreiche Leutnant bei Tisch in allegorischen Versen den Baum seiner Kusine ver-herrlicht, dem Apollo zu neuen Früchten verhalf, neun an der Zahl, so wie die Schwestern, die neun Musen, und das gefühlvolle

Gedicht in barocker Wendung gipfeln läßt, da die zerschnittene
Pomeranze ihre Erklärung verlangt:

> Phöbus überzählt die Stücke,
> Weidet selbsten sich daran,
> Ja, es fängt im Augenblicke
> Ihm der Mund zu wässern an.
> Lächelnd nimmt der Gott der Töne
> Von der saftigsten Besitz:
> „Laß uns teilen, holde Schöne,
> Und für Amorn — diesen Schnitz!"

Wie überall in seiner Erzählung vermeidet es Mörike, seiner
Symbolik ein bewußt betontes Schwergewicht zu geben. Mozart
im Garten, das war auch eine komische Situation, und die nachher von ihm selbst zum besten gegebene Diebstahlsaffäre löst ein
endloses Gelächter bei den Zuhörern aus. Sogar die ernste
Eugenie schüttelt sich vor Lachen. Aber ebenso wie Mozarts Begebenheit durch ihre übermütigen Züge nichts von ihrer tieferen
Bedeutung einbüßt, ebenso verliert der Baum nichts von seiner
Symbolkraft, wenn ihm ein allegorisches Mäntelchen umgehängt
wird und er zum Anlaß des gesellig geistreichen Scherzes wird. Die
Novelle geht dem Übertriebenen und unwahr Pathetischen aus
dem Wege; ja, Mörike spielt noch beinahe mutwillig mit seiner
eignen Symbolik, ohne sie dabei zu zersetzen. Wo ein Dichter seine
Symbole statt dessen allzu nachdrücklich herausstellt, als ob er
sagen wollte: Paßt auf, es kommt ein Symbol!, da merken wir überdeutlich seine Absicht — und sind verstimmt. Wo er umgekehrt
seine Symbolik nicht mehr ernst nimmt und sie selber vernichtet,
können wir wohl noch das witzige Spiel seines Geistes genießen,
aber auch nicht mehr. Keines von beiden trifft auf Mörike zu.
Denn seine freimütige Laune hat nichts mit einer kritischen Reflexion zu tun, die eine ironische Distanz schafft; sie ist absichts-
loses Spiel und damit immer auch künstlerische Gnade, die
beides, Heiterkeit und Ernst, durch die Form der Mitteilung ins
Schwerelose und zugleich Gültige verwandelt. Mörike hat selbst
einmal das Geheimnis solchen Schaffens angedeutet: „Die Form
ist doch in ihrer tiefsten Bedeutung unzertrennlich vom Gehalt, ja
in ihrem Ursprung fast eins mit demselben und durchaus geistiger,
höchst zarter Natur" (mitgeteilt in: Eduard Mörike, Briefe, hrsg.
v. Seebaß, S. XVIII).

Doch wir wollen zur Erzählung selbst wieder zurückkehren und
ihren Gang weiterverfolgen. Dem Augenblick der Eingebung in
der bedenklichen Situation folgt als humoristischer Kontrast der

Zusammenstoß mit dem Gärtner und damit die Überleitung zu Mozarts und Konstanzens Teilnahme am Fest der Gesellschaft. Man könnte meinen, solch plötzlicher Einbruch der nackten Wirklichkeit müsse die Gnade des Traumes zerstören. Aber es gehört zum Holden der Mozartgestalt, daß ein solcher Künstler auch noch die Wirklichkeit mit Humor überspielen kann. Diese Versöhnung war erst dem späten Mörike möglich, während der junge sehr viel stärker die Dissonanz von poetischer Begnadung und unerbittlicher Realität erlebte. Jetzt kann er seinen Mozart an die Schloßherrin schreiben lassen, er säße im Paradiese „wie weiland Adam, nachdem er den Apfel gekostet"; und er könne die Schuld noch nicht einmal auf eine gute Eva schieben, weil diese sich eben jetzt, „von Grazien und Amoretten eines Himmelbetts umgaukelt, im Gasthof . . . des unschuldigsten Schlafes erfreut". Später bei den Plaudereien des Festes dichtet Mozart den Vorfall mit dem Gärtner gleichsam noch weiter ins Mythologisch-Komische. „Die Nemesis lauerte schon an der Hecke und trat . . . hervor in Gestalt des entsetzlichen Mannes im galonierten blauen Rock" mit dem „Gesicht wie aus Erz — einigermaßen dem grausamen römischen Kaiser Tiberius ähnlich"! Spielende Phantasie auch hier, die die Wirklichkeit auf die liebenswürdigste Weise verwandelt und zugleich gelten läßt.

Die Begebenheit von Mozart und dem Pomeranzenbaum gipfelt in der intimen Stunde der höfischen Gesellschaft: im Fest der Verlobung. Wir haben schon geschildert, wie die Vergangenheit Mozarts in der von ihm erzählten Jugenderinnerung mit in dieses Geschehen hineingenommen ist, während uns wiederum der Dichter selbst über die Vergangenheit des Pomeranzenbaumes unterrichtet. Beide Begebenheiten spiegeln sich gegenseitig, weil in beiden Fällen das Vergangene weiter lebendig bleibt und noch unmittelbar das Gegenwärtige mitgestaltet. Auf diese für Mörike so charakteristischen Verknüpfungen hat besonders die wertvolle Dissertation von Wolfgang Taraba „Vergangenheit und Gegenwart bei Eduard Mörike" (Münster 1953) hingewiesen. Wiederholt hat man dem Mörikeschen Erzählen den Vorwurf der Abschweifungen und der unnötigen Arabesken gemacht. Wenn wir dem Verlauf des Festes genauer nachgehen, werden wir sehen, daß dieser Vorwurf nicht zu Recht besteht. Zunächst lernen wir vor allem Eugenie kennen, der Bräutigam wird nur am Rande charakterisiert. Die Braut wird uns als „ein blühendes, höchst anmutiges, inniges Wesen" geschildert. „Sie war blond, ihre schlanke Gestalt in karmesinrote, leuchtende Seide mit kostbaren Spitzen festlich gekleidet, um ihre Stirn ein weißes Band mit edlen Perlen." Das Festliche, Gehobene und Edle dieser Erscheinung ist bezeichnenderweise vom Dinglichen aus dargestellt. „Edle Perlen": Mörike meint damit die schöne Form, das Vornehme und sinnbildlich Reine, das den Dingen anhaften kann und gleichsam auf den Menschen übertragen wird. Aber es bleibt nicht nur beim äußeren Bilde. Wir sehen Eugenie ebenso von innen, als sie die Arie der Susanna aus der Gartenszene in Figaros Hochzeit singt. „Sie hielt sich lächelnd, sicher auf der hohen Woge, und das Gefühl dieses Moments, des einzigen in seiner Art vielleicht für alle Tage ihres Lebens, begeisterte sie billig."

So spielt schon zu Beginn des Festes die Musik eine entscheidende Rolle. Dann kommen neue, erwartete Gäste, eine dem Haus verwandte freiherrliche Familie mit der Tochter Franziska, die mit der Braut seit langem in zärtlichster Freundschaft verbunden ist. Bald begegnet uns Mozart selbst am Flügel, wie er einen Teil jener Komposition vorträgt, die Eugenie damals gerade einstudierte. „Es war eines jener glänzenden Stücke, worin die reine Schönheit sich einmal, wie aus Laune, freiwillig in den Dienst der Eleganz begibt, so aber, daß sie, gleichsam nur verhüllt in diese mehr willkürlich spielenden Formen und hinter eine Menge blendender Lichter versteckt, doch in jeder Bewegung ihren eigensten Adel verrät und ein herrliches Pathos verschwenderisch ausgießt." In solcher Aussage über Mozarts Musik ist nichts Unterbietendes mehr. Sie nimmt aber zugleich die Situation des ganzen Festes vorweg: reine Schönheit im Dienst der Eleganz! Der Genius darf seine überströmende Fülle und seinen unbegreiflichen Überfluß im Raume einer verfeinerten Gesellschaft entfalten, die durch gesellige Kultur, durch Witz und Geist, durch Tradition und Erziehung gebildet ist. Hier ist ihm — anders, als es Mörike früher berichtet hatte — der Augenblick des Gedeihens vergönnt. Hier wird er aus der dunklen Gefährdung der Ausnahme erlöst und kann sein Übermaß, seine spielende Freiheit inmitten eines solchen Festes verströmen und damit zugleich die Gesellschaft zum Gipfel der Lust emportragen. Denn nicht nur für Mozart, auch für diese Familie ereignet sich so eine höchste Lebenserfüllung. Wohl bleibt die Gesellschaft durchaus Gesellschaft, in den Konventionen des Gesprächs, in der Allegorie ihrer Formensprache, in der Eleganz des Umganges, und selbst Mozart spielt gleichsam aus Laune und Mutwillen das alles mit, als ob er sich in einer lustigen

Maske verberge und zugleich darstelle. Er spielt es mit, gibt aber darüber hinaus in solchem Spiel sein Eigenstes und damit auch der Gesellschaft ihre schönste Stunde. Denn die erhöhte Stimmung, der Glanz, die „Jovialität des persönlichen Ausdrucks in Wort und Blick", das alles wird gerade durch Mozart geweckt und gesteigert, diesen abenteuernden und nicht unbedenklichen Künstler, der sich hier freiwillig dem eleganten Maß der Gesellschaft gefügt hat und die reine Schönheit in ihren Dienst stellt. Wenn Genius und Gesellschaft in Goethes „Tasso" aufeinander angewiesen sind und sich dennoch tragisch mißverstehen müssen, so ist zwar auch hier der Künstler Mozart in aller seiner Fremdheit und Todesahnung, so wie später in dem Furchtbaren der Musik des „Don Juan", die isolierte Ausnahme, die von der Welt im Grunde nicht ertragen wird, aber in der Sternenstunde dieses Festes ist es ihm doch — und sei es auch nur an diesem einzigen Tage — vergönnt, sein rätselhaft vieldeutiges und nur allzu leicht alle Grenzen sprengendes Dasein in bereits vorhandenen, überlieferten und bis zur höchsten Verfeinerung gelangten Formen voll zu entfalten.

Das beginnt schon mit dem ersten Musikstück und findet dann weiter seinen Mittelpunkt in der festlichen Tafel, die wiederum in ihrer vornehmen Anmut vom Dichter genau beschrieben wird. Das Dasein als Genuß, das Wort in seinem besten Sinne verstanden, es gipfelt in jener „gemalten Symphonie", diesem Sinnbild Mozartscher Heiterkeit, das die Gesellschaft und vor allem Eugenie beglückt, diesem antiken Traum des Schönen und Schwerelosen. Er ist ein geheimer Schlüssel zu dieser ganzen Novelle; hier geht es um das Vollkommene der Kunst und um den erfüllten Augenblick der Eingebung. Mörike hat es verstanden, beinahe mühelos das verhalten Feierliche solchen Berichtes wieder in das scherzhaft Komische einmünden zu lassen, wenn anschließend von Mozart sein Zusammenstoß mit dem Gärtner parodiert wird. Aber das Festliche und das Komische fallen in dieser Erzählung nicht auseinander. Gerade das ist die geheime Quelle ihrer unzerstörbaren Heiterkeit.

Der Bericht Mozarts endet mit der Überreichung des Brautliedes aus dem Stegreif, dessen bedeutungsreiche Vorgeschichte die Gesellschaft nun kennt, und in eben diesem Augenblick wird auch der verhängnisvolle Pomeranzenbaum wieder sichtbar, Gabe des Oheims an die Braut. Wir erfahren durch den Dichter die Geschichte des Baumes; aber auch hier wird der Ernst des Berichtes durch die allegorischen Verse des Vetters über diesen Nachkömmling „des viel gepries'nen Baumes der Hesperiden" wieder aufgelockert, so daß alles Vergangene in die gegenwärtige Lust der Stunde übergehen kann, in der Mozart auf eine sehr lebensnahe Weise da ist, wenn er den Schelmenmund der Franziska mit einem Kuß schließt und am Ende mit der Braut den Kehraus tanzt und auch hier das ihm bereits versprochene „Recht auf ihren schönen Mund" in bester Form dahinnimmt. Intonieren und Improvisieren, Mozartsche Musik und ausgelassener Tanz, das alles gibt diesem Fest Farbe und Überraschung, Laune und Glanz. Immer wieder trägt die Musik zu einem Gipfel empor, und dazu gehört durchaus, daß im Duett Mozart und Eugenie gemeinsam das köstliche Lied singen, jene Brautgabe Mozarts, die reines Entzücken gewährt und bei der auch der Oheim seine Stimme im Chore geltend machen darf. Lebendig wird dieses Fest durch seine von Mörike so meisterhaft eingefangene Atmosphäre: durch die Hingabe an den Augenblick, durch die Lust und das Entzücken, das dieser gewährt, durch das Gesellige und Geistreiche im Gespräch, durch das Beschwingte in Musik und Tanz. Alles, was sich hier ereignet, ist heiter und ausgelassen, frei und beglückend; aber es zeigt auch überall Form und überall Anmut. Welch eine Gesellschaft, die noch solche Feste zu inszenieren vermochte, welch ein Genius, der sie zu einer solchen Woge der Seligkeit und der Schönheit hinaufzutragen vermochte!

Mit der untergehenden Sonne gehen die Herren ins Billardzimmer, „da Mozart bekanntlich dies Spiel sehr liebte". Der Dichter aber läßt uns den Frauen folgen, die sich im Garten erholen. Hier erzählt Frau Konstanze die Anekdoten von ihrem Gemahl, die man als überflüssig getadelt hat. Sie sind es nicht. Denn die Novelle verdichtet das Mozartsche Leben in einem einzigen Tag, und dazu bedurfte es dieser Rückblicke, wenn das Ganze seiner Erscheinung sichtbar werden soll. Auch jetzt ist alles in kleine Begebenheiten umgesetzt, die vom Dinglichen her aufgefangen werden. Zwar sollten und durften sie nicht von dem trotz aller Verhüllung immer noch bedeutenden Schwergewicht sein wie jene, die uns der Dichter von *diesem* Tage des Mozartschen Lebens berichtet. Es sind gleichsam nur Abwandlungen, Variationen aus der Vergangenheit und in diesem Sinne in der Tat „Arabesken" der Thematik des Ganzen: Begebenheiten, wie sie nur dem Künstler widerfahren. Darum ist das anekdotische Moment nunmehr stärker betont. Aber auch hier haben die Dinge ihre Geschichte. Da wird von den Stöcken erzählt, die

Mozart bei jeder Gelegenheit stehenläßt und die dann doch, ohne daß er es ahnt, zu den vom Arzt verschriebenen Spaziergängen verhalfen, die für die Genesung des Künstlers so dringend nötig waren. Ein Künstlereinfall, schöne alte Stöcke zu tragen, nichts weiter! Mit praktischem Nutzen hat er nichts zu tun, und trotzdem führt er zum guten Ende. Jedoch auch im Harmlosen einer solchen Anekdote klingt das durchaus nicht harmlose Gegenmotiv der Todesdrohung leise an.

Am wichtigsten innerhalb dieser Erzählung ist die Geschichte von dem Salzfäßchen, nicht nur wegen des von Mörike ganz zart angedeuteten Ehekonfliktes, der Mozart in die zweideutige Doppelbeleuchtung von Lebenskünstler und Ehemann rückt, sondern mehr noch, in Verbindung mit dem komischen Einkauf der gar nicht benötigten Gartengeräte, als eine typische Mozartsche Begebenheit. Wiederum begegnet uns dabei die charakteristische Geistesabwesenheit, Mozarts Mangel an Lebensbewältigung, seine geheime Gefährdung, aber auch seine menschliche Güte, die ein liebendes Paar zueinander finden läßt. Im einzelnen braucht das nicht nacherzählt zu werden. Der Interpret hat nur darauf hinzuweisen, daß auch in diesem Falle eine freilich mehr verspielte Parallele zur Geschichte vom Pomeranzenbaum erzählt wird. Denn das ökonomisch wertlose Salzfäßchen gewinnt eine erhöhte Bedeutsamkeit durch die Erinnerung, die mit ihm verbunden ist. In diesem Sinne ist es auch ein Mörikesches Dingsymbol. Verschmilzt ja auch hier das Vergangene mit dem Gegenwärtigen, sogar noch mit dem Zukünftigen. Überdies wird noch einmal die Welt Mozarts mit der der Eugenie verknüpft, wenn nunmehr der kleine Gegenstand, das „Muster patriarchalischer Simplizität", als eine Gabe Mozarts in den neuen Hausstand der Eugenie hinüberwandert. An den Dingen haftet eine liebevolle Atmosphäre, die aus dem menschlichen Herzen stammt und die umgekehrt wiederum dem Menschen im Flüchtigen der Zeit Dauer und Bestand schenkt. Solche Bewahrung des Menschen durch die Mittlerschaft der Dinge ist für den späten Mörike auch sonst charakteristisch.

Die kompositorische Funktion der von Frau Konstanze erzählten Anekdoten liegt auch in ihrer überleitenden Bedeutung. Denn dem Höhepunkt des Festes mit seiner strahlenden Lebensfreude konnte nicht unmittelbar der ganz andere Höhepunkt folgen, jene unheimliche Musik Mozarts, die alles Gesellschaftliche sprengt und weit darüber hinausgeht. Zwischen diesen beiden so verschiedenartigen Gipfeln liegt das liebenswürdige Hereinholen des Vergangenen in die Gegenwart, nicht im Bericht, sondern im anmutigen Plaudern gegeben, aber doch so, daß noch einmal das Motiv des Dinglichen und seiner Geschichtlichkeit in der Welt des Menschen deutlich hervortritt. Dabei läßt uns der leise, fast unmerkliche Schatten, der auf das Erzählte fällt, auch hier das Doppelgesicht des Genius nicht vergessen, das der Erzähler Mörike selbst im Eingang bereits deutlich sichtbar gemacht hatte. So gehört das Anekdotenhafte durchaus in diese Novelle mit hinein und rundet sie in einer aufgelockerten, verspielten Weise noch einmal ab. Dabei konnte es jedoch nicht bleiben. Daher setzt Mörike gleichsam noch einmal neu ein, als er von der Darbietung des Mozartschen „Don Juan" erzählt, die von der späten Abendstunde bis in die tiefe Nacht hineinreicht. Jetzt wechselt die Novelle auch ihren Sprachton.

Aus dem liebenswürdig Heiteren, ja Komischen, das bisher durchaus überwog, wird mit einem Male das tragisch Furchtbare und Unbegreifliche. Hier darf keinesfalls mehr von Mörikes Neigung zum Abschwächen gesprochen werden, vom „understatement im weitesten Sinn", das Mautner mit Recht in seiner wertvollen Untersuchung überzeugend nachgewiesen hat. „Don Juan" ist wie „Macbeth" und „Ödipus" das erhabene, tragische Kunstwerk, um das „ein Schauer der ewigen Schönheit schwebt". „Der Mensch verlangt und scheut zugleich, aus seinem gewöhnlichen Selbst vertrieben zu werden, er fühlt, das Unendliche wird ihn berühren, das seine Brust zusammenzieht, indem es sie ausdehnen und den Geist gewaltsam an sich reißen will. Die Ehrfurcht vor der vollendeten Kunst tritt hinzu; der Gedanke, ein göttliches Wunder genießen, es als ein Verwandtes in sich aufnehmen zu dürfen, zu können, führt eine Art von Rührung, ja von Stolz mit sich, vielleicht den glücklichsten und reinsten, dessen wir fähig sind."

Die Nähe der großen Musik zum Tode hat Mörike von jeher empfunden (vgl. den Brief an Waiblinger vom Februar 1821). Die Musik trifft das aufgeregte Herz „mit einem angenehmen Schrecken", und gerade der späte Mozart war für Mörike durchaus mit der Vorstellung des Elementaren und Unheimlichen verknüpft (vgl. Brief an Mährlen vom 5. Juni 1832). Was jetzt in der Gesellschaft geschieht, hat mit Gesellschaft nichts mehr zu tun. Die heitere und helle Welt der Novelle wird mit solcher Musik gesprengt, weil das erhaben Schöne über alle irdischen Grenzen hinausreicht und auf das Übersinnliche und Unendliche hindeutet.

Wenigstens in diesem Punkte sind sich alle Interpreten der Mozart-
novelle einig. Zemp hebt hervor, daß der holde Flor des geselligen
Anstandes zerreißt, „der bis dahin alles umgab und zusammen-
hielt". H. Meyer charakterisiert folgendermaßen: „Mit einem
Schlag ist jetzt die ganze wohlumfriedete Geselligkeit, besinnliche
Heiterkeit und spielerische Grazie von Mörikes biedermeierlicher
Rokokowelt nicht mehr da, dröhnende Posaunen haben die
sanften Geigen und Flöten zum Schweigen gebracht, nächtliche
Schauer den milden Tagesglanz verscheucht. Den Leser, der bisher lächelnd dem Geschehen gefolgt ist, befällt ein Grauen und
die beklemmende Ahnung unausweichlicher Tragik. Die Erde hat
sich aufgetan, das Unendliche ragt gespenstisch in die Endlichkeit
hinein, das Jenseits verschlingt das Diesseits." Pongs hat von der
Fülle und dem zugleich dunkel Zerstörenden des „Dämonischen"
gesprochen. Ich selber habe diese Vereinigung des Schönen und
des Tragischen in meinem Buch über Mörike geschildert: „Mit
einem Male haben sich die Vorzeichen verkehrt. Das Geborgene
wird zum Ungeborgenen, das Beheimatetsein in den Dingen und
in ihrer Geschichte wandelt sich in die Preisgabe an das Unbegreifliche. So wie hinter der vollendeten Eleganz und den geistreichen
Formen der Rokokogesellschaft bereits der zerstörerische Ruin der
Revolution steht, so steigt noch jenseits der Schönheit, die sich
in den Dienst der Eleganz begeben und damit eine Heimat
gefunden hat, die furchtbare Musik des ‚Don Juan' auf, die alle
Grenzen sprengt, für die es im Irdischen kein Zuhause mehr gibt,
und in der das Übersinnliche, das in seiner Reinheit dem Menschen
nur im Schrecken begegnen kann, sich grauenvoll und selig
zugleich ereignet. Genau in dieselbe Umkehr der Vorzeichen
gehört es hinein, wenn der gleiche Mozart, der in der glücklichen
Stunde den Überschuß seines Genius unter dem festlichen Licht
der Gesellschaft verschwenderisch zu spielen vermochte, zu jenem
Gezeichneten wird, der den Tod in sich trägt."
    Genau genommen waren in der ganzen Gesellschaft nur noch
Eugenie und ihr Verlobter die einzigen Zuhörer, wie Mozart sie
sich wünschen mußte, „und jene war es sicher ungleich mehr als
dieser". Jetzt sind nicht mehr Eugenie und ihr Fest der Mittelpunkt, von dem aus sogar Mozart zur vollsten Entfaltung gelangen
durfte, sondern die Musik des „Don Juan" hat gleichsam alles
andere verschlungen, so daß auch Eugenie regungslos wie eine
Bildsäule dasitzt, in einem solchen Grade in die Sache aufgelöst,
daß sie auch in den kurzen Zwischenräumen „die von dem Bräuti-

gam an sie gerichteten Worte immer nur ungenügend zu erwidern vermochte". Die letzte, nicht mehr überbietbare Steigerung solcher Musik wird erreicht, als Mozart das Ende des „Don Juan" vorträgt. „Er löschte ohne weiteres die Kerzen der beiden neben ihm stehenden Armleuchter aus, und jener furchtbare Choral ‚Dein Lachen endet vor der Morgenröte!' erklang durch die Totenstille des Zimmers. Wie von entlegenen Sternenkreisen fallen die Töne aus silbernen Posaunen, eiskalt, Mark und Seele durchschneidend, herunter durch die blaue Nacht." Es ist so, als ob die Musik nur noch alleine auf der Welt wäre, ein unbegreifliches Mysterium, das von den Sternen kommt und das sich nunmehr in das Drama eines ungeheuren menschlichen Eigenwillens verwandelt, der den ewigen Ordnungen trotzt und mit dem wachsenden Andrang der höllischen Mächte ratlos ringt, „sich sträubt und windet und endlich untergeht, noch mit dem vollen Ausdruck der Erhabenheit in jeder Gebärde — wem zitterten nicht Herz und Nieren vor Lust und Angst zugleich? Es ist ein Gefühl ähnlich dem, womit man das prächtige Schauspiel einer unbändigen Naturkraft, den Brand eines herrlichen Schiffes anstaunt. Wir nehmen wider Willen gleichsam Partei für die blinde Größe und teilen knirschend ihren Schmerz im reißenden Verlauf ihrer Selbstvernichtung". Das höchste Schöne ist in seiner fast unerträglichen Reinheit zugleich das höchste Schreckliche, das vom Zuhörer bis ins Physische hinein („Herz und Nieren") „mit beklemmtem Atem" in „Lust" und „Angst" erfahren wird. Solche Musik kann, solange sie noch nicht vollendet ist, dem Komponisten selbst im Grabe keine Ruhe lassen. Aber solche Musik muß auch mit einem frühen Tode bezahlt werden.

Keinem deutschen Dichter ist es so wie Mörike gelungen, in einer einzigen Erzählung das Liebenswürdige und Groteske, das Elegante und Heitere noch mit dem Furchtbaren und Tragischen zu verschmelzen. Selbst nach der Darstellung solcher absoluten Musik und ihrer Wirkung kann Mörike noch einmal in naiver Weise zum Fröhlichen übergehen. Am nächsten Morgen finden die abreisenden Gäste den neuen hübschen Reisewagen, das Geschenk des Grafen, das schmunzelnd gegeben und schmunzelnd angenommen wird. Aber die Novelle durfte so nicht schließen. Sie hat darüber hinaus noch einen Epilog, der die Gestalt der Eugenie, oder richtiger gesagt, Mozart in der Gestalt der Eugenie gespiegelt, zum letzten Male hervortreten läßt. In dem Herzen der Braut verschmilzt das reine Glück „in dem wahrhaft geliebten Mann",

„das Edelste und Schönste, wovon ihr Herz bewegt sein konnte", mit jener „seligen Fülle" Mozartscher Musik. Aber sie vermag auch als einzige über alle liebenswürdigen Masken Mozarts hinaus sein eigentliches, wahres Wesen zu begreifen und von da aus sein Schicksal zu deuten. Bereits in der Zeit, als Frau Konstanze ihre Geschichten erzählte, hatte sie eine geheime Ahnung beschlichen, und diese wirkte nachher, „als Mozart spielte, hinter allem unsäglichen Reiz, durch alle das geheimnisvolle Grauen der Musik hindurch, im Grunde ihres Bewußtseins fort, und endlich überraschte, erschütterte sie das, was er selbst in der nämlichen Richtung gelegenheitlich von sich erzählte. Es ward ihr so gewiß, so ganz gewiß, daß dieser Mann sich schnell und unaufhaltsam in seiner eigenen Glut verzehre, daß er nur eine flüchtige Erscheinung auf der Erde sein könne, weil sie den Überfluß, den er verströmen würde, in Wahrheit nicht ertrüge". In solcher Stimmung findet Eugenie die Abschrift eines böhmischen Volksliedchens – wir wissen, es sind Mörikes Verse „Denk' es, o Seele!" –, die ihr zum Orakel werden müssen. Noch einmal klingt alles Leichte und Liebenswürdige dieser Novelle nach, in den anmutigen Gebilden von Tännlein, Rosenstrauch und Rößlein, aber es gewinnt eine unheimliche und schicksalhafte Schwere im Geheimnis der jeweils auf den individuellen, einmaligen Tod zulaufenden Zeit.

Überblicken wir die Novelle zum Abschluß noch einmal als Ganzes. Mozart war für Mörike nicht so sehr ein historischer Charakter, wenn auch Mörike die geschichtliche Rokokowelt in einer erfundenen Begebenheit bis in alles konkret Dingliche hinein zu gestalten vermochte. Historische Patina wäre dafür nicht das richtige Wort. Vielmehr liegt ein besonderer Reiz seines Erzählens gerade in der Vergegenwärtigung dieser Welt, die weniger als vergangene, sondern weit mehr als unmittelbar lebendige da ist, aber doch so, daß auch ihr Vergehen, ihr Untergang schon vorweggenommen ist, ebenso wie der Untergang des vom Tode gezeichneten Helden. Mozart war in erster Linie für Mörike eine ihm selbst unmittelbar verwandte Natur, ein Spiegelbild der schönsten Möglichkeiten und verborgensten Gefahren des Dichters, aber auch noch ein erhöhtes Wunschbild seiner selbst. Seine Gestalt gewinnt eine fast unheimliche Lebendigkeit, weil Mörike sie wie aus dem Stegreif übernimmt und seine eignen Stimmungen und Erfahrungen in ihr und durch sie gleichsam weiterdichtet. Mozart bedeutete ihm aber noch darüber hinaus ein Sinnbild des Künstlertums überhaupt, und die ganze Erzählung ist die vollendetste Künstlernovelle, die wir bis heute in Deutschland besitzen. Zu solchem Künstlertum gehört die Vereinigung des höchsten Schönen, wie sie sich im Heiteren des Spieles und Festes ausdrückt, mit dem höchsten Tragischen, dem erhaben Schönen, das uns in dieser Erzählung in der Musik des „Don Juan" und im Zulaufen Mozarts auf den eignen Tod begegnet.

Gewiß steht Mozart–Mörike in diesem Sinne im Mittelpunkt des Ganzen. Vergangenes, Gegenwärtiges und Zukünftiges sind in immer wieder neuen Spiegelungen aufeinander bezogen. Aber der novellistische Stil verlangte dafür zugleich die Umsetzung in eine Begebenheit. Sie mußte umfassend genug sein, um all den Reichtum dieses einen Mannes ausdrücken zu können. Sie hatte im Brennspiegel eines einzigen Tages einen ganzen Lebenslauf aufzufangen. Mittelpunkt des Erzählten wird jenes höchste Bild des Schönen, von dem Mozart selbst, ziemlich genau in der Mitte der Geschichte, berichtet. Es ist wie ein Spiegel, in dem das Erlebnis im Garten noch einmal wiederkehrt und in seiner tieferen, geheimeren Bedeutung enthüllt wird. „So lebhaft aber wie heut in ihrem Garten war mir der letzte schöne Abend am Golf kaum jemals wieder aufgegangen. Wenn ich die Augen schloß — ganz deutlich, klar und hell, den letzten Schleier von sich hauchend, lag die himmlische Gegend vor mir verbreitet." Das geistig Geschaute der himmlischen Gegend, bei dem noch der letzte Schleier fortgehaucht wird, ist das paradiesisch Schöne schlechthin, Vergangenheit und Gegenwart zugleich. So sehr uns Mozart zunächst im bedenklichen Augenblick des reisenden Vaganten begegnet ist, der selbe Augenblick schenkte ihm in der Erinnerung das Urbild des Schönen und weckte damit zugleich seine Eingebung. Das verdichtende Dingsymbol für diese Begebenheit ist die gepflückte und zerschnittene Pomeranze, in der jene nachgemachten künstlichen Pomeranzen des Südens sich wiederholen und abwandeln. Darum sind Mozarts Erzählung aus der Vergangenheit und das ihm gerade im Schloßgarten Widerfahrene in ihrer zwar nicht realen, aber geistigen Bedeutung miteinander identisch und lassen sich nicht voneinander trennen. Der Pomeranzenbaum bedeutet jedoch darüber hinaus noch mehr, er ist die Mitte des Festes und neben seiner symbolischen Bedeutung für diese Familie zugleich das Sinnbild für die Begegnung zwischen dem Genius und der Gesellschaft und für die schöne Stunde der Erfüllung, die der dämonischen Ausnahme Mozarts hier in einer bergenden und heiteren Welt vergönnt ist, so wie umgekehrt diese durchaus undämonische Welt erst durch Mozart ihre höchste Steigerung erfährt.

Am Ende der Erzählung, zu dem die Anekdoten um Mozart den Übergang schaffen, wird dieser bergende Raum verlassen und das Schöne nicht mehr als das Heitere, sondern als das Tragische sichtbar. Weit über alles Gesellschaftliche hinaus treten nunmehr die unergründlichen und ewigen Mächte in den Mittelpunkt des Geschehens, Mächte, die alles Irdische sprengen und die dunkle Unterstimme, welche durch die ganze Erzählung hindurchgeht, zur führenden Stimme erheben: das Einmünden der Seligkeit des Schönen und seiner reinen Gegenwart in das Mysterium des Todes und der tragischen Musik.

GOTTFRIED KELLER

KLEIDER MACHEN LEUTE

Die Erzählung von Gottfried Keller „Kleider machen Leute" gehört zum zweiten Band der „Leute von Seldwyla". Sie entstand in Zürich am Ende der 1860er Jahre und ist 1874 zum ersten Male im Druck erschienen. Die Figur des Schneidergesellen, die im Mittelpunkt steht, stammt noch aus der Tradition der Romantik, wie sie mit Tiecks „Abraham Tonelli" einsetzt, über die Grimmschen Märchen zu Hauffs „Märchen vom falschen Prinzen" und F. v. Gaudys „Tagebuch eines wandernden Schneidergesellen" führt und ihre Ableger bis in die Jahrhundertmitte hinein in die Kalenderliteratur sendet (vgl. P. Wüst, Mitteilungen der Literarhistorischen Gesellschaft, Bonn, 9. Jahrg., S. 79 ff.). An sich handelt es sich um ein Märchenmotiv: der Schneider, der einen Tag lang König ist. Solche Vertauschung der Rollen findet sich auch häufig im Drama, sowohl in der Tragödie wie im Lustspiel, man denke an Calderons „Das Leben ein Traum", an Shakespeares „Der Widerspenstigen Zähmung" oder an Gerhart Hauptmanns „Schluck und Jau". Bei Gottfried Keller ist jedoch das alte Märchenmotiv ganz auf die Ebene einer realistischen, psychologischen Begründung verlagert. Es ereignet sich durchaus nichts Wunderbares. Die Begebenheit handelt von einem gutangezogenen, aber völlig verarmten Schneiderlein, das ohne einen Heller aus Seldwyla auswandern mußte, durch Zufall in eine stattliche herrschaftliche Kutsche gerät und dann im Gasthof der Stadt Goldach für einen polnischen Grafen gehalten wird. Trotz aller guten Vorsätze, die mehr aufgedrungene als selbstgewollte Grafenrolle aufzugeben, nötigen ihn mancherlei zweideutige Glücksumstände immer stärker hinein; eine Herzensneigung zu der Tochter des Amtsrates tut das übrige, um ihn in der Rolle festzuhalten. Die Geschichte des liebenswürdigen Hochstaplers wider Willen gipfelt in der festlichen Verlobung mit Nettchen, die mit einer Schlittenfahrt und einem Ball gefeiert werden soll. Aber hier ist auch der Wendepunkt der Erzählung. Die durch den mißtrauischen Buchhalter Melcher Böhni — er bewirbt sich ebenfalls um Nettchens Gunst — inzwischen aufgeklärten Seldwyler führen mit dem maskierten Schautanz „Kleider machen Leute" die Entlarvung des Schneidergrafen Wenzel Strapinski herbei. Es kommt jedoch zu keinem tragischen Ausgang der Geschichte. Der gedemütigte Schneider, der einsam im knisternden Schnee einschläft, wird noch rechtzeitig durch Nettchen gerettet, die sich dann, trotz aller Wirren und Hindernisse, tapfer zu ihm bekennt. Am Ende macht er in Seldwyla und später in Goldach sein Glück als wohlhabender Tuchherr.

Die schlichte und einfache Erzählung, deren Linienführung sich ohne Schwierigkeiten überschauen läßt, berichtet zwar keine alltägliche, gewiß aber auch keine unerhörte Begebenheit. Ein Schneider wird, ohne es zu wollen, zum Hochstapler; die äußeren Umstände kommen ihm dabei geradezu entgegen, er hat nicht die Kraft, sich von der unfreiwilligen, aber trotz aller Gewissensskrupel doch recht angenehmen Rolle zu befreien, wird schließlich auf beschämende Weise entlarvt und findet dennoch am Ende durch helfende Liebe sein Glück. Der Ton des Ganzen ist humoristisch, sowohl in der Darstellung des mit liebenswürdigem Spott, aber auch mit geheimer Sympathie gezeichneten Wenzel wie auch in der Charakteristik der polar einander gegenübergestellten Provinzstädte Seldwyla und Goldach und ihrer harmlosen Bewohner. Selbst noch der Sturz von der Scheinhöhe wird mit freundlicher Ironie erzählt und durch den glücklichen Ausgang seines gefährlichen Stachels beraubt. So real die Vorgänge auch sind, so psychologisch die Begründungen, Fortuna ist dennoch im Spiele und beschützt ihr Glückskind. Eine verborgene Märchenstimmung ist in der Erzählung nicht zu verkennen, wenn sich auch alles sehr real, sehr menschlich, ja allzu menschlich dabei abspielt, von rechtzeitigen Lotteriegewinnen bis zum bürgerlich-heiteren und behäbigen Ende. Der Kontrast zwischen Märchenstimmung und Wirklichkeit wird durch den Humor liebenswürdig aufgelöst. Der Dichter nimmt zwar nicht direkt Partei, aber man spürt, daß er entschlossen ist, seinem Schutzkinde in allen Schwierigkeiten zu helfen, wenn auch um den Preis, daß er sich gleichzeitig über ihn amüsiert.

Die Erzählung gliedert sich in zwei deutlich unterschiedene Hälften. Der erste, relativ knapp erzählte Teil behandelt den Aufstieg des Schneiders zur romantischen Figur einer Kleinstadt.

„Das Schicksal machte ihn mit jeder Minute größer." Der zweite Teil schildert ausführlich das Fest der Verlobung, den Schautanz der Seldwyler und die Rettung des aus allen seinen Himmeln gestürzten Schneiders durch die Liebe. Schon im ersten Teil verweilt der Dichter gerne und behaglich bei der Ausmalung des Milieus. Das unfreiwillige festliche Mahl beim unerwarteten Absteigen im Gasthof wird schmunzelnd berichtet, das altertümliche und zugleich neuzeitliche Stadtbild mit seinen schönen festgebauten Häusern, die „alle mit steinernen oder gemalten Sinnbildern geziert und mit einem Namen versehen waren", wird vom Dichter geruhsam, ja liebevoll ausgemalt. So wenig Raum auch die ganze Erzählung beansprucht, von einer dramatischen Verdichtung, von einer pointenhaft zugespitzten Spannung, die etwa auf dem kriminalistischen Reiz einer möglichen Entlarvung hätte beruhen können, kann keine Rede sein.

Dennoch wird sich kein Leser dem novellistischen Zauber dieses bei aller Schlichtheit durchaus kunstvollen Gebildes entziehen können. Es ist nicht ganz leicht zu sagen, worin er eigentlich besteht. Liegt er in der Tonart, in der leichten, spielerischen Weise, wie hier mit der Wirklichkeit umgegangen wird, in dem Nachklingen eines Märchenstils, der sich selbst verhüllt und ironisiert wie schon früher in „Spiegel, das Kätzchen", einer anderen Erzählung aus dem Seldwyla-Zyklus? Oder ist es das Thema des Glückes, das die Geschichte so einheitlich profiliert, auch das noch ein Märchenthema, hier aber verlagert in eine abenteuerliche Begebenheit, in der ständig die Gefahr auf der Lauer liegt, daß der Held ins Unglück gestürzt wird, wenn es auch schließlich fast nachtwandlerisch zum guten Ende führt? Dahinter werden noch tiefere Schichten des Erzählens sichtbar. Der Charakter des Schneiders hat nicht die naive Unbekümmertheit des Märchenhelden, dem Fortuna wie etwas Selbstverständliches begegnet. So humoristisch spielend die Erzählung auch berichtet, so sehr sie auch jede gedankliche Zuspitzung vermeidet, sie enthält dennoch eine Problematik von Sein und Schein, die ihr auf eine noch näher zu erörternde Weise die novellistische Silhouette gibt. Die spielerische Anmut des Erzählens, die Glücksbegebenheit des real gewordenen Märchens, die verborgene Frage nach Maske und Wesen, das alles ist mit einer solchen erzählerischen Meisterschaft ineinander verflochten, daß als Gesamteindruck das rein Menschliche übrigbleibt; aber eben dies ist im Einfachen und Natürlichen gerade das Außerordentliche und Wunderbare.

Das liebenswürdig plaudernde Erzählen Kellers hat auf das nachdrückliche Schwergewicht von Symbolen verzichtet, die ein einmaliges Geschehen ins zeitlos Gültige erheben. Aber er brauchte um so mehr die dinglichen Zeichen, die zu Trägern der individuellen Eigenart des Menschen oder der zwischenmenschlichen Beziehungen geworden sind: der dunkelgraue Radmantel des Schneiders, ausgeschlagen mit schwarzem Samt, seine polnische Pelzmütze, seine Handschuhe, sein schwarzes Sonntagskleid, der dunkelgrüne Samt seines Rockes; ferner die an den Schlitten angebrachten Sinnbilder bei den Goldachern, die den moralischen Begriffen über ihren Haustüren so trefflich entsprechen, schließlich die Maskenkostüme der Seldwyler, die Anordnung ihrer Schlitten und ihr allegorischer Tanz — eine Welt der Zeichen, in der die Allegorie noch mit sich selbst spielt, Goldach, eine Stadt, die dem Schneider „eine Art moralisches Utopien" vorgaukelt und ihn damit in seine Rolle nur um so mehr hineintreibt. Das Dingliche steht bei Gottfried Keller nicht für sich, es hat keine in sich ruhende Eigenbedeutung wie so oft bei Stifter, es ist durchaus eingebunden in die Welt der Menschen, in ihre kleinen oder auch größeren Konflikte. Wenn man von einem Symbolgehalt dieser Erzählung sprechen will, so darf es nur in jenem allegorisch-lehrhaften Sinne sein, wie ihn bereits der Titel ausspricht: Kleider machen Leute. Der Mensch wird überall als ein soziales, mannigfach bedingtes Wesen gesehen, dessen harmonisches oder disharmonisches Verhältnis zur Gesellschaft an dinglichen Zeichen sichtbar gemacht wird. Die Dinge trennen und verbinden die Menschen, sie haben geradezu menschliche Physiognomie; sie charakterisieren die Personen, die mit ihnen umgehen. Gerade das Fluktuierende im Zwischenmenschlichen erfaßt Keller vom Dinglichen aus, weil die von den Menschen gebrauchten oder auch mißbrauchten Dinge den Wert oder Unwert des sozialen Verhaltens nur allzu anschaulich beleuchten. Das behagliche Wohlwollen, die wohltemperierte Lebensstimmung, die sich fast in allen Erzählungen Gottfried Kellers findet, hängt häufig mit dieser Funktion der Dinge zusammen. Die Menschen sind nicht allein, nicht entwurzelt, sondern mit der Welt durch die Dinge aufs lebensvollste verknüpft, so daß sie daraus immer wieder neue Kraft und Nahrung gewinnen können. Verwandtes hat Mörike in seiner Novelle „Mozart auf der Reise nach Prag" gestaltet. Auch hier sind die Dinge, selbst die scheinbar toten und künstlichen, in Wahrheit lebendig, ohne daß wir klar unterscheiden können, wieweit sie durch die menschliche Seele zum Leuchten gebracht werden oder wieweit diese menschliche Seele aus den Dingen ihre Lebensfrische und Anmut gewinnt. In der freiwilligen Selbstentäußerung der Menschen zugunsten der Dinge spiegelt sich bei Mörike eine neue Frömmigkeit zur Welt; ein warmer Kontakt verbindet die Menschen mit der dinglichen Welt, in der sie leben: mit Reisewagen und Tannenwald, mit Gasthof und Schloßgarten.

Für diese Charakteristik des Menschen und seiner Situation vom Ding aus greifen wir eine beliebige Stelle aus Kellers Erzählung heraus. Als sich Wenzel und Nettchen zum ersten Male liebend zusammenfinden, heißt es: „Er bedeckte ihre glühenden Wangen mit seinen fein duftenden, dunklen Locken, und sein Mantel umschlug die schlanke, stolze, schneeweiße Gestalt des Mädchens wie mit schwarzen Adlerflügeln; es war ein wahrhaft schönes Bild, das seine Berechtigung ganz allein in sich selbst zu tragen schien." Das Bildhafte, ganz vom Dinglichen aus gesehen, steht hier stellvertretend für den inneren Vorgang, für das Entrückte, aber dabei doch Wahre und Echte der Liebesempfindung. Die fein duftenden, dunklen Locken, der schwarze, metaphorisch noch erhöhte Mantel, sie sind zwar nur äußere sinnliche Zeichen, aber sie meinen auch einen angeborenen Adel der menschlichen Person. Freilich nicht nur! Die ganze Stelle scherzt zugleich mit sich selbst. Das Entzücken der Liebe wird auch unter die Perspektive des Allzumenschlichen gerückt, weil der Leser ja weiß, das hinter dem angeblichen Grafen der Schneider steckt, der am Ende immer nur bleiben kann, was er ist. Diese Art von Ironie ist jedoch niemals entwertend; man tut gut daran, sie lieber Humor zu nennen. Der Dichter nimmt in dem Augenblick einer solchen Schilderung durchaus für die Liebenden Partei, aber nicht, indem er sie idealisiert, sondern gerade umgekehrt, indem er das Pathos des schönen Bildes, das seine Berechtigung ganz allein in sich selbst trägt, nicht ganz ernst nimmt. Wie sehr indes Gottfried Keller auch das Negative und nur Angemaßte im menschlichen Wesen vom Dinglichen aus zu charakterisieren versteht, wird zwar in dieser Erzählung nicht sichtbar, zeigt sich aber an anderen Stellen seines Werkes, zum Beispiel in der entlarvenden Schilderung der tugendhaften Züs Bünzlin und ihres Eigentumes in der lackierten Lade in „Die drei gerechten Kammmacher", oder, wenn auch weniger böse, in den dinglichen Attributen des John Kabys in „Der Schmied seines Glückes".

Aus dem Kontrast zwischen Sein und Schein, zwischen Wesen und Maske gewinnt die Erzählung „Kleider machen Leute" ihre humoristisch pointierende Darstellungsform und ihre novellistische Silhouette. Aber die Rechnung: Schneider oder Graf? geht nicht eindeutig auf, da hinter beiden der Mensch steht. Das sei noch näher erörtert. Von dem armen Schneiderlein heißt es, daß seine Vorliebe für schöne, zierliche, mit großem Anstand getragene Kleidung ihm „ein edles und romantisches Aussehen" verleihe. Auf die Umwelt, soweit sie ihn nicht als Schneider kennt, wirkt er in seiner schönen Blässe und Schwermut mindestens als „ein geheimnisvoller Prinz oder Grafensohn". Die Bürger von Goldach, die durch ihn getäuscht werden, *wollen* im Grunde hereinfallen. Das geheime Bedürfnis nach einer lebenssteigernden Romantik, wie es gerade in der Trivialität der Kleinstadt sich einschleicht, sucht so auf seine Kosten zu kommen. Der Schneider wiederum versteht die Märchenrolle, in die er hineingedrängt wird, nur allzu gut zu spielen. Das ist zunächst eine durchaus humoristische und nicht eine tragische Situation. Anfangs ist für den Schneider alles befremdend und ängstigend, er weiß nicht recht, wie er sich verhalten soll; aber gerade durch solche Blödigkeit und Schüchternheit wirkt er auf seine Umwelt besonders apart und vornehm. Diese Macht eines ungewollten Scheins entfaltet sich bereits bei dem ersten Essen im Wirtshaus in den amüsantesten und schillerndsten Farben. Aber die Grafenrolle des Schneiders erwächst nicht allein aus diesem humoristischen Kontrast zwischen wahrem, geängstigtem Gemütszustand und falscher romantischer Auslegung durch die Umwelt. Der Schneider wird dann in der Tat fast mit seiner Rolle identisch. Vor allem wird ihm die Liebe zum Katalysator, weil sie ihm ein gesteigertes Gefühl seiner selbst und seines eignen Wertes gibt. Auf die Dauer wäre das ganze Rollenspiel nicht möglich, wenn nicht in dem Wesen des Schneiders etwas läge, das der Rolle entgegenkommt. Er ist zwar ein Schneider — und das läßt sich durch keine Märchengnade ändern —, aber er ist eben nicht nur Schneider. Bereits vor seiner Hochstaplerrolle wird er vom Dichter als der „Märtyrer seines Mantels" geschildert, der lieber Hunger leidet, als sich von diesem schönen Schein seiner Person zu trennen. Er verbindet damit keinerlei bedenkliche Absichten, sondern er genießt den Schein um seiner selbst willen. Er hat ein „angeborenes Bedürfnis, etwas Zierliches und Außergewöhnliches vorzustellen". Mit diesen Seiten seines Wesens ist er Künstler, nicht Schneider. Er ist gewiß nicht ein Künstler in einem pathetisch unterstrichenen Sinne; dennoch läßt sich sein Verhältnis zum Zierlichen und zum Schönen, und zwar unabhängig von Zweck und Nutzen, nur aus einer ästhetischen Grundhaltung verstehen. Andere Züge treten hinzu, um dieses Bild zu ergänzen: seine Phantasie, seine Träumereien, seine Kindlichkeit, seine ganze etwas isolierte und einmalige Art, in die Welt hinauszuwandern und merkwürdige Dinge in ihr zu erleben. Auch sein Spiel mit der Liebe und mit dem Tod, seine Sehnsucht nach einem Augenblick der Größe und des Glückes sind Ausdruck eines Künstlertumes, das bisher im Schneiderhandwerk sich nur sehr unzulänglich verwirklichen ließ. Das alles hält ihn in seiner Rolle fest „wie in einem verhexten Traume". So ist dieser Hochstapler wider Willen bei alledem ein Künstler, zum mindesten ein Lebenskünstler, der die Gnade und die Verführung durch eine Traumwelt erleidet, die ihm eine romantische Freiheit noch jenseits von Graf und Schneider schenkt, damit allerdings auch über Grenzen hinauslockt, die mit seiner alltäglichen sozialen Existenz nun einmal definitiv gesetzt sind. Wenn er sich schmückt, wenn er reiten und fechten kann, wenn er das Bedürfnis hat, wenigstens einmal im Leben etwas vorzustellen, wenn seine Erscheinung edel ist und die Ausstrahlung seines Wesens „schön und traurig", so ist das alles keine Lüge, mit der er sich anmaßt, etwas zu sein, was er nicht ist; es ist auch nicht bloße Eitelkeit, die sich geltungssüchtig von anderen unterscheiden möchte; vielmehr werden gerade umgekehrt in diesem vorwiegend „ästhetischen" Verhalten Kräfte seiner Persönlichkeit frei, die sich in der kleinbürgerlichen Lebensform des Schneiders unmöglich entfalten konnten. Auch seine Träumereien gehören noch hierhin. Welch ein liebenswürdiger, beinahe rührender Zug ist es, wenn er das Sinnbild der Waage an dem Hause, in dem er wohnte, so ausdeutet, daß „dort das ungleiche Schicksal abgewogen und ausgeglichen und zuweilen ein reisender Schneider zum Grafen gemacht würde". Trotz aller liebenswürdigen Ironisierung wirkt hier ein romantisches Erbe weiter, Eichendorffs Taugenichts und Brentanos fahrender Schüler klingen nach; denn der Held besitzt auch hier ein reines Herz und eine phantasievolle Seele, und auf Grund solcher den Musen benachbarten Gaben muß ihm das Glück hold sein.

Aber freilich das Glückskind, der reine Tor, der Dichter und Künstler steht bei Gottfried Keller bereits in der kritischen Beleuchtung seiner Hochstaplerrolle. Das Vagabundieren wird bedenklich, das Verlassen der sozialen Gegebenheiten und

Schranken zweideutig. Eichendorffs Taugenichts, der Müllerssohn, konnte mit seiner Geige noch träumend in die Welt hinausziehen und dabei sein Glück machen. Seine soziale Herkunft versank ins Wesenlose. Gottfried Kellers Schneider hingegen bleiben Entlarvung, Schande und Zusammenbruch nicht erspart. Und wenn er am Ende dennoch sein Glück findet, so geschieht es nicht mehr in einer Art Traumexistenz, sondern in bürgerlicher Ordnung und Sparsamkeit, die einen wohlhabenden Hausstand auf Grund treuer Erfüllung beruflicher Pflichten begründen. Das Künstlertum des Schneiders ist kein unbestrittener Wert mehr. Eine versteckte autobiographische Abrechnung Kellers mit seiner eigenen, immer wieder bekämpften Romantik mag auch in seine Schneiderfigur mit eingegangen sein. Das Problem Künstler — Bürger, das später in Thomas Manns Erzählung „Tonio Kröger" im Mittelpunkt steht, spielt schon in dieser Erzählung Kellers, wenn auch weniger deutlich, eine entscheidende Rolle. Ist nicht der hochstapelnde Künstler bereits der Künstler mit dem schlechten Gewissen, dessen Existenzform eben doch nur ein unerlaubter „Schein" ist? Dieser Schneider-Künstler wird zum armen Narren, ja zum Betrüger, den die Torheit der Welt „in einem unbewachten und sozusagen wehrlosen Augenblicke überfallen" hat und zu ihrem „Spielgesellen" macht. „Er kam sich wie ein Kind vor, welches ein anderes boshaftes Kind überredet hat, von einem Altar den Kelch zu stehlen; er haßte und verachtete sich jetzt, aber er weinte auch über sich und seine unglückliche Verirrung." Nicht das Hochstapelnde der Phantasie und des schönen Scheins behält das letzte Wort, sondern das Ordentliche und Tüchtige eines soliden, wirtschaftlich gehobenen Bürgertums. Das Glück wird nicht mehr im Traumreich Atlantis, nicht mehr in „Utopien" gefunden, denn dieses Utopien ist ja in Wahrheit eine sehr real gewachsene und wohlfundierte Welt; es wird auch nicht durch ein freundliches Mäzenatentum geschenkt; das Glück ist bescheidener geworden und besteht nunmehr im kinderreichen Haus und im Wohlstand. So etwas läßt sich ohne eigne Leistung nicht erreichen. Auf diesem Wege gelangt der Schneider zwar zu sozialen Ehren, sieht aber jetzt „beinah gar nicht mehr träumerisch" aus, sondern „rund und stattlich". Von seinem Künstlertum ist nicht mehr viel übriggeblieben. Oder ist es sogar ganz verschwunden?

So wäre denn hier für den Bürger und gegen den Künstler Partei genommen! Aber das hieße den eigentlichen Kern der Novelle verkennen. Gottfried Keller übergreift vielmehr die Antithese: Künstler oder Bürger — Scheingraf oder armes Schneiderlein — entlarvter Graf oder wohlhabender Tuchherr — durch eine Darstellung des Menschlichen, die beide Bereiche durchdringt. Erzählerisch gesehen ist die „Pointe" seiner Geschichte jenes fast grausam närrische Maskenspiel der Seldwyler, das alles Glück und Unglück des Menschen von einer lächerlichen Fastnachtslüge abhängig zu machen scheint. „Der Fastnachtsspieltitel Kleider machen Leute gewinnt plötzlich eine unheimliche Tiefe, indem alle sehen müssen, wie aus einem Kleiderbündel sich der wahre Strapinski ergibt, vor dem der Strapinski aus Fleisch und Blut zunichte werden muß, als wäre er und nicht jener die Kleiderpuppe" (Wüst, S. 125). Hier grenzt das heitere Erzählen an eine tragische Situation. Sind nicht alle Existenzformen, die wir im Leben durchspielen müssen, nur Schein? Hängt unser ganzes Dasein am Ende bloß an den „Kleidern", die wir anhaben? Triumphiert im Leben überall nur der Schein, so daß auch unser Elend nur ein Ergebnis dieses Scheines ist, so wie ihn hier die Seldwyler bedenkenlos bösartig vorspielen? Die Frage nach Wesen oder Schein wird an dieser Stelle der Erzählung fast unvermutet hintergründig. Denn das Maskenspiel der Seldwyler deckt ja gerade die Wahrheit über den unglücklichen Schneider auf, der soeben den Höhepunkt seiner Traumexistenz in der Verlobung mit Nettchen verwirklicht. Aber ist es die Wahrheit? Bleibt nicht auch das bloße Gaukelei? Graf oder Schneider, kommt es nicht auf eins heraus, je nachdem, ob die Woge der Fortuna den Menschen hinauf- oder hinunterträgt? Der Augenblick dieser Entzauberung des im Grunde so liebenswerten Scheins durch den trügerischen Spuk hat etwas Erschreckendes, ja geradezu Grauenvolles, wenn unter dem diabolischen Lachchor der abziehenden Seldwyler das ins Elend gestürzte Paar unbeweglich auf seinen Stühlen sitzt, „gleich einem steinernen ägyptischen Königspaar, ganz still und einsam; man glaubte den unabsehbaren glühenden Wüstensand zu fühlen".

Aber mit diesem entzaubernden Maskenspiel, wo die Maske die Maske entlarvt und nichts mehr übrigzubleiben scheint, tritt zugleich die novellistische Wende in der Erzählung ein, um derentwillen sie eigentlich geschrieben wurde. Die Liebe triumphiert über den Schein und steht jenseits des Scheins. Das dem entschwundenen Wenzel nachfahrende Nettchen ist gewiß keine idealisierte oder romantische Gestalt, sondern nur ein liebenswertes Bürgermädchen. Ja, der Dichter behandelt auch sie mit liebenswürdigem Spott, wenn sie die zurückgelassene Pelzmütze und die Handschuhe des Verlobten, die dinglichen Zeichen seiner einstigen verwunschenen Herrlichkeit, fast unbewußt einsteckt und in ihrem Schlitten mitnimmt und dann nicht so ganz zufällig die „feurigen Pferde" in die Richtung lenkt, in der sie ihn vermuten muß. Ebenso wird auch das weinende Selbstmitleid des kindlich über sich und sein trauriges Los gerührten Schneiders, dem der Alkohol noch in den Gliedern steckt, wenn er im Schnee, halb freiwillig, halb unfreiwillig einschläft, mit leisem Lächeln berichtet. Aber nachdem Nettchen den richtigen, wahren und auch klugen Blick in das Herz des „fremden Menschen" getan hat und ihn so zu sehen vermochte, wie er wirklich ist, jenseits der verwirrenden Rollen von Graf und Schneider, feiert sie erst „ihre rechte Verlobung aus tief entschlossener Seele, indem sie in süßer Leidenschaft ein Schicksal auf sich nahm und Treue hielt". Hier liegt für Gottfried Keller das wahre Wunder der Begebenheit: das liebende Nettchen bekennt sich zu ihrem Schicksal und hält Treue noch über alle sozialen Maßstäbe hinaus, sei es Graf, sei es Schneider.

Was macht das Wesen und den Wert eines Menschen aus? Eben doch nicht bloß die Kleider, mögen sie auch noch so wunderliche Verbindungen mit dem Menschen und seinem Schicksal eingehen! Das tapfere Nettchen kämpft sich durch den Skandal hindurch, und ausgerechnet die närrischen Seldwyler kommen ihr dabei zu Hilfe. Nettchen weiß, daß ihr schöner und verliebter Irrgänger, ihr Künstler mit dem schlechten Gewissen, ihr Schneider mit der aufgedrängten Hochstaplerrolle, unbeschadet seiner Zwei- und Vieldeutigkeit, „ein guter Mensch" ist und sie glücklich machen wird. Die „Ehre", zu ihrer Liebe zu stehen, gilt ihr mehr als alle sozialen Ehrbegriffe der Welt. So wird am Ende der märchenhafte Triumph der Fortuna, wenn auch in der reduzierten Gestalt eines realen, bürgerlichen Eheglückes, dem Helden nur darum geschenkt, weil die Liebe alle Masken überwindet und in der Liebe der reine, unzerstörbare Wert des Menschen ans Licht tritt.

Überblickt man die Geschichte als Ganzes, so könnte man vielleicht einwenden, die Glücksgöttin, die der reinen und redlichen Seele hold ist, sei hier doch allzu sehr für das irdisch Hausbackene, das ja am Ende das letzte Wort behält, mißbraucht worden. Aber ein solcher Einwand verkennt die Wende von der Romantik zum Realismus. Glück ist jetzt nur im Bereich des Menschlich-Allzumenschlichen zu finden, und die sittlichen Eigenschaften des

Menschen sind für Keller eine unerläßliche Voraussetzung, wenn es dauern soll. Solche Absage an das romantische Utopien verbindet sich mit einer Darstellung der Hauptgestalten, die sie bis ans Ende humoristisch nimmt. Rund und stattlich ist der einst träumende Schneider geworden. Keller belächelt die Menschen und ihre Schwachheiten, aber er liebt sie auch, solange er sie nicht in ihrer sittlichen Nichtigkeit schonungslos entlarven muß. Den Menschen relativieren heißt durchaus noch nicht, ihn nicht mehr ernst nehmen. Nur seine Unbedingtheit, auch noch die des Künstlers, erweist sich meist als fragwürdig. Was jedoch nicht relativiert wird, das ist jene Kraft der Liebe noch über den Schein der Welt hinaus. Bis in den Sprachton hinein wird das deutlich. Kellers Psychologie ist nicht destruktiv, von wenigen Ausnahmen abgesehen, sondern humoristisch. So hat es denn damit sein Bewenden, daß sich das tapfere und treue Nettchen, das sich nach dem echten Verlöbnis an ihren Wenzel im Schlitten lehnt, „als ob er eine Kirchensäule wäre", am Ende auch ein wenig bürgerlich-philiströs in der Welt mit ihm einrichten darf. Solche vergnügt häusliche Existenz bleibt in aller ihrer Eingeschränktheit ein Wert, wenn sie von echter Menschlichkeit durchdrungen wird. Diese weltoffene, bejahende Haltung des Humoristen, der auf das Große und Kleine des Menschenlebens liebevoll hinabschaut und es auch noch in seinen Masken gelten läßt, wenn sich wahrhaft Menschliches dahinter verbirgt, wird in der ganzen Erzählung festgehalten. Dazu gehört auch noch die Freude am Detail, am Verspielten und Verschnörkelten, der feine Spott eines immer „humanen" Erzählens.

Man kann darüber streiten, ob man diese Geschichte eine Erzählung oder eine Novelle nennen will. Novellistisch ist die Zuspitzung zur Katastrophe, die dann doch noch abgewendet wird; novellistisch die Art, wie hier ein Charakter durch eine abenteuerliche Begebenheit in ein besonderes Licht gesetzt wird, wie hinter dem Schneider der Künstler und der Mensch sichtbar wird; novellistisch ist die fast verspielte Vorliebe für dingliche Zeichen, die das Erzählte in heiter bedeutungsvoller und lehrreicher Weise verdichten; novellistisch ist das gesellschaftliche Thema: der Konflikt zwischen Schein und Sein, zwischen Maske und Wesen und der liebenswürdig geschlossene Kompromiß, der auch noch einer exzentrischen Daseinsform einen Lebensraum in der bürgerlichen Ordnung gönnt. Trotzdem wirkt das Ganze mehr als Erzählung und weniger als Novelle. Das behagliche Verweilen, das liebevolle

Ausmalen will zum Raffenden und Konzentrierten der Novelle
nicht recht passen. Trotz aller allegorischen Zeichen können wir
nicht von Symbolik reden. Nur in einem sehr allgemeinen Sinne
hat die erzählte Begebenheit auch ihre sinnbildliche Bedeutung.
Sie steht zwar nicht stellvertretend für Verhängnisse, die schicksalhaft auf der Lauer liegen und in jedem Augenblick in das ungesicherte Dasein des Menschen einbrechen können wie in der
tragischen Gestaltung Kleists, Gotthelfs und der Droste. Eher kann
man sie schon mit Chamissos „Peter Schlemihl" und Grillparzers
„Der arme Spielmann" vergleichen, weil dort wie hier die Kräfte
der Seele und die Mächte der sozialen Welt in einen Ausgleich
gebracht werden müssen. Aber was dort kaum mehr gelingt und
sich dem Tragischen nähert, ist hier noch einmal und wieder aus
dem Geist des Humors heraus möglich. Darin erinnert die Erzählung an Tiecks „Des Lebens Überfluß". Wenn jedoch bei dem
Romantiker Tieck die Seele über die Wirklichkeit triumphierte,
indem sie diese poetisch verklärte und aller Entzauberung widerstand, so triumphiert bei Keller, im Zeitalter einer durch den
Realismus schon überwundenen Romantik, das reale Dasein des
Bürgers über das bedenklich Schweifende, Träumerische und
Irreale des Künstlers. Aber diese — nunmehr auch in ihrem poetischen Wert — neu entdeckte Welt des alltäglichen bürgerlichen
Daseins umschließt zugleich die Bereiche von wahrer Liebe und
Menschlichkeit, die, jenseits alles sozialen Scheins, eine dauernde
und bleibende Geltung besitzen.

DIE VERSUCHUNG DES PESCARA

Im Rahmen unserer Interpretationen ist Meyers Erzählung aus dem Jahre 1889 „Die Versuchung des Pescara" das einzige Beispiel einer ausgesprochenen Geschichtsnovelle, einer Gattung, die erst im Verlauf des 19. Jahrhunderts im engen Zusammenhang mit dem historischen Roman und dem Geschichtsdrama eine vorübergehende Bedeutung gewinnt. Zwar liegt es nahe, anzunehmen, daß das Weitverzweigte und Ausgebreitete geschichtlicher Stoffe der Novellenform eher widerstrebt als sie anzieht. Auch hat sich das Rhetorische, Pathetische und oft rein Akademische, das der geschichtlichen Dichtung anhaften kann, für die Novelle keineswegs immer günstig ausgewirkt. Selbst bei einem Meister der Geschichtsnovelle wie Meyer hat man nicht ganz zu Unrecht das Skulpturale und szenisch Gestellte seiner Darstellung wiederholt getadelt. Wohl bestehen enge Beziehungen zwischen Geschichte und Drama, die im neuzeitlichen Drama seit Shakespeare immer deutlicher hervortreten. Friedrich Sengle hat in seinem Buch über das deutsche Geschichtsdrama (Stuttgart 1954) diese Zusammenhänge näher untersucht und sie als die „Geschichte eines literarischen Mythos" beschrieben. Denn das moderne Geschichtsdrama setzt eine neue Geschichtsgläubigkeit voraus, die sich als Folge der Ausbreitung des Historismus und Hegelianismus wie auch des nationalstaatlichen Bewußtseins entwickelt hat. Hier tritt jene Verschmelzung von Kult des Dramas und Kult der Geschichte ein, von der aus gesehen der idealistische Humanismus der Klassik und das restaurative Christentum der Romantik als rückläufige Bewegungen erscheinen.

Was hat die Novelle mit alledem zu tun?

Zunächst einmal besteht zweifellos eine strukturelle Verwandtschaft zwischen Drama und Novelle. Auf diese Zusammenhänge hat auch Walter Silz in seinem Buch "Realism and Reality, Studies in the German Novelle of Poetic Realism" hingewiesen. Dort heißt es: "The objective impersonality in the attitude of the author toward his characters; the central crisis to which the action rises and from which it falls, the peripeteia or 'Wendepunkt'; the concentration on an isolated, enhanced world, an actual or figurative 'stage' (to the delimitation of which the frequent 'framing' of the Novelle contributes); the sense of urgency and propulsive 'drive' in contrast to the slower epic pace of the novel; the throwing of light on only the 'engaged' sides of the actors and yet suggesting the complete 'round' of their personalities — all these traits the Novelle at its best shares with the drama" (S. 8). Viele bedeutende Novellendichter sind entweder selbst Dramatiker oder zum mindesten verhinderte Dramatiker gewesen: zum Beispiel Heinrich von Kleist, Franz Grillparzer, Ludwig Tieck, Otto Ludwig, Friedrich Hebbel, Gerhart Hauptmann und andere. Nach Theodor Storms Meinung ist im 19. Jahrhundert die Novelle weitgehend an die Stelle des Dramas getreten und hat gleichsam seine Aufgabe übernommen (vgl. Sämtl. Werke, hrsg. v. A. Köster, Bd. 8, S. 122 ff.).

Es ist bekannt, wie sehr der höchste Ehrgeiz so ausgesprochen epischer Dichter wie Keller und Meyer, wenn auch vergeblich, auf das Drama zielte. Am 12. August 1886 hatte Meyer an Wille geschrieben, der Pescara sei „ein bedeutender Stoff . . ., an dem ich nicht begreife, daß man so lange vorbeigehen konnte. Hier wieder liegt das Drama so nahe, daß ich es nicht verschwöre, nicht jedoch, ohne vorher das Thema in Novellenform durch die Rundschau verbreitet zu haben". Fast alle Meyerschen Novellen sind aus diesem ins Epische versetzten dramatischen Willen heraus entstanden. Die Geschichte gibt ihm dabei das Pathos der Distanz; sie ermöglicht ihm eine deutliche Abhebung von der allzu nahen, allzu nackten, allzu frechen Gegenwart. Selbst wo Meyer die von ihm so bevorzugte Rahmentechnik nicht verwendet, bringt bereits der Stoff als geschichtlicher eine Art Abstand mit sich. Immer ist die geschichtliche Szene bei Meyer schon eine Bühne. Allerdings verliert dadurch die geschichtliche Novelle notwendig das Intime, Familiäre und Bürgerliche, das wir sonst so häufig bei der deutschen Novelle des Realismus beobachten können. Besonders muß das von Meyers Vorliebe für die Renaissance gelten, von der er selber gerade im Zusammenhang mit dem „Pescara" meinte, daß sie bei den Deutschen nicht viel Anklang fände. Auf der anderen Seite freilich dürfte ein so ungewöhnlicher, ereignisgeladener Raum wie die Renaissance mit seinen komplizierten und gesteigerten Charakteren der Novelle besonders reiche Möglichkeiten für die „sich ereignete unerhörte Begebenheit" bieten. Dennoch liegt in dieser Art von Anziehung auch wieder eine Schwierigkeit. Der geschichtlichen Novelle kann nicht ein beliebiges und sei es noch so ungewöhnliches Ereignis aus dem Fluß des Geschehens genügen; sie muß ihm durch stilisierende und verdichtende Gestaltung erst eine besondere Symbolkraft verleihen, damit es in seiner isolierenden Einmaligkeit stellvertretend für den Weltzusammenhang überhaupt steht. Nur so kann aus Geschichtsreportage echte Novellenkunst werden. Mehr als sonst bedarf es hier der Geschlossenheit, die ich mit dem Bilde einer Kugel vergleichen möchte, wo der Mittelpunkt der Begebenheit gleichmäßig nach allen Seiten ausstrahlt. Eine geschichtliche Erzählung, die irgendwo und irgendwann einsetzt und ebenso aufhört, die beliebig weiter zurück oder auch weiter nach vorn greifen könnte, mag dem zeitlichen Fließen und der ununterbrochenen Verwandlung der Geschichte mehr entsprechen, aber eine Novelle ist sie nicht. Auch hier wieder müssen wir auf die Verwandtschaft von geschichtlicher Novelle und dramatischer Formgebung hinweisen. Denn die Geschichtsnovelle braucht das *eine* stellvertretende Ereignis, dem auch die Vielfalt der Charaktere noch untergeordnet ist. Dafür liegt die Anleihe bei der dramatischen *Handlung* nahe, deren Einheit bereits durch die Form der Bühne gefordert ist, und die sich, wenigstens im klassischen Drama, vom erregenden Moment in steigender Bewegung bis zum Umschwung entfaltet, um dann in fallender Richtung mit vielleicht retardierenden Spannungsmomenten der Katastrophe oder der Auflösung der Konflikte entgegenzutreiben. Aber selbst wo diese Verwandtschaft zum fünfaktigen klassischen Drama nicht vorliegt — und das wird sicher häufiger der Fall sein —, braucht die ins Pathetische drängende geschichtliche Novelle etwas von der tragischen Notwendigkeit des Dramas, von der Unausweichlichkeit, mit der sich das Geschehen vollzieht und die ihm eine einmalige, unverwechselbare Symbolfarbe gibt. Geschichte als Bereich der Tyche, des Zufälligen, Wechselvollen und Unberechenbaren wird kaum ein Stoff für den Novellisten sein, weil ihm dort die Form der Novelle unter den Händen zerrinnen würde.

Solche Behauptungen lassen sich besonders gut an Meyers Novelle „Die Versuchung des Pescara" — aber keineswegs nur an dieser — genauer nachweisen. Zunächst ist dazu ein kurzer Blick auf die geschichtliche Überlieferung erforderlich. Meyer hat Ranke und Gregorovius als Quellen benutzt (vgl. auch neuerdings

Karl Brandi „Karl V.", 3. Aufl., München 1941). Der lange Kampf zwischen Spanien-Deutschland und Frankreich, der mit dem Siege von Pavia 1525 zugunsten Karls V. durch seinen Feldherrn Pescara entschieden wurde, brachte für Italien die Gefahr, dem mächtigen Sieger anheimzufallen. Hinzu kam, daß Karl V. eigentlich alles unterließ, den Gefühlen der Italiener entgegenzukommen und ihre Sorgen vor einer spanischen Bevormundung, ja, Gewaltherrschaft zu zerstreuen, obgleich Italiener wie gerade der dreimal verwundete Pescara an seinem Siege einen hervorragenden Anteil hatten. Karl verlagerte das Schwergewicht seiner Herrschaft zunehmend nach Spanien, so daß sich Italien an die Peripherie gedrängt sah. Die Generäle, unter ihnen auch Pescara, warteten vergeblich auf Lohn und Anerkennung ihrer Verdienste. Wie groß die Sorge war, Spanien könne sich eines Tages gleichgültig und rücksichtslos zum unmittelbaren Gewaltherren Mailands, ja, noch Neapels, der Heimatstadt Pescaras, vielleicht sogar des Kirchenstaates machen, das kann man in dem damals entstandenen und um diese Zeit noch unveröffentlichten Schlußkapitel des „Principe" von Macchiavell nachlesen. Aus solchen und ähnlichen Motiven kam es zu der nationalen Liga, zu der sich Venedig, Mailand und der Papst Clemens VII. zusammenschlossen. Die Seele dieses Bundes war der Staatssekretär des jungen Herzogs Franz Sforza von Mailand, Morone. Auch Pescara sollte auf die antihabsburgische Seite hinübergezogen werden. Zwar stammte er aus der spanischen Familie der Avalos, war jedoch von seiten seiner Großmutter Herr von Pescara und Vasko an der Adria und außerdem noch mit dem letzten neapolitanischen Königshaus verwandt. Hinzu kamen seine durch den Kaiser erlittenen Kränkungen. Morone machte ihm in Hinblick auf einen möglichen Umschwung Hoffnungen auf den Thron von Neapel. Pescara ist jedoch treu und standhaft geblieben. Ja, er hat sogar den Kaiser über die Machenschaften Morones eingehend unterrichtet. Auch das hat ihm keinerlei Zeichen der kaiserlichen Gnade eingetragen. So starb er denn in der Nacht vom 2. auf den 3. Dezember 1525, ohne besondere Anerkennung seiner Verdienste, aber in dem Bewußtsein, daß auch und gerade durch sein Verhalten die Intrigen der überdies noch unter sich uneinigen Italiener ihr Ziel nicht erreichen konnten.

Was hat Meyer an diesem geschichtlichen Stoff interessiert, was hat er daraus gemacht? Der Mittelpunkt der Novelle — zunächst

noch verborgen, dann immer deutlicher—ist nicht etwa die Person
des großen Feldherrn von renaissancehaftem Wuchs, sondern eine
einmalige Situation, um die sich alles andere gruppiert. Eine
bedeutende Persönlichkeit, die mitten im geschichtlichen Leben
und Handeln darinsteht, wird von verschiedenen Seiten her zu
einer vieldeutigen geschichtlichen Tat verlockt, die die Welt auf
entscheidende Weise verändern würde oder zum mindesten
verändern könnte. Diese Tat tritt als „Versuchung" an sie heran;
aber der Versuchte ist über die Versuchung bereits hinaus, da er
sich, ohne daß die anderen es ahnen, vom Tode gezeichnet weiß
und auf diese Weise bereits jenseits des irdischen Kräftespiels
steht. Zwar ist gelegentlich von Interpreten behauptet worden, es
sei doch noch ein Rest echter und wirklicher Versuchung für
Pescara da. Diese Meinung ist aber durchaus nicht zu halten.
Meyer selbst hat in einem Brief an Haessel vom 5. November 1887
seine Bedenken wegen des Zuwenig an Handlung in dieser
Novelle vorgetragen, und er fügt hinzu: „Es ist keine eigentliche
Versuchung, kein Seelenkampf, was man erwarten konnte,
sondern Pescara ist zum voraus behütet durch die Nähe seiner
Todesstunde, was freilich der Novelle etwas Feierliches gibt."
Natürlich kann es für den Leser verlockend sein zu fragen: Was
wäre geschehen, wenn die tödliche Speerwunde von Pavia
Pescara nicht getroffen hätte? Aber wer so fragt, übersieht
das Entscheidende. Denn ohne diese Voraussetzung verliert
die Erzählung ihre Symbolkraft. Sie bliebe vielleicht fesselnd
durch das Moment der Spannung oder durch die perspektivische
Psychologie von möglicher Treue und Untreue, wie sie Meyer
gerade im „Heiligen" interessiert hat. Hier jedoch, im „Pescara",
liegt das Unerhörte, das Einmalige der Begebenheit durchaus in
dem Novellenthema einer Versuchung, die an einen Menschen
herantritt, der durch seine besondere, nur ihm selbst bekannte
Situation durch *keine* Versuchung auf Erden mehr verführt werden
kann. Das Ganze ist von Meyer so zugespitzt, daß einige Interpreten, wenn auch wohl fälschlich, sogar annahmen, das Wort
„Versuchung" im Titel sei unverkennbar ironisch gemeint.

Wie sehr es sich um ein novellistisches Erzählen handelt, wird
noch deutlicher, wenn man den Verlauf der Erzählung mit dem
geschichtlichen Vorgang vergleicht. Denn geschichtlich lagen die
Dinge keineswegs so eindeutig. Gewiß war Pescara mehrfach
verwundet und starb ganz früh. Aber es fehlt jeder Beleg dafür,
daß er um das Tödliche seiner Wunden gewußt hat. Hier setzt

Meyers eigne Erfindung ein. Der historische Pescara stand bis zuletzt inmitten des Treibens der Welt, wenn er sich auch auf Grund seiner unbestreitbaren Lauterkeit, Treue und Charaktergröße von seiner Umwelt deutlich abhob. Aber es war nicht die Todeswunde, die ihn — wie in Meyers Novelle — zu einer solchen Haltung läuterte. Der Dichter denkt sich den Charakter des Pescara zunächst als „karg, falsch, grausam", und erst die Nähe des Todes führt zu seiner „Veredlung". Das hat Meyer selbst in dem Brief an Haessel vom 5. November 1887 als eines der „großen Momente" seiner Erzählung bezeichnet. Nun ist es aber durchaus wahrscheinlich, daß der geschichtliche Pescara in der Tat eine *echte* Versuchung erfahren hat, und wir stehen vor dem merkwürdigen Problem, warum hier der Dichter dem geschichtlichen Stoff seine Spannung genommen und ihn weitgehend entdramatisiert hat. Warum macht er aus einer wirklichen Versuchung eine nur scheinbare? Warum wird der sittliche oder auch tragische Konflikt, den die Geschichte selbst anbot, zugunsten eines mehr „lyrischen" Themas, nämlich der „männlich-rührenden Ergebung" des Helden in sein Todeslos geopfert? Der Pescara der Geschichte ist doch gerade für einen so psychologisch eingestellten Dichter wie Meyer ein besonders dankbarer Stoff, zumal man sogar den Verdacht geäußert hat, Pescara sei auf gewaltsame Weise umgebracht worden, vielleicht durch jene, die vergeblich trachteten, ihn in Versuchung zu führen. Dann läge hier sogar eine Opferung des eignen Lebens im Dienst der Treue vor, und das Thema der „Versuchung" böte den reichsten Spielraum für die verwickeltsten seelischen Prozesse und die abenteuerlichsten Handlungsstränge.

Es war der Novellist Meyer, der aus rein künstlerischen Gründen einer solchen Gestaltung aus dem Wege ging. In dem wichtigen Brief an Hermann Haessel vom 5. November 1887 (Briefe C. F. Meyers, hrsg. von Adolf Frey, 2. Bd. Leipzig 1908, S. 144) hat Meyer selbst die „großen Momente" seiner Erzählung charakterisiert und dem Interpreten eine wertvolle Hilfe gegeben. Es heißt dort: „Pescara hat *wenig* Handlung, nur *eine* Situation: die Täuschung seiner Versucher und das allmähliche Hervortreten seiner tödlichen Verwundung. Er ist vorwiegend lyrisch. Die großen Momente sind:

1. Die männlich-rührende Ergebung des Helden in sein Los.
2. Die Veredlung seines Charakters (karg, falsch, grausam) durch die Nähe des Todes.

3. Die Aufregung und die leidenschaftliche Bewegung einer ganzen Welt um einen „schon nicht mehr Versuchbaren".
4. Die Fülle von Zeitgestalten. Sehen Sie nur die beiden spanischen Typen (der Don Juan-Typus und der Loyola-Typus).
5. Die Symbolik. Das sterbende Italien bewirbt sich unwissentlich um einen sterbenden Helden."

Eine komplexe, sehr verwickelte geschichtliche Lage mit einer „Fülle von Zeitgestalten" wird einem Menschen zugeordnet, der noch voller Jugendkraft mitten in der Geschichte zu stehen scheint, in Wahrheit aber in seinem Gezeichnetsein durch den Tod schon über alle Geschichte hinaus ist. Das Resultat der Erzählung, der Tod des Pescara, ist also bereits vorweggenommen, wenn es dem Leser auch erst allmählich enthüllt wird. Damit ist auf jede Art von „Spannung" verzichtet, die auf dem Unerwarteten des Ausgangs beruhen könnte. An die Stelle einer dramatisch-erregenden Spannung tritt die dramatische Notwendigkeit. Das verlangt eine weitgehende Verlagerung nach innen. Zugleich wird aber damit auch eine bestimmte novellistische Silhouette gewonnen. Meyer stellt eine neue, andere Frage, die sich aus der Geschichte selbst weder stellen noch beantworten läßt. Was geschieht, wenn sich der Kräftespielraum einer bestimmten geschichtlichen Welt auf eine große menschliche Seele konzentriert, die sich schon vom Tode eingeholt weiß? Was bedeutet das für die Geschichte, was bedeutet es für den Helden selbst?

Nur eine genaue Interpretation kann das eingehender erhellen. Die Erzählung ist in sechs Kapitel gegliedert, deren Aufbau sich weitgehend mit einem fünfaktigen Drama und einem Nachspiel vergleichen läßt. Das erste Kapitel hat durchaus den Charakter einer Exposition. Das große Spiel um Pescara, den undurchsichtigen Feldherrn des Kaisers, beginnt am Hofe zu Mailand. Schon hier ist er auf geheimnisvolle Weise anwesend, wenn auch nur in effigie, in jenem gemalten Schachspiel, das er mit seiner Gemahlin Viktoria Colonna, Italiens gefeierter Dichterin, spielt. Unberechenbar bleibt der nächste Zug, den er tun wird. Das Symbolische dieser Bildsituation hat beinahe etwas Übertriebenes. Von zwei entgegengesetzten Seiten soll der Feldherr eingekreist werden: durch den Verführer und Gaukler Morone, der ihm die Krone von Neapel anbieten wird, hinter der die noch geheimnisvolle „Fabel- und Traumkrone von Italien" steht. Das pathetische Bild wird freilich später ironisiert, als Pescara bei Tisch mit der ehrgeizigen Viktoria angesichts seiner vom Zuckerbäcker kunstvoll geformten „Mandelkrone" seine Scherze treibt. Wozu Pescara freiwillig doch nicht bereit wäre, das wollen die Versucher durch Druck und Zwang erreichen. Guicciardin soll durch Pietro Aretino die öffentliche Meinung beeinflussen, so daß die Wahrscheinlichkeit und Schönheit eines solchen Verrates bereits vorher in aller Munde ist. Die Situation erinnert an Schillers Wallenstein. Auch Pescara soll zum Verräter werden, „er wolle oder nicht". Traut man ihm erst die Tat zu, so wird das seine auch so wenig gesicherte Stellung am kaiserlichen Hof gründlich und endgültig untergraben und ihn damit in den Verrat hineinzwingen. Der Ausgang des Kapitels verdichtet die Situation im symbolischen, gemalten Bild des Schachspiels, auf das die schrägen Strahlen des Mondes fallen. „Viktorias hervorquellendes Auge blickte erzürnt, als spräche es: Hast du gehört, Pescara? Welche Verruchtheit! Und jetzt fragte es angstvoll: Was wirst du tun, Pescara? Dieser war bleich wie der Tod, mit einem Lächeln in den Mundwinkeln." Der erste, noch ganz versteckte Hinweis auf Pescaras Identität mit dem Tod und auf seine lächelnde Überlegenheit ist damit gegeben.

Das zweite Kapitel gehört durchaus der Viktoria Colonna. Es setzt ein mit einer neuen, ganz szenisch aufgebauten Situation: Pescaras Gemahlin beim Papst Clemens, der die italienische Dichterin in einen Zustand der Verzückung hineinreißt. List und Pathos weiß er geschickt zu mischen, wenn er sie durch die Geste der symbolischen Krönung verführt und auf diese Weise den Zugang zu Pescara gewonnen glaubt. Auch noch der Kanzler Morone wird mit der Römerin reden wie ein alter Römer! Ist das große Spiel um Italien nicht schon gewonnen? Denn Pescara, das ist ja kein „Cid Campeador", kein loyaler Held der feudalen Treue, dazu ist er zu sehr ein Mann Italiens und des Jahrhunderts, wohl mit einer spanischen, aber nicht weniger mit einer italienischen Seele in seiner Brust, vor allem aber einer, der nur an die Macht glaubt „und an die einzige Pflicht der großen Menschen, ihren vollen Wuchs zu erreichen mit den Mitteln und an den Aufgaben der Zeit". Alles scheint wohlüberlegt und gesichert; dennoch ahnt Guicciardin das Verborgene und Geheimgehaltene, das unbekannte Hindernis, den feindlichen Wall in Pescaras Innern, der im letzten Augenblick gegen sie alle emporsteigen und damit diese genaue Rechnung umstoßen und vereiteln kann. Doch solche irrationalen Bedenken werden zurückgedrängt. Wohl ist auch für Viktoria Pescara eine undurchdringliche und verschlossene Gestalt, so sehr auch beide miteinander verbunden sind. Nur wenig hat er bisher zu ihr über Politik gesprochen, nur als einen „schmutzigen Markt" hat er diese bezeichnet, „und sein Weib dürfe nicht einmal die helle Spitze ihres Fußes in den ekeln Sumpf tauchen". Freilich entschlüpfte ihm gelegentlich auch das Wort, „Menschen und Dinge mit unsichtbaren Händen zu lenken sei das Feinste des Lebens, und wer das einmal kenne, möge von nichts anderem mehr kosten". Aber nun will Viktoria eingeweiht werden in seinen Ehrgeiz und in sein Gewissen. Nun will sie „seine Mitschuldige oder seine Mitentsagende sein, ein bewußter Teil seiner verschwiegenen Seele". Es bedarf kaum noch des Abscheus gegen den Neffen Pescaras, den grausamen und unbarmherzigen jugendlichen Del Guasto, vor dem sie ebensosehr Grauen und Ekel empfindet wie vor der beginnenden spanischen Weltherrschaft; es bedarf kaum mehr der dithyrambischen Einflüsterungen des Kanzlers, um Viktoria, die Erlöserin Italiens, zur hohen Wonne ihres Auftrages zu begeistern.

Erst jetzt, im dritten Kapitel, wird Pescara selbst eingeführt, und zwar sogleich als der Leidende, der von physischer Qual Bedrängte, der den Schein der Gesundheit um jeden Preis nach außen noch zu wahren sucht. Darin erinnert seine mächtige Gestalt an Kleists Robert Guiskard. Jedoch werden diese Zusammenhänge vorläufig vom Dichter in einem bewußten Halbdunkel gelassen. Noch hat das dramatische Geschehen das Übergewicht. Man möchte das dritte Kapitel geradezu einen dritten Akt nennen; die Handlung erreicht ihren Höhe- und Wendepunkt. Der Vorgang konzentriert sich auf die große Unterredungsszene Morone — Pescara, die, ohne daß der Kanzler es weiß, auf Pescaras Anordnung von Del Guasto und dem Mitfeldherrn Pescaras, Karl Bourbon, dem schwermütigen Verräter mit dem wunden Gewissen, belauscht wird. Morone spielt seine Rolle wie ein Schauspieler, der von dem, was er spielt, zugleich aufrichtig überzeugt ist. Er ist der Mann der närrischen Masken, die dennoch von seiner Umwelt alle durchschaut werden können; er ist eine Seele, die „der erhabensten und gemeinsten Gefühle in gleicher Weise und Stärke fähig" ist; er ist der tollkühne Spieler, der für seinen großen Traum Italien jedes Risiko auf sich nimmt, ja, noch den geliebten und hilflosen Knaben, den Herzog von Mailand, preisgibt; er ist der gewandte und durchtriebene Fuchs, der sich überall durchzuwinden versteht, aber auch der geborene Verführer, ein lügnerischer Geist mit der Wahrheit des Gefühls, der den zündenden politischen Gedanken in die Seele des Pescara zu werfen vermag: mitten im Fluß der Geschichte mit Geduld und Entschluß, Begeisterung und Berechnung, Arglist und großer Gesinnung Italiens mögliche Größe zu einem lebensfähigen Ganzen zu gestalten. Aber der Ruhm, den seine ungezügelte Phantasie und sein kluger Verstand vorzugaukeln wissen, bezaubert und verführt nur die beiden Lauscher hinter dem Vorhang. Pescara selbst bleibt undurchsichtig, und der Plan, der die Fülle des Lebens, die ganze vitale und geistige Hingabe langer Jahre an dieses aufgeregte, einzigartige Jahrhundert verlangt, erreicht nicht mehr den Mann, der bereits auf dem ganz anderen Wege seiner dunklen Gottheit wandelt. So zerbricht alle dramatische Rhetorik an dieser geheimnisvollen Schwermut. Das Ende des Kapitels faßt die Situation in einer Sentenz von symbolisierender Kraft zusammen. „Hier wurde Theater gespielt", sagt Pescara zu den Lauschern hinter dem Vorhang, als der Kanzler gegangen ist. „Trauerspiel oder Posse?" fragt mit grellem Auflachen der Bourbon. „Tragödie", antwortet Pescara, und er nennt ihren Titel: „Tod und Narr". Ist nicht das gesamte geschichtliche Dasein für den vom Tode bereits berührten Pescara zum „Theater" geworden, zu einer Bühne, auf der er nicht mehr mitspielen darf, dazu verurteilt, nur noch Zuschauer zu sein? Erst dadurch wird der Kanzler zum Narren; denn er entwirft seinen kühnen Plan für einen Jüngling, den „noch lange kein Todesschatten berühren darf"; aber er steht, ohne es zu wissen, vor einem Gezeichneten, dem nur noch eine schmale Frist vergönnt ist, um Abschied zu nehmen!

Das wird nun mit der fallenden Handlung des vierten und fünften Kapitels ganz deutlich. Erst jetzt enthüllt der Dichter das Geheimnis Pescaras, so sehr er es den Leser auch schon vorher ahnen ließ. Erst jetzt wird Pescara sichtbar, wie er wirklich ist, zunächst im Schlaf, der keine Maske zuläßt. Weder Ehrgeiz noch Verrat, weder Triumph noch List zeigen seine entspannten, unbeherrschten Züge, sondern nur den Ausdruck des Leidens und der Entsagung. Eine fatalistische Stimmung geht unwiderstehlich von ihm aus, der sich auch der Betrachter Morone nicht entziehen kann, „eine Gewißheit von dem Nichts der menschlichen Pläne und der Allgewalt des Schicksals". „Nichts anderes sagte das mächtige Antlitz als Frömmigkeit und Gehorsam." Der Arzt Numa spricht das Verborgene bereits aus, wenn es auch Morone noch nicht versteht. „Ist nicht aller sterbliche Wandel in Zeit und Raum? Beide aber versagen diesem." So müssen denn auch alle

Feinde und Freunde, die sich um Pescara bemühen, bemühen im Raume und in der Zeit, scheitern. Nur wenig berührt ihn die durch den Aretiner so wirksam angestachelte Fama. Unangreifbar bleibt er für die Überredungskunst des Kanzlers Morone, ja selbst sein eigner Wille zu Größe und Macht hat sich längst in Frömmigkeit und Gehorsam gewandelt. Vielleicht wäre die geliebte Viktoria mit ihrer glühenden Leidenschaft für Italien die eigentliche, die entscheidende Versuchung geworden. Jedoch, es ist müßig, danach zu fragen. Denn die nächste, sich bereits ins Lyrische auflösende Szene zeigt etwas ganz anderes: die Einweihung des eignen Weibes in das Verhängnis, das sie von nun an mit ihrem Manne gemeinsam tragen muß. „Ich kannte die Versuchung lange, ich sah sie kommen und sich gipfeln wie eine heranrollende Woge, und habe nicht geschwankt, nicht einen Augenblick, mit dem leisesten Gedanken nicht. Denn keine Wahl ist an mich herangetreten, ich gehörte nicht mir, ich stand außerhalb der Dinge." Und auf die entsetzte Frage der Gemahlin, ob er kein Mensch sei, kein Wesen von Fleisch und Blut, erfolgt die Antwort: „Meine Gottheit hat den Sturm rings um meine Ruder beruhigt."

Es wäre nicht richtig, diese Grenzsituation Pescaras rein negativ zu werten. Sie ist nicht die eines tragischen Konfliktes, sondern die eines tragischen Leidens. Der vom Tod Gezeichnete vermag sich der allgemeinen menschlichen Verstricktheit zu entziehen, weil er „außerhalb der Dinge" steht. Daß Pescara treu bleibt, ist in Meyers Novelle kein Verdienst. Denn selbst, wenn er es anders wollte, er könnte es nicht. Es geschieht sicher mit künstlerischer Absicht, daß Meyer dem treuen Pescara den Vaterlandsverräter Bourbon an die Seite stellt und beide in einer warmen Freundschaft miteinander verbindet. Denn dieser Karl von Bourbon ist in mancher Hinsicht auch noch eine Art zweites Ich des treu bleibenden Pescara, vielleicht noch eine Möglichkeit seiner eignen Seele. „War es Klugheit, war es Gleichgültigkeit gegen die sittlichen Dinge, war es Freiheit von jedem, auch dem begründetsten Vorurteil, oder war es die höchste Gerechtigkeit einer vollkommenen Menschenkenntnis, was immer — Pescara hatte den in kaiserlichen Dienst tretenden fürstlichen Hochverräter mit offenen Armen empfangen und mit der feinsten Mischung von Kollegialität und Ehrerbietung behandelt. Vielleicht auch hatte er in diesem Zerrütteten, der sich selbst verfluchend sein Vaterland mit fremden Waffen verwüstete, den ursprünglichen und unzerstörbaren Adel erkannt." So hieß es im dritten Kapitel. Nicht eine Kluft zwischen dem treuen Pescara und dem Verräter Bourbon wurde hier aufgerissen, sondern gerade die Brücke zwischen den beiden Gestalten geschlagen. Anders als im „Heiligen" und seiner vieldeutigen psychologischen Problematik geht es im „Pescara" eben *nicht* um mögliche Treue oder Untreue, auch nicht um das unwägbare, ambivalente Schwanken zwischen beiden, wie es ja im „Jürg Jenatsch" eine so große Rolle spielt. Vielmehr gibt die Nähe des Todes ein völlig anderes Verhältnis zum Leben. Sie verwandelt das gesamte Zeitbewußtsein des Menschen. Eigene Erfahrungen Meyers mögen hierbei mitgespielt haben. Denn in seinem Brief an Wille vom 12. August 1886 berichtet er, daß er im vergangenen Winter bis tief in das Frühjahr hinein sehr mit Rheumatismus zu tun hatte; er fühlte sich also selbst matt und krank, während er unermüdlich am „Pescara" tätig war.

Was für eine Art von „Tod" aber ist es, die für den großen Feldherrn eine solche entscheidende Bedeutung gewinnt? Die Nähe des Todes war ihm ja von jeher auf dem Schlachtfeld vertraut. Ist der Tod hier von Meyer im christlichen Sinne gemeint, als der Sünde Sold, als der Zoll, den die Kreatur Mensch an Gott zu zahlen hat? Davon kann kaum die Rede sein. Der Tod ist viel eher ein chthonisches Untertauchen in die dunklen Untergründe des Lebens, eine geheimnisvolle Gottheit, die dem Traume und dem Schlafe benachbart ist. Das Leben um Pescara herum mit seinen divergierenden dynamischen Kräften: der Fülle der Zeitgestalten, der Aufregung, Bewegung und Leidenschaft, die sich Pescaras zu bemächtigen versuchten, nicht nur von italienischer, sondern auch von spanischer Seite; das alles wird durch den Tod mit einem Male in eine Distanz gerückt, von der aus es etwas Willkürliches und Phantastisches bekommt. Zu solcher Weitsicht gehört auch die höchste Tugend des Pescara, die ein Geschenk seiner Gottheit ist, nämlich die Tugend der „Gerechtigkeit". Strenggenommen ist Gerechtigkeit für den Menschen nur dort möglich, wo er schon jenseits des Lebens, schon außerhalb der Dinge steht. Denn das Leben als Leben ist immer ungerecht, und wer handelnd mitspielen will, kann sich dieser Ungerechtigkeit niemals völlig entziehen. Pescara hingegen begegnet uns am Ende der Novelle immer mehr als der Richtende, der aus seinem Einssein mit dem Tode den Überblick über das Ganze gewinnt, und der damit zugleich der Erkennende ist. Gerechtigkeit und Erkenntnis, beides gehört zusammen; beides muß aber auch mit dieser Ergebung in ein unvermeidliches Todeslos erkauft werden. Auch das Schicksal der durch Del Guasto verführten Julia ist eine vom Dichter gewollte Parallele. Auch hier wird ein unlösbarer Knoten durch den Tod zerschnitten, und Julia steht nunmehr „in Dienst und Pflicht einer heiligen Macht, die unserer erbärmlichen Gerechtigkeit spottet". Nur weil Pescara nicht mehr mitspielt, kann er das Spiel der anderen durchschauen und sich ihm zugleich entziehen, nicht in ein leeres Nichts hinein, sondern in jenen geistigen Raum, von dem aus der Tag richtbar wird. Selbst das spanische Gegenspiel Moncadas, der Pescaras Haltung als eine durchdachte Maske beurteilt, deren wahres Antlitz er zu umschweben versucht, vermag ihn nicht zu erreichen. Ja, Pescara kann sogar Bourbon ebenso wie Del Guasto auf die für beide einzig möglichen und richtigen Wege leiten, weil sein von Leidenschaften nicht mehr verwirrter Blick auch hier die erkennende Weitsichtigkeit hat, die auf eine andere Weise wohl nie erreichbar gewesen wäre. Durchschaut er nicht auch das Zweideutige und Fragwürdige in der so echten Begeisterung seines Weibes, hinter der dennoch die Lügen und Sophismen des Papstes stehen? Vor allem aber begreift er in fast prophetischer Weise, daß die Stunde Italiens vorüber ist. „Der Niedergang Italiens ist unaufhaltsam, es unterhöhlt sich selbst ... Italien bietet sich mir flehend und bedingungslos, mit einem Schein von Wahrheit und Größe, und zugleich zieht es mir mit vollendeter Tücke den Boden unter den Füßen weg, um mich zum Sprung über den Abgrund zu zwingen." Auf das Symbolische dieser Situation hat Meyer selbst hingewiesen: Das „sterbende" Italien bewirbt sich um den „sterbenden" Helden; beide stehen noch ungewollt in einem geheimen Einverständnis, das ebenso tragisch wie rührend ist.

Im fünften Kapitel wird die Entrücktheit Pescaras noch deutlicher. Solche lyrische Thematik gewinnt gegenüber dem Episch-Dramatischen immer mehr an Gewicht. Die Handlung selbst mußte dabei notwendig an Spannung verlieren. Der Versuch Morones, Pescara zu gewinnen, ist endgültig gescheitert, und dem Kanzler bleibt nur der Hohn und die Schande. Wichtiger für den Erzählungsverlauf hingegen ist, daß auch das spanische Gegenspiel gegen Pescara jetzt deutlicher hervortritt. Aber je mehr sich Spiel und Gegenspiel auf der Bühne der Geschichte widerstreiten, um so klarer hebt sich die einzigartige Lage des einen Mannes heraus, der bereits jenseits von beiden steht. Wiederum verdichtet Meyer das in einem Symbol, und wieder ist es ein gemaltes Bild, das eine stellvertretende höhere Bedeutung erhält. In dem Kloster, in das Pescara seine Gemahlin bringt, um sie vor dem bevorstehenden Kriege zu schützen, findet er das große Altarbild des gekreuzigten und schon entseelten Christus, dem ein Kriegsknecht die Lanze in den heiligen Leib sticht. Eben jener Schweizer, den der Maler in seinem aus Redlichkeit und Verschmitztheit wunderlich gemischten Ausdruck mit besonderer Genauigkeit studiert hat, jener kleine, breitschultrige, behende Geselle ist offensichtlich der gleiche, der bei Pavia dem Feldherrn die Brust durchbohrt hat. Nur wenige Seiten nach diesem Bericht über das Bild in der Kirche tritt er sogar persönlich auf, als ein Versprengter von Pavia, den soeben die spanischen Truppen eingefangen haben. Pescara erkennt ihn wieder und könnte sich für die erhaltene Todeswunde rächen, wenn er dem Kriegsrecht freien Lauf ließe. Es geschieht nicht; Pescara gibt ihn frei, ja, der Feldherr beschenkt ihn darüber hinaus mit einer für ihn ungewöhnlichen Freigebigkeit. Auch diese Tugend der Großmut gehört noch in die „Veredlung" seines Charakters hinein.

Die Parallele: Seitenwunde des Heilands durch den Kriegsknecht und Seitenwunde des Feldherrn durch eben jenen Schweizer, der auf dem Altarbilde abgemalt war, scheint nun doch eine christliche Deutung der Todessituation bei Pescara nahezulegen. Ist ja doch von dem „Todesengel" und dem „Schnitter" die Rede, beides Bilder aus dem christlichen Raum! Aber so wie Viktoria zugleich zu dem christlichen Himmel und zu dem donnernden Olympier hinauffleht, aus der „wunderlichen und doch so natürlichen Göttermischung der Übergangszeiten" heraus, so steht auch Meyer selbst in einem solchen Zwielicht. Wohl widerspricht die positive Sinngebung des Todes dem antiken Weltgefühl. Calvinistisch-christlich ist Meyers Glaube an Schicksal, Vorsehung und Prädestination, wie er sich auch sonst in seinem dichterischen Werk beobachten läßt. Die geheim und geheimnisvoll in der Geschichte wirkende Macht Gottes kann auch noch die gewaltigsten menschlichen Pläne zunichte machen. Dafür darf gerade der Tod stellvertretend stehen. Aber dennoch hat der Tod Pescaras, so wie er von ihm erlebt wird, keinen ausdrücklichen Bezug auf die Transzendenz. Der Tod erlöst nicht etwa vom Leben; denn dieses Leben wird von dem Renaissancemenschen Pescara durchaus bejaht, und sein schmerzlicher Zuruf an Karl Bourbon: „Unser die Fülle des Daseins! Karl, laß uns leben!" ist vielleicht auch, aber gewiß nicht nur ironisch gemeint. Sterben zu müssen bleibt für

Pescara ein Verzicht, gegen den er sich gelegentlich sogar aufbäumt. In keiner Weise ist der Tod eine Pforte, durch die man dem trüben Diesseits entrinnt. Außerdem ist ja Pescara ursprünglich ein handelnder, nicht ein erkennender Mensch. Erst auf Grund des über ihn verhängten Todesloses verwandelt sich sein Charakter und gewinnt eine neue, eine andere Größe. Frömmigkeit und Gehorsam, Gerechtigkeit, Großmut und Milde, das sind die Tugenden — und wer wollte sie nicht auch christliche Tugenden nennen! —, die Pescara aus seiner besonderen Situation zuwachsen und die durchaus nicht zu dem Repertoire seines Renaissance-Jahrhunderts gehören. Dennoch hat sein Tod und seine Bereitschaft zum Tode nichts von christlicher Demut. Auch der Gedanke des stellvertretenden Opfers fehlt durchaus. Pescara stirbt stolz und herrscherlich und vermag aus dem Überblick über das Ganze die Fäden zu entwirren, die in jedem anderen Falle sich auch für ihn heillos und unlösbar verknotet hätten. Ja, der Tod hat hier etwas von einem antiken Gott, der mit der Person des Menschen geheimnisvoll identisch ist. Pescara, der Held der Schlachten, der am Ende Mailand erobert, erscheint in seinem „flammend roten Kleide", in seiner furchtbaren Gelassenheit, mit der er den blitzenden Zweihänder schwingt, als der „Würger Tod in Person", der die feindliche Besatzung vor Schreck geradezu versteinert. Aber das ist nur die eine Seite dieser Identität mit dem Tod. Wichtiger ist das andere, immer wiederkehrende Bild des „Schnitters". So lebt er in der Erinnerung der Viktoria, wie er in der Nähe von Tarent, auf einer seiner fernen Besitzungen, unter „dem verglühenden Abendhimmel" neben anderen, „noch rüstigen Schnittern zur Sichel gegriffen", seine Garbe gebunden hat und dann lässig auf ihr liegt. Dieses auf den „Schnitter Tod" bereits vordeutende Bild wird vom Dichter am Ende beim Anblick des toten Pescara wiederholt. Er gleicht „einem jungen, magern, von der Ernte erschöpften und auf seiner Garbe schlafenden Schnitter". Die „dunkle, aber weise Gottheit", der „Genius", der „Schnitter", der „Todesengel", die „heilige Macht, die unserer erbärmlichen Gerechtigkeit spottet" — mit solchen und ähnlichen Bildern wird dieser aus antiken und christlichen Vorstellungen wunderlich gemischte Tod umkreist. Er mag Pescara zunächst als etwas unbegreiflich Fremdes und ganz anderes gegenüberstehen, aber mehr und mehr wird er seine Zuflucht und gibt ihm eine Ruhe und Geborgenheit, die mit seinem eigenen Wesen zu einer Einheit zusammenwächst und die seinem Schicksal eine auch von ihm freiwillig anerkannte Grenze vorzeichnet. Nur in diesem Sinne ist der Tod hier auch der Erlöser. Er befreit Pescara von einer geschichtlichen Situation, die er nicht mehr hätte meistern können. Er selbst erkennt das. Diese Erkenntnis verdankt er seinem dunklen Genius, und sie ist es nicht zuletzt, die ihn unversuchbar macht. „Mein Pfad versinkt vor mir! Ich gehe unter an meinen Siegen und an meinem Ruhme. Wäre ich ohne meine Wunde, dennoch könnte ich nicht leben. Drüben in Spanien Neid, schleichende Verleumdung, hinfällige und endlich untergrabene Hofgunst, Ungnade und Sturz; hier in Italien Haß und Gift für den, der es verschmäht hat. Wäre ich aber von meinem Kaiser abgefallen, so würde ich an mir selbst zugrunde gehen und sterben an meiner gebrochenen Treue, denn ich habe zwei Seelen in meiner Brust, eine italienische und eine spanische, und sie hätten sich getötet. Auch glaube ich nicht, daß ich ein lebendiges Italien hätte schaffen können. Zwar, es trägt die strahlende Ampel des Geistes, doch es hat sich aufgelehnt in der unbändigen Lust eines strotzenden Daseins gegen ewige Gesetze. Es büße, du hast es gesagt, Viktoria; in Fesseln leidend, lerne es die Freiheit. Dieses spanische Weltreich aber, das in blutroten Wolken aufsteigt jenseits und diesseits des Meeres, erfüllt mich mit Grauen: Sklaven und Henker. Ich spüre die grausame Ader in mir selbst. Und das Entsetzlichste: ich weiß nicht, welcher mönchische Wahnsinn! Dein verderbtes Italien aber ist wenigstens menschlich." Der Tod Pescaras ist indes keineswegs der Einbruch des Sinnlosen; was hat Pescara noch von einer Welt zu hoffen, in der er sich, was immer er auch tut, tragisch-falsch entscheiden müßte? Dennoch liegt über dem Ganzen die lyrische Schwermut und Feierlichkeit des Abschieds von dem um seiner selbst willen geliebten Leben. Pescaras Größe darf nicht mit Empfindungslosigkeit verwechselt werden. Das Richteramt, das er übernehmen darf, die Erkenntnis, die ihm zuteil geworden ist, es wächst aus dem dunklen Grund eines tragischen Leidens heraus. Aber auch hier kommt der Tod als Befreier, er kommt zu der rechten Stunde, er zerschneidet den unlösbar gewordenen Knoten dieses gewaltigen Daseins.

Willkürlich und phantastisch ist Italien, grausam und unmenschlich aber ist Spanien. Aus diesem gewaltigen Widerstreit der Geschichte, der mitten durch das Herz Pescaras hindurchgeht, vermag nur das eine Ziel zu erretten, das ihm noch beschieden ist: Staub und Asche. Die Einwilligung in dieses Geschick, das geduldig getragene, auch physische Leiden, die in der Nähe des

Todes gewonnene Veredelung des Charakters: hier liegt für den Dichter die eigentliche Größe Pescaras, durchaus im Kontrast zur Größe und Macht im irdisch-geschichtlichen Sinne. Nur so konnte Pescara der Unversuchbare werden, der, so dürfen wir zusammenfassen, vor der Versuchung bewahrt blieb.

Das letzte Kapitel der Novelle ist eigentlich nur noch ein Nachspiel. Pescara erobert Mailand, übt Gerechtigkeit und Gnade; auch der Kanzler schlüpft wieder einmal durch die Schlingen; jedoch kann Pescara die Fäden nur darum entwirren, weil der Tod ihn bereits einholt und beschützt und er nur so dem Zugriff Spaniens im letzten Augenblick entgeht.

Im Hell-Dunkel der geschichtlichen Welt, einer Welt der Leidenschaften und Verblendungen, ist Pescara der einzige, der sich ihr bereits entziehen durfte, entziehen mußte, weil er, gezeichnet durch den Tod, in den geistigen Raum der Gerechtigkeit und Erkenntnis entrückt ist. Gerade auf diesen Gegensatz kommt es Meyer an. Auf der einen Seite teilt er mit Jakob Burckhardt die ästhetische Freude am unruhigen Glanz und Reichtum geschichtlicher Erscheinungen, unabhängig von aller moralischen Beurteilung; auf der anderen Seite schafft er eine innerliche, geistige Distanz dazu, die bereits mit dem Abschied vom Leben erkauft ist und aus der dennoch die echten, sittlichen und großen Tugenden hervorgehen. Mit dieser novellistischen Zuspitzung hat Meyer zwar auf die Spannung eines dramatisch-tragischen Konfliktes verzichtet, wie ihn der geschichtliche Stoff von sich aus anbot, dafür aber die Einheit einer unerhörten Begebenheit gestaltet: Der große Feldherr, der noch mitten im Leben zu stehen scheint und von allen Seiten aufgefordert wird, seine geschichtliche Welt in entscheidender Weise zu verwandeln, stellt sie statt dessen, im verborgenen Einverständnis mit der dunklen Todesgottheit, unter die ewigen und richtenden Gesetze, die ihr Dasein noch jenseits aller Geschichte unwandelbar behaupten.

Man hat an Meyers novellistischer Kunst wiederholt scharfe Kritik geübt. Gerade „Die Versuchung des Pescara" wurde dafür herangezogen. Sie habe nicht die Spannung eines wirklichen Konfliktes, sie sei unpsychologisch und dadurch unlebendig. Diese Kritik übersieht allzu rasch die hohe konstruktive Kunst, mit der hier eine in sich widerspruchsvolle, mannigfaltige geschichtliche Lage dem einmaligen Todesschicksal Pescaras zugeordnet ist. Der novellistisch zugespitzte Kontrast zwischen geschichtlicher Bewegung eines ganzen Zeitalters und der ins Zeitlose hinüberreichenden geistigen Ruhe einer Einzelgestalt bestimmt den Aufbau des Ganzen. Dennoch ist zuzugeben, daß die Novelle nicht ohne Schwächen ist. Das Psychologische und das Symbolische klaffen zu sehr auseinander. Die Symbole werden zu absichtsvoll, zu pathetisch unterstrichen und verlieren dadurch an Überzeugungskraft. Wie so oft bei Meyer wirkt manches als gestellte Szene. Sicher lassen sich hier manche künstlerischen Einwände machen. Aber Meyer hat in seinen Pescara wiederum so viel von sich selbst, von seiner eignen Todesanschauung und seinem eignen Glauben hineingelegt, daß die Gestalt das Ergreifende behält. Die Eitelkeit aller, auch der gewaltigsten menschlichen Bestrebungen, wird sichtbar. Angesichts der Grenzsituation des Todes wandelt sich unser Bild von der Welt. Ließ sich eine solche Erfahrung noch mit den Ausdrucksmitteln des „psychologischen Perspektivismus" darstellen? Vielleicht hat Meyer geahnt, daß hier eine symbolische Gestaltung nötig war, die er noch nicht in voller künstlerischer Reinheit erreichen konnte.

GERHART HAUPTMANN

—

BAHNWÄRTER THIEL

Gerhart Hauptmann hat seine Erzählung „Bahnwärter Thiel" aus dem Jahre 1887, die zum ersten Male in der Zeitschrift „Die Gesellschaft" 1888 veröffentlicht wurde, „eine novellistische Studie" genannt. Sie gehört in die Frühzeit der naturalistischen Prosa, ist jedoch von dem genau beobachtenden „Sekundenstil" der Skizzen des „Papa Hamlet" von Arno Holz und Johannes Schlaf in mancher Hinsicht unterschieden. Naturalistisch im weitesten Sinne ist beim jungen Hauptmann die genaue Milieuschilderung einer kleinbürgerlichen, völlig unintellektuellen Umwelt, die Thematik der sexuellen Hörigkeit und die zuweilen an einen Krankheitsbericht erinnernde Darstellung des allmählich entstehenden und dann ausbrechenden Wahnsinns. Hingegen spielen die sonst in diesen Jahren so gerne behandelten Themen der Vererbung und der Gesellschaftskritik in unserer Erzählung nicht die geringste Rolle. Die liebevolle Beschreibung des Kleinen und Dinglichen erinnert noch an die Prosa des Realismus. Jedoch geht das Ausweglose und Vergebliche im menschlichen Schicksal über den im Realismus häufig erstrebten harmonischen Ausgleich von Idee und Wirklichkeit weit hinaus. Jede reflektierende Stellungnahme des Dichters ist vermieden. Der Erzähler bleibt immer beim direkten epischen Bericht oder sucht unmittelbar Bewußtseinsvorgänge zu vergegenwärtigen, die sich in der Seele des Bahnwärters vollziehen.

Was sich ereignet, läßt sich in wenigen Sätzen zusammenfassen. Nach kurzer Ehe mit einer jungen, zarten, kränklichen Frau, aus der der Knabe Tobias stammt, hat der verwitwete Bahnwärter Thiel ein dralles und starkes Frauenzimmer, eine Kuhmagd, geheiratet, bei der sich im Verlauf der Ehe immer mehr herausstellt, daß sie hart, herrschsüchtig, zankhaft und brutal leidenschaftlich ist. Schon bald führt sie das Regiment im Häuschen des Wärters, zumal er ihrer primitiven Triebhaftigkeit in wachsendem Maße erotisch verfällt. Bahnwärter Thiel ist trotz aller physischen Stärke und Männlichkeit ein nachgiebiger, weichherzig versponnener Mensch mit „mystischen Neigungen", der in einer Art schizoider Spaltung lebt: auf der einen Seite in einem vergeistigten, träumerischen Umgang mit seiner verstorbenen Frau Minna, auf der anderen Seite unter dem Zwang roher und elementarer Triebe in der Abhängigkeit von seiner zweiten Frau Lene. „Die stillen, hingebenden Gedanken an sein verstorbenes Weib wurden von denen an die Lebende durchkreuzt." Von seinen zwei Kindern aus den beiden Ehen ist es gerade der erste Sohn, Tobias, dem seine besondere Liebe gehört, während die Stiefmutter diesen nach der Geburt eines eignen Knaben zunehmend verwahrlosen läßt, ja, darüber hinaus sogar körperlich mißhandelt. Der allzu willensschwache Vater hat jedoch nicht die Kraft, seinen Sohn dagegen zu schützen, auch nicht, als er zufällig der direkte Zeuge einer solchen Szene wird. Die Erzählung gipfelt in einem furchtbaren Unglück. Der Bahnmeister hat Thiel einen kleinen Kartoffelacker in unmittelbarer Nähe des Wärterhauses umsonst überlassen. Als die ganze Familie einen Ausflug dorthin unternimmt und die Stiefmutter den am Bahngeleise spielenden Knaben Tobias schlecht beaufsichtigt — der Vater muß um diese Zeit wieder seinen Dienst tun —, wird der Knabe von einem Zuge überfahren. Der Unfall ist tödlich, und das plötzliche Ereignis führt zum Ausbruch des offenen Wahnsinns bei Thiel. Er bringt seine Frau und seinen zweiten Knaben um und muß in ein Irrenhaus eingeliefert werden.

Diese rein sachliche Nacherzählung des Inhalts muß den falschen Eindruck erwecken, als ob es sich hier um eine zwar traurige, ja, gräßliche, aber trotz allem alltägliche Erzählung handle, der eine ausgesprochen novellistische Profilierung fehlt. Man könnte meinen, wir hätten es mit einer psychopathologischen Studie zu tun, die die Vorgeschichte eines Wahnsinns Schritt für Schritt entwickelt und das grauenhafte Ende des Doppelmordes aus der seelischen Anlage des Bahnwärters, aus seinem persönlichen Unglück und aus seiner Lebensgeschichte heraus motiviert. Wiederholt hat man die Erzählung in einem solchen Sinne verstanden und sie als das Muster eines nicht nur gegenständlichen, sondern auch psychologischen Naturalismus gewürdigt. Steht nicht am Anfang der festgelegte Tageslauf des rechtschaffenen, kleinbürgerlichen, etwas soldatischen Mannes vor uns, der regelmäßig am Sonntag die Kirche besucht, am Ende jedoch eine gräßliche Katastrophe, die eine ganze Familie zerstört? Gewiß spielt dabei auch der Zufall hinein, aber nicht weniger wird sie durch eben diesen Mann herbeigeführt. Es läge also nahe, anzunehmen, das künstlerische Interesse sei darauf gerichtet, die allmählichen und gleitenden Übergänge von dem einen Pol zum anderen mit behutsamer Exaktheit und gewollter Wirklichkeitsnähe zur Darstellung zu bringen. So kann der Eindruck der Determination entstehen, einer unentrinnbaren, geradezu naturgesetzlichen Notwendigkeit, die sich von einer sittlichen Fragestellung nach Gut und Böse, nach Recht und Unrecht oder gar nach Schuld und Sühne nicht mehr fassen läßt. Auch der Dichter selbst ist weit davon entfernt, seine Gestalten anzuklagen oder verantwortlich zu machen, nicht einmal die brutale, primitive Lene. Nach dem sicherlich auch von ihr in keiner Weise gewollten Tod des Knaben schildert sie der Dichter in ihrer Kopf- und Hilflosigkeit als ein fast bedauernswertes Wesen. Noch mehr gilt von Thiel, daß er ein Getriebener, ein hilflos Ausgelieferter, nicht aber ein selbständig Handelnder ist. Kategorien wie Vergeltung, Nemesis, Vorsehung darf und soll man auf den Ablauf dieses erzählten Geschehens nicht anwenden. Alles Erhabene und Großartige, Vorstellungen, die wir mit dem Gedanken des Tragischen so gerne verbinden, scheint zu fehlen. Selbst der Ausdruck „Schicksal" will uns zunächst für diese Begebenheit als zu hoch gegriffen vorkommen.

So richtig solche Beobachtungen auch sein mögen, die künstlerische Eigenart der Hauptmannschen Erzählung läßt sich von hier aus allein nicht erkennen. Dazu bedarf es einer genaueren Interpretation der, wie wir noch sehen werden, an den entscheidenden Stellen durchaus symbolischen Bildsprache, die man bei einem naturalistischen Erzähler zunächst nicht vermuten möchte. So hat man denn auch häufig die ausgedehnte Schilderung der Bahngeleise und des Zugverkehrs ebenso wie die damit verknüpfte intensive Naturdarstellung als malerisches und romantisches Beiwerk abgetan, das in die exakte Wirklichkeitsdarstellung der Geschichte nicht recht hineingehörte, zumal auch der — alles in allem genommen — doch recht primitive Wärter zu solchen differenzierten Empfindungen im Grunde nicht fähig wäre. Aber ein solcher Einwand verkennt die epische Objektivität dieses echt novellistischen Erzählens, bei dem jede geistige Aussage ins Bild und nur ins Bild gebannt ist. Der Erzählung liegt nicht nur eine bestimmte weltanschauliche oder politische Tendenz ferne, sie verzichtet auch darüber hinaus auf eine allgemeine gedankliche Anwendung des Erzählten. Man sollte weder von einer Tragik der „dem Leben nicht gewachsenen Innerlichkeit" sprechen noch das Ganze für eine medizinische Studie halten, die naturwissenschaftliche Erkenntnisse durch die erzählende Prosa darstellen will. Hingegen hat der junge Hauptmann hier seine besondere Erfahrung der Welt auf eine einmalige Weise verdichtet. Darin ist „Bahnwärter Thiel" ebenso episch-novellistisch wie Kleists „Michael Kohlhaas" oder die Drostesche „Judenbuche". Eine solche Verdichtung innerhalb des kleinen, künstlerisch begrenzten, ja, bewußt isolierenden Raumes der Novelle ist ohne Symbolik nur selten möglich.

Auf dieses Zusammenfließen von Realismus und Symbolismus im „Bahnwärter Thiel" haben neuerdings auch Requadt und Martini nachdrücklich hingewiesen. Zwar werden hier die Symbole noch nicht als bewußte artistische Zeichen verwandt, die ihrerseits wiederum Gegenstand der künstlerischen Reflexion werden können wie bald darauf bei Thomas Mann; auch haben wir noch nicht eine durchgängige Identität des Realen und des Symbolischen wie bei Hofmannsthal; wer jedoch die Erzählung genau und wiederholt liest, wird immer deutlicher bemerken: es geht hier keineswegs um eine beliebige Wirklichkeitsnachahmung, die irgendwo anfängt und irgendwo aufhört, sondern um eine bestimmte Art künstlerischer Verwandlung, die sich zwar an die wirklichen Objekte hält, an die gegenständliche Umwelt oder an psychologisch erfaßbare Seelenvorgänge, aber ihnen durch eine bestimmte Weise des Verknüpfens und Wiederholens eine über das Sicht- und Meßbare weit hinausweisende Bedeutung verleiht.

Die novellistische Silhouette dieser Erzählung bedurfte des zentralen Dingsymbols, das im Mittelpunkt des ganzen Geschehens steht, nämlich der Eisenbahnstrecke, die zu einem gleichnishaften Ort wird, an dem sich der Einbruch des Unsichtbaren in das Sichtbare und die Auflösung einer realen und geordneten Welt ins Geisterhafte und Chaotische vollzieht. Gerade die Entmächtigung der bis ins Detail beschriebenen alltäglich-durchschnittlichen Wirklichkeit durch überwirkliche, unbewußte Mächte des Traumes, der Vision, der Seele, der Natur, mit einem Wort: des Irrationalen ist das Thema dieser Novelle, freilich nicht auf eine abstrakt gedankliche Weise, sondern in der künstlerischen Gestaltung des einmaligen Falles des Bahnwärters Thiel und der ihm gleichnishaft zugeordneten wirklich-überwirklichen Welt seiner Bahnstrecke. Darum sind auch nicht die verschiedenen

Symptome und Stadien einer Krankheitsgeschichte das Entscheidende, sondern das Dingsymbol der Bahnstrecke, das in einer dreifachen Spiegelung erscheint. Einmal spiegeln sich in dieser Bahnstrecke die Seelenvorgänge des Bahnwärters und seine mystischen Neigungen, zweitens spiegelt sich in ihr und durch sie die ganze, weit mehr dämonische als idyllische Natur, und drittens wird sie zum Spiegel für eine zufällige Katastrophe, die sich an diesem realen Orte vollzieht, ihre Zufälligkeit aber angesichts der beiden anderen Spiegelungen verliert und eine dunkle, höhere, schicksalhafte Bedeutung gewinnt. Die genau beschriebene Wirklichkeit des Ortes, die dort erfahrene tumultuöse Traumwelt der Seele, die ins Rätselhafte gesteigerte Großartigkeit der Naturvorgänge, schließlich das fatale Unglück und seine Folgen: das alles läßt sich nicht etwa gesondert betrachten, als ob es unverbunden nebeneinander stände, sondern es gewinnt sein novellistisches Profil in dieser wechselseitigen, vom Künstler erst geschaffenen Erhellung der Bilder und Spiegelungen, durch die die ganze Erzählung aus dem Wirklichen ins Geisterhafte, aus dem Zufälligen ins Schicksalhafte, aus dem Psychologischen ins Mythische hinüberwächst. Gleichgültig, ob der junge Hauptmann sich dessen bewußt gewesen ist oder nicht: als er seine erste naturalistische Novelle schrieb, hatte er das Programm des Naturalismus bereits durch eine symbolische Bildgestaltung überwunden, so wie sie damals außer ihm in Deutschland nur noch dem alten Theodor Fontane möglich war.

Gleich zu Beginn der Erzählung wird ganz beiläufig von den zwei Unterbrechungen im einförmigen Leben des Bahnwärters berichtet. Beide Male handelt es sich um Krankheiten, die mit der Bahnstrecke in Verbindung stehen; einmal hat ihn ein Stück Kohle, das vom Tender einer Maschine während des Vorbeifahrens herunterfiel, „getroffen und mit zerschmettertem Bein in den Bahngraben geschleudert"; dann verletzte ihn eine Weinflasche, „die aus dem vorüberrasenden Schnellzug mitten auf seine Brust" flog. Das Unheimliche, Unberechenbare, Durchkreuzende und physisch Bedrohende der Bahnstrecke ist damit in einer für den Leser hier nicht durchschaubaren Weise schon vorweggenommen. Noch mag er das Berichtete für zufällig, ja, gleichgültig halten. Denn die Erzählung hält sich zunächst ganz im psychologisch Verstehbaren. Der Bahnwärter wird in seinem stillen, hingebenden Umgang mit dem verstorbenen Weib charakterisiert, indem von ihm bereits am Anfang berichtet wird, daß ihm „sein

Wärterhäuschen und die Bahnstrecke, die er zu besorgen hatte, insgeheim gleichsam für geheiligtes Land" galt, „welches ausschließlich den Manen der Toten gewidmet sein sollte". „Im Dunkel . . ., wenn der Schneesturm durch die Kiefern und über die Strecke raste, in tiefer Mitternacht beim Scheine seiner Laterne, da wurde das Wärterhäuschen zur Kapelle." Wärterhaus und Bahnstrecke sind in ihrer Abgelegenheit ein Ort der Zuflucht, wo sich Thiel vor seiner lauten und zänkischen Frau sicher weiß und fast nur jene Abwechslungen kennt, die das Wetter und die Jahreszeiten bringen. Die ersten beiden Abschnitte der Erzählung behandeln die seelischen und gesellschaftlichen Bedingungen, unter denen Thiel sein Leben verbringt; im zweiten Abschnitt wird darüber hinaus jene Episode geschildert, wie der Wärter, der sein Butterbrot vergessen hat, unvermutet zurückkommt und wie nunmehr der bei den „Rotznasen" des kleinen Ortes so beliebte „Vater Thiel" die Züchtigung seines kleinen Tobias erleben muß. Aber gerade in diesem Augenblick strömt seine Frau jene unbezwingliche, unentrinnbare erotische Kraft aus, der er sich nicht gewachsen fühlt. „Leicht gleich einem feinen Spinngewebe und doch fest wie ein Netz von Eisen legte es sich um ihn, fesselnd, überwindend, erschlaffend." Ohne dem in Tränen gebadeten, verängstigten Sohne zu Hilfe zu kommen, nimmt er das vergessene Brot von der Ofenbank und verschwindet sogleich wieder „mit einem kurzen, zerstreuten Kopfnicken".

Das alles scheint mit den Bahngeleisen nichts zu tun zu haben, und doch folgt bereits im nächsten Abschnitt die erste symbolische Beschreibung der Bahnstrecke, die bis in den Wortgebrauch hinein die gleiche Bildersprache wieder aufnimmt, die eben noch den Zustand der erotischen Hörigkeit charakterisierte: feine Spinngewebe, Netz von Eisen. Alles Unheimliche und Unbegreifliche verdichtet sich in dem Dingsymbol, so daß am Ende der Tod des kleinen Tobias auf eben dieser Bahnstrecke zum sinnbildlichen Ausdruck für das übermenschlich Chaotische werden kann, das sich weder mit Vernunft noch mit Willen noch mit Leistung bändigen läßt. „Die schwarzen, parallel laufenden Geleise... glichen in ihrer Gesamtheit einer ungeheuren, eisernen Netzmasche, deren schmale Strähnen sich im äußersten Süden und Norden in einem Punkte des Horizontes zusammenzogen." Schwarz, parallel laufend, eine ungeheure, eiserne Netzmasche – die Bildsprache beschreibt die Wirklichkeit, aber darüber hinaus auch das Phantastische und auf rätselhafte Weise Bedrohende der Strecke.

„Auf den Drähten, die sich wie das Gewebe einer Riesenspinne von Stange zu Stange fortrankten, klebten in dichten Reihen Scharen zwitschernder Vögel." Von dem Bild der Bahngeleise geht etwas magisch Zwingendes aus, gegen das sich die Seele kaum zu wehren vermag. Auch noch die ganz beiläufige Figur des Hilfswärters gehört hierhin, der auf Grund des bei seinem Dienst unumgänglichen schnellen Temperaturwechsels schwindsüchtig geworden ist und den wir mit krankhaftem Husten in der lautlosen Einöde der Baumstämme verschwinden sehen. Die Symbolik der Eisenbahnstrecke gewinnt an eindringlicher Spiegelungskraft durch die eng mit ihr verknüpfte Symbolik der Naturdarstellung. Nicht nur die „Säulenarkaden" der typisch märkischen Kiefernstämme „entzündeten sich" unter dem Purpur der Sonne „gleichsam von innen heraus und glühten wie Eisen", „auch die Geleise begannen zu glühen, feurigen Schlangen gleich". Die Bäume wie glühende Eisen, die Geleise wie feurige Schlangen: das elementare Feuergleichnis wird von Hauptmann noch weiter zum feierlichen und erhabenen Schauspiel der Natur gesteigert. „Und nun stieg die Glut langsam vom Erdboden in die Höhe, erst die Schäfte der Kiefern, weiter den größten Teil ihrer Kronen in kaltem Verwesungslichte zurücklassend, zuletzt nur noch den äußersten Rand der Wipfel mit einem rötlichen Schimmer streifend." Es ist bewußte künstlerische Absicht, wenn gerade an dieser Stelle der heranbrausende Zug zum ersten Male wie ein fast mythisches Ungeheuer eingeführt wird. „Ein dunkler Punkt am Horizont, da wo die Geleise sich trafen, vergrößerte sich. Von Sekunde zu Sekunde wachsend, schien er doch auf einer Stelle zu stehen. Plötzlich bekam er Bewegung und näherte sich. Durch die Geleise ging ein Vibrieren und Summen, ein rhythmisches Geklirr, ein dumpfes Getöse, das, lauter und lauter werdend, zuletzt den Hufschlägen eines heranbrausenden Reitergeschwaders nicht unähnlich war. Ein Keuchen und Brausen schwoll stoßweise fernher durch die Luft. Dann plötzlich zerriß die Stille. Ein rasendes Tosen und Toben erfüllte den Raum, die Geleise bogen sich, die Erde zitterte — ein starker Luftdruck — eine Wolke von Staub, Dampf und Qualm, und das schwarze, schnaubende Ungetüm war vorüber."

Eine ganze Reihe von optischen und akustischen Bildern ist hier wie in eine Kette verflochten: der glühende Purpur der Sonne, die entzündeten Kiefern, die glühenden Eisen der Bahnschienen, das kalte Verwesungslicht in den Wipfeln der Bäume;

dann der dunkle Punkt am Horizont, der in Bewegung gerät, das Vibrieren und Summen, das lauter anschwellende Getöse, welches verstärkend mit den Hufschlägen eines heranbrausenden Reitergeschwaders verglichen wird; das „Keuchen" und „Brausen", das die Stille zerreißt und zum „Tosen" und „Toben" ansteigt, Staub, Dampf, Qualm und schließlich wieder wie ein Finale der in der Ferne einschrumpfende Punkt und „das alte heil'ge Schweigen". So real jede dieser einzelnen Beobachtungen ist, in ihrer Gesamtheit deuten sie auf elementare, dämonische, unbegreifliche Vorgänge hin, eine geisterhaft menschenferne Welt, innerhalb derer die mythische Zwiesprache des Wärters mit der verstorbenen Frau nicht eine merkwürdige Absonderlichkeit ist, sondern unmittelbarer Ausdruck für seine Teilhabe an dieser Welt. Es heißt die künstlerische Gestaltung dieser Novelle völlig verkennen, wenn man diese Bildgestaltung für romantische Restbestände hält, von denen sich der zum Naturalismus durchstoßende Hauptmann noch nicht völlig befreien konnte. Etwas Anarchisch-Unfaßbares bricht hier in die Seele ein, in den behüteten Alltag und in die genau beschriebene Durchschnittlichkeit des sonstigen Daseins. Auch das geschenkte Äckerchen gehört noch in diesen Zusammenhang der Dingsymbolik, dieser Ort einer stillen Bergung in der Nähe von Wärterhaus und Bahnstrecke, der durch den Zugriff von Thiels zweiter Frau ein Herd der Unruhe wird und als gemeinsames Ausflugsziel die spätere Katastrophe indirekt auslöst.

Symbolische Verdichtung wird im novellistischen Stil häufig auch durch unterstreichende Wiederholung erreicht. Hauptmanns zweite Schilderung eines heranbrausenden Schnellzuges macht das Traumhafte der Eisenbahnstrecke noch wesentlich deutlicher. Die innere Chaotik der flutenden Seele und die äußere der Natur und einer ins Dämonische gesteigerten Technik sind unmittelbar aufeinander bezogen. Erst werden die selbstquälerischen Vorstellungen Thiels geschildert, dann sein Einschlafen in schwerer Müdigkeit, dann sein ersticktes Rufen nach der ersten Frau. „Ein Brausen und Sausen füllte sein Ohr, wie von unermeßlichen Wassermassen; es wurde dunkel um ihn, er riß die Augen auf und erwachte." Der inneren Dunkelheit, dem Angstschweiß, der Herzensangst, dem Gefühl des Ertrinkens antwortet der im Dunkel der Nacht wie eine Meeresbrandung rauschende Wald, der Wind mit Hagel und Regen und der Ausbruch des Gewitters. „Erst dumpf und verhalten grollend, wälzte" der Donner „sich näher in kurzen, brandenden Erzwellen, bis er, zu Riesenstößen anwachsend, sich endlich, die ganze Atmosphäre überflutend, dröhnend, schütternd und brausend entlud. Die Scheiben klirrten, die Erde erbebte." Seele und Natur sind in einem gewaltsamen, anarchischen Aufruhr, der in den elementaren Bildern der Dunkelheit, des Ertrinkens, der Meeresbrandung, des Donners und des Erdbebens sprachliche Gestalt gewinnt. Gerade in diesem bedeutsamen Augenblick erscheint von neuem der Zug. Noch schnell werden vorher in einem fast besinnungslosen Zustand von Thiel mitten in Sturm und Dunkelheit die Barrieren geschlossen. Dann erklingt schon die Signalglocke. „Der Wind zerriß ihre Töne und warf sie nach allen Richtungen auseinander. Die Kiefern bogen sich und rieben unheimlich knarrend und quietschend ihre Zweige aneinander. Einen Augenblick wurde der Mond sichtbar, wie er gleich einer blaßgoldenen Schale zwischen den Wolken lag. In seinem Lichte sah man das Wühlen des Windes in den schwarzen Kronen der Kiefern. Die Blattgehänge der Birken am Bahndamm wehten und flatterten wie gespenstige Roßschweife. Darunter lagen die Linien der Geleise, welche, vor Nässe glänzend, das blasse Mondlicht in einzelnen Flecken aufsogen".

Inmitten dieser unheimlichen, gespenstigen Natur, dieser nassen Gleislinien, die das Mondlicht aufsaugen, verwirren sich Traum und Wirklichkeit in Thiels Seele. Die Mißhandlung des kleinen Tobias wird zum unklaren, entsetzlichen Traum, während die visionäre Erinnerung an die verstorbene, flüchtende Frau viel deutlicher aus dem Unterbewußtsein auftaucht. „Sie war irgendwoher aus der Ferne gekommen, auf einem der Bahngeleise. Sie hatte recht kränklich ausgesehen, und statt der Kleider hatte sie Lumpen getragen. Sie war an Thiels Häuschen vorübergekommen, ohne sich darnach umzuschauen, und schließlich — hier wurde die Erinnerung undeutlich — war sie aus irgendwelchem Grunde nur mit großer Mühe vorwärtsgekommen und sogar mehrmals zusammengebrochen." Diese traumhafte Vision ist der novellistische Mittelpunkt der ganzen Novelle: Erinnerung an Thiels ganzes Leben, an das Verhängnis seiner zwei Ehen, und zugleich unbestimmte, ahnende Vorwegnahme der späteren Tobias-Katastrophe, alles das aber bezogen auf eine nun nicht mehr reale, sondern geisterhafte Bahnstrecke. Die Frau trug etwas in Tüchern gewickelt bei sich, „etwas Schlaffes, Blutiges, Bleiches, und die Art, mit der sie darauf niederblickte, erinnerte ihn an Szenen der Vergangenheit. Er dachte an eine sterbende Frau, die ihr kaum geborenes Kind, das sie zurücklassen mußte, unverwandt anblickte, mit einem Ausdruck, den Thiel ebensowenig vergessen konnte, wie daß er einen Vater und eine Mutter habe". Der Traum ist bei allem Unbestimmten doch durchaus präzise. Er verwebt die Vergangenheit und die Zukunft, ohne daß sich Thiel der vorausdeutenden Seite bewußt wird. Die erste Frau im Elend, verstoßen, auf der Flucht, sich von Thiel lossagend und auf dem Bahngeleise in der dunklen stürmischen Nacht sich mit einem schlaffen, blutigen, bleichen Bündel fortschleppend, dieser aus Schuldbewußtsein und Todesahnung herausgewachsene Traum geht unmittelbar über in den sinnbildlich stellvertretenden Zug, der hier bereits ganz in eine vorwegnehmende Blutsymbolik getaucht ist. „Zwei *rote*, runde Lichter durchdrangen wie die Glotzaugen eines riesigen Ungetüms die Dunkelheit. Ein *blutiger* Schein ging vor ihnen her, der die Regentropfen in seinem Bereich in *Blutstropfen* verwandelte. Es war, als fiele ein *Blutregen* vom Himmel." Die Wirklichkeit der auf den Geleisen wandernden Frau und die Unwirklichkeit dieses das Herz mit Grauen und Angst erfüllenden Zuges – die Vorzeichen, mit denen wir Wirkliches oder Unwirkliches erleben, scheinen hier vertauscht, nicht nur in der Seele des Bahnwärters, auch in der fast magischen Kraft des epischen Berichtes! Unwillkürlich möchte der immer noch träumende Thiel den Zug zum Stehen bringen, um das wandernde Weib auf den Schienen zu retten. Die Dämonie des Traums und die der Wirklichkeit sind auf unlösbare Weise miteinander verflochten.

Noch einmal scheinen sich die Natur und die Menschenseele zu beruhigen, und die Erzählung gibt uns, wenn auch nur kurz vorübergehend, die Illusion einer alltäglichen, liebevoll ausgemalten Wirklichkeit. Aber auch der neu heraufziehende herrliche Sonntagmorgen ist nicht ohne vor- und zurückdeutende Zeichen. Im Rot der Sonne spürt der aufmerksame Leser die Blutsymbolik des Zuges leise nachklingen. „Die Sonne goß, im Aufgehen gleich einem ungeheuren, blutroten Edelstein funkelnd, wahre Lichtmassen über den Forst." Die silbergrauen Flechten des Waldgrundes werden in „rote Korallen" verwandelt. Aber im ganzen verblassen jetzt die schreckensvollen Bilder der letzten Nacht. Der Bahnwärter hat trotz einiger befremdender Züge in seinem Wesen aus dem Phantastischen in das Alltägliche zurückgefunden. Der Ausflug zum Kartoffelacker wird für den nächsten Tag beschlossen. Noch einmal wird die erotische Thematik mit Nachdruck unterstrichen und damit dem Unheimlichen erneut

Raum gegeben. Nur eine kurze, skizzenhafte Szene ist es: die Frau, die das Mieder aufnestelt und die Röcke herabläßt, der Mann, sie mit brennenden Augen anstarrend, ein „erdfarbenes" Gesicht, das von Leidenschaft verzerrt ist, das Ganze fast nachtwandlerisch aus dem Unbewußten aufsteigend. Dann folgt in gedrängter realistischer Darstellung der zunächst überwiegend heitere Ausflug zum Kartoffelacker, auch hier freilich nicht ohne den Unterton der Unruhe beim Bahnwärter. Tobias wird in seinem braunen Plüschmützchen geschildert, wie er zwischen Farnkräutern umherhüpft; wir sehen die fleißig grabende Frau, die „mit der Geschwindigkeit und Ausdauer einer Maschine" arbeitet; es folgen verspielte und verträumte Vater-Sohn-Situationen am Bahngeleise, das Lauschen an den Telegrafenstangen, bei denen der gerührte Wärter mit der Zeit die Stimme seiner verstorbenen Frau wie aus einem Chor seliger Geister herauszuhören glaubt. Zwischen Blumen, Schmetterlingen und Birkenkronen springt das braune Eichhörnchen, das der Knabe für den lieben Gott hält: ein ruhiges, ja ein drolliges Idyll, in das Thiels Warnung vor den Geleisen nur wie ein leichter Schatten hineinfällt. Aber der Leser, der die ganze Geschichte kennt, weiß, daß gerade die liebenswürdigen Dinge wie das Plüschmützchen und das Eichhörnchen allzubald zu den Bildsymbolen für ein furchtbares Verhängnis werden.

Dann gipfelt die Erzählung in der blitzartigen, sekundengenauen Darstellung der Zugkatastrophe, die an den Arno Holzschen Sekundenstil im „Papa Hamlet" erinnert: die Notpfiffe, der plötzlich bremsende Zug, der zuschauende Wärter, der es zunächst gar nicht erfaßt, daß sein Kind überfahren wird. „Eine dunkle Masse war unter den Zug geraten und wurde zwischen den Rädern wie ein Gummiball hin und her geworfen. Noch einige Augenblicke, und man hörte das Knarren und Quietschen der Bremsen. Der Zug stand." Die Darstellung Hauptmanns ist hier und in den sich daran anschließenden tumultuösen Vorgängen keineswegs symbolisch, sondern rein sachlich, genau nachzeichnend. Aber die ganze Novelle hatte ja das Symbolische dieses Ereignisses in der Vision der Frau und in dem Zug des Blutregens bereits vorweggenommen. Gerade dieser Kontrast gibt der Katastrophe erst ihre geheime Bedeutung. Jetzt möchte sich Thiel aus dem gräßlich Wirklichen in den Traum zurückflüchten. Aber hier ist kein Ausweg. Es war dem Wärter, „als hielte ihn eine eiserne Faust im Nacken gepackt, so fest, daß er sich nicht bewegen konnte, so sehr er auch unter Ächzen und Stöhnen sich freizumachen suchte.

Seine Stirn war kalt, seine Augen trocken, sein Schlund brannte". Auch nach diesem Anfall, als Thiel wieder Dienst tut, „kreiste um ihn die Strecke wie die Speiche eines ungeheuren Rades, dessen Achse sein Kopf war". Gerade dieses Bild von dem Rad und der Speiche, das als Gleichnis der „Strecke" auf die „Achse" des Thiel-schen Kopfes bezogen wird, verdeutlicht eindringlich die sym-bolische Identität der inneren und der äußeren Vorgänge. Was sich im psychologischen Prozeß bis an die Grenze des nicht mehr Ver-stehbaren bei Thiel ereignet, diese Auflösung seiner Person in den Wahnsinn, das findet zugleich seine Spiegelung in jenem unheim-lichen Eisenbahnnetz und den dort sich abspielenden Bewe-gungsvorgängen, deren irrationale Gewalt sich nur noch mit der der Natur vergleichen läßt. Die ganze Novelle macht von den verschiedensten Seiten her sichtbar, wie die menschliche Kreatur überwältigt und entmächtigt wird durch etwas, das stärker ist als sie selbst und sich ihrem Begreifen entzieht.

Noch ist nicht entschieden, ob der halbtote Junge nicht vielleicht doch mit dem Leben davonkommt. Thiel will es im Umgang mit den unsichtbaren Mächten geradezu erzwingen. Denn für ihn handelt es sich nicht um einen unglücklichen Zufall, sondern um den Zugriff aus der Geisterwelt, um den Zugriff seiner ersten Frau, die sich das mißhandelte Kind wieder zurückgeholt hat. Im blinden Taumel stammelt er nur halbverständliche Worte zwischen den Zähnen hervor: „Du — hörst du — bleib doch — du — hör doch — bleib — gib ihn wieder — er ist braun und blau geschlagen — ja, ja — gut — ich will sie wieder braun und blau schlagen — hörst du? bleib doch — gib ihn mir wieder." „Braun und blau", „Beil", „Küchenbeil", „schlagen", „verrecken", „schwarzes Blut", das sind die den Mord vorwegnehmenden Assoziationen, mit denen der Ausbruch des Wahnsinns bei Thiel beginnt. Noch einmal spiegelt sich das innere Geschehen im objektiven Naturbild und wird auf diese Weise symbolisch bedeutsam. Wieder ist es die unter-gehende Sonne im Forst, mit der die Schilderung einsetzt, aber jetzt liegt das Schwergewicht des Vorganges ganz auf dem Erlöschen der Sonne und auf der damit einsetzenden Verfremdung der Welt. „Die Sonne goß ihre letzte Glut über den Forst, dann erlosch sie. Die Stämme der Kiefern streckten sich wie bleiches, verwestes Gebein zwischen die Wipfel hinein, die wie grauschwarze Moder-schichten auf ihnen lasteten. Das Hämmern eines Spechtes durch-drang die Stille. Durch den kalten, stahlblauen Himmelsraum ging ein einziges, verspätetes Rosengewölk. Der Windhauch wurde kellerkalt, so daß es den Wärter fröstelte. Alles war ihm neu, alles fremd. Er wußte nicht, was das war, worauf er ging, oder das, was ihn umgab. Da huschte ein Eichhorn über die Strecke, und Thiel besann sich. Er mußte an den lieben Gott denken, ohne zu wissen warum. ‚Der liebe Gott springt über den Weg, der liebe Gott springt über den Weg.' Er wiederholte diesen Satz mehrmals, gleichsam um auf etwas zu kommen, das damit zusammenhing. Er unterbrach sich, ein Lichtschein fiel in sein Hirn: ‚Aber mein Gott, das ist ja Wahnsinn.' Er vergaß alles und wandte sich gegen diesen neuen Feind. Er suchte Ordnung in seine Gedanken zu bringen, vergebens! Es war ein haltloses Streifen und Schweifen. Er ertappte sich auf den unsinnigsten Vorstellungen und schauderte zusammen im Bewußtsein seiner Machtlosigkeit." In diesem wirbelnden Strom von Gefühlen und Gedanken wird die Einheit der Thielschen Person völlig zerstört. Das erreicht seinen Höhepunkt, als Thiel seinen anderen, in der allgemeinen Verwirrung allein zurückgelassenen Knaben weinend und strampelnd im nahen Birkenwäldchen entdeckt. Hier nimmt die Erzählung den späteren, nicht mehr dargestellten Mord als Phantasievorgang bereits vorweg und motiviert ihn aus dem Chaos des Wahnsinns heraus. ‚‚‚Der liebe Gott springt über den Weg', jetzt wußte er, was das bedeuten wollte. ‚Tobias' — sie hatte ihn gemordet — Lene — ihr war er anvertraut — ‚Stiefmutter, Rabenmutter', knirschte er, ‚und ihr Balg lebt'. Ein roter Nebel umwölkte seine Sinne, zwei Kinderaugen durchdrangen ihn; er fühlte etwas Weiches, Fleischiges zwischen seinen Fingern. Gurgelnde und pfeifende Laute, untermischt mit heiseren Ausrufen, von denen er nicht wußte, wer sie ausstieß, trafen sein Ohr." Zwar kommt der Bahnwärter beim Klang der Signalglocke noch einmal zum klaren Bewußtsein seiner selbst, aber gerade zu diesem Zeitpunkt bringt der ankommende Zug auch den toten kleinen Tobias mit sich.

Es ist das letzte Mal, daß das Dämonische der Bahnstrecke künstlerische Gestalt gewinnt, ganz unpathetisch und ohne jedes romantische Beiwerk, aber dennoch dürfen wir keinesfalls von bloß detaillierter Wirklichkeitsschilderung reden. Wieder muß die Folge der Bilder in ihrem nicht nur äußeren, sondern auch inneren Zusammenhang verstanden werden. Erst wälzt sich dunkler Qualm über die Strecke, und der Wind drückt den Wärter zu Boden. Dann hört er das „Keuchen einer Maschine, welche wie das stoßweise gequälte Atmen eines kranken Riesen klang." Es ist der Kieszug, der mit geleerten Loren zurückging und die Arbeiter mit sich führte, welche tagsüber auf der Strecke tätig waren. Der epische Bericht schildert dann weiter das quietschende, schnarrende und rasselnde Bremsen in der Nachbarschaft von Thiels Häuschen — ein schriller, durchdringender Laut in der Abendstille. Die Arbeiter und Arbeiterinnen stehen aufrecht in den Loren mit einer „rätselhaften Feierlichkeit". Der Zugführer tritt auf Thiel zu, schüttelt ihm feierlich die Hand, und dieser folgt ihm bis zum letzten Wagen, aus dem man soeben das kleine tote Tobiaschen hebt. Lene — von Thiel keines Blickes gewürdigt — erschrickt bei dem Anblick ihres Mannes: hohlwangig, mit verklebten Wimpern und Barthaaren und einem unsteten, Grauen erregenden Licht in den Augen. „Eine Weile herrschte unheimliche Stille. Eine tiefe, entsetzliche Versonnenheit hatte sich Thiels bemächtigt. Es wurde dunkler." Dann gibt der Dichter noch einmal, kurz vor dem Zusammenbruch Thiels, ein fast verspielt anmutendes Naturbild. Ein Rudel Rehe setzt sich seitab auf den Bahndamm, darunter der Bock, der zwischen den Geleisen stehenbleibt, seinen gelenken Hals neugierig herumwendet und erst beim Pfeifen der Maschine blitzartig mit der ganzen Herde verschwindet. „In dem Augenblick, als der Zug sich in Bewegung setzen wollte, brach Thiel zusammen." Der Bewußtlose wird auf der für seinen Sohn bestimmten Bahre nach Hause getragen. Der epische Bericht erweitert sich hier wieder zur Naturschilderung. „Wie eine riesige, purpurglühende Kugel lag der Mond zwischen den Kiefernschäften am Waldesgrund. Je höher er rückte, um so kleiner schien er zu werden, um so mehr verblaßte er. Endlich hing er, einer Ampel vergleichbar, über dem Forst, durch alle Spalten und Lücken der Kronen einen matten Lichtdunst drängend, welcher die Gesichter der Dahinschreitenden leichenhaft anmalte."

Kein einziger Zug in der Schilderung dieser Ereignisreihe ist für sich allein genommen merkwürdig oder auffallend; eine gewollte Symbolik ist hier eher bewußt vermieden als auch nur angedeutet. Aber in der künstlerischen Verknüpfung der Bilder entsteht dennoch in einer unheimlich suggestiven Weise eine symbolische Zone des Unbehausten und des Todes. Das setzt bereits mit der herannahenden Maschine ein, deren Keuchen durch den Vergleich mit dem gequälten Atmen eines kranken Riesen mythologisiert wird. Auch das akustisch genau beschriebene Bremsen des Zuges mitten in der Stille ist eine einzige Dissonanz. Dann folgt die rätselhafte Feierlichkeit der in den Loren stehenden Arbeiter und der schwermütige Gang Thiels „mit langsamem, fast militärisch steifem

Schritt" bis zum letzten Wagen — erscheint dem Leser die Strecke nicht grauenvoll lang? —, aus dem dann das tote Kind gerade herausgehoben wird. Wie ein Abgesang ist das Dunkelwerden der Strecke, ihre Fremdheit, ihre rätselhafte Ferne zur Menschenwelt, nur arabeskenhaft angedeutet durch den neugierigen Bock zwischen den Geleisen, der mit den Pfiffen der Maschine blitzartig verschwindet. Der Leser erinnert sich in diesem Augenblick kaum mehr daran, wie bereits im ersten Kapitel der Erzählung ganz beiläufig erzählt wurde, daß früher einmal der Schnellzug einen Rehbock überfahren hatte — eines der wenigen Ereignisse in Thiels einförmiger Dienstzeit. Ist nicht alle Kreatur durch die Dämonie des Eisenbahnnetzes bedroht? Dieser neugierige Bock auf den Geleisen weiß freilich noch „blitzartig" zu flüchten, aber der gleiche Zug, dem er vielleicht ganz unbewußt entflieht, hat das Kind gebracht, das bereits ein hilfloses Opfer der Strecke wurde. Der Dichter vermeidet es, die Symbolik solcher Vorgänge zu unterstreichen, aber seine verknüpfende Kunst schafft eine geheime, suggestiv wirkende Beziehung auch noch zwischen Ereignissen, die scheinbar gar nichts miteinander zu tun haben. Das ist auch und durchaus im Rahmen einer naturalistischen Prosa möglich.

Das Unheimliche wird gesteigert durch die Gleichzeitigkeit von Thiels Zusammenbruch und der Abfahrt des Zuges. Am Ende schließlich verdichtet sich die Todessymbolik im verblassenden Mond, wenn dieser die Gesichter der Dahinschreitenden, die den Bahnwärter auf der für das Kind bestimmten Bahre tragen, von der fernsten Höhe aus „leichenhaft" anmalt. Es heißt die künstlerische Meisterschaft einer solchen Darstellung verkennen, wenn man annehmen wollte, das seien bloß untermalende „Stimmungen". Vielmehr gewinnt hier das Episch-Vorgangshafte eine geheimnisvolle und doch zugleich klare Durchsichtigkeit.

Der Schluß der Begebenheit wird vom Dichter in gedrängter, sachlicher Knappheit berichtet: der schwere, unheimliche Schlaf des Mannes, der in das Dunkel des Hintergrundes verlegte Doppelmord, welcher uns nur als vollzogene Tatsache mitgeteilt wird, dann der wahnsinnige, an den Bahngeleisen sitzende Wärter und seine gewaltsame Einlieferung ins Irrenhaus. Aber auch hier wird das Geschehen noch einmal im Dingsymbol zusammengezogen: in dem braunen Pudelmützchen des Kindes, das Thiel ununterbrochen liebkost „wie etwas, das Leben hat", und das er auch in der Charité stets in seinen Händen behält und mit eifersüchtiger Sorgfalt und Zärtlichkeit bewacht.

Unsere Interpretation hat Schritt für Schritt zu zeigen versucht, wie die dichterische Darstellung über detaillierte Milieuschilderung und psychologische Seelenstudie hinauswächst und in der zum Symbolischen verdichteten Bahnstrecke eine novellistische Silhouette gewinnt, durch die das Schicksal des Bahnwärters dann doch zum einmaligen Fall, zur „sich ereigneten unerhörten Begebenheit" im Goetheschen Sinne zu werden vermag. Zwar hat Hauptmann die Gestalt Thiels in keiner Weise heroisiert oder verklärt. Trotz aller Absonderlichkeiten seines Wesens bleibt er ein durchschnittlicher, durch seinen kleinbürgerlichen Umkreis im Fühlen, Denken und Handeln determinierter Mann. Aber dieser gutmütige, pflichttreue, sinnierende und etwas willensschwache Thiel wird zum Spielball unbegreiflicher Mächte, die nicht nur in seine Seele eindringen und sie zerstören, sondern ebenso in den elementaren Vorgängen der Natur, in Sonne und Mond, in Gewitter und Sturm ihre symbolische Spiegelung finden. Sinnbild des Ganzen aber bleibt das Dingsymbol der Eisenbahnstrecke, das über alles Zweckhafte und rational Begreifbare der realen Existenz eines Bahnwärterdaseins hinausweist in einen geisterhaften Raum. Hier wird die Wirklichkeit vom Traum aus gedeutet und der Traum auf rätselhafte Weise wieder an die Wirklichkeit gebunden. So gewinnt die Erzählung novellistische Geschlossenheit, und das Erzählte bekommt tragisches Gewicht. Die Vision der wandernden ersten Frau mit dem blutigen Bündel wird zu dem entscheidenden Mittelpunkt, von dem aus das Geschehen erst seine volle Beleuchtung erhält. Hier klingt das alte Balladenmotiv von der toten Mutter, die sich ihr Kind wiederholt, noch nach. Selbst der Zug mit dem Blutregen hat dafür noch stellvertretende Bedeutung.

Wer das Ganze richtig zu lesen versteht, wird am Ende nicht nur jene Traurigkeit empfinden, die wir aus Mitleid mit dem schweren Los eines unglücklichen Mannes haben, sondern eine Trauer, die der menschlichen Kreatur überhaupt gilt, weil diese in den Ordnungen des Daseins kein Zuhause mehr findet und auf eine rätselhaft unentrinnbare Weise zerstört wird. Nur Georg Büchner hat im Fragment seiner Erzählung „Lenz" etwas Ähnliches gestaltet.

HUGO VON HOFMANNSTHAL

—

REITERGESCHICHTE

Hugo von Hofmannsthals „Reitergeschichte" ist am Ausgang des letzten Jahrhunderts entstanden, 1898 zum ersten Male gedruckt und bisher kaum beachtet worden. Sie fällt in die Zeit jener beginnenden und häufig beschriebenen „Krise", die im Lord Chandos-Brief gipfelt. Es ist die Epoche, in der Hofmannsthal von der bisher vorwiegend lyrischen zur eigentlich dramatischen Produktion übergeht. Er wußte, daß es etwas anderes ist, eine Kunstform zu „gebrauchen", als ihr auch schon „gerecht" zu werden. Wir dürfen annehmen, daß ihm die Beschäftigung mit der Form der Novelle eine Art Vorübung für das dramatische Schaffen bedeutete. In seinen Jugendaufzeichnungen „Loris" findet sich eine Bemerkung über den Dichter, die sich unmittelbar auf die novellistische Gestaltung anwenden läßt. Der Dichter „schätzt die Einzigkeit der Begebenheit unendlich hoch; über alles setzt er das einzelne Wesen, den einzelnen Vorgang, denn in jedem bewundert er den Zusammenhang von 1000 Fäden, die aus den Tiefen der Unendlichkeit herkommen und die sich nirgends wieder, niemals wieder völlig so treffen" (Loris, Die Prosa des jungen Hugo von Hofmannsthal, Berlin 1930, S. 259).

Aber ist die „Reitergeschichte" eine Novelle? Der Erzähler berichtet auf eine so enggedrängte Weise, ballt so vieles auf wenigen Seiten zusammen, daß man die Erzählung auf den ersten Blick für eine Anekdote oder eine Art Kurzgeschichte halten könnte. Darf man sie als eine Anekdote des Wunderbaren bezeichnen, die in dem geheimnisvollen, romantischen Motiv des Doppelgängers gipfelt, der dem Wachtmeister Lerch, ohne daß es dieser selber ahnt, seinen bevorstehenden Tod ankündigt? Oder kann man sie als eine Kurzgeschichte interpretieren, deren meisterhaft herausgearbeitete Pointe in einem unerwarteten Schluß liegt, in der Erschießung des Wachtmeisters wegen Insubordination durch den Rittmeister seiner eigenen Schwadron? In beiden Fällen wäre freilich alles andere, was noch erzählt wird, bloßes Beiwerk, Milieuschilderung oder stimmungshafte Untermalung. Um es sogleich vorwegzunehmen, eine solche Auslegung würde den Charakter der bedeutenden Begebenheit ganz und gar verkennen und das spezifisch Novellistische gerade dieser Erzählung völlig außer acht lassen.

Gehen wir zunächst von der stilistischen Gestaltung aus. Da haben wir die immer wieder weitausgreifenden Sätze, die mit ihren an Kleist erinnernden syntaktischen Ballungen stets eine Fülle von Einzelvorgängen sprachlich zur Einheit zusammenfassen und auf diese Weise bereits indirekt auf die Einheit des ganzen erzählten Vorganges hindeuten. Außerdem zeigen diese kunstvollen, ja künstlichen Periodensätze durchaus den artistischen Stil der modernen Novelle, der nicht nur sachlich berichtet, sondern seinen Gegenstand durch die Art des Erzählens in eine besondere Beleuchtung zu setzen versucht. An manchen Stellen gelingt es dem Erzähler, das Tempo bis zum äußersten zu forcieren, so daß es sich geradezu überschlägt; an anderen erreicht er wieder eine solche Verlangsamung, daß die Zeit gleichsam stillzustehen scheint. Immer aber kommt es ihm darauf an, das Tatsächliche und Reale in einen unendlichen symbolischen Bezug zu stellen. Dazu bedarf er dieses künstlichen Baues seiner Sätze, mit denen er das als wirklich Dargestellte wieder in eine bewußte Distanz rückt, die sich die Freiheit der künstlerischen Gestaltung offenhält. Der Erzähler identifiziert sich nicht mit dem, was er darstellt. Zwar mischt er sich nirgends als agierende Person ein; jedes Pathos, aber auch jede Ironie ist vermieden, er bleibt durchaus episch berichtend. Jedoch wird auch das vom Vorgang her gesehen Indezente, Gemeine und Häßliche in einer Tonart des souveränen Taktes, der kultivierten Vornehmheit und der geistigen Überlegenheit vorgetragen. Die Stilgebung Hofmannsthals bleibt bei der Begebenheit und rückt dennoch durch die Art des Vortrags wieder von ihr ab.

Das alles verlangt auch vom Interpreten die größte Behutsamkeit und ein ausgesprochenes Gefühl für Distanzen. Er muß das Ausgesagte wörtlich nehmen, ja, er hat ausführlich beim Inhaltlichen zu verweilen, wird es jedoch zugleich auch in seiner künstlerisch symbolisierenden Funktion zu begreifen haben. Bereits der Versuch einer knappen Nacherzählung bringt ihn in Schwierigkeiten, weil in dieser verdichteten Prosa eigentlich keine einzige Beobachtung ausgelassen werden darf. Wohl erkennt man beim aufmerksamen Lesen, daß sich die Erzählung in fünf deutlich

voneinander abgesetzte Einzelteile gliedert; aber ihr Zusammenhang — und gerade auf diesen kommt es an — erscheint zunächst
rätselhaft, ja unverständlich. Zu Beginn berichtet der Erzähler von
den fast fröhlich heiteren Gefechten des am 22. Juli 1848 kurz vor
sechs Uhr morgens ausreitenden Streifkommandos der zweiten
Eskadron von Wallmodenkürassieren unter dem Kommando des
Rittmeisters Baron Rofrano und dem glanzvollen Einritt der
Schwadron in das große und schöne, wehrlos daliegende Mailand.
Der nächste Abschnitt handelt von etwas ganz anderem, nämlich
von dem mehr zufälligen Besuch des Wachtmeisters Lerch in der
Wohnung einer ihm aus früheren Jahren bekannten Frau mit dem
slawischen Namen „Vuic". Dann wechselt wiederum die Szenerie,
und wir hören von dem einsamen Ritt des Wachtmeisters durch
ein abseits der Straße liegendes, abscheuliches Dorf. Als er es
verläßt und auf eine alte, einbogige Steinbrücke zureitet — damit
setzt der vierte Abschnitt ein —, hat er dort die Begegnung mit
dem auf ihn zureitenden Doppelgänger, der aber ebenso plötzlich
verschwindet, wie er gekommen ist. Noch im gleichen Augenblick
wird der Wachtmeister in ein neu ausgebrochenes Gefecht
verwickelt, in dessen Verlauf er einen jungen feindlichen Offizier
umbringt und einen schönen, zierlichen Eisenschimmel erbeutet.
Der letzte Abschnitt zeigt dann die nach dem siegreichen Abend-
gefecht sich in zwei Glieder formende Eskadron mit ihren Pferden,
unter ihnen auch die fremden, neuerbeuteten. Der Rittmeister
reitet die Front ab und befiehlt: „Handpferde auslassen!" Das
Kommando wird noch einmal wiederholt, dann folgt unmittelbar
das Zählen „eins", „zwei", der Rittmeister hebt seine Pistole und
erschießt bei „drei" den Wachtmeister, der regungslos vor ihm in
seinem Sattel sitzt und ihm starr ins Gesicht blickt. Die Erzählung
schließt damit, daß die Pferde freigegeben werden und das Streif-
kommando erneut gegen den Feind zieht, der aber kein weiteres
Gefecht mehr annimmt.

Betrachtet man den Handlungszusammenhang, so liegt der
Schwerpunkt des Erzählten deutlich am Ende: in der Erscheinung des Doppelgängers und in dem plötzlichen, in dieser Weise
doch unerwarteten Tod des Wachtmeisters. Künstlerisch gesehen
wird man jedoch viel eher den Ritt des Wachtmeisters durch das
noch näher zu schildernde Dorf für die Mitte des Ganzen halten müssen, weil alles Vorausgegangene auf eine geheimnisvolle
Weise in eben diesen Ritt hineinführt, so wie alles Spätere nur von
hier aus interpretiert werden darf. Freilich handelt es sich dabei

nicht um einen kausal begreifbaren, sondern um einen vom Dichter erst geschaffenen symbolischen Zusammenhang. Realistisch betrachtet haben wir eine Folge von Ereignissen, in einen Tag zusammengedrängt, vier glücklich bestandene Gefechte einer Reiterschwadron mit einem, dann mehr privaten, fatalen Ausgang für den Wachtmeister. Aber so genommen wird das Erzählte zusammenhanglos. Dennoch kann man die natürliche Kausalität nicht einfach durch eine symbolische ersetzen. Denn was geschieht und was geschildert wird — von der Erscheinung des Doppelgängers abgesehen —, ist durchaus nicht wunderbar, ja, für sich allein noch nicht einmal besonders merkwürdig, seien es die Vorgänge auf dem Schlachtfelde, sei es der Besuch bei der Vuic, seien es die Frau und die Tiere beim Durchreiten des Dorfes oder der zwar ungewöhnliche, aber doch verständliche Vorgang der über den Wachtmeister so unvermutet verhängten Exekution. Der Erzähler hat sogar die realistische Seite seines Erzählens mit Nachdruck unterstrichen. Er macht genaue Zeit- und Ortsangaben, er gibt die Namen der Personen, er nennt die Zahl der jeweiligen Gefangenen, er beschreibt die Einrichtung eines Zimmers, er schildert die norditalienische Landschaft in ihren Einzelheiten. Selbst das Phänomen des Doppelgängers hat nichts unwirklich Mystisches, nichts eigentlich Geisterhaftes, sondern es wird sehr präzise in einer exakt beobachtenden Darstellung und ohne jede reflektierende Stellungnahme des Dichters mitgeteilt.

Dennoch wird kein Leser diese Erzählung für ein Beispiel realistischer oder naturalistischer Prosa halten, nicht nur wegen ihrer konstruktiv gebauten Sätze, sondern auch wegen ihrer besonderen Atmosphäre. Der Gesamteindruck ist traum- und geisterhaft, in der Schilderung des Dorfes geradezu wie ein Alptraum. Wohl haben wir es mit den wirklichen Vorgängen eines ganz bestimmten Krieges zu tun, aber der Erzähler führt uns doch behutsam und allmählich in eine symbolische Zone des Todes hinein, für die der besondere Fall des Wachtmeisters und sein merkwürdiges Schicksal offensichtlich stellvertretende Bedeutung haben. Ja, die Geschichte entrückt uns geradezu in eine Welt, die nur noch scheinbar unsere wirkliche Welt ist, denn die zeichenhaften Bilder deuten weit darüber hinaus und rühren an jenes „Weltgeheimnis", das der junge Hofmannsthal bereits in seiner Lyrik und in seinen lyrischen Dramen beschworen hat. Allerdings würden rein allegorische Auslegungen plump danebengreifen, weil wir vor einem verschlüsselten Ganzen stehen, zu dem uns der

Dichter in bewußter Absicht kein aufschließendes Werkzeug in die Hand gibt. Alles, was hier geschieht, *ist* und *bedeutet* zugleich, zeigt sich in klar umrissener Wirklichkeit und doch von geisterhafter Transparenz, in räumlich-zeitlicher Zuordnung und doch als übersinnliches Geheimnis. Nirgends tritt eine vermittelnde Reflexion dazwischen, die das so Geeinte wieder trennte und auseinanderlegte oder — sei es phantastisch, sei es ironisch — wieder aufeinander bezöge. Diese *Identität des Realen mit dem Symbolischen*, die hier eine durchgängige Stilform ist und die auf die Hervorhebung besonders eindringlicher Dingsymbole weitgehend verzichtet, schreibt dem Interpreten seine Methode vor. Er kann nur der dichterischen Bildgestaltung selbst nachgehen, ihrem zugleich kunstvollen und absichtslosen Stil, ihren wechselseitigen Spiegelungen. Er kann und darf die vom Dichter auch wieder bewußt verhüllte Symbolik zwar nicht enthüllen — denn die Hülle ist hier die Sache selbst —, aber er kann sie aufhellen und so ins Bewußtsein heben, um die Meisterschaft dieser novellistischen Formgebung sichtbar zu machen. Denn alles scheinbar Unverbundene ist hier in Wahrheit noch verbunden. Was in der zeitlichen Folge zunächst willkürlich und zusammenhanglos anmutet, wird mit den Mitteln der dichterischen Sprache dieser *einen* isolierten, bedeutenden Novellenbegebenheit zugeordnet; jedes Einzelgeschehen erhält seinen tieferen Sinn vom Mittelpunkt des Ganzen aus, der im Verlauf der Novelle in immer wieder neuen und anderen Spiegelungen anwesend ist: durch das unentrinnbare Sterben des Wachtmeisters Lerch. Nichts wird erzählt, was nicht dazu noch in Beziehung stände, und darin liegt bereits die mit jedem Satz symbolisierende Eigenart dieses Erzählens. Nimmt man die Schlußpointe der Erschießung für sich allein, so ist sie nicht viel mehr als ein grausames und nicht einmal gerechtes Spiel des Zufalls; im Ganzen der Erzählung bekommt sie jedoch eine völlig andere Beleuchtung, weil alles Vorausgegangene in der Zeichensprache der Bilder bereits auf sie hindeutet und ihr damit jenen aus einer unendlichen Tiefe kommenden Bezug gibt, auf den es Hofmannsthal — weit über alles realistische Erzählen hinaus — eigentlich ankam. So müssen wir denn Schritt für Schritt der Erzählung nachgehen, um diese besondere Eigenart eines zugleich realisierenden und symbolisierenden Stiles, der in so hohem Maße der Gattung Novelle gerecht wird, unverstellt in den Blick zu bekommen.

Die Erzählung, die mit einer genauen Zeitangabe beginnt, führt uns in Kriegshandlungen hinein, die um die Mitte des

19. Jahrhunderts im oberitalienischen Raum spielen. Doch hat das historische Kolorit für den weiteren Verlauf kaum eine Bedeutung, während die Landschaft genauer beschrieben wird und ihr sich an diesem Tage mehrfach veränderndes Bild besondere Symbolkraft besitzt. Am Eingang der Geschichte wird dieser oberitalienische Raum als gelöst, klar und glänzend beschrieben, es herrschte „eine unbeschreibliche Stille"; „von den Gipfeln der fernen Berge stiegen Morgenwolken wie stille Rauchwolken gegen den leuchtenden Himmel; der Mais stand regungslos, und zwischen Baumgruppen, die aussahen wie gewaschen, glänzten Landhäuser und Kirchen her". Inmitten dieser gereinigten, stillen und leuchtenden Landschaft hat das ausbrechende Gefecht etwas Freies und Sportliches. Nur ganz verhalten wird das Bedrohende des Krieges angedeutet, wenn von der Schwadron berichtet wird, daß sie „einen Trupp ungleichmäßig bewaffneter Menschen wie die Wachteln" vor sich hertreibt. Der Wachtmeister Anton Lerch tut sich besonders hervor, als er mit mehreren seiner Leute in der Nähe einer schönen Villa achtzehn Studenten der Pisaner Legion gefangennimmt, „wohlerzogene und hübsche junge Leute mit weißen Händen und halblangem Haar". Der Ablauf der Gefechte wird äußerst gedrängt, aber doch bis in die Zeitangaben genau geschildert. Der Erzähler tritt beinahe wie ein Kriegsberichterstatter vor uns hin und zerlegt die Kriegshandlung in lauter Einzelvorgänge: der verdächtige, in der Tracht eines Bergamasken vorübergehende Mann, der sich allzu betont unauffällig benimmt und nach der Verhaftung als gefährlicher Spion entpuppt; die erbeutete Herde Vieh, die eroberte leichte Haubitze, die mit zwei Ackergäulen bespannt ist und dem Gefreiten Wotrubek und den Dragonern Holl und Haindl in die Hände fällt. „Die Schwadron hatte einen Toten." Aber was zählt schon ein Toter bei solchem glückhaften Dreinschlagen!

Niemand würde zu Beginn der Erzählung auf den Gedanken kommen, daß sich diese skizzen- und zeichenhaft dargestellte Kriegswelt, die etwas unbekümmert Frisches und reizvoll Abenteuerliches hat, schon wenige Seiten später immer eindringlicher in eine Symbolzone des Todes verwandeln wird. Wie sollte das auch sein! Die „schöne" Schwadron reitet „unter dem Geläut der Mittagsglocken" mit dem Generalmarsch der vier Trompeter in das wehrlose, „schöne" Mailand ein. Das Ereignis wird in einem der für diese Novelle so charakteristischen langen Sätze beschrieben, einem Satz wie ein großer Torbogen, der eine Fülle von Ein-

drücken umspannt: den stählernen, funkelnden Himmel, die sich
wie ein aufgewühlter Ameisenhaufen mit tausend Gesichtern
füllende Straße, südlichen Glanz und südliche Schönheit,
dunkle Orte mit verborgener Gefahr und inmitten dieser von
Kindern und Frauen, Kirchen und Heiligen erfüllten Stadt die
glitzernde, glänzende Schwadron, die vom „trabenden Pferde"
hinab „aus einer Larve von blutbesprengtem Staub" auf alles
dieses hervorblickt — „zur Porta Venezia hinein, zur Porta Picinese
wieder hinaus: so ritt die schöne Schwadron durch Mailand".
Noch ist das Gesicht des Krieges verklärt, alles erscheint in einem
zwar gefährlichen, aber auch rauschhaft gesteigerten, mit einem
erotischen Unterton erfüllten Zauber. Die verschlafenen Fenster,
die von den entblößten Armen schöner Unbekannter aufgerissen
werden, die brokatgekleideten, strahlenäugigen Frauen, welche
aus den uralten Kirchen hervorwinken, die halbwüchsigen
Mädchen und Buben, die ihre weißen Zähne und dunklen Haare
zeigen. Welch ein verlockendes Abenteuer, dieses Mailand! Der
Dichter gibt es uns in einem einzigen Satz.

Einer aus der Schwadron, der Wachtmeister Anton Lerch,
gerät auf seine eigne Weise in dieses Abenteuer hinein. Schon
hier beginnt sein Weg ins Todesdunkel, das ihn von nun an nicht
mehr freigeben soll. Er glaubt am ebenerdigen Fenster eines neu-
gebauten, hellgelben Hauses ein ihm bekanntes weibliches Gesicht
zu sehen. Vielleicht hätte ihn die Neugierde allein noch nicht
bewogen, aus der Eskadron herauszutreten. Aber er reitet an
einer günstigen Stelle und braucht das Glied nicht zu stören;
überdies macht sein Pferd einige steife Tritte, so daß die Ver-
mutung nahe liegt, es habe sich einen Straßenstein in sein vorderes
Eisen eingetreten. Es folgt dann die Schilderung des kurzen
Besuches bei der „Vuic". Vom Vorgangshaften aus gesehen,
ereignet sich dabei so wenig, daß der Leser diese Szene zunächst
fast überliest und ihr keine große Bedeutung beimißt, und doch
sind wir bereits hier mitten im Symbolzusammenhang! Es scheint
nicht gerade sehr wichtig, daß der Wachtmeister eine ihm von
früher her bekannte „üppige, beinahe noch junge Frau" trifft, die
Witwe oder geschiedene Frau eines kroatischen Rechnungsoffi-
ziers, mit der er „vor neun oder zehn Jahren in Wien in Gesellschaft eines anderen, ihres damaligen eigentlichen Liebhabers
einige Abende und halbe Nächte verbracht hatte", zumal ja diese
Frau in der nachfolgenden Erzählung keine Rolle mehr spielt.
Oder sollte es sich damit nicht doch ganz anders verhalten? Wohl

ist der Wachtmeister im „Bewußtsein der heute bestandenen Gefechte und anderer Glücksfälle" besonders aufgelockert und für weibliche Reize recht zugänglich. Aber es kommt nur zu einem rasch hingeworfenen Wort, das sich überdies niemals erfüllen wird: „Vuic,... in acht Tagen rücken wir ein, und dann wird das da mein Quartier." Schon aber drängt ihn sein Pferd fort, er sitzt auf und trabt der Schwadron nach, „ohne von der Vuic eine andere Antwort als ein verlegenes Lachen mit in den Nacken gezogenem Kopf mitzunehmen". Was sonst noch berichtet wird, möchte man leicht für bloße Milieuschilderung halten: das helle Zimmer mit Gartenfenstern, die paar Töpfchen Basilikum und rote Pelargonien, der Mahagonischrank und die mythologische Gruppe aus Biskuit, dann, vom Wachtmeister im Spiegel erblickt, die Gegenwand des Zimmers, von einem großen, weiten Bett ausgefüllt, und die Tapetentür, „durch welche sich ein beleibter, vollständig rasierter, älterer Mann im Augenblick zurückzog".

Nichts von symbolischer Unterstreichung, noch nicht einmal von besonderer Hervorhebung. Aber der Dichter erzählt gerade an dieser Stelle besonders taktvoll und dezent, mit einer verhaltenen Diskretion, die den Leser auffordert, manches zu erraten, was er nicht direkt mitteilen will. Geht man dem kurzen Genrebild genauer nach, so haftet ihm etwas Peinliches und Fatales an — Fatalität bereits in dem Doppelsinn des Wortes —, nicht so sehr im einzelnen, wohl aber in der vom Dichter kunstvoll vorgenommenen Mischung der Eindrücke, die wiederum so behutsam ausgeführt ist, daß sie wie absichtslos erscheint. Verschleiernd ungenau, aber trotz aller Diskretion auch wieder obszön vieldeutig ist der Satz über die Vergangenheit, über die in Gesellschaft eines anderen, ihres damaligen, eigentlichen Liebhabers mit eben dieser Frau verbrachten Abende und halben Nächte. Die Erscheinung der Frau selbst wirkt auf eine unbestimmte Weise unordentlich und schlampig, nicht nur durch den „etwas zerstörten Morgenanzug", mehr noch durch die große Fliege, die über ihren Haarkamm läuft und der der Wachtmeister mit schwerfälligem Blick nachsieht, nur darauf achtend, „wie er seine Hand, diese Fliege zu scheuchen, sogleich auf den weißen, warm und kühlen Nacken legen würde". Das ganze Bild symbolisiert: das in dieser Umgebung unangenehme Tier, Haar und Haarkamm, aufsteigende Begierde des Mannes und der weiße Nacken der Frau; mit einer einzigen Wendung schafft der Dichter eine ins unbewußt Triebhafte hinabreichende Verknüpfung. Dann die Zimmereinrichtung mit ihrem Gemisch von Gartenfenstern, roten Blumen, Mahagonischrank, mythologischer Biskuitgruppe, und das im Spiegel erblickte große, weite weiße Bett; es will nicht recht zusammenpassen, es strömt zwar etwas fremdartig Behagliches aus, aber auch etwas Weiches, sinnlich Einlullendes und Verführerisches. Bei aller Dezenz der Schilderung wirkt es dennoch intimindezent, improvisatorisch, aus der Ordnung des gewöhnlichen Lebens herausführend. Der beleibte, vollständig rasierte Herr, der sich aus dieser Kombination von Wohn- und Schlafzimmer verzieht, läßt sich der üppigen slawischen Dame, die man eigentlich nicht eine Dame nennen möchte, die halb geschmeichelt zu lächeln und geziert zu reden versteht, nicht recht zuordnen oder zum mindesten wiederum nur auf eine fragwürdige oder indiskrete Weise. Gerade das im Spiegel erblickte Zimmer mutet uns wie die sonst verborgene Kehrseite einer angenehmen Fassade an. Sogar etwas leicht Unheimliches schwingt dabei mit.

Das unbestimmt Fatale und Unsaubere der Situation, ihre geheime erotische Bodenlosigkeit, verdichtet sich in den traumhaften Phantasien des Wachtmeisters, die ihn ins Uferlose hinüberlocken. Wie harmlos klang der Satz von der geplanten Einquartierung! „Das ausgesprochene Wort aber machte seine Gewalt geltend." Mit einem Male hat dieser verdichtende, symbolisierende Stil eine Atmosphäre irritierender Bedrohung beschworen. Der Wachtmeister reitet jetzt nicht mehr mit festem Schritt, er reitet „unter der schweren metallischen Glut des Himmels, den Blick in die mitwandernde Staubwolke verfangen". Auch das Bild der Landschaft ist anders geworden. Begierde und Gewalttätigkeit treiben ihre Blasen in seinem Inneren und werden zu traumhaften Wunschbildern, die ihn umgeistern: eine Existenz ohne Dienstverhältnis, in Hausschuhen, „den Korb des Säbels durch die linke Tasche des Schlafrockes durchgesteckt". Es ist bezeichnend, daß in diesen Phantasien nicht — wie man erwarten sollte — das „schöne breite Bett und die feine weiße Haut der Vuic" das Vorherrschende sind, vielmehr gerade der so beiläufig erwähnte Rasierte, der bis zu einer schwammigen Riesengestalt anwächst, „der man an zwanzig Stellen Spundlöcher in den Leib schlagen und statt Blut Gold abzapfen konnte". Zweideutige, lustvoll widrige, halb politische, halb sexuelle Vorstellungen kreisen um diesen Wohlbeleibten, von denen wir nicht wissen — es wird nirgends gesagt —, ob Erinnerungen an den „damaligen eigentlichen Liebhaber" der Vuic mit hineinspielen oder noch

Eindrücke des gerade erlebten Gefechtes, etwa jener unauffällige und dennoch ertappte Spion, der ja auf eine traumhafte Weise mit dem durch die Tapetentür verschwindenden „geheimen Intriganten" oder „Kuppler" oder „Besitzer verdächtiger Häuser" identisch sein könnte. Wie dem auch sei, das im Spiegel Gesehene spiegelt sich noch ein zweites Mal in diesen Phantasien des Wachtmeisters, die ins trüb Begehrliche, ins wollüstig Gewalttätige, ins triebhaft Habsüchtige hinübergleiten. Das gegenständliche Bild des Zimmers, die traumhaften Assoziationen, es fehlt dabei nicht an aufgehellt wärmenden Tönen, aber die Symbolik des Ganzen, die sich gerade in der doppelten Spiegelung verrät, deutet auf einen Bereich des Häßlichen und Geistfernen hin, der eine immer stärkere schicksalhafte Kraft entfaltet. Das spielerisch Leichte des Anfangs ist versunken, die „schöne Schwadron", die durch das „schöne Mailand" reitet, erscheint schon jetzt nicht mehr wie etwas Wirkliches, sondern wie ein fernes, fast larvenhaftes Traumbild angesichts dieses anarchischen Einbruchs der aus Siegestaumel, Lustverlangen und Kriegswillkür herauswachsenden schwülen Phantasien, angesichts dieses in Mailand geweckten Durstes „nach unerwartetem Erwerb, nach Gratifikationen, nach plötzlich in die Tasche fallenden Dukaten".

Noch könnte man diese symbolische Bildwelt mit ihren lockend unsauberen, schwammig lüsternen und metallisch schweren Zügen in einem psychologischen Sinne deuten. Aber das Gefährliche und Abgründige der ganzen Begebenheit wird dabei immer deutlicher spürbar. Ist es doch gerade diese aufgeregte, träumerische Vorstellungswelt, die dem Wachtmeister das abseits von der Landstraße liegende Dorf mit dem halb verfallenen Glockenturm, in einer dunklen Mulde gelagert, „auf verlockende Weise" verdächtig macht. Ohne sein Abenteuer in Mailand wäre er kaum in dieses Dorf seines Schicksals hineingeritten. So freilich hofft er, mit Hilfe der Gemeinen Holl und Scarmolin dort einen feindlichen General mit geringer Bedeckung aufzuspüren „oder anderswie ein ganz außerordentliches Prämium zu verdienen". Die beiden mitgenommenen Soldaten sollen die Häuser von außen umreiten, während er selbst mit der Pistole in der Hand die Straße durchgaloppieren will. Aber es wird ein ganz anderer Ritt daraus. Was begegnet dem Wachtmeister in diesem Dorfe? Hält man sich an das Tatsächliche, faktisch Begreifbare, so ist es fast nichts: eine vor dem Pferde hergehende Frauensperson, die bald wieder verschwindet, einige sehr unangenehme Hunde, die den Ritt behindern, eine Kuh, die von einem Burschen zur Schlachtbank geführt wird. Aber wiederum schafft Hofmannsthal in der wechselseitigen Verknüpfung und Spiegelung der Bilder eine Atmosphäre eigner Art, wirklich und überwirklich zugleich, erschreckend nahe und doch wieder geisterhaft, in einem kurzen Augenblick sich abspielend und doch aller Zeit entrückt. Es ist Abend, als der Wachtmeister in das Dorf einreitet, und es ist immer noch die Zeit der untergehenden Sonne, als sich nachher das Gefecht ereignet. Dennoch wird diese kurze, scheinbar fast ereignislose Zeitspanne des Durchreitens zu einem endlosen Nichtvorwärtskommen, zu einer „unmeßbaren Zeit". Nirgends werden hier die inneren Vorgänge in der Seele des Wachtmeisters beschrieben, alles ist objektiver, epischer Bericht, und dennoch ist es in jedem Satz zu spüren, daß die Traumphantasien des Einreitenden und die ihm hier so grauenhaft antwortende, ins Symbol erhobene gegenständliche Welt in einer unheimlichen Verknüpfung miteinander stehen. Alle Teile in dieser Novelle deuten aufeinander hin.

Das unsagbar Widrige des Dorfes wird gleich zu Beginn fühlbar in dem „glitschrigen Fett", das über die harten Steinplatten des Weges ausgegossen ist und ein schnelles Durchreiten unmöglich macht. Ein elendes, scheinbar verödetes Nest, „totenstill", „kein Kind, kein Vogel, kein Lufthauch". Schon damit ist angedeutet, daß alles Schöne, Leichte, Beschwingte hier abwesend ist. Noch deutlicher wird das durch die schmutzigen kleinen Häuser, von deren Wänden der Mörtel abgefallen ist und auf deren nackte Ziegel „hie und da etwas Häßliches mit Kohle" gezeichnet ist. Im Innern der Häuser lungern schattenhaft faule, halbnackte Gestalten auf einer Bettstatt oder schleppen sich mit ausgerenkten Hüften durch das Zimmer. Das alles wirkt entseelt, gespenstisch, ja, automatenhaft. Der Gang des Pferdes wird immer schwerer, wie wenn seine Hinterbeine aus Blei wären. Der Wachtmeister wendet sich um und bückt sich, um nach dem rückwärtigen Eisen zu sehen. In eben diesem Augenblick schlürfen Schritte aus einem Haus an ihm vorbei; eine Frauensperson, die er nicht zu erkennen vermag, geht ganz dicht vor seinem Pferd. „Sie war nur halb angekleidet; ihr schmutziger, abgerissener Rock von geblümter Seide schleppte im Rinnsal, ihre nackten Füße staken in schmutzigen Pantoffeln; sie ging so dicht vor dem Pferde, daß der Hauch aus den Nüstern den fettig glänzenden Lockenbund bewegte, der ihr unter einem alten Strohhute in den entblößten

Nacken hing, und doch ging sie nicht schneller und wich dem Reiter nicht aus."

Mit keinem Wort ist auf das Erlebnis in Mailand hingedeutet, aber die Art der Bilder rückt beide Vorgänge in einen unheimlichen und unerklärlichen Zusammenhang: dort war es das vordere Eisen des Pferdes, das den Wachtmeister aus dem Gliede herausnötigte und ihn mit der Vuic in Verbindung brachte; hier sind wiederum das stockende Pferd und die sinnliche Erscheinung der Frau in gemeinsamer Perspektive gegeben. Kein Gespräch findet statt, nicht einmal das Gesicht der Frau kann erblickt werden. Nur das Pferd schafft den ins Animalische hinabreichenden Kontakt. Die Frau in Mailand — die Frau im Dorf: es besteht zweifellos nicht die geringste Wiederholung der Situation, und doch sind beide auf eine quälende Weise identisch, von dem gleichen Schicksalszeichen des in der Gangart gehemmten Pferdes umwittert. Sie sind identisch und doch wieder nicht identisch, so wie Personen im Traume wiederkehren, und gerade das erzeugt den schaudervollen, den geisterhaften Eindruck. Ist es nicht so, als ob das schwül Sexuelle und widrig Schlampige der Zimmerszene von Mailand noch einmal auftauche, aber diesmal noch ekelhafter, noch fataler und zugleich gespenstischer? Der schmutzige, abgerissene Rock von geblümter Seide mit seiner schmierigen, herabgekommenen Eleganz erinnert unmerklich an den „zerstörten Morgenanzug" der Vuic. Beide Male wird das Bild des Nackens fast überdeutlich plastisch profiliert, der entblößte Nacken hier, der weiße, zugleich warme und kühle Nacken dort. Der Dichter hat diese Anklänge in den Bildern, unter bewußter Vermeidung von Wiederholungen, höchst kunstvoll durchgeführt. Nicht nur läßt uns das Unsaubere und Ungepflegte im „fettig glänzenden Lockenbund" des Haares noch einmal an das glitschrige, widerwärtige, auf die Straße ausgegossene Fett denken, es führt uns auch zur Vuic zurück, deren Haar zwar nirgends beschrieben, aber doch durch die große Fliege auf dem Haarkamm auf eine indirekte Weise entwertet war. Es ist mehr eine Identität der makabren, schmutzigen, sexuellen Atmosphären und nicht so sehr eine der Personen. Denn der Frau im Dorfe fehlt durchaus das Aufgelichtete des Zimmers mit den Gartenmöbeln; alles ist hier schattenhaft scheußlicher, animalisch widerwärtiger, geisterhaft unwirklicher geworden.

Das wird noch deutlicher, noch plastischer an den nunmehr sich häufenden Tiersymbolen. Die Erscheinung der animalisch lockenden und dann plötzlich verschwundenen Frau geht unmittelbar über in die der „weißen unreinen Hündin mit hängenden Zitzen". Das Sinnliche verliert seinen letzten und sei es noch so gemeinen Zauber und sinkt nunmehr ganz auf die Stufe des ekelhaft Tierischen hinab. Aber diese in den Tieren sich spiegelnde Symbolwelt umgreift noch mehr. Da haben wir zunächst unter einer Türschwelle zur Linken die zwei ineinander verbissenen, blutenden Ratten, die in die Mitte der Straße rollen, die unterliegende jämmerlich aufschreiend, „daß das Pferd des Wachtmeisters sich verhielt und mit schiefem Kopf und hörbarem Atem gegen den Boden stierte". Verbissene Wut, Blut und Verwesung zeichnen den Ort. Das Totenhafte wird mit jeder Zeile eindringlicher. Auch ist die scheußliche Hündin, die „mit teuflicher Hingabe" ihren Knochen verscharren will und mit den Zähnen weiterträgt, nicht allein da. Wir sehen auch die anderen, sehr jungen, „mit weichen Knochen und schlaffer Haut", die sich, ohne zu bellen, mit stumpfen Zähnen gegenseitig bei den Lefzen ziehen, dann das „lichtgelbe Windspiel" mit dem aufgeschwollenen Leib, diesem dick wie eine Trommel gespannten Leib, den dünnen Beinen, dem viel zu kleinen Kopf und den ruhelosen Augen mit ihrem entsetzlichen Ausdruck von Schmerz und Beklemmung; schließlich noch zwei weitere, den mageren, weißen von äußerst gieriger Häßlichkeit und den sehr alten, schlechten Dachshund auf hohen Beinen, der den Wachtmeister mit unendlich müden und traurigen Augen anschaut. Die Hunde versperren dem Pferde den Weg, so daß sich der Wachtmeister nur gewaltsam befreien kann. Die Darstellung ist von beklemmender Scheußlichkeit. Sie erinnert an eine Schilderung, die Hofmannsthal in einem Brief aus dem Jahre 1895 an Leopold Freiherrn von Andrian gegeben hat: „Und auf dem Rasen sind... 15 Hunde, alle häßlich, Mischungen von Terriers und Bauernkötern, übermäßig dicke Hunde, läufige Hündinnen, ganz junge, schon groß, mit weichen, ungeschickten Gliedern, falsche Hunde, verprügelte und demoralisierte, auch stumpfsinnige, alle schmutzig, mit häßlichen Augen, nur wundervollen weißen Zähnen. Darin lagen alle Mächte des Lebens und seine ganze erstickende Beschränktheit, daß es von sich selbst hypnotisiert ist" (Briefe 1890–1901, S. Fischer Verlag, Berlin 1935, S. 164).

Müßig zu fragen, was diese Hunde an dieser Stelle der Erzählung „bedeuten". Sie sind da und bedeuten sich selbst. Sie zeigen die beschränkte, verdammte und zum Tode verurteilte Kreatur in allen Spielarten des Weichen und Schlaffen, des Dicken und

Dünnen, des zu Großen und zu Kleinen; ihr Ausdruck verrät sie, dieser Ausdruck von Gier, Schmerz, Beklemmung und müder Traurigkeit; alle aber sind sie unsauber und auf eine grauenhafte Weise häßlich und widerwärtig. Die sich blutig ineinander verbeißenden Ratten, die den Knochen verscharrende und weitertragende unreine Hündin, das Windspiel mit dem entsetzlichen Leib: nachdrücklicher konnte diese Reihe von Bildern gar nicht zur „schönen" Schwadron kontrastieren, die noch vor wenigen Stunden in das „schöne" Mailand eingeritten war. Sind es Bilder, die wie höllische Traumblasen aus dem dunklen Phantasiequalm dieses animalischen Wachtmeisters aufsteigen? Sind es Gleichnisse für die erstickende Beschränktheit des Lebens, das von sich selber hypnotisiert ist? Sind es die Vorboten des Todesverhängnisses, das dem Wachtmeister seit Mailand auf den Fersen ist? Die Symbolsprache weist gerade in ihrer Vieldeutigkeit auf eine unheimliche und unbegreifliche Tiefe hin, aus der diese vom Dichter so real und zugleich so visionär geschauten Hunde stammen. Soviel jedoch läßt sich ausmachen: Das vitale Leben des Genusses, der Begierde, des Besitzes, des Kampfes und des Tötens erscheint in der Spiegelung dieses Geisterdorfes und seiner unheimlichen Zeichen in einer Entzauberung und Entseelung, die bis an die äußerste Grenze geht, mit all den negativen Kennzeichen versehen, die es von einer Welt der Schönheit, des Geistes und des erfüllten Lebens unwiderruflich trennen. Wer durch ein solches Dorf reitet, muß sterben. Er ist nur noch Kreatur und muß das Todesschicksal der Kreatur erfahren, das ihn bereits hier umgeistert.

Schon in dem nächsten Bild dieses grauenhaften Rittes wird das erschreckend deutlich. Eine Kuh sperrt den Weg, „die ein Bursche mit gespanntem Strick zur Schlachtbank zerrte. Die Kuh aber, von dem Dunst des Blutes und der an den Türpfosten genagelten frischen Haut eines schwarzen Kalbes zurückschaudernd, stemmte sich auf ihren Füßen, sog mit geblähten Nüstern den rötlichen Sonnendunst des Abends in sich und riß sich, bevor der Bursche sie mit Prügel und Strick hinüberbekam, mit kläglichen Augen noch ein Maulvoll von dem Heu ab, das der Wachtmeister vorne am Sattel befestigt hatte." Die zum Sterben bestimmte Kuh — der zum Sterben bestimmte Wachtmeister, beide sind hineingestellt in eine Blutsymbolik, die vom Blutdunst der frischen Haut des schwarzen Kalbes über den rötlichen Sonnendunst des Abends bis zu den Blutlachen des kommenden Gefechtes und den Kürassieren reicht, die sich an den weichen Blättern dreier Feigenbäume lachend die Blutrinnen ihrer Säbel abwischen. Denn auch die Schwadron und ihr Krieg ist nunmehr von dem Totendorf gezeichnet, nicht mehr heiter, sportlich, abenteuerlich, sondern von dieser Symbolik des kreatürlichen Grauens umspielt und in alle seine Scheußlichkeiten mit hineingenommen. Von den unreinen, zumeist „weißen" Hunden geht eine vom Dichter nur ganz leise angedeutete Bildassoziation zu den „weißen" Uniformen der Soldaten im letzten Gefecht, die im Spiegel der glutrot untergehenden Sonne und durch die Blutrinnen ihrer Säbel auf eine nur indirekt spürbare Weise etwas Schmutziges und Unreines bekommen haben. Aber allein der Wachtmeister *durch*reitet das unheimlich ekelhafte Dorf, während seine mitgenommenen Soldaten es nur *um*reiten. Nur er muß über die *Brücke*, auf der ihm der Doppelgänger entgegenkommt, während die Begleiter von rechts und links durch den trockenen Graben ins Gefecht eilen. Denn im Wachtmeister verkörpert sich in stellvertretender Weise das Animalische, Anarchische, Kreatürliche dieser Schwadron, alles Unsaubere, Gewaltsame und Triebhafte, der Welt des Schönen auf immer entgegengesetzt, und darum muß dieser Wachtmeister untergehen und sterben, wenn die immer rötlicher, dunstiger und staubiger gewordene Atmosphäre sich noch einmal reinigen soll.

Langsam und langsamer wird der Ritt durch das Dorf, jeder Schritt von unbeschreiblicher Schwere; das Unmeßbare der Zeit spiegelt sich in dem widrigen Bilde der an den Mauern rechts und links sitzenden Tausendfüßler und Asseln, die sich für den Reiter so unvorstellbar mühselig vorwärts schieben und hinter denen dennoch sein eignes Tempo zurückbleibt. Noch einmal wird das geisterhaft Übersinnliche dieses furchtbaren Totendorfes in einem Zeichen zusammengefaßt, in dem schweren, rohrenden Atmen aus der Brust des Pferdes, das überall und nirgends herzukommen scheint und das unmittelbar mit der Erscheinung des Doppelgängers zusammenfällt. Dieser nur scheinbar plötzliche Einbruch des Wunderbaren hat für den Leser nichts Überraschendes, denn alles Vorausgegangene bereitete ihn schon vor. Aber jetzt ist das unheimliche Dorf endgültig als Totendorf fixiert, aus dem man in Wahrheit niemals heraus, in das man vielmehr in der Gestalt des Doppelgängers immer wieder hineinreitet. Das gleiche Pferd, der gleiche, nunmehr wieder gesteigerte Galopp, der gleiche, zunächst noch nicht erkannte Reiter, die gleichen Bewegungen!

Hofmannsthal läßt den weitgespannten Satz, in dem er dieses Zusammentreffen schildert, sofort in die Schlacht übergehen, auf die vorausgegangene Verlangsamung folgt die äußerste Forcierung des Tempos. Keine Pause findet statt, wir sind sofort im Wirbel des Krieges. Weder der Leser noch der Wachtmeister können auch nur einen Augenblick lang bei der merkwürdigen Erscheinung, die sofort wieder verschwunden ist, verweilen. Es ist vielmehr so, als sollte in diesem letzten Gefecht der Schwadron das Grauen des Totendorfes sofort ins dynamisch Vorgangshafte umgesetzt werden. Daran ändert auch nichts, daß es wiederum ein durchaus siegreiches Gefecht ist. Da sehen wir mitten im Feinde „das Gesicht des Rittmeisters mit weit aufgerissenen Augen und grimmig entblößten Zähnen", da wird die Klinge des Wachtmeisters gleich dem nächsten Feind in den Hals und dieser vom Pferde herabgestoßen, da haut der Gemeine Scarmolin, der gleiche, der das gespenstische Dorf umritten hat, „mit lachendem Gesicht einem die Finger der Zügelhand ab" und tief in den Hals des Pferdes hinein. Das Entsetzliche des Gefechtes gipfelt in dem brutalen Ende des jungen Offiziers, dem der Wachtmeister nachjagt und dem sein Säbel in den Mund fährt, ein Säbel, „in dessen kleiner Spitze die Wucht eines galoppierenden Pferdes zusammengedrängt war". Am Ende faßt der Dichter alles noch einmal in Bildern voll symbolisierender Kraft zusammen: die ungeheure Röte der in schwerem Dunst untergehenden Sonne, die Lachen von Blut, der rote Widerschein auf den Uniformen, die abgewischten blutigen Säbel. Sind es nicht die Hunde und Ratten des Totendorfes, die sich hier ineinander verbeißen?

Der Ausgang der Erzählung bringt dann in pointierender Zuspitzung die novellistische ungewöhnliche Begebenheit: die unerwartete Erschießung des Wachtmeisters wegen Insubordination. Aber man darf gerade das hier Erzählte auf keinen Fall isoliert betrachten. Sonst bleibt es nur befremdend und grausam, auch durch keine Militärdisziplin zu rechtfertigen. Jedoch das Ereignis ist vom Erzähler mit vielen geheimen Fäden an die Tiefen jener Unendlichkeit geknüpft, die seiner Geschichte symbolischen Gehalt verleiht. Jeder einzelne Schritt der Erzählung bereitet den Ausgang vor und macht so das explosiv Unerwartete dann doch wieder zu dem Unvermeidlichen der hier erzählten *einen* Begebenheit. Was in Mailand, ja, schon in den Gefechten des frühen Morgens begann, findet am Abend dieses schicksalhaften Tages sein unausweichliches Ende. Wohl scheint es nahe zu liegen, diese ganze Vorgeschichte der Katastrophe zu vergessen und die Katastrophe selbst aus dem psychologischen Gegensatz der beiden Männer zu verstehen, die sich hier in einer stummen, aber gerade in ihrer Stummheit gefährlichen Situation gegenüberstehen. Zweifellos ist die vom Erzähler mit Absicht nicht genauer umrissene Figur des Rittmeisters eine ausgesprochene Gegenfigur zum Wachtmeister. Denn dieser Rittmeister ist nicht vom Vitalen aus charakterisiert, er hört die Meldung des letzten Sieges, bei dem die Schwadron nicht einen einzigen Toten hat, nur „zerstreut" an, seine blauen Augen haben etwas Schläfriges, sein Blick, mit dem er den Wachtmeister betrachtet, ist „verschleiert", seine Armbewegungen sind nachlässig, beinahe geziert, seine Oberlippe ist während des Schusses „verächtlich" hinaufgezogen. Er gehört als Gestalt in einen aristokratischen, kultivierten, ästhetisch verfeinerten Bereich hinein, und der Krieg — so möchten wir vermuten — wird von ihm mehr mit Schwermut ertragen, sicher aber nicht aus triebhafter Gier geführt.

Die psychologische Interpretation des Vorganges zwischen den beiden Männern wird uns sogar vom Erzähler selber nahegelegt, wenn er die Möglichkeit andeutet, daß vielleicht auch im Rittmeister in diesem Augenblick einer „ungeheuren Gespanntheit" eine Art Haß gegen den anderen Mann aus dem Unbewußten aufsteigt, „wie er nur durch jahrelanges, enges Zusammenleben auf geheimnisvolle Weise entstehen kann". Aber der Erzähler läßt das doch offen und hält es immerhin auch für möglich, daß sich für den Rittmeister angesichts dieser stummen Insubordination nur „die ganze lautlos um sich greifende Gefährlichkeit kritischer Situationen" plötzlich zusammengedrängt und ihn zum raschen Handeln genötigt hat.

Wie dem auch sei, psychologisch gesehen bleibt trotz allem das Geschehen unverstehbar. Dennoch wird es in seiner Sinnbildlichkeit durchsichtiger, wenn wir uns die Nähe des Rittmeisters zum Schönen und Vornehmen verdeutlichen. Hofmannsthal hat das nur ganz leise angedeutet, in ein wegen seiner Schlichtheit um so rührenderes Bild gefaßt, durch die geheime Verbundenheit des vom Wachtmeister erbeuteten zierlichen und leichten Eisenschimmels mit dem Pferde des Rittmeisters. Hier geht die symbolische Bildsprache über alles Psychologische weit hinaus. Wir wissen, daß der Wachtmeister den Eisenschimmel durchaus rechtens im Kampfe erbeutet hat, aber die ganze Erzählung macht es uns auf suggestive Weise eindringlich, daß dieses Pferd ihm nicht gehören darf, diesem Mann mit dem gedrückten, „hündischen" Blick, der alles Schöne bedroht oder vernichtet, angefangen von den „wohlerzogenen und hübschen jungen Leuten mit weißen Händen und halblangem Haar", die er zu Beginn des Tages gefangennahm, bis zu dem grausamen Tod des jungen, fliehenden Offiziers mit dem sehr bleichen Gesicht. Was ist das für ein Schimmel? Er hat etwas von einem schönen Narziß an sich, wenn er wie ein Reh seine Füße über seinen sterbenden Herrn hebt. Dieses tänzelnde, junge, schöne und eitle Pferd, das neben dem Wachtmeister innerhalb der unruhigen, aufgestellten Eskadron steht, „streckte den Hals und berührte mit seinen Nüstern fast die Stirne des Pferdes, auf welchem der Rittmeister saß".

Der Rittmeister befiehlt, daß die Beutepferde — wie es nachher ja auch geschieht — aus- und damit freigelassen werden. Läßt sich das vom Soldatischen her begreifen? Gewiß, auch die erbeutete Haubitze wurde versenkt und die beiden Zuggäule „mit der flachen Klinge" fortgejagt, weil sie offensichtlich für die Schwadron nicht weiter nötig waren. Aber diese Art von Zweckmäßigkeit scheint in dem rätselhaften Befehl des Rittmeisters kaum oder nur wenig mitzuspielen. Gibt er nicht wirklich den Pferden ihre Freiheit zurück? Ist es nicht ein Befehl, der nur aus einem verborgenen echten Adel heraus verständlich ist, und wird damit nicht diese von Blutdunst und Siegesrausch erfüllte Atmosphäre in einem nur schwer bestimmbaren, strengen und zuchtvollen Sinne gereinigt? Der Aufstellungsraum ist der Schwadron zu eng geworden, das Zuviel an Kriegsglück steigert die schwelenden Begierden ins Vermessene; „solche Reiter und Sieger verlangten sich innerlich, nun im offenen Schwarm auf einen neuen Gegner loszugehen, einzuhauen und neue Beutepferde zu packen". Der Befehl des Rittmeisters setzt dem allem eine Grenze. Dieser steht vor uns wie der Vollstrecker eines ihm auferlegten und vielleicht gar nicht so sehr gewollten Handelns. Die Schwadron muß einen Reinigungsvorgang erleiden, und dafür hat der unvermeidliche Tod des Wachtmeisters stellvertretende Bedeutung. So wird in Wahrheit hier nicht eine weitgehend entschuldbare Insubordination bestraft, auch nicht in erster Linie ein psychologischer Gegensatz zwischen den beiden Männern ausgetragen, sondern ein Gericht vollzogen, dessen eherne Notwendigkeit sich dem Leser nur aus dem Zusammenhang des ganzen Geschehens enthüllt. Daß es hier um Reinigung geht, versteht man nur dann, wenn man das ganze Ausmaß der voraufgegangenen Befleckung kennt. Nur dann verliert die Erschießung des Wachtmeisters die grausame und ungerechte Kälte, die ihr sonst anhaften muß. Was wie ein Akt der Willkür aussieht, was sich auch „moralisch" eigentlich in keiner Weise rechtfertigen läßt, es gewinnt seine Legitimation aus der metaphysischen Tiefe des Lebens, die Hofmannsthal in dieser Novelle mit seiner symbolisierenden Stilgebung gestaltet hat. Es ist bezeichnend, daß die „ungeheure Gespanntheit dieses Augenblicks", mit dem sich für die ganze Schwadron eine Wende ereignet, dem Wachtmeister selbst so gut wie gar nicht zum Bewußtsein kommt. Noch immer hält ihn sein begehrlicher Traum gefangen, so daß er der Situation nicht gewachsen ist und ihr nicht standhalten kann. Zum letztenmal verrät sich andeutend die novellistische Einheit der ganzen Begebenheit; denn das Zimmer von Mailand steigt gerade jetzt, ohne daß es ausdrücklich genannt wird, aus dem Unterbewußtsein auf, und das Innere des Wachtmeisters ist mit „vielfältigen Bildern einer fremdartigen Behaglichkeit" überschwemmt, die sich mit einem bestialischen Zorn gegen den Menschen verbinden, der ihm sein Pferd wegnehmen will. Ist es nicht so, als ob alle durch den Krieg entzündete Gier des Wachtmeisters nach Besitz sich gleichsam auf dieses *eine* Beutepferd unentrinnbar fixiert habe? Aber das scheußliche und zugleich mythische Geisterdorf hatte solcher Gier bereits die Grenze des Todes vorgezeichnet, der nunmehr durch den Rittmeister, wie auf einen höheren Befehl, vollstreckt wird. Das ist ein geistiger, nicht ein vitaler Akt, und es ist bezeichnend, daß gerade in diesem Augenblick die hochmütig sich hinaufziehende Oberlippe des Rittmeisters auf eine Verachtung des vital Kreatürlichen überhaupt hindeutet. In dem Geistigen liegt das Reinigende dieses Aktes, der wie ein „blitzähnlicher Schlag" durch die Schwadron hindurchgeht und den Pferden ihre Freiheit zurückgibt. Nun könnte sie aufs neue dem Feinde entgegengeführt werden; aber es gehört zum Symbolischen dieser gereinigten Situation und gereinigten Landschaft, daß keine weiteren Kriegshandlungen mehr stattfinden.

Die „Reitergeschichte" von Hofmannsthal erfüllt wie kaum eine andere moderne deutsche Erzählung die durch die Gattung Novelle dem Erzähler vorgeschriebenen Gesetze: alles Erzählte dient der *einen* Begebenheit, die am Schluß in einer überraschenden Pointe zusammengefaßt ist. Jede nur kausale oder psychologische Motivierung greift an dieser Stelle zu kurz, weil die eigentliche, über das Kausale hinausreichende Motivierung sich nur aus jedem Einzelzug der Erzählung entnehmen läßt. Wir haben versucht zu zeigen, wie alles einzelne darauf hinführt und auf eine objektiv bildhafte, nicht etwa auf eine subjektiv reflektierende Weise dem Vorgang eine Deutung gibt, die ihn gleichsam an eine unbegreifliche Tiefe des Lebens zurückverweist. Es ist der Schöpfer Hofmannsthal, dieser einmalige Dichter, der aus den Elementen einer realistisch gesehenen Wirklichkeit ein kunstvolles, völlig in sich geschlossenes Gebilde gestaltet, das allen sachlichen Bericht, alle ereignishafte Darstellung und alle bildhafte Spiegelung in einer ungewöhnlich gedrängten Gestaltung Satz für Satz in einen unendlichen symbolischen Bezug verwandelt.

THOMAS MANN

—

DER TOD IN VENEDIG

Die Erzählung von Thomas Mann „Der Tod in Venedig" aus dem Jahre 1911 behandelt ein heikles, ja ein peinliches Thema: ein berühmter, angesehener Schriftsteller, der die Fünfzig bereits überschritten hat, gerät während eines Reiseaufenthaltes in Venedig in eine für ihn entwürdigende Leidenschaft zu einem sehr schönen vierzehnjährigen Knaben. Während der ganzen Erzählung kommt es jedoch zu keiner direkten persönlichen Begegnung zwischen den beiden. Obgleich Gustav von Aschenbach ahnt und es später auch genau weiß, daß Venedig von der Epidemie der Cholera bedroht ist, kann er sich dennoch aus seiner Verstrickung nicht lösen. Kurz vor der beabsichtigten Abreise des Knaben Tadzio und seiner Familie wird sein unglücklicher Liebhaber ein Opfer der Seuche.

Damit ist das nackte Geschehen der an sich keineswegs besonders knappen Erzählung bereits nacherzählt. Aber diese Inhaltsangabe gibt ein durchaus unzulängliches Bild; das Eigentliche, das Besondere der Begebenheit rückt auf diese Weise nicht in den Blick. Wäre wirklich nur die pervertierte Liebe des bereits alternden Künstlers zu dem schönen Knaben die novellistische Pointe der Erzählung, so hätten wir es bestenfalls mit einem mehr oder weniger interessanten, abwegigen Einzelfall zu tun, der uns einen Einblick in verborgene, unheimliche, ja widrige Möglichkeiten der menschlichen Seele verschafft. Geht es hier um eine solche Charakterstudie eines „pathologischen" Falles? Geht es um die Analyse der seelischen Bedingungen, unter denen sich ein verhängnisvoller Eros entwickeln kann, ja entwickeln muß? Dann hätte die Darstellung auf das Symbolische ganz verzichten und sich darauf beschränken können, nur das komplexe Wesen dieses Schriftstellers in einer Vielheit der Nuancen und Stimmungen sichtbar zu machen.

Man wird freilich gerade bei Thomas Mann jene schon in Grillparzers Erzählung „Der arme Spielmann" auftauchende psychologische Neugierde erwarten, jenen „anthropologischen Heißhunger", der aus der kühlen und ironischen Reserve des Betrachters einen kritischen Einzelfall subtil und überlegen, diskret und vornehm zergliedert. Zweifellos ist eine solche erzählerische Haltung hier, sogar noch deutlicher als bei Grillparzer, mit im Spiele. Thomas Mann kommt es nicht so sehr darauf an, eine Handlung zu erzählen, eine epische Fülle zu bändigen, sondern zahlreiche Details und Einzelzüge zu einem Ganzen kombinatorisch zusammenzufügen.

Fritz Martini hat in seinem Essay „Thomas Manns Kunst der Prosa, Versuch einer Interpretation" (in „Das Wagnis der Sprache", Stuttgart 1954, S. 178-224) diese Stilform gerade am „Tod in Venedig" vorzüglich beobachtet. Er weist darauf hin, wie sich ein solcher Stil von dem distanziert, was er erzählt, wie die bedrängende Wirklichkeit hier durch die künstlerische Form bis an die Grenze der Demaskierung und Desillusionierung abgewehrt wird. Auch wo Thomas Mann sich selbst darstellt, verhüllt er das noch bewußt durch die Gestaltungsform der psychologischen Analyse. Mag der Held immer mehr in die Verlorenheit hineingeraten, der Erzähler behält seine souveräne Freiheit; er wahrt durch die Form ein wenn auch erregendes Gleichgewicht, ja er treibt noch sein Spiel mit den Schrecken des Lebens, und das alles mit einer bereits an Nietzsche geschulten tänzerischen Leichtigkeit der Sprache. Martini hat diese Züge bereits herausgearbeitet: die Kunst der erhellenden Bewußtseinssteigerung, die Präzision der Analyse, das Auskosten jeder Nuance in Gebärde und Stimmung, das Mikroskopische und Addierende der Darstellung, die Ironie als Vorbehalt des Erzählers, der zum Erzählten immer einen Abstand hat, das Experimentierende und Zweideutige dieses zugleich mischenden und antithetischen Stiles. Es sind die stilistischen Merkmale jenes modernen Erzählens, das mit der Prosa der letzten Jahrhundertwende einsetzt.

So artistisch die Thomas Mannsche Novelle auch ist, so planmäßig hier ein manchmal fast berechnender Kunstverstand am Werke ist, der Gehalt der Novelle läßt sich auf solche Weise allein nicht fassen. Die Erzählung besitzt eine besondere Art von novellistischer Geschlossenheit, die das Geschehen ins Exemplarische und Symbolische erhebt. Bereits der Titel faßt die Begebenheit unter einem entscheidenden Gesichtspunkt zusammen. Er berührt nicht mit der geringsten Andeutung die Verirrungen des

Eros, er scheint nur auf das Schlußereignis der Erzählung hinzu-
weisen. Oder denkt der Dichter an den Vorgang der Epidemie als
Ganzes? Der Titel behält etwas schwebend Offenes. Ist mit dem
Tod in Venedig der Tod des Helden in der Erzählung gemeint oder
darüber hinaus jenes geheime, verschwiegene Sterben, das sich in
Venedig ereignet? Was hat aber die von der Cholera durchseuchte
Stadt mit dem Schicksal des unglücklichen Schriftstellers zu tun?
Offensichtlich doch sehr viel, ja in einem bestimmten und noch
näher zu erläuternden Sinne ist beides miteinander identisch.
Denn die Gefährdung durch den Eros und die Gefährdung durch
den Tod wachsen aus der gleichen Wurzel; auf diese wechselseitige
Spiegelung kommt es an, und das Außerordentliche der Begeben-
heit liegt in der unentrinnbaren, von Anfang an schicksalsnot-
wendigen Vernichtung eines an sich zuchtvollen, würdigen
Künstlertums; es liegt in jener immer wieder neu symbolisierten
Spannung von Leben und Tod, in der Verführung durch den
Untergang, die sich auf eine so grausame, aber auch wieder
rauschhafte Weise ereignet.

Thomas Mann hat in seinem literarischen Werk das auch sonst an
der Jahrhundertwende so beliebte Thema von der Problematik und
Vieldeutigkeit des künstlerischen Menschen auf eine bestimmte
Weise zugespitzt. Hier ist es das freigelassene, das entbundene
Künstlertum, das den dunklen und schweren Weg von Eros und Tod,
den Weg des Eros Thanatos gehen muß. Bezeichnenderweise wird
die ebenso bezaubernde wie unheimliche Stadt Venedig dafür zum
symbolischen Ort. In dem Venedigkapitel seines Buches über
Nietzsche hat Ernst Bertram in eindringlicher Formulierung die
Bedeutung Venedigs für die deutsche Dichtung herausgehoben. Es
ist die einzige Stadt, die Nietzsche liebt: ,,aber er zählt sie gleich-
wohl zu seinen verbotenen Orten". Eine Stadt des Geheimnisses,
der Einsamkeit und der Musik, wie keine andere, ist Venedig, ,,des
Gleichnisses, vor allem, der eignen innersten Zweideutigkeit und
Doppelseelenheit". Die Welt, sagt Nietzsche, sei in Venedig ver-
gessen. ,,Der zauberisch verführenden Tristan-Zweideutigkeit
Venedigs, einer metaphysischen Zweideutigkeit, aus äußerster
Todesnähe und letzter Lebenssüße gemischt — dieser maskenhaften
Schönheit Venedigs sind von je alle Naturen erlegen, die, gleich
Byron, gleich Nietzsche, eines tragisch unheilbaren Dualismus in
der Uranlage ihres Wesens sich dunkel bewußt waren und die in
dem Wunder der Lagunen einem halb bestürzenden, halb
beglückenden Doppelgängersinnbild des eigenen Daseins begeg-

neten — man denkt aus der deutschen Reihe an Platens Venezianische Sonette, auch an Conrad Ferdinand Meyers ‚Auf dem Canal grande‘ oder an Thomas Manns ‚Tod in Venedig‘ — alles Naturen, welche die Schönheit nicht nur, mit Platon, zum höchsten Leben verführt, sondern denen sie zugleich, geheimnisvoll zugleich, eine Verführung zum Tode bedeuten muß... Ihnen allen ist hier, wenn irgendwo, wirklich die ‚Zweideutigkeit des Lebens wie zu ihrem Körper zusammengeronnen‘ — so sagt es Georg Simmel in einer kleinen, nietzschenahen Studie über Venedig, die ‚künstliche Stadt‘, die Stadt der äußersten Spannung von Schein und Sein, die Stadt, die ganz und gar wie keine andere der Welt eine tragische und gefährliche Lüge ist" (Ernst Bertram, Nietzsche, Berlin 1918, S. 264-66).

Thomas Mann hat diese Atmosphäre von Venedig meisterhaft eingefangen: ihre schwelgerische Süße, ihre verbotene Sinnlichkeit, ihr maskenhaft Unwirkliches, ihre Verführung bis zur orgiastischen Auflösung, die im Tode endet, aber auch das Entstellende und Verfremdende bis ins Widrige und Ekelhafte, die faulige Schwüle in den Gassen, durch die der Schirokko weht. Im Text heißt es: „Das war Venedig, die schmeichlerische und verdächtige Schöne — diese Stadt, halb Märchen, halb Fremdenfalle, in deren fauliger Luft die Kunst einst schwelgerisch aufwucherte und welche den Musikern Klänge eingab, die wiegen und buhlerisch einlullen." Hier und nirgends anders, in dieser Stadt zwischen Sein und Schein, deren Dasein eine gefährliche Lüge ist, mußte sich das tragische Geschick eines Künstlers erfüllen, über das man die Verse Platens als Motto setzen könnte: „Wer die Schönheit angeschaut mit Augen, ist dem Tode schon anheimgegeben." Darin ist der „Tod in Venedig" das genaue Gegenstück zu Manns früherer Erzählung „Tonio Kröger". Denn dort handelte es sich um den Künstler mit dem schlechten Gewissen, der ein halber Bürger geblieben ist, um den Künstler mit „der unstillbaren Sehnsucht" nach den „Wonnen der Gewöhnlichkeit", nach dem Leben der Blonden, Blauäugigen, die nichts vom Fluche der Erkenntnis, des Gewissens, der Besonderheit, vom Fluche der Kunst wissen. Ja, dieser Tonio Kröger erlebte sein Künstlertum als etwas Anrüchiges und Zweifelhaftes, denn er war ja nicht ein „Zigeuner im grünen Wagen", sondern der Sohn eines angesehenen hanseatischen Kaufmanns. So wurde das Künstlertum hier zu einem Abenteuer des Geistes, der Hochstapelei eng verwandt, daß es eigentlich ganz in der Ordnung ist, wenn die staatlichen Reprä-

sentanten des bürgerlichen Lebens den in seine Vaterstadt zurück-
kehrenden Tonio Kröger beinahe versehentlich als einen Hoch-
stapler verhaften. Bestimmte Züge, die für Thomas Mann zum
Bild des Künstlers gehören, werden hier bereits sehr deutlich.
Der Künstler steht außerhalb des naiven Lebens. Es fehlt ihm die
Unmittelbarkeit; er kann nur den Beobachterplatz hinter der
Glastür einnehmen; er hungert vergeblich nach einem vitalen
Dasein ohne die Selbstkontrolle des Bewußtseins. Die künstlerische
Existenz ist zweideutig geworden, dem vagabundierenden Zigeuner
auf dem grünen Wagen vergleichbar oder dem Hochstapler, der
mit virtuoser Absicht eine Welt des Scheins aufrichtet. Der Künstler wird bei Thomas Mann zum Artisten, sein Schaffen behält
etwas Schauspielerhaftes, einen Als-Ob-Charakter. Artistisch ist
auch das Nervensystem des Künstlers, und das gibt seiner ganzen
Existenz fast etwas Außermenschliches oder sogar Unmenschliches.
Der Knabe Hanno in den „Buddenbrooks" zeigt, wie das Künstlertum für Thomas Mann in die Nähe der Dekadenz rückt; es beginnt
erst dort, wo die natürliche, die vitale Kraft eines Geschlechtes sich
schon erschöpft hat. Es ist nicht zufällig, daß gerade um die Zeit
der Jahrhundertwende — wir erinnern an Oskar Wilde — die
Beziehungen zwischen dem Künstler und dem Dandy entdeckt
werden: in der Ablehnung des Banalen, der Sucht nach dem Pre-
ziösen ästhetischer Reize. Der Künstler lebt nicht mehr, sondern
er räsoniert über das Leben; die Poesie wird ihm zu einer einzigen
Flucht aus dem Leben. Dazu gehört auch die Abneigung Tonio
Krögers gegen den Frühling oder gegen die „Bellezza" des Südens.
Der moderne Künstler braucht die künstlichen Paradiese, und so
vermag das Kaffeehaus eine stellvertretende Bedeutung zu ge-
winnen. Seine Schwäche im Vitalen sucht er zu überwinden in der
Hingabe an das Werk, in jener geistigen „Hygiene", mit der Tonio
Kröger im kühlen Laboratorium der Kunst und des entsagungs-
vollen Gedankens arbeitet, jedoch stets mit dem schlechten
Gewissen eines in die Kunst nur verirrten Bürgers.

Im „Tod in Venedig" geht Gustav von Aschenbach den um-
gekehrten Weg. Er wird, ohne es selbst zu wollen, aus seiner zu
Ehren gelangten Daseinsform als disziplinierter Schriftsteller,
dessen Geist über alles Körperliche triumphiert hat und der seinen
allmählich erworbenen Ruhm repräsentativ zu verwalten versteht,
hinausgedrängt und in einen Strudel gerissen, des Rausches, der
Zerrüttung, der Würdelosigkeit, des Chaos und des Todes, aus dem
kein Weg mehr in die bürgerliche Welt und zu den bürgerlichen

Instinkten zurückführt. Das eine Mal — im „Tonio Kröger" — ist das Künstlertum zwar ebenso eine gefährliche Vereinzelung, ein Individualismus des Geistes, aber das Herz verarmt dabei, das reflektierende künstlerische Bewußtsein sieht sich um die „Wonnen der Gewöhnlichkeit" betrogen. Gerade diese sind der entscheidende Wert, und das Künstlertum scheint damit verglichen nur ein Surrogat zu sein. Immer wieder heißt es von der Kindheit Tonio Krögers: „Damals lebte sein Herz", freilich auch nur in einem Leiden, das dem unmittelbaren Leben fremd gegenüberstand und sich von ihm ausgeschlossen sah, aber noch brennend nach ihm verlangte. Das andere Mal — im „Tod in Venedig" — bezahlt der Künstler, der sich von diesem vital gewöhnlichen Dasein völlig gelöst hat, der dann aber aus der Askese und der Gewissenhaftigkeit des Werkdienstes, aus dem „Durchhalten" der Sinne und der Nerven herausgelockt wird in die Anbetung des leibhaft ihm entgegentretenden Urbildes der Schönheit, diese Grenzüberschreitung ins Trunkene und Traumhafte von Eros und Tod mit dem Untergang. Aber muß der Künstler, der reiner Künstler und nicht Bürger sein will, nicht am Ende notwendig in die Irre gehen? Etwas Liederliches steckt in dem Abenteuer der Kunst. Denn die Meisterschaft des Stiles, so erkennt Gustav von Aschenbach in Venedig, ist in Wahrheit nur Lüge und Narrentum; Ruhm und Ehren sind eine Posse; Volks- und Jugenderziehung durch die Kunst ist ein gewagtes Unternehmen, das man eigentlich verbieten sollte. Jedem Künstler ist „eine unverbesserliche und natürliche Liebe zum Abgrund eingeboren". Das demonstriert „Der Tod in Venedig". Nicht nur die auflösende Erkenntnis, vor der der Künstler sich retten konnte, auch das Trachten nach Schönheit, das Trachten nach einer neuen Einfachheit, Größe und Strenge der Form führt zum Abgrund, ja, ist der Abgrund selbst. So tritt Gustav von Aschenbach aus der Geborgenheit durch das Werk heraus in das Entbundene, das ihn nicht mehr freiläßt. Wo der Moralismus der Leistung von der rauschhaften Anziehung des Lebens in der sinnlichen Erscheinung der Schönheit überwältigt wird, da hat er seine im Werk gewonnene Sicherheit preisgegeben und muß gänzlich dem Unbehausten verfallen.

Im zweiten Kapitel seiner Novelle unterrichtet uns der Autor eingehender und nicht ohne Ironie über den Helden seiner Erzählung und seine bisherige Lebensgeschichte. Er charakterisiert die Besonderheit dieses Künstlers, welcher „dienstlich nüchterne Gewissenhaftigkeit" mit „dunkleren, feurigen Impulsen" vermählt hat. Nach dem Urteil eines klugen Zergliederers sei seine Leistung die Konzeption „einer intellektuellen und jünglinghaften Männlichkeit" gewesen, „die in stolzer Scham die Zähne aufeinander beißt und ruhig dasteht, während die Schwerter und Speere durch ihren Leib gehen". Die Sebastian-Gestalt war das schönste Sinnbild dieser Kunst, in der ein zeitgemäßer „Heroismus der Schwäche" verherrlicht wurde. Das Vordeutende dieses Symbols hat besonders Vernon Venable in seinem Aufsatz „Death in Venice" (in „The Stature of Thomas Mann", New York 1947, S. 129-141) erkannt, aber auch in seiner Bedeutung überschätzt. Wohl dürfen wir den Knaben Tadzio als eine spätere leibhafte Verkörperung dieses dichterischen Vorausentwurfs ansehen. Denn auch hier haben wir die „elegante Selbstbeherrschung, die bis zum letzten Augenblick eine innere Unterhöhlung, den biologischen Verfall vor den Augen der Welt verbirgt". Ist es nicht „Heroismus der Schwäche", wenn uns der schöne Knabe am Ende in dem Ringkampf mit dem stämmigeren, stärkeren Spielgefährten vorgeführt wird, in einem Ringkampf, in dem der sonst durch seine verfeinerte aristokratische Schönheit immer überlegene, ja unerreichbare Knabe als der vital Schwächere unterliegt, um sich dann in „stolzer Laune" als eine höchst abgesonderte und verbindungslose Erscheinung ins Meer zurückzuziehen? Das Morbide im Sebastiankultus, der „biologische Verfall", die „innere Unterhöhlung", das alles greift schon voraus und umspielt bereits die Gestalt des untadeligen, asketischen, erfolgreichen Schriftstellers mit den zweideutigen Lichtern der „schwelenden Brunst", der Gefährdung durch den verbotenen Eros, der geheimen Sympathie mit dem Abgrund, mag das auch noch so sehr in der klassischen Bändigung durch die Form zunächst verdeckt und abgeleugnet sein. Denn auch diese „Form" hat „zweierlei Gesicht". „Ist sie nicht sittlich und unsittlich zugleich — sittlich als Ergebnis und Ausdruck der Zucht, unsittlich und selbst widersittlich, sofern sie von Natur eine moralische Gleichgültigkeit in sich schließt, ja wesentlich bestrebt ist, das Moralische unter ihr stolzes und unumschränktes Szepter zu beugen?" Es gehört zum Wesen gerade dieses Künstlertums, daß es in ein solches Schicksal, wie es die Erzählung berichtet, hineingeraten kann.

Dennoch wäre dies alles nur eine, wenn auch sehr subtile, mit viel Dezenz und Takt durchgeführte psychologische Studie geblieben, wenn nicht Thomas Mann darüber hinaus jene symbolisierende Herausarbeitung gegenständlicher Motive gelungen wäre, die die Novelle geradezu als einen modernen Totentanz erscheinen

läßt. Das beginnt bereits am Eingang der Erzählung mit der
Erscheinung jenes seltsamen Fremden in der Nähe des nördlichen
Friedhofes von München, der eine merkwürdige und unbegreifliche
Reiselust in Aschenbach hervorruft. Man achte darauf, daß sich
diese flüchtige Begegnung im Portikus der byzantinischen Aus-
segnungshalle, mitten unter dem Zeichen des Todes, insbesondere
der Grabsteinmetzereien, vollzieht. Der Fremde wird in Kleidung
und Aussehen ausführlich beschrieben. Er trägt einen „gelblichen
Gurtanzug aus Lodenstoff" und ein „loses Sporthemd", er ist rot-
haarig mit „farblosen, rotbewimperten Augen", zwischen denen
im Kontrast zum auffallend Stumpfnäsigen (kurz aufgeworfene
Nase) „zwei senkrechte, energische Furchen standen". Der magere,
bartlose Mann mit dem hageren Hals und dem starken und nackten
Adamsapfel scheint in der untergehenden Sonne zu grimassieren,
vielleicht weil seine Lippen zu kurz wirken; „sie waren völlig von
den Zähnen zurückgezogen, dergestalt, daß diese, bis zum Zahn-
fleisch bloßgelegt, weiß und lang dazwischen hervorbleckten".
Seine Haltung hat etwas „herrisch Überschauendes, Kühnes oder
selbst Wildes". Das Wandererhafte in seiner Erscheinung wirkt auf
die Einbildungskraft des Schriftstellers. „Eine seltsame Ausweitung
seines Innern ward ihm ganz überraschend bewußt, eine Art
schweifender Unruhe, ein jugendlich durstiges Verlangen in die
Ferne, ein Gefühl, so lebhaft, so neu oder doch so längst entwöhnt
und verlernt, daß er, die Hände auf dem Rücken und den
Blick am Boden, gefesselt stehenblieb, um die Empfindung auf
Wesen und Ziel zu prüfen." Was nun diese Prüfung der Empfindung ergibt, ist ein Anfall von Reiselust, nichts weiter, aber dennoch
bis zu einer rätselhaften Vision anschwellend, einer Art „Urweltwildnis aus Inseln, Morästen und Schlamm führenden Wasser-
armen", einer Vision abenteuerlich blühender Pflanzenwelt und
fremdartiger Tiere, gipfelnd im funkelnden Blick eines im Bambusdickicht kauernden Tigers. Das alles ließ das Herz pochen „vor
Entsetzen und rätselhaftem Verlangen". So gewinnen die äußeren
und inneren Vorgänge — mögen sie auf eine noch so kausal-psycho-
logische Weise miteinander verknüpft sein — eine ins Mythologische
hinüberweisende Bedeutung. Mit dem fremden Mann an bedeutungsvoller Stätte, dort, wo die apokalyptischen Tiere stehen,
welche die Freitreppe bewachen, taucht zugleich das lockende
Reich der Urweltwildnis auf, und der Weg des Verhängnisses
beginnt hier, als der erste Bote des Todes die Seele in rätselhafte
Bewegung versetzt.

Wie sehr die „Urweltwildnis" mit dem funkelnden Blick des im Bambusdickicht kauernden Tigers bereits als Vision des „Dschungels" der Pest gemeint ist, als Vorwegnahme des großen Sterbens in Venedig, ja des eignen Todes, das erkennt man, wenn man sie mit der nüchternen Erklärung auf dem englischen Reisebüro vergleicht, die Aschenbach gegen Ende der Erzählung über die befremdlichen Vorgänge in der Lagunenstadt gegeben wird. Die indische Cholera, die zum orientalischen Venedig dringt, war „erzeugt aus den warmen Morästen des Ganges-Deltas, aufgestiegen mit dem mephitischen Odem jener üppig-untauglichen, von Menschen gemiedenen *Urwelt- und Inselwildnis*, in deren *Bambusdickichten* der *Tiger* kauert". In beiden Fällen bedient sich Thomas Manns konstruktive Kunst der gleichen Bilder der Urweltwildnis, des Bambusdickichtes und des Tigers. Hier, zu Beginn der Erzählung, ist dieser mythologisierende Bezug noch nicht deutlich. Man kann die knappe Begegnung mit dem Fremden, so wie es Aschenbach selbst tut, auch durchaus unromantisch, sogar alltäglich deuten. Es kommt ja nicht einmal zu einem Gespräch zwischen den beiden Personen. Nur „Fluchtdrang" wäre dann diese Anfechtung, „diese Sehnsucht ins Ferne und Neue, diese Begierde nach Befreiung, Entbürdung und Vergessen — der Drang hinweg vom Werke, von der Alltagsstätte eines starren, kalten und leidenschaftlichen Dienstes".

Wir tun gut daran, hier einen Augenblick zu verweilen, zumal der Leser der Geschichte ja weiß, daß diese erste Figur nur einen weiteren Reigen eröffnet. Man hat diese Gestalten als Verdichtungen des Aschenbachschen Inneren aufgefaßt, die nur darum Macht über ihn haben, weil sie aus seinem Unbewußten aufsteigen. Selbst noch die Gestalt des Knaben Tadzio sei nicht etwas Fremdes und Andersartiges, sondern eine symbolische Exponierung dieser sich in der Seele des Künstlers vollziehenden Vorgänge (vgl. Arnold Hirsch, „Der Gattungsbegriff Novelle", Berlin 1928, S. 140). Auch Vernon Venable behauptet in seiner dem Symbolischen aufgeschlossenen Untersuchung, alle diese Gestalten seien immer nur *eine* Person, krankhafte Karikaturen der Sebastianfigur der Aschenbachschen Dichtung, Spiegelungen seiner selbst und seines den Sebastian wiederholenden geliebten Knaben. Aber damit wird das Plastische dieser Personen allzusehr in eine nur psychologische oder symbolistische Perspektive aufgelöst. Es ist zuzugeben, daß Thomas Mann mit einer virtuosen Technik der Vorbereitung und der Rückspiegelung arbeitet. Er weiß das indes wieder geschickt zu verhüllen, indem seinem Helden die Bedeutsamkeit dieser

Figuren und ihre Bezogenheit auf ihn selbst gar nicht zum Bewußtsein kommt. Damit wird sie indirekt auch für den Leser undeutlich. Dennoch sind diese Randgestalten unserer Novelle keineswegs bloße Ausstrahlungen des Aschenbachschen Unbewußten. Zwar haben sie etwas Zweideutiges, aber, wie mir scheint, in einer anderen Richtung. Thomas Mann rückt nämlich diese von uns noch näher zu beschreibende Gestaltenreihe unter einen doppelten Aspekt: wir können, ja sollen ihre Verkörperungen sowohl als ganz natürliche reale Personen auffassen und müssen sie doch auch wieder als mythische Boten des Todes begreifen. Real gesehen sind sie für das Schicksal Aschenbachs so unwichtig, daß sie nur am Rande auftauchen, wieder verschwinden und für die Begebenheit keine wesentliche Rolle spielen; symbolisch gesehen wird gerade durch ihre Anwesenheit das Entscheidende mitgeteilt und der Vorgang noch einmal in eine andere Beleuchtung gerückt. Durch diese Doppelheit geraten die Gestalten in das Zwielicht einer sowohl bewußt angestrebten wie auch wieder ebenso bewußt verhüllten Symbolik. Thomas Mann legt uns die symbolische Ausdeutung gewissermaßen nahe, aber doch so, daß wir sie nicht allzu deutlich merken sollen und auch nicht unbedingt zu ihr genötigt sind. Das Symbol ist für Thomas Mann bereits ein Gegenstand esoterischer künstlerischer Reflexion; er zerlegt es in eine Vielheit möglicher Betrachtungsweisen, er spielt gleichsam mit seiner eignen Symbolik; sie bekommt dadurch etwas eigentümlich Gebrochenes, das auch noch ein ironisches Verhältnis dem Symbol gegenüber möglich macht. Das episch Einhellige, in sich Stimmige der Symbolgestaltung des poetischen Realismus wird hier zugunsten eines Symbolismus geopfert, der Symbole als artistische Zeichen verwendet, die im Rahmen des Erzählten der Begebenheit eine vielfältige, vom Kausalen über das Allegorische und Symbolische bis ins Mythische hineinreichende Auslegung geben.

Nach der Unterbrechung des zweiten Kapitels wird der nun deutlicher hervortretende Reigen der Totentanzfiguren wieder aufgenommen. Dabei sollte man auch den nur kurz erscheinenden „ziegenbärtigen Mann von der Physiognomie eines altmodischen Zirkusdirektors" nicht übersehen, der mit grimassenhaft leichtem Geschäftsgebaren die Personalien des Reisenden notiert und den Fahrschein nach Venedig ausstellt. „Die glatte Raschheit seiner Bewegungen und das leere Gerede, womit er sie begleitete, hatten etwas Betäubendes und Ablenkendes, etwa als besorge er, der Reisende möchte in seinem Entschluß, nach Venedig zu fahren, noch wankend werden." Ganz flüchtig wird diese Erscheinung eingeführt; dennoch ist sie nicht ohne unheimliche Züge, und das eilige: „Nach Venedig erster Klasse! Sie sind bedient, mein Herr" gewinnt, wenn wir vom Ganzen der Erzählung zurückblicken, einen verborgenen, schwer greifbaren Hintersinn: eine Station auf dem unvermeidlichen Weg in den Tod.

Daß eine solche Interpretation nicht willkürlich ist, wird sogleich deutlicher an der Gestalt des „falschen Jünglings" unter den Passagieren, der sein Alter und seine Runzeln mit Schminke verbirgt. Der alt gewordene Stutzer mit der bunten Kleidung wirkt inmitten der blühenden Jugend schauerlich, so als beginne hier „eine träumerische Entfremdung, eine Entstellung der Welt ins Sonderbare um sich zu greifen". Die Figur dieses aufgestutzten Greises, der in falscher Gemeinschaft mit der Jugend lebt, am Ende durch Betrunkenheit völlig ins Fratzenhafte entstellt, steht in einer vordeutenden, aber an dieser Stelle für den Leser noch nicht durchschaubaren Symbolbeziehung zu Aschenbachs eignem Schicksal. Hier ist der kultivierte Autor von dem ekelhaften Alten mit seinen fatalen Abschiedshonneurs: „Unsere Komplimente dem Liebchen, dem allerliebsten, dem schönsten Liebchen" noch völlig abgesondert und hat keinerlei Gemeinschaft oder gar Ähnlichkeit mit ihm. Auch hat er ihn später völlig vergessen. Dennoch wird er ihm auf eine unheimliche Weise zugeordnet, als sich der längst seiner Würde beraubte Aschenbach durch den Coiffeur ein jugendliches Aussehen künstlich anzuschaffen versucht, um seinem Liebling zu gefallen. Schon hier auf dem Schiff umgeistert ihn, ohne daß er es ahnt, dieses kommende Verhängnis.

Wohl ist der alte Geck mit dem Ziegenbart und der Perücke von braunem Haar in keiner Weise der gleiche Mann wie der Fremde in München. Sein verblödeter, trunkener, lallender Zustand, die Geste, wie er „auf abscheulich zweideutige Art mit der Zungenspitze die Mundwinkel leckt", das alles hat ganz gewiß nichts Kühnes, Wildes und Kriegerisches, weckt keine Reiselust, sondern gibt nur ein „Gefühl von Benommenheit". Aber dennoch haben wir auch hier das Fratzenhafte, das im freilich nur angedeuteten Grimassieren des Fremden, ebenso in der Physiognomie des Kassierers schon vorweggenommen war. Wie bei dem Fremden, so wird auch jetzt das Gebiß unterstrichen; es ist ein „gelbes und vollzähliges Gebiß, das er lachend zeigte, ein billiger Ersatz", und das ihm nachher vom Oberkiefer auf die Unterlippe fällt.

Eine geheime, zunächst von Thomas Mann nur sehr vorsichtig angedeutete Verwandtschaft charakterisiert diese Kompositionsreihe sonst völlig unverbundener Gestalten. Sie treten alle nur flüchtig auf, nur einen Augenblick lang; sie haben alle etwas Fremdes und wirken in der Welt isoliert. Erinnert nicht auch der merkwürdige Gondoliere an den Fremden in München bis in seine äußere Erscheinung hinein? Der Wanderer in München war nicht bajuwarisch, der Gondoliere nicht italienisch. In seiner „gelben" Schärpe ist noch der gelbliche Farbton des damaligen Gürtelanzugs spürbar. Wieder haben wir die „rötlichen Brauen", die kurz aufgeworfene Nase, vor allem aber auch hier die entblößten weißen Zähne. Gegen Aschenbachs Willen fährt der Gondoliere ihn in sein Hotel auf dem Lido und läßt sich nicht zur Umkehr zwingen. Aber die Todessymbolik geht jetzt weniger von ihm aus, mag auch die Vorstellung von Gefahr und Beraubung bei Aschenbach leise aufsteigen; es ist mehr das seltsame Fahrzeug der Gondel, „so eigentümlich schwarz, wie sonst unter allen Dingen nur Särge es sind", das aus dem Leben verführerisch in den Tod hinüberlockt. Die Gondel „erinnert an lautlose und verbrecherische Abenteuer in plätschernder Nacht", sie „erinnert noch mehr an den Tod selbst, an Bahre und düsteres Begängnis und letzte, schweigsame Fahrt". Unwillkürlich drängt sich die mythische Vorstellung von der Fahrt über den Styx, den Totenfluß, auf. Etwas Lockendes und Einlullendes, aber auch Gefährliches geht von der Gondel aus.

Auch der Gondoliere wird in seiner ungefälligen, brutalen Physiognomie genau beschrieben; auch er ist eine geheimnisvoll isolierte Gestalt, ein Rufer zum Tod am Wege Aschenbachs. Die Figuren dieser Reihe haben meist etwas Schönes und Kühnes, ja Freches, sind aber auch wieder hart, schmächtig und dürr. Kriegerisch wirkte der Fremde, schroff und überheblich der Gondoliere, herrisch und wild zeigt sich später der Buffo. So sinnlich und konkret, keineswegs etwa gespenstisch oder geisterhaft, diese Figuren auch gezeichnet sind, es haftet ihnen dennoch etwas von einer künstlerischen Abstraktion an. Der Dichter hat sozusagen die Welt von ihrer Erscheinung abgezogen. Sie sind im Augenblick greifbar nahe, zerrinnen dann aber wieder ins Nichts. Den seltsamen Fremden verschlingt der Straßentrubel, den Gondoliere die Lagune, den Buffo der nächtliche Garten, selbst der Knabe Tadzio entschwindet am Ende ins nebelhaft Grenzenlose des Meeres.

Doch kehren wir zu dem Gondoliere zurück. Der Vorgang als Vorgang ist ganz alltäglich, wenig bedeutungsvoll. Aber die

knappen Sätze und das kurze Gespräch werden wiederum hinter-
sinnig; sie stehen in einem mythischen Bezug, den erst die ganze
Novelle enthüllt.

„Die Fahrt wird kurz sein, dachte er; möchte sie immer
währen!"

„Was fordern Sie für die Fahrt?"

„Sie werden bezahlen."

„Ich werde nichts bezahlen, durchaus nichts, wenn Sie mich
fahren, wohin ich nicht will."

„Sie wollen zum Lido."

„Aber nicht mit Ihnen."

„Ich fahre Sie gut."

Am Ende kommt der Fährmann dann doch um seine Bezahlung
— oder bezahlt von Aschenbach nicht vielmehr mit seinem Tode? —,
er hat sich plötzlich davongemacht. Er ist „ein schlechter Mann, ein
Mann ohne Konzession ... Er ist der einzige Gondoliere, der keine
Konzession besitzt." Die anderen hatten telefoniert; da sah er, daß
er erwartet wurde, und machte sich fort. Die Gestaltenreihe dieser
zufälligen Begegnungen und kurzen Kontakte: der Fremde in
München, der Kassierer auf dem Dampfer, der falsche Jüngling,
der Gondoliere, der Buffo — sie gehören alle zusammen, sie treiben
alle ins Ungesicherte, Bodenlose, in ein Dasein „ohne Konzession", sie locken ins Abenteuerliche, ins träumerisch Entfremdete, darüber hinaus ins Fratzenhafte. Eine geheime Sympathie mit dem Abgrund, eine Sympathie mit dem Tode geht von
ihnen aus. Jedes dieser Gesichter hat für einen kurzen Augenblick ein Totenkopfzeichen. Die Lippen des Fremden erscheinen
etwas zu kurz und legen die langen weißen Zähne bis an den
Kiefer bloß. Der Gondoliere bleckt vor Anstrengung die Zähne,
und der Straßensänger entblößt später in drohender Unterwürfig-
keit ein hartes Gebiß. Selbst die Zähne des schönen Tadzio sind
zackig und blaß, vom Verfall gezeichnet. Auch er lockt in den Tod,
und zugleich schwebt über ihm selbst das Verhängnis eines frühen
Endes. (Vgl. über diese Gestaltenreihe Marianne Thalmann
„Thomas Mann, Tod in Venedig", Germ.-Romanische Monatsschrift, XV, Heidelberg 1927, S. 374/78.) Jede dieser Figuren
kann ganz real und zufällig aufgefaßt werden, aber der Funktionalismus der Thomas Mannschen Kunst rückt sie auch wieder in
eine symbolische Beleuchtung; im verdichtenden Erzählen werden
sie gleichsam transparent, Boten des Todesreiches mit allen seinen
Ekstasen, Ausschweifungen, Erniedrigungen und Zügellosigkeiten.

Doch gehen wir dem Verlauf des Ganzen weiter nach. Erst jetzt
tritt der etwa vierzehnjährige polnische Knabe von vollkommener
Schönheit auf, zunächst für das Künstlernaturell Aschenbachs
mehr ein Gegenstand beseligten Schauens als eigentlicher Gefährdung. Auch die Musik seiner für den Schriftsteller unverständ-
lichen Sprache drückt die Ferne des Ideals zur Wirklichkeit aus.
Es ist eine Art religiösen Schönheitskultus, den der Dichter mit der
Idealgestalt des angebeteten Jünglings treibt, der in manchen
Zügen an den von Stefan George geliebten Maximin erinnert.
Das Meer und der schöne Knabe, beides gehört zusammen, so
wird er immer wieder erblickt. Dem Meere entsteigt er wie ein
starker Gott, und er verlockt dazu, aus der anspruchsvollen Viel-
gestalt der Erscheinungen herauszutreten und sich „an der Brust
des Einfachen, Ungeheueren" zu bergen. Der Künstler möchte auf
diese Weise sich selbst und der asketischen Strenge seiner Aufgabe
entfliehen, aus dem „verführerischen Hange zum Ungegliederten,
Maßlosen, Ewigen, zum Nichts". Denn das Nichts erscheint ihm als
eine Form des Vollkommenen, „und eine väterliche Huld, die gerührte Hinneigung dessen, der sich opfernd im Geiste das Schöne
zeugt, zu dem, der die Schönheit hat, erfüllte und bewegte sein Herz".
Dennoch fehlt es nicht an Warnungen vor der drohenden Gefahr,
die in dieser Hingabe an das Schöne und an das Nichts verborgen
lauert. Da ist die Atmosphäre des Klimas, die widerliche Schwüle,
der abscheuliche Zustand von Erregung und Erschlaffung zugleich, den der Schirokko hervorbringt und der sich für den Gesund-
heitszustand des feinnervigen Künstlers schon früher als schädlich
erwiesen hatte. „Eigensinniges Ausharren erschien vernunft-
widrig." Schon scheint die rettende Abreise gesichert, aber der
Zufall der in falscher Richtung dirigierten Koffer erzwingt die
heimlich bereits ersehnte Umkehr. Auch diese Umkehr sollte man
noch unter die verweisenden Zeichen des Todesverhängnisses
rechnen.

Jetzt aber gibt es keine Heilung mehr. Die Bezauberung wird
unentrinnbar. Wohl geschieht das zunächst auf eine festliche,
dionysische, kosmische Weise. Das spiegelt sich auch in der gesteigerten, ins vershaft Rhythmische erhobenen Sprache des Autors, die
die Beschreibung kosmischer Vorgänge mit erotischen Ekstasen
verknüpft. „Nun lenkte Tag für Tag der Gott mit den hitzigen
Wangen nackend sein gluthauchendes Viergespann durch die
Räume des Himmels, und sein gelbes Gelock flatterte im zugleich
ausstürmenden Ostwind. Weißlich seidiger Glanz lag auf den

Weiten des träge wallenden Pontos. Der Sand glühte." „Noch lagen Himmel, Erde und Meer in geisterhaft glasiger Dämmerblässe; noch schwamm ein vergehender Stern im Wesenlosen. Aber ein Wehen kam, eine beschwingte Kunde von unnahbaren Wohnplätzen, daß Eos sich von der Seite des Gatten erhebe, und jenes erste, süße Erröten der fernsten Himmels- und Meeresstriche geschah, durch welches das Sinnlichwerden der Schöpfung sich anzeigt. Die Göttin nahte, die Jünglingsentführerin, die den Kleitos, den Kephalos raubte und dem Neide aller Olympischen trotzend die Liebe des schönen Orion genoß." Solche und andere Sätze haben nichts mehr von vorsichtiger psychologischer Analyse, sondern zeigen lyrische Stilgebung. Homerischses und Platonisches sind in wörtlichen Anklängen verwendet.

Aber das Glück des Schauens, in dem sinnlich erblickt wird, was der Künstler nur als „Standbild und Spiegel" geistiger Schönheit darstellen kann, dieser Enthusiasmus aus „Meerrausch und Sonnenglast" mit seinem Phaidrostraum von der Schönheit, aus dem eine, wenn auch nur kurze, erhöhte Produktion erwächst, dieser Hochmut, der das Gefühl nicht fürchtet und der heilsamen Ernüchterung widerstrebt — dies alles bedarf nur eines einzigen betörenden Lächelns des geliebten Knaben, um ins Maß- und Zügellose, ins Verhängnisvolle weitergelockt zu werden. Auch der Knabe Tadzio ist nur eine Gestalt in dem Totentanz, der den alternden Künstler umspielt. Er ist nicht etwa ein Mittelpunkt der Novelle, sondern eher noch eine Randfigur. Der Eros Thanatos hat viele Masken. Tadzio, so hat man mit Recht gesagt, ist seine klassische Maske. Auch er ist einbezogen in die Fata Morgana des Todes, nur die letzte Steigerung für eine Todesbereitschaft, die im geheimen in der Seele des Dichters schon vorher wirksam war. Thomas Mann hat das Lächeln des Tadzio mit dem des Narziß verglichen. „Es war das Lächeln des Narziß, der sich über das spiegelnde Wasser neigt, jenes tiefe, bezauberte, hingezogene Lächeln, mit dem er nach dem Widerscheine der eigenen Schönheit die Arme streckt, — ein ganz wenig verzerrtes Lächeln, verzerrt von der Aussichtslosigkeit seines Trachtens, die holden Lippen seines Schattens zu küssen, kokett, neugierig und leise gequält, betört und betörend." Dieses Lächeln des schönen Knaben verlockt und verbietet zugleich, gewährt und verweigert. Die Schönheit Tadzios ist vom Untergang gezeichnet. Martini hat auf die Beziehungen zum neuromantischen Seelentypus hingewiesen, auf jene schwermütig sehnsüchtigen, komödiantisch eitlen, ästhetisch antisozialen

Züge, die zum „Autismus" des Narziß gehören, einer auch von Rilke und George gerne als Symbol gewählten Figur. Bald nach Thomas Manns Novelle hatte sie Sigmund Freud 1924 in seinem Buche „Zur Einführung des Narzißmus" in die Psychoanalyse aufgenommen. Thomas Mann liebt auch sonst in seiner Dichtung dieses Bild des Narziß mit seiner melancholischen und selbstgefälligen Eingeschlossenheit in die eigne Traumwelt, sehnsüchtig und doch fruchtlos, zur eignen Einsamkeit verdammt. Diese Schönheit, die mit ihrem Lächeln nur sich selber und nicht den anderen meint, ist voller Schwermut, auch sie dem „verheißungsvoll Ungeheuren" entgegentreibend und darin auf geheimnisvolle Weise mit dem Schicksal Aschenbachs identisch.

Solches Lächeln wird für den, der es empfangen hat, zu einem furchtbaren Geschenk. Hier liegt der fortwirkende Wendepunkt der Novelle. Denn nunmehr beginnt jenes verschwiegene Einverständnis Aschenbachs mit dem „Übel von Venedig", mit jenem zunächst kaum greifbaren Abenteuer in der Außenwelt, das etwas Anrüchiges, ja Fatales hat. „Denn der Leidenschaft ist, wie dem Verbrechen, die gesicherte Ordnung und Wohlfahrt des Alltags nicht gemäß, und jede Lockerung des bürgerlichen Gefüges, jede Verwirrung und Heimsuchung der Welt muß ihr willkommen sein, weil sie ihren Vorteil dabei zu finden unbestimmt hoffen kann. So empfand Aschenbach eine dunkle Zufriedenheit über die obrigkeitlich bemäntelten Vorgänge in den schmutzigen Gäßchen Venedigs, — dieses schlimme Geheimnis der Stadt, das mit seinem eigensten Geheimnis verschmolz und an dessen Bewahrung auch ihm so sehr gelegen war." Das ist mehr als eine bloße Parallele. Die Welt des Verborgenen, Häßlichen, Lichtscheuen und Chaotischen bricht hier ein in die Seele des vom schlimmen Eros Geschlagenen und in diese phantastische, unwirkliche, todesüberschattete Stadt. Erst so erhält die Begebenheit ihr novellistisches Profil. Zwei Vorgänge, die scheinbar nichts miteinander zu tun haben, die Liebe und Leidenschaft des alternden Mannes zu dem schönen Knaben und die verschwiegene, aber dennoch sich ausbreitende Cholera, werden durch den Funktionalismus und Symbolismus der Thomas Mannschen Kunst zu zwei Erscheinungsformen eines gleichen Vorganges: nämlich des Einbruches dämonisch elementarer Mächte in eine bisher gehütete und geordnete, aber unterirdisch immer schon gefährdete Welt. Hinter den beiden Vorgängen steht der Tod, der seine unheimlichen Boten durch die ganze Erzählung sendet. Man sollte diese Boten nicht als bloße

Hirngespinste auffassen, als Spiegelungen des Aschenbachschen Inneren. Sie haben ihre eigne, zum Symbol verdichtete Wirklichkeit, wenn sich in ihnen auch nicht mehr das Ganze der Welt oder die Kräfte des Alls repräsentieren. Es ist eine Symbolik, die gewissermaßen nur für diese Erzählung gilt; sie ist das Ergebnis jener künstlerischen Abstraktion, die uns bildhafte Gestalten ohne Welt gibt und zugleich interpretierend einen Abstand zu den eignen Schöpfungen gewinnt. Diese Verbindung von sinnlicher Gestaltung und einer vom Dichter selber vorgenommenen Interpretation charakterisiert den Thomas Mannschen Stil. Er interpretiert seine Begebenheit, indem er Gestalten jenseits der Begebenheit erfindet und sie doch darein verwebt. Es ist, als stammten diese Schöpfungen aus dem Mythos und der Dichter meine sie zugleich nur als künstlerische Zeichen, mit denen er noch einen Vorbehalt gegen den Mythos ausspricht. Daher kann er das Symbolische auch wieder ironisieren. Das gibt diesen unverbundenen Figuren das Zweideutige, das eigentümlich Schillernde und Gleitende. Der ganze Kunststil Thomas Manns ist als Stil noch ein einziger Protest gegen die „orgiastische Auflösung", die er thematisch darstellt.

Wie steht es um die geheimnisvolle Trunkenheit, in die Aschenbach immer mehr hineingerät? Sie folgt „den Weisungen des Dämons, dem es Lust ist, des Menschen Vernunft und Würde unter seine Füße zu treten". Wohl sucht der verwirrte Aschenbach sich noch immer in eine Denkweise zu flüchten, in der er seine Würde behaupten kann, aber zugleich „wandte er beständig eine spürende und eigensinnige Aufmerksamkeit den unsauberen Vorgängen im Innern Venedigs zu, jenem Abenteuer der Außenwelt, das mit dem seines Herzens dunkel zusammenfloß und seine Leidenschaft mit unbestimmten, gesetzlosen Hoffnungen nährte". Darin besteht das Tragische dieses Eros, daß er eben nicht nur festlich, rauschhaft, dionysisch ist, sondern ebenso ins „Unsaubere", ins Verfratzte, Gesetzlose, Anarchische drängt. Noch einmal verdichtet sich gerade diese zweite verhängnisvolle Seite in einer jener symbolischen Randfiguren, die als Boten des Unheils und des Todes, aber auch als Boten des Eros durch die Geschichte irrlichtern. In einer Gruppe von Straßensängern, die sich im Vorhof des Gasthofes hören lassen — Aschenbach erlebt sie in Tadzios Gegenwart —, ist es der Gitarrist, der Buffo, der in seiner Haltung von „frecher Bravour" bis ins einzelne beschrieben wird, „halb Zuhälter, halb Komödiant, brutal und verwegen, gefährlich und unterhaltend": wieder eine trotzige, herrische, fast wilde Figur, dabei zugleich ein grotesker Fratzenmacher, durch die Schwaden starken Karbolgeruchs, die von ihm ausgehen, unmittelbar mit dem desinfizierten Venedig identisch. Sein dreister Schluß- schlager mit dem Lachrefrain, in den die ganze Bande regelmäßig aus vollem Halse einfällt, wird zur grauenhaften Verdichtung einer anarchischen Situation. Dieses unverschämte, zur Terrasse empor- gesandte Kunstlachen ist wie ein mythisches Hohngelächter der Hölle, das sich der gesamten Umwelt hemmungslos mitteilt. „Dies aber eben schien des Sängers Ausgelassenheit zu verdoppeln. Er beugte die Knie, er schlug die Schenkel, er hielt sich die Seiten, er wollte sich ausschütten, er lachte nicht mehr, er schrie; er wies mit dem Finger hinauf, als gäbe es nichts Komischeres als die lachende Gesellschaft dort oben, und endlich lachte denn alles im Garten und auf der Veranda, bis zu den Kellnern, Liftboys und Hausdienern in den Türen." Vielleicht ist dies die furchtbarste Stelle in der ganzen Erzählung, das groteske Lachen im ver- seuchten Venedig, dieses völlige Hinabgleiten ins Zuchtlose, Widrige, grausam Komische.

Es gehört zu dem Absichtsvollen und zugleich Verhüllenden dieser symbolisierenden Darstellung, daß erst bei näherem Hin- sehen deutlich wird, wie sehr sich im Buffo die Züge des Fremden aus München wiederholen und mit denen des falschen Jünglings verbinden. Die Ähnlichkeit mit dem Fremden, den der Leser längst wieder vergessen hat, ist ungewöhnlich groß: wiederum der hagere Hals, der auffallend große Adamsapfel, das rote Haar, die rötlichen Brauen, das Stumpfnasige; beide sind mager und bartlos, und beide haben die energisch drohenden Furchen zwischen den Augen. Auch hier wieder werden die starken Zähne sichtbar. Aber durch das Clownhafte und Grimassierende wird der Buffo auch mit dem falschen Jüngling verknüpft; ja, ein charakteristischer Zug wird genau wiederholt, wenn es von dem Gitarristen heißt, daß er die Zunge schlüpfrig wie etwas Zweideutiges, unbestimmt Anstößiges im Mundwinkel spielen läßt. So kann sich in dieser letzten Gestalt der geheimen Reihe von Boten des Grauens alles herrisch Wilde, aber auch alles peinlich Widerwärtige und Indiskrete, das ihnen anhaftet, noch einmal miteinander vermischen. Gerade dieses Schwebende zwischen Identität und Nicht-Identität ist für die Folge dieser Figuren charakteristisch. Vom Mythos aus gesehen ist es jedesmal der Tod selbst, der sein Opfer begrüßt; vom Erzähl- verlauf aus gesehen sind es verschiedene, wenn auch ähnliche reale Figuren, die gerade in ihrer Kontaktlosigkeit einen verborgenen Bezug zu Aschenbachs Schicksal haben, der von diesem selbst nicht durchschaut wird und dem Leser nur leise suggeriert werden soll.

Auch die Aufdeckung der Wahrheit über Venedig auf dem englischen Reisebüro kann den Dichter nicht mehr retten. Inmitten wachsender Unmäßigkeit, Schamlosigkeit und Kriminalität bleibt er am Ort, „in fiebriger Erregung, triumphierend im Besitze der Wahrheit, einen Geschmack von Ekel dabei auf der Zunge und ein phantastisches Grauen dabei im Herzen". Ja, der „Gedanke an Heimkehr, an Besonnenheit, Nüchternheit, Mühsal und Meisterschaft widerte ihn in solchem Maße, daß sein Gesicht sich zum Ausdruck physischer Übelkeit verzerrte". „Das Bild der heimgesuchten und verwahrlosten Stadt, wüst seinem Geiste vorschwebend, entzündete in ihm Hoffnungen, unfaßbar, die Vernunft überschreitend und von ungeheuerlicher Süßigkeit... Was galt ihm noch Kunst und Tugend gegenüber den Vorteilen des Chaos? Er schwieg und blieb." Welche Selbsterniedrigung, wenn der völlig Verwirrte im Traum, aber auch in der Wirklichkeit, seinem geliebten Idol in den Gäßchen von Venedig heimlich nachgeht oder seine Stirn, in völliger Trunkenheit, an die Angel der Tür lehnt, hinter der der Knabe wohnt, „auf die Gefahr, in einer so wahnsinnigen Lage ertappt und betroffen zu werden"!

Das ganze Ausmaß des entfesselten Unterbewußtseins mit seinem todessüchtigen Eros spiegelt der grausame Dionysos-Traum von dem „fremden Gott", dieser Traum von dem Reigen des Gottes mit seinen zahlreichen sexuellen Tiersymbolen, in dem alle Kultur und aller Geist vernichtet wird und nur noch die grenzenlose Vermischung, dem Gott zum Opfer, übrigbleibt. „Und seine Seele kostete Unzucht und Raserei des Unterganges." Der Traum läßt „die Kultur seines Lebens verheert, vernichtet zurück". Endgültig hat das Chaos über die Form gesiegt. So wird Aschenbach ständig am Narrenseil seiner Hoffnung herumgeführt, im geheimen Einverständnis mit dem eklen Sterben in Venedig, das ebenso ungeheuerlich ist wie die Krankheit in seinem Herzen: beides durchaus gleichgültig gegen ein hinfällig gewordenes Sittengesetz.

Tragisch unabwendbar ist diese Verfallenheit an das Trübe, und alle ehemalige Absage an das Zigeunertum, alle sittliche Hingabe an die vorbildliche und reine Form, aller amtliche Ruhm, alle Gewöhnung an die Verbindlichkeiten des Massenzutrauens vermochten den Dichter vor dieser einsamen, ausweglosen Qual nicht

zu bewahren. Wo der Künstler einmal in das Entbundene fort-
gerissen ist, da gibt es keine Rückkehr mehr. Wer den platonischen
Eros im Leben verwirklichen will, der gerät in die unbehauste
Zone des Todes. Dieser in der Erzählung so oft vorweggenommene
Tod kommt am Ende plötzlich und unerwartet, fast wie ein
Erlöser. Nur leise deutet der Dichter die Infektionsquelle an,
einige bei seinen traurigen Wanderungen auf der Spur des
geliebten Knaben genossene Erdbeeren, „überreife und weiche
Ware". Noch einmal sieht Aschenbach Tadzio als „eine höchst
abgesonderte und verbindungslose Erscheinung, mit flatterndem
Haar dort draußen im Meere, im Winde, vorm Nebelhaft-Grenzen-
losen", ein bleicher und lieblicher Psychagog, der ihm zuzu-
lächeln, zuzuwinken scheint, voranschwebend ins verheißungsvoll
Ungeheure; aber als er ihm, wie so oft, nachfolgen will, ereilt ihn
eine Ohnmacht. „Und noch desselben Tages empfing eine respekt-
voll erschütterte Welt die Nachricht von seinem Tode."

Die Novelle in ihrer Geschlossenheit und in dem Durchformten
und Beziehungsreichen jedes einzelnen Satzes gehört zu dem Besten,
was Thomas Mann geschrieben hat. „Tonio Kröger" ist mehr eine
Lebensgeschichte, nicht so sehr eine Novelle. „Der Tod in Venedig"
hingegen erfüllt das Gesetz dieser Gattung. Denn die Erzählung
erreicht auch noch in der Darstellung der entgrenzenden, zerstörenden Mächte Eros und Tod die höchste künstlerische
Geschlossenheit. Es ist die *eine* unerhörte Begebenheit von der Pest
in Venedig und dem Eros des alternden Künstlers — beides ist
„Urweltwildnis", „Dschungel" —, die hier erzählt und symbolisch
verdichtet wird. In der Mitte der Erzählung liegt die Wende, als
mit dem Ausbruch der Pest auch der Eros zum schönen Knaben
seine schlimme Bedeutung offenbart. So wächst die von der Seuche
getroffene phantastische Stadt mit der unseligen, phantastischen
Liebesleidenschaft eines bisher untadeligen Schriftstellers zu einer
unlösbaren Einheit zusammen. Die ganze Erzählung wird noch
einmal instrumentiert durch die Symbole des Totentanzreigens,
der das Geschehen gleichsam auf eine andere Ebene verlagert und
von hier aus deutet. Das gelingt Thomas Mann durch das paradoxe
Verfahren, diese Gestalten aus dem episch Vorgangshaften und
Welthaften fast ganz herauszunehmen und gerade in ihrer Isolierung bedeutungsvoll zu machen, nur durch sich selbst und
ihren erst allmählich sich enthüllenden Zeichencharakter. Einer-
seits weisen sie auf eine mythische Schicht des Daseins hin, auf den
Mythos von Tod und Eros, und sind von hier aus gesehen alle mit-

einander identisch —, andrerseits bleiben sie nur artistische Chiffren, hinter denen der hohe künstlerische Verstand Thomas Manns steht. Dadurch kommen sie in ein gewolltes Zwielicht, und ihre Symbolik erlischt gleichsam mit dem Erzählen selbst. Das Symbol wird hier nicht unmittelbar in der Inspiration empfangen, es fehlt ihm die Naivität des Unbewußten; es ist vielmehr bereits im Sinne eines artistischen Symbolismus vom Künstler erdacht und gewollt, es wird von seiner, wenn auch oft nur indirekt angedeuteten, Reflexion umkreist und wird dadurch vieldeutig. Darin liegt allerdings die Gefahr, daß die Symbolsprache jenes epische Schwergewicht verliert, welches sie bei Kleist, bei Gotthelf und bei der Droste noch durchaus besaß. Die Novelle wird bei Thomas Mann zu einer isolierten und isolierenden Gestaltungsform, die mit Hilfe eines künstlerischen Funktionalismus und einer virtuosen Technik im Experiment des Kunstwerkes zwar nicht die Einheit der Welt, wohl aber die Einheit des Kunstwerkes wiederherstellt und allem Erzählten eine Deutung verleiht, die sich erst aus der Kombination der verschiedensten Elemente ergibt.

FRANZ KAFKA

—

EIN HUNGERKÜNSTLER

Die faszinierende Wirkung, die bis heute von Franz Kafkas Prosa ausgegangen ist und die vielleicht noch nicht einmal ihren Höhepunkt erreicht hat — nicht nur in Deutschland, sondern in ganz Europa und in Amerika —, hängt sicher auch mit dem befremdend Neuartigen eines Stils zusammen, der sich weitgehend den überlieferten Kategorien der Literaturkritik und Ästhetik entzieht. Selbst so beliebte Unterscheidungen wie Allegorie und Symbol verlieren ihre Überzeugungskraft, auch die Bestimmungen des Komischen und des Tragischen reichen nicht aus, um eine Prosa zu deuten, von der man erst einmal aussagen muß, ob sie wirklich oder überwirklich oder keines von beiden ist. Es braucht kaum hinzugefügt zu werden, daß man auch nach den typischen Mitteln novellistischen Erzählens: „unerhörte Begebenheit", „Falke", „Silhouette", „Wendepunkt" und so weiter bei Kafka mehr oder weniger vergeblich suchen wird, weil sie für seine Erzählform nicht charakteristisch sind. Wohl bietet sich die Ausflucht an, Kafkas Prosa mit modischen Begriffen aus der Moderne zu umreißen, als „Surrealismus", „Nihilismus" oder gar „Existenzialismus", aber auch das ist nur die Umschreibung einer Verlegenheit, ja, unter Umständen sogar ausgesprochen irreführend.

So haben sich die zahlreichen Deuter seines Werkes meist in abseitige Spekulationen geflüchtet — seien sie theologischer, metaphysischer, philosophischer, psychoanalytischer oder soziologischer Art —, zu denen das Werk Kafkas gleichsam auffordert, weil es auf eine rätselhafte Weise über seine eigne Bildwelt hinauszudeuten scheint, der Autor selbst jedoch sich jede Deutung dieser Art versagt. So interessant solche Versuche im einzelnen sein mögen, sie führen von der Dichtung als Dichtung auch wieder weit fort und behalten etwas allzu Beliebiges, Willkürliches und Unkontrollierbares. Es gilt zunächst einmal, Kafkas dichterische Welt in ihrer Eigentümlichkeit zu beschreiben, sie als „Phänomen" wahrzunehmen und die besondere Weise gerade dieses Erzählens zu interpretieren. Ansätze dazu sind in Deutschland in den letzten Jahren in den Arbeiten von Friedrich Beißner, Clemens Heselhaus und Wilhelm Emrich gemacht worden. Friedrich Beißner hat in seiner kleinen Schrift „Der Erzähler Franz Kafka" (Stuttgart 1952) von einer „Verwandlung" der Wirklichkeit in „Seelenwirklichkeit" gesprochen; Clemens Heselhaus hat in seiner wertvollen Studie „Kafkas Erzählformen" (Dtsche Viertelj. f. Lit.-Wiss. u. Geistesg., 26. Jg., 1952, S. 353–376) die Gattungsbegriffe des Antimärchens und der Parabel auf Kafka angewandt, Wilhelm Emrich interpretierte in seinem zusammenfassenden Aufsatz über Franz Kafka (in „Deutsche Literatur im zwanzigsten Jahrhundert", Heidelberg 1954, S. 230–248) Kafkas Dichtung als die eines Moralisten, der, das genaue Gegenteil eines Nihilisten, die „Wahrheit" von einem paradoxen Punkt außerhalb und doch in der Welt sichtbar machen will.

Vielleicht kann eine genaue Analyse der Kafkaschen Erzählung „Ein Hungerkünstler", die bisher noch nirgends ausführlicher versucht wurde, ihrerseits dazu beitragen, dem Wesen des Kafkaschen Erzählens auf die Spur zu kommen. Dabei soll die Frage nach dem spezifisch Novellistischen bewußt beiseite gelassen werden. Sie würde Kafka erneut in ein Schema pressen, das ebensowenig wie andere Schemata geeignet ist, seine Erzählform angemessen zu verstehen. Trotzdem dürfte es berechtigt sein, wenn wir unsere Novelleninterpretationen mit Kafkas Prosa abschließen. Denn auch die Auflösung der Novellenstruktur durch neue und andersartige Stilformen des Erzählens muß nunmehr am Ausgang unserer Darstellung als eine spezifische, eben für die moderne Entwicklung charakteristische Erscheinung berücksichtigt werden.

Die Erzählung „Ein Hungerkünstler", die im Jahre 1923 von Kafka zum Druck gegeben wurde und 1924 im Verlag „Die Schmiede", Berlin, erschien, stammt aus Kafkas Spätzeit. Der Analyse soll eine knappe Nacherzählung des Inhalts vorausgehen. Ein „Hungerkünstler" erlebt bei seinen Schaustellungen im „Käfig", die sein Impresario veranstaltet, am Anfang eine Epoche der großen Erfolge, leidet aber zugleich darunter, daß seine Hungerzeit aus Gründen des langsam erlahmenden Publikumsinteresses auf nur vierzig Tage beschränkt ist. „Er hätte es noch lange, unbeschränkt lange ausgehalten." Dem Zeitraum des „scheinbaren Glanzes" folgt ein zweiter, ohne den Impresario, als das zur

Schau gestellte Hungern aus der Mode gekommen ist. Der Hungerkünstler läßt sich jetzt von einem großen Zirkus engagieren und möchte am liebsten die Welt durch ein Hungern ohne Ende in Erstaunen setzen. Er tritt aber keineswegs als Glanznummer in der Manege auf, sondern sieht sich draußen in der Nähe der Stallungen „an einem im übrigen recht gut zugänglichen Ort" untergebracht. Dort findet er jedoch nur wenig Beachtung und ist, „genau genommen, nur ein Hindernis auf dem Weg zu den Ställen". Mit der Zeit vergißt man ihn fast ganz, sogar die Täfelchen mit der Ziffer der geleisteten Hungertage werden nicht mehr erneuert, so daß nicht einmal er selbst den Umfang seiner Leistung noch kennt. Am Ende entdeckt ihn durch Zufall ein Wärter, der den Käfig für leer hält und zu anderen Zwecken verwenden will. Erstaunt fragt er den immer noch Hungernden, wann er denn endlich damit aufhören wolle. Der bereits erlöschende Hungerkünstler kann nur noch ein letztes Geständnis flüstern. Er hat gehungert, weil er nicht anders konnte, weil er hungern mußte, weil er die Speise nicht fand, die ihm schmeckte. „Hätte ich sie gefunden, glaube mir, ich hätte kein Aufsehen gemacht und mich vollgegessen wie du und alle." Nach seinem Tode wird in den frei gewordenen Käfig ein junger Panther gebracht.

Die schlichte Nacherzählung zeigt uns bereits, wie schwer es ist, die erdichtete Begebenheit einer bestimmten Weise des Daseins zuzuordnen. Das Phantastische scheint hier real, das Reale wiederum phantastisch. Spielt das Ganze an der Grenze von Wirklichkeit und Überwirklichkeit? Die Kategorien des „Realen" und des „Phantastischen" wollen nicht ausreichen, um das Erzählte zu verstehen. Wohl hat es in der modernen Gesellschaft „Hungerkünstler" gegeben und gibt sie auch heute noch, die ihre etwas abseitigen Fähigkeiten einem sensationslüsternen Publikum für mehr oder weniger hohes Entgelt zur Schau stellen. Aber der Hungerkünstler, von dem hier berichtet wird, ist so einmaliger, so Kafkascher Art, daß er offensichtlich nur eine Metapher für eine geistige Aussage sein kann, die Kafka machen will. Was die Vorgänge betrifft, so sind sie durchaus logisch untereinander verknüpft, der Bericht ist in einem sachlichen Ton gehalten; die Sprache, so seiltänzerisch, scheinbar schwerelos sie bei Kafka sein kann, protokolliert auch wieder nüchtern einen Tatbestand und schafft so eine kühle Distanz zum Mitgeteilten. Nirgends schaltet sich der Autor persönlich ein, und wenn er doch in dieser Geschichte von sich selbst reden sollte, so jedenfalls nur in einer undurchsichtigen und verkleideten Form. Der epische Bericht vermittelt die Suggestion einer in sich geschlossenen Welt, in der es keine phantastischen Sprünge, keine poetische Willkür gibt und keine „romantische Ironie", die ihre Gegenstände aus subjektiver Freiheit heraus beliebig erschafft oder vernichtet. Die Kafkasche Erzählung läßt das Gefühl eines Gegensatzes von Phantasie und Wirklichkeit gar nicht aufkommen; die eine, unverwechselbare, wenn auch befremdende Welt Kafkas steht vor uns mit ihren eignen Gesetzen und ihrer eignen Notwendigkeit. Die Person des Erzählers ist dabei bewußt ausgeklammert.

Aber was ist das für eine Welt? Es ist nicht die Welt, in der wir sonst leben. Oder richtiger gesagt: sie ist es und ist es auch wieder nicht. Wohl sind alle Zeichen und Bilder aus unserer gegenständlich-wirklichen Welt genommen, aber sie haben sich von jeder „Mimesis" völlig gelöst, sie scheinen mit einem Male in einen anderen Bedeutungszusammenhang hineinzugehören, in eine andere Art von Beleuchtung, in eine mehr oder weniger konstruktive Zuordnung, deren geheimes Prinzip vom Erzähler bewußt verhüllt wird. Wohl werden wir an unsere alltägliche Welt schon durch die nüchtern alltägliche Sprache erinnert. Die Sprache verzichtet auf jeden poetischen Glanz und gewinnt ihn gerade dadurch zurück. Sie sucht eher zu unter- als zu überbieten und entgeht eben dadurch jeder Inflation der Worte und Sätze. Hungerkünstler, Impresario, Wächter, Publikum, Käfige mit Stroh, Zirkus, Raubtiere, das alles kennen wir. Aber diese Gegenstände begegnen uns hier seltsam verfremdet, als ob wir sie nicht kennten. Sie sind sinnlich und doch abstrakt, wirklich und auch wieder überwirklich, bizarr und grotesk, ins Unheimliche gesteigert, so daß wir uns mit einem Male in einer Welt befinden, in der wir nicht mehr „zu Hause" sind. Dennoch hat diese verwandelte Welt etwas so Zwingendes, daß sie uns beim Lesen gar nicht so sehr als eine freie Schöpfung der Phantasie erscheint; es ist uns vielmehr zu Mute, als könne es gar nicht anders sein. Diese fremde, andere, unheimliche, sich uns entziehende und doch auf eine merkwürdige Weise wirkliche Welt hat immer noch so viel mit unserer eignen, alltäglichen zu tun, daß wir zur vergleichenden Deutung verlockt werden, um dem rätselhaft Verhüllten auf die Spur zu kommen.

Zwei Möglichkeiten bieten sich an. Die eine wäre die, das Erzählte in einem allegorischen oder symbolischen Sinne auszulegen. Die Geschichte wird widersinnig oder gar unsinnig, wenn sie nicht über sich selbst hinausdeuten soll. In allem Sinnlichen ist bei Kafka stets etwas Sinnbildliches mit enthalten. Es ist Heselhaus' Verdienst, daß er hier auf die Gattung „Parabel" hingewiesen hat. Dann stünde der berichtete Fall gleichsam stellvertretend für andere mögliche Fälle, freilich wiederum so grundsätzlich und so radikal zugespitzt, daß man vergeblich nach einem zweiten Hungerkünstler wie diesem suchen würde. Dennoch möchte ich Heselhaus' These zustimmen, daß es dem Erzähler Kafka gelingt, von sich selbst abzusehen, indem er seinen eignen Fall „parabolisch versteht", und zwar als ein gleichnishaftes Modellstück, das uns in seiner metaphorischen Gegenständlichkeit zugleich ein abstraktes, geistiges Problem aufgibt. Es gehört zum Wesen dieses Stiles, daß sich das Abstrakte, Geistige und Problematische nur in der gleichnishaften Bildlichkeit aussagen läßt. Jedoch ist keinerlei erzieherische Absicht mit dem Sinnbildlichen einer solchen Parabel verbunden. Sie ist ein Modell möglichen Lebens, aber nicht ein Lehrstück, das uns mitteilen will, wie wir leben sollen. Darin unterscheidet sich Kafka durchaus von Brecht.

Die andere Möglichkeit, Kafka auszulegen, bestünde in einem weitgehenden Verzicht auf Verstehen überhaupt. Wenn die Kafkasche Welt verfremdet, schauerlich, unbegreifbar, grotesk, ja, absurd ist, so könnte gerade das ihre letzte künstlerische Aussage sein, die Darstellung einer Zone, in der alle Verstehbarkeit in Frage gestellt wird und jeder Sinn sich aufzulösen beginnt. Auch dann könnte das Mitgeteilte noch ein in sich sinnvolles Kunstgebilde bleiben, auf das sich ein Goethesches Paralipomenon zum „Westöstlichen Divan" anwenden läßt:

> Und wer heiter im Absurden spielt
> Dem wird auch wohl das Absurde ziemen.

In diesem Falle müßte die Erzählung vom Hungerkünstler aus der Stilform des Grotesken heraus begriffen werden, weder als komisch noch als tragisch, sondern als eine Welt mit eignen Spielfiguren, deren besonderer künstlerischer Reiz gerade darin liegt, daß sie eine symbolische Auslegung, sogar mehr oder weniger jede Art von Auslegung geradezu verbieten. Parabolisch-gleichnishaftes Modellstück auf der einen Seite, Verfremdung ins Groteske bis zur Auflösung des Sinns auf der anderen, das sind die beiden Stilformen, die – so entgegengesetzt sie auch sind – in Kafkas Prosa auf eine merkwürdige Weise zusammenwirken. Das Gleichnishafte des Parabolischen unterscheidet sich durchaus von der Symbolik, wie wir sie bei Hofmannsthal und Thomas Mann beobachtet haben. In Hofmannsthals „Reitergeschichte" wurde mit jedem Schritt des realistischen Erzählens zugleich eine unendliche, symbolische Tiefe des Lebens mit enthüllt; in Thomas Manns Erzählung „Der Tod in Venedig" hatten wir besonders herausgehobene Symbolträger, die die erzählte Begebenheit in das zugleich ironische und mythische Zwielicht zwischen Wirklichkeit und Überwirklichkeit rückten. Kafkas Erzählen verkehrt unsere wirkliche Welt, aus der er seine Zeichen und Metaphern nimmt, ins Scheinhafte, indem er eine verfremdete, unheimliche, unbegreifliche, ja, absurde Welt gestaltet. Aber mit einem Male scheint diese Welt mehr Realitätsgewicht zu haben als die uns sonst umgebende, vertraute, bekannte, durchschnittliche. Wir wagen nicht mehr, Kafkas Welt scheinhaft und unsere eigne wirklich zu nennen. Die Vorzeichen sind vertauscht. Die Welt, in der wir sonst leben, ist nunmehr die verstellte, unrichtige, verfälschte, während Kafkas absurde Welt überraschenderweise die eigentliche, wahre und gültige scheint. Ja, die Dinge liegen noch verwickelter. Das Verstellte unserer Welt kommt uns in Kafkas Darstellung erst eigentlich zum Bewußtsein; seine Gleichnisse und Parabeln zielen, wenn auch meist nur indirekt, auf das Leben, wie es eigentlich sein müßte, sein sollte, aber sich in der Entstellung bis zum Fratzenhaften nicht mehr realisieren läßt. Das Sinnfremde der Kafkaschen Dichtung gibt in der grotesken Darstellung ein künstlich verwandeltes Bild von der Welt, in der wir sonst leben und von der wir ahnungslos und irrtümlicherweise annehmen, daß sie sinnvoll und geordnet sei. Kafkas Prosa demaskiert und enthüllt gleichsam unsere sogenannte reale Welt und ihre gesellschaftliche Wirklichkeit als grotesk, unwirklich und unwahr. Diese Seite seines Stiles hat man mit Nihilismus verwechselt. Seine Prosa geht aber zugleich darüber hinaus, indem sie unsere vertraute Welt gleichsam aus den Angeln zu heben versucht und in parabolischen Gleichnissen den „archimedischen Punkt" umkreist, von dem aus das geschehen kann. In den Paralipomena zu den Aufzeichnungen „Er" heißt es: „Er hat den archimedischen Punkt gefunden, hat ihn aber gegen sich ausgenützt, offenbar hat er ihn nur unter dieser Bedingung finden dürfen."

Es gehört also zum Wesen des Kafkaschen Stiles, daß er aufschlüsselt, indem er verhüllt, ja, entstellt. Immer wieder meinen die Kafka-Interpreten, sie müßten die „andere", die „wesentliche", die „eigentliche", die „metaphysische" Welt noch hinter Kafkas Gebilden suchen, weil diese sich so sehr der Sinngebung entziehen und gerade dadurch zu ihr verlocken. Das ist ein entscheidender Fehler, auf den auch Emrich mit Nachdruck aufmerksam gemacht hat. Dahinter ist nichts mehr zu suchen. Die Kafkasche Erzählwelt selbst ist bereits dieses „Dahinter", gewebt aus Elementen unserer Welt, nicht auf eine andere, überwirkliche oder transzendente Sphäre hindeutend, sondern unser hiesiges Dasein unter einem doppelten Aspekt erschließend: dem einer grotesken Verfremdung und zugleich dem einer parabolisch gültigen Wahrheit. Was unsere alltägliche Welt eigentlich ist und was ihre Unwirklichkeit als geistiges Problem bedeutet, darauf konnte Kafka nur im gleichnishaften Bild antworten. Er ist Dichter, weil eine geistige Aussage über die Welt für ihn auf einem anderen Wege gar nicht mehr möglich ist.

Wir mußten diese grundsätzlichen Bemerkungen voranstellen, um den erzählten Einzelfall bei Kafka auf die richtige Weise ernst nehmen zu können. Die Interpretation wird das Vorweggenommene näher klären können, indem sie die von Kafka gestaltete künstlerische Wirklichkeit aus ihren eignen Elementen heraus zu deuten versucht und damit die darin enthaltene geistige Aussage erhellend verdeutlicht. Wir wollen zunächst vom Titel der Erzählung ausgehen. Wie faßt Kafka seine Figur auf? Ist sie komisch, tragisch oder ironisch gemeint? Haben wir es mit einer Karikatur des Künstlertums oder mit einem echten Künstlertum zu tun? Welchen Sinn hat die Metapher des Hungerns? Herbert Tauber hat in seinem Buch „Franz Kafka" (Zürich/New York 1941, S. 182) den Hungerkünstler als komisch aufgefaßt. „Die Grundtatsache, auf welcher sich die reich ausgesprochene Komik dieser Erzählung aufbaut, ist die, daß der Hungerkünstler gar kein Künstler ist. Das Hungern ist ihm Bedürfnis, er leidet an chronischer Appetitlosigkeit. Dies ist nichts Auszeichnendes, sondern ein wichtiger Mangel. Ein innerer Trieb drängt ihn, sein Hungern bis zum Verhungern fortzusetzen." Selbst wenn das richtig wäre, dürften wir es nicht komisch, sondern nur gräßlich nennen. Aber der Zugang zu der Erzählung ist damit bereits im Ansatz verfehlt. Hungern heißt Verzicht auf Speise und damit Bedrohung vitaler Grundlagen der eignen Existenz. Die letzte, wenn auch lange aufschiebbare Konsequenz solchen Hungerns ist der Tod. Wo das Hungern freiwillig, ohne äußeren Zwang, von einem Menschen auf sich genommen wird, erscheint es als eine besondere, seltene Art von Können, als Kunst. Der so Hungernde hebt sich aus der Gemeinschaft der Menschen heraus, weil er etwas tut, was die anderen nicht vermögen und was ihnen, zum mindesten vorübergehend, so imponieren kann, daß sie es betrachten, genauer beobachten und auch bewundern wollen. Daraus ergibt sich das Hungern als Schaustellung. Wilhelm Emrich hat darauf hingewiesen, daß die Helden Kafkas immer „ausgehungert" sind, „nicht mehr gespeist oder getragen werden von dem, was die Welt, das Gesehene ihrer Augen, das Gehörte ihrer Ohren ihnen anbieten, daß im ganzen Umkreis der Welt keine Arznei mehr für ihr Leiden vorhanden ist". Dem entspricht es, wenn der Hungerkünstler am Ende erklärt, daß er keine Speise gefunden habe, die ihm hätte „schmecken" können.

Die auch von Emrich herangezogene Tagebuchstelle von 1910 gibt uns weiteren Aufschluß für das gleichnishafte Verständnis der Figur des Hungerkünstlers. Dort heißt es im Zusammenhang mit der Gestalt des „Junggesellen", von dem Kafka betont, es bestünde kaum ein Unterschied zu ihm: „Waren wir bisher mit unserer ganzen Person auf die Arbeit unserer Hände, auf das Gesehene unserer Augen, auf das Gehörte unserer Ohren, auf die Schritte unserer Füße gerichtet, so wenden wir uns plötzlich ganz ins Entgegengesetzte, wie eine Wetterfahne im Gebirge. Statt nun damals wegzulaufen, sei es auch in dieser letzten Richtung, denn nur das Weglaufen konnte ihn auf den Fußspitzen und nur die Fußspitzen konnten ihn auf der Welt erhalten, statt dessen hat er sich hingelegt, wie sich im Winter hie und da Kinder in den Schnee legen, um zu erfrieren... der Mann steht nun einmal außerhalb unseres Volkes, außerhalb unserer Menschheit, *immerfort ist er ausgehungert*, ihm gehört nur der Augenblick, der immer fortgesetzte Augenblick der Plage, dem kein Funken eines Augenblicks der Erholung folgt, er hat immer nur eines: seine Schmerzen, aber im ganzen Umkreis der Welt kein zweites, das sich als Medizin aufspielen könnte, er hat nur soviel Boden, als seine zwei Füße brauchen, nur soviel Halt, als seine zwei Hände bedecken, also um so viel weniger als der Trapezkünstler am Varieté, für den sie unten noch ein Fangnetz aufgehängt haben" (Tagebücher, New York 1948/49, S. 20 f.). Die Geistigkeit dieser aus dem Vitalen herausgedrängten, immerfort ausgehungerten Existenz, die nur noch ein Minimum an „Raum" hat und der sich das Kontinuum der Zeit in den Augenblick zusammenzieht, und zwar in einen Augenblick der Schmerzen, für die es keine Medizin gibt, das alles spiegelt sich auch in der Gestalt des „Hungerkünstlers". Daß ihm das Hungern ein unüberwindliches Bedürfnis ist, spricht nicht gegen, sondern für sein

Künstlertum. Er muß sich jeder Art von irdischer Sättigung entziehen, solange es ihm vergönnt ist, sei es mit, sei es ohne Publikum, und sein Hungern ist nur die Metapher für diesen geistigen
Willen, die vitale Existenz mit ihren notwendigen Bedürfnissen in
der Freiheit seines Hungerspiels zu widerlegen. Die Paradoxie
dieser Freiheit ist, daß sie nur im „Käfig" möglich ist, in der
Absonderung des kleinsten Raumes und am Ende fast im Vergessen
aller Zeit. Mit „Appetitlosigkeit" hat das nichts zu tun; vielmehr
rechtfertigt sich das Dasein des Hungerkünstlers darin, daß er
offenbar eine andere Art von „Speise" begehrt, als ihm das
irdische Leben zu geben vermag; aber er kann diese seine ihm
gleichsam zur zweiten Natur gewordene Entscheidung nur negativ
sichtbar machen, indem er seinen Verzicht auf Speise bis ins Endlose demonstrieren möchte. Auch hier wird der „archimedische
Punkt" nur darum gefunden, weil er sich gegen den Finder
selbst richtet, indem er hungernd sich selbst zerstört und nur
so seine grundsätzliche paradoxe, immer noch raum- und zeit-
gebundene Position sichtbar machen kann, die dennoch über allen
Raum und alle Zeit hinausgeht.

Die Geschichte hat den Charakter eines gleichnishaften Bei-
spieles. Sie erzählt als Parabel einen möglichen Fall, der zugleich
durchaus einmalig ist, nämlich den Fall eines Menschen, dem
keine Speise dieser Welt schmeckt. Er nützt das gegen sich selbst
aus und demonstriert so die Wahrheit seines Falles. Damit steht er
stellvertretend für andere, grundsätzlich immer noch denkbare
Fälle. Nicht jeder Künstler braucht so zu sein. Aber dieser
hungernde Künstler erweist hier parabolisch die radikale Möglichkeit, daß von dem uneingeschränkten Vorrang des Immateriellen
aus auf alles Materielle verzichtet werden kann. Die Vernichtung
des Naturhaften — bis zum Eigensinnigen gesteigert — zeigt
auf eine indirekte und zwar grotesk entstellende Weise die auf
einem anderen Wege nicht mehr darstellbare, auf Askese gegründete freie geistige Existenz. Das Leben als Leben hat seinen faszinierenden Reiz verloren, selbst seine scheinbar unaufhebbaren
Bedingungen von Raum und Zeit lassen sich dennoch weitgehend
aufheben. Am 31. Januar 1922 schreibt Kafka in sein Tagebuch:
„Darum ist es ein Abwehrinstinkt, der die Herstellung des kleinsten
dauernden Behagens für mich nicht duldet und zum Beispiel das
Ehebett zerschlägt, ehe es noch aufgestellt ist."

Die Zweideutigkeit des Hungerkünstlers beginnt mit dem Zur-
schaustellen seiner Kunst. Sein Verhältnis zum Publikum ist ein

ununterbrochenes wechselseitiges Mißverständnis. Der Ruhm des Hungerkünstlers beruht weitgehend auf „Mode"; allerdings hat er eine besondere Bedeutung für die Kinder. Für diese geht etwas Unheimliches und Gefährliches von ihm aus, denn sie halten „der Sicherheit halber einander bei der Hand". Der Hungerkünstler ist ein Phänomen, das wegen seiner Seltenheit und Seltsamkeit bestaunt wird. Dann haben wir noch die vom Publikum gewählten „Wächter", „merkwürdigerweise gewöhnlich Fleischhauer": der Kontrast der rein vitalen zur geistigen Sphäre wird damit noch einmal nachdrücklich unterstrichen. Am schlimmsten sind für den Hungerkünstler die laxen Bewachungsgruppen, die ihm gerne eine kleine Erfrischung gönnen wollen, aber damit gerade die „Ehre seiner Kunst" verdächtigen. „Die Eingeweihten wußten wohl, daß der Hungerkünstler während der Hungerzeit niemals, unter keinen Umständen, selbst unter Zwang nicht, auch das geringste nur gegessen hätte." Daher zieht er auch die strenge Kontrolle der laxen durchaus vor. Der Hungerkünstler möchte also, daß die eindeutige Absolutheit seines Verhaltens für das Publikum außer jedem Zweifel steht. Genau das ist unmöglich. Denn die Verdächtigungen, daß er nicht oder nur teilweise hungere, sind vom Hungern selbst nicht zu trennen, weil niemand imstande war, „alle die Tage und Nächte beim Hungerkünstler ununterbrochen als Wächter zu verbringen, niemand also konnte aus eigener Anschauung wissen, ob wirklich ununterbrochen, fehlerlos gehungert worden war; nur der Hungerkünstler selbst konnte das wissen, nur er also gleichzeitig der von seinem Hungern vollkommen befriedigte Zuschauer sein". Die Isoliertheit dieses Künstlertums ist nicht zu durchbrechen; es gibt keine Kontrolle der Welt, vor der es sich als absolut wahr erproben und erweisen könnte. Alle Kontrollen bleiben daher Schein. Die durch den Hungerkünstler vor dem Publikum vollzogene Rechtfertigung seiner Existenz kann immer nur als Selbstrechtfertigung bestehen; der vollkommene Künstler kann also immer nur sein eigner, einziger Zuschauer sein.

Das permanente Mißverständnis zwischen dem Hungerkünstler und dem Publikum verschärft sich durch die Begrenzung der Hungerzeit auf vierzig Tage. Der Augenblick seines höchsten äußeren Triumphes wird zugleich zum Augenblick seiner größten inneren Qual. Das Hungern ist für ihn leicht, „er hätte es noch lange, unbeschränkt lange ausgehalten", aber das glaubt ihm keiner. Was dem Publikum als schwere Last erscheint, ist dem

Künstler nur ein Spiel. Die Schilderung der Situation, wie er nach beendigter Hungerzeit vorübergehend aus seinem Käfig befreit wird, ist nicht komisch, sondern grotesk. Das Groteske erwächst hier aus der Art, wie sich eine bereits entfremdete, uneigentliche, ja, marionettenhafte Welt des Hungerkünstlers bemächtigt. Für Kafka liegt alle verborgene Freiheit und Wahrheit beim Hungerkünstler selbst, mag dieser noch so sehr — von außen gesehen — zur komischen, fast bemitleidenswerten Figur werden. Hinter der Entstellung des Künstlers zur bloßen Jahrmarktsfigur eines Hungerkünstlers steckt parabolisch die eigentliche Wahrheit des Künstlertums, die in einer fremd gewordenen Welt nur durch solche scheinbare Negation verdeutlicht werden kann. Der Hungerkünstler deutet auf eine Möglichkeit des Menschseins hin, die in der Welt den Punkt außerhalb der Welt schon erreicht hat oder zum mindesten erreichen kann. Darum ist er für Kafka wirklicher als die Welt und ihre Scheinorientierungen. Die Menschen um ihn herum, die ihn feiern, der Impresario, der ihn drastisch herausstellt, die Damen, die im Umgang mit ihm aus einer Peinlichkeit in die andere geraten, der Apparat, der für ihn in Gang gebracht wird bis zu Orchester, Tusch und Trinkspruch; das ist das Unwirkliche, das grotesk Fratzenhafte, Spiegelbild unserer verfremdeten Welt, die der Existenz des Hungerkünstlers keinen Raum läßt oder nur einen abwertenden Scheinraum aufspart. Daher ist auch der Glanz, den er viele Jahre, mit kleinen Ruhepausen, erfährt, nur ein „scheinbarer Glanz". Der Hungerkünstler sieht sich in seinem eigentlichen Dasein durch die vorzeitige Beendigung des Hungerns relativiert. Hier wurzelt seine Traurigkeit, seine Schwermut. Aber die Welt interpretiert gerade diese Schwermut als eine Folge seines Hungerns, und seine Wutausbrüche, die durch eben diese Deutung entstehen, werden vom Impresario wiederum als eine erst durch das Hungern entstandene Reizbarkeit entschuldigt. Für den Hungerkünstler ist das eine „zwar wohlbekannte, immer aber von neuem ihn entnervende Verdrehung der Wahrheit". „Was die Folge der vorzeitigen Beendigung des Hungerns war, stellte man hier als die Ursache dar! Gegen diesen Unverstand, gegen diese Welt des Unverstandes zu kämpfen war unmöglich."

Diese Paradoxien sind nur dann „komisch", wenn man sich den Standpunkt des Publikums und des Impresarios zu eigen macht. Für eine uneigentliche Welt, die ihre Verfremdung selbst nicht durchschaut, muß der Hungerkünstler ein unmöglicher Narr bleiben. Kafka hat zwar seine eigene Identität mit dem Hungerkünstler sorgfältig verhüllt, aber er will gerade an dieser Figur eine Wahrheit sichtbar machen, die jenseits der Verfremdung liegt und diese als Verfremdung erst aufdeckt. Was im Hungerkünstler als negativ erscheint, die Widerlegung des Vitalen, öffnet zugleich den Zugang zum absoluten und geistigen Dasein, soweit es unter den auch ihm auferlegten Bedingungen noch gelebt werden kann. Das kann nur sichtbar werden, wenn der Hungerkünstler kompromißlos auf seiner Existenz als Hungerkünstler besteht. Daß er immer wieder zurückgeholt wird in das Relative von Raum, Zeit und Nahrung, das ist für ihn das Schwere und Unerträgliche, nicht etwa der freiwillige Verzicht auf jene durch Speise garantierte Selbsterhaltung, die für alle anderen Menschen das Erstrebenswerte ist. Umgekehrt sieht das Publikum in jenem „archimedischen Punkt" des Hungerkünstlers nur eine Schimäre, eine Art fixer Idee, vielleicht auch eine Quelle des bloßen Gelderwerbes, und es vermag sich das seltsame Hungerereignis nicht anders vorzustellen, als daß der Hungerkünstler den verständlichen Wunsch hat, nach seiner Hungerzeit so bald wie möglich aus seinem Käfig erlöst zu werden. Dieses fundamentale Mißverständnis zwischen denen, die sich sättigen, und dem, der spielend auf Sättigung verzichtet, ist unaufhebbar. Die für Kafka in keiner Weise komische, sondern tragisch-wahre Existenz des Hungerkünstlers muß für die Welt komisch oder unverständlich werden, ein grotesker Einzelfall, während umgekehrt für Kafka und auch für den Hungerkünstler diese Welt in ihrer Uneigentlichkeit die Züge grotesker, bedrohender Komik annimmt. Für den Hungerkünstler ist die Welt im Zustand der Verfremdung, für die Welt ist es der Hungerkünstler. Indem Kafka beides wechselseitig spiegelt, spricht er seine parabolische Wahrheit aus.

In der ersten Phase der Erzählung konnte eine so exzentrische Gestalt wie der Hungerkünstler noch Erfolg in der Welt haben, freilich nur auf Grund völligen Mißverstandenseins. Dieser Erfolg bleibt jedoch zeitlich begrenzt; er ist der „Mode", der „Zeitstimmung" unterworfen. Die zweite Phase gibt dem Hungerkünstler die neue, einzigartige Chance, sein Hungern unbegrenzt fortzusetzen und auf den Impresario, den täuschenden Vermittler zum Publikum, zu verzichten. Aber er bezahlt diese Chance mit völliger Erfolglosigkeit. Wenn man Wert darauf legt, kann man das den „Wendepunkt" der Erzählung nennen. Nunmehr tun sich zwei neue Bereiche auf, die wir noch genauer beachten müssen: es sind der Zirkus und die Ställe. Der wenn auch nur sehr beschei-

dene Platz im Rahmen eines großen Zirkus gibt dem Hungerkünstler erneut eine Art Scheinexistenz in der Welt. Inmitten der
„Unzahl von einander immer wieder ausgleichenden und ergän-
zenden Menschen und Tieren und Apparaten" kann man „jeden
und zu jederzeit gebrauchen, auch einen Hungerkünstler". Der in
die völlige Isolierung hineingetriebene geistige Mensch kann hier
noch einmal im Anonymen untertauchen, eine Daseinsform fristen,
die in der allgemeinen Schaustellung noch zugelassen ist, wenn
auch von niemandem verstanden und beachtet. Aber der Käfig
steht auf dem Wege zu den Ställen der Tiere, so daß die Besucher,
„immer wieder, ausnahmslos, lauter Stallbesucher waren". In dem
„ausnahmslos" liegt das Vernichtende. Diese unmittelbare Nachbarschaft der „Ställe" zeigt den ins Tragische hineinreichenden
Kontrast zwischen einer zur Schau gestellten vitalen Welt, zu der
sich alle Besucher drängen, und der geistigen Darstellung, die
immer mehr aus Zeit und Raum hinausgedrängt wird und nur
noch in der Absurdität dieser Einzelgestalt ohne eigentliche Zuschauer möglich ist. Für den Hungerkünstler fallen Beruf und
Berufung zusammen; er kann nur das eine, nämlich Hungerkünstler sein, und er bleibt auch jetzt, als sich die Welt für das
Hungern nicht mehr interessiert, „dem Hungern... fanatisch
ergeben". Die Menge, die zu den Tieren will, muß an ihm vorbei.
Wohl wünscht er sich diese Besuchszeiten „als seinen Lebenszweck", aber er zittert auch wieder vor ihnen, weil ihn die Erfahrung trotz der hartnäckigsten, fast bewußten Selbsttäuschung darüber belehrt, belehren muß, daß die Besuche gar nicht ihm,
sondern den Ställen gelten und auch die sich stauende, den Nachfolgenden den Weg versperrende Gruppe nur „aus Laune und
Trotz" bei ihm verweilt.

Der Hungerkünstler — die groteske Metapher für den isolierten
Durchbruch zum Geist in einer verfremdeten Welt — braucht
„Besuch", Gesehenwerden; er kann sein Dasein offensichtlich
nur in dieser Weise verwirklichen, ein völliges Alleinsein wider-
spräche seinem „Lebenszweck", das „Hungern" paradigmatisch
zur Schau zu stellen. Diese Möglichkeit, die ihm zunächst, wenn
auch nur auf Grund eines Mißverstehens, gegeben war, wird ihm
jetzt entzogen. So sehr ihm sein Hungern gelingt, weit über
die früheren, jeweils begrenzten Fristen hinaus, dieses Gelingen
findet keinen Zuschauer mehr. Auch die Kinder stehen dem
Hungern „wegen ihrer ungenügenden Vorbereitung von Schule
und Leben her" verständnislos gegenüber, und nur der „Glanz

ihrer forschenden Augen" verrät etwas von „neuen, kommenden, gnädigeren Zeiten". Im „Staunen" der Kinder lag ja schon zu Beginn der Erzählung eine wenn auch nur leise angedeutete Ahnung echten Verstehens jenseits von „Spaß" und „Mode". Aber es bedarf darüber hinaus einer Hinleitung zu der ungewöhnlichen Daseinsform solchen Künstlertums; es bedarf einer „Vorbereitung" durch erzieherische Mächte, und an der fehlt es durchaus.

Der Hungerkünstler meint zwar anfangs, das alles sei nur die Schuld der Ställe, denen die Leute auf jeden Fall den Vorzug geben, „nicht zu reden davon, daß ihn die Ausdünstungen der Ställe, die Unruhe der Tiere in der Nacht, das Vorübertragen der rohen Fleischstücke für die Raubtiere, die Schreie bei der Fütterung sehr verletzten und dauernd bedrückten". Die Nachbarschaft des völlig geistfremden, rein vital-natürlichen Daseins mit allen seinen Ernährungsvorgängen — in der Metapher der „Ställe" und der „Tiere" anschaubar geworden — bedeutet also eine geheime Bedrohung für das Dasein des Hungerkünstlers; sie verletzt und bedrückt ihn, sie bezieht ihn auf eine fatale Weise in diese ganze, ihm gerade entgegengesetzte Welt mit ein. Es gehört jedoch zur tragischen Ironie seiner Existenz, daß es nur und eben diese Nachbarschaft ist, der er seine Besucher verdankt, und daß er nur so noch die vage Hoffnung haben kann, es könne sich unter der Menge „hie und da auch ein für ihn Bestimmter finden". „Wer wußte, wohin man ihn verstecken würde, wenn er an seine Existenz erinnern wollte und damit auch daran, daß er, genau genommen, nur ein Hindernis auf dem Weg zu den Ställen war." Er verdankt es also gerade der Zweideutigkeit seiner Situation und nur ihr allein, daß er nicht versteckt wird, daß er immerhin noch gesehen werden kann. Fiele diese Zweideutigkeit weg, so bliebe nur noch die rein negative Definition übrig: „ein Hindernis auf dem Weg zu den Ställen", also eine eigentlich für die Welt gar nicht mehr tragbare, die große Schaustellung des vitalen Lebens behindernde Existenz, die zur Zeit nur darum in dieser Welt noch anwesend sein darf, weil sie in ihrer negativen Funktion kaum oder gar nicht bemerkt wird. In diesem: „ein Hindernis auf dem Weg zu den Ställen" steckt aber auch noch etwas von dem Schuld- und Insuffizienzgefühl des Geistes gegenüber der so selbstverständlich und ungebrochen daseienden vitalen Welt. Wiederum ist eine solche Bestimmung des fast raumlosen Ortes des Hungerkünstlers für Kafka alles andere eher als komisch: dieser groteske Triumph der als Zirkus mit Ställen und Raubtieren verfremdeten Welt über den hungernden Künstler, der allein und vergessen in seinem Käfig sitzt.

In der negativen Bestimmung des „kleinen Hindernisses" zu den Ställen lag immer noch eine, wenn auch sehr undurchsichtige, Bedeutung des Hungerkünstlers für die Welt. Der Dichter deutet damit auf die Schranke hin, die der Geist vor den „Ställen" aufgerichtet hat. Aber sie wird kleiner und kleiner. Am Ende „gewöhnt" man sich an diese, noch nicht einmal mehr unbequeme anonyme Anwesenheit des ganz anderen, an das Hindernis, das aufhört, ein Hindernis zu sein: „man ging an ihm vorüber". Das geschieht, obgleich gerade jetzt der Hungerkünstler seine eigentliche Leistung vollbringt, mit der er endlich „die Welt in berechtigtes Erstaunen setzen" wollte, nämlich das wirkliche, wahre, ununterbrochene Hungern. In dem Augenblick, als der archimedische Punkt erreicht ist — alles andere war erst eine Vorstufe dazu —, als das vitale Dasein in Raum und Zeit durch eine absolute Selbstdarstellung und Selbstrechtfertigung überwunden wird, ist der Künstler, der diese Grenze überschritten hat, für die Welt nicht mehr vorhanden, vergessen, ja, sogar die Größe seiner Leistung nicht mehr meßbar. Nicht einmal er selbst kennt sie, „und sein Herz wurde schwer". Welche Ironie liegt darin, wenn die bereits überholte und längst nicht mehr erneuerte Ziffer an seinem Käfig über seine Hungertage dem vorübergehenden Müßiggänger als „Schwindel" erscheint, während er sie in Wahrheit weit hinter sich gelassen hat. „Denn nicht der Hungerkünstler betrog, er arbeitete ehrlich, aber die Welt betrog ihn um seinen Lohn."

Die unbedingte Aufhebung der vitalen Existenz durch den freien, mühelos spielenden Geist kann nur im Tode enden. Das ist nicht negativ, sondern durchaus positiv gemeint, nämlich als eine vollständig gewordene Selbstdarstellung und Selbstrechtfertigung. In dem Hungern lag ja von vornherein eine in diese Metapher verkleidete geistige Beziehung zum Tode. Der Sterbende wird durch Zufall gefunden und bittet um „Verzeihung". „Immerfort wollte ich, daß ihr mein Hungern bewundert." In diesem Anspruch lag die Schuld des Hungerkünstlers. Er verlangte von der Welt, in der Einzigkeit seiner Leistung bewundert zu werden, aber diese Erwartung, die sogar vorübergehend erfüllt wurde und die auch jetzt aus gleichgültigem Entgegenkommen gerne zugestanden wird, war eine unerlaubte Täuschung der Welt. Denn das Dasein des Hungerkünstlers als Ausnahme bedeutete für ihn keine besondere Leistung, sondern eine Notwendigkeit, der er sich gar nicht hätte entziehen können. Wer Ausnahme sein muß, darf vor der Welt nicht darauf pochen, als solche gesehen und bewundert zu werden. Der „Stolz" des Geistes auf seine Überwindung des Vitalen ist unangebracht. Eigentlich war der Hungerkünstler in der Welt nie zu Hause, sie vermochte ihm nirgends „Speise" zu geben, und sein Versuch, diese schon durch sein Wesen gegebene Isolierung prahlerisch zur Schau zu stellen, sichtbar zu verwirklichen, bedarf am Ende der „Verzeihung", weil er — so gesehen — nun doch die Welt betrogen hat, wenn auch der Welt die Einsicht in das eigentliche Wesen dieses Betruges fehlt. Das ist die letzte Paradoxie, die die Existenz des Hungerkünstlers uns aufgibt. Dieses Modellstück vom Hungerkünstler, das die Ausnahme, in der das Wahre gelebt wird, gegen die verfremdende Lüge der Welt stellt, mündet in die Lehre, daß gerade der Ausnahme dieses Herausstellen ihrer selbst untersagt ist.

Die Kontrastfigur zum Hungerkünstler ist nach seinem Tode der junge Panther, das wilde Tier, dem nichts fehlt und das sich mit Lust in dem öden Käfig herumwerfen kann. „Die Nahrung, die ihm schmeckte, brachten ihm ohne langes Nachdenken die Wächter; nicht einmal die Freiheit schien er zu vermissen; dieser edle, mit allem Nötigen bis knapp zum Zerreißen ausgestattete Körper schien auch die Freiheit mit sich herumzutragen; irgendwo im Gebiß schien sie zu stecken; und die Freude am Leben kam mit derart starker Glut aus seinem Rachen, daß es für die Zuschauer nicht leicht war, ihr standzuhalten. Aber sie überwanden sich, umdrängten den Käfig und wollten sich gar nicht fortrühren."

Wenn die geistige Existenz des Hungerkünstlers negativ beschrieben werden mußte, als Verzicht auf Speise, als „Hindernis zu den Ställen", als Schaustellung eines immer länger andauernden Mangels, eine Existenz mit einem mißbrauchenden Impresario und mit einem mißverstehenden, gleichgültigen oder ausbleibenden Publikum, von der Welt durch seinen Käfig geschieden, unfrei in den Augen der Betrachter und zu der Schwermut verurteilt, das Eigentliche nicht leisten zu dürfen oder dort, wo es dennoch geleistet wurde, übersehen zu werden, so bedeutet die vitale des Panthers eine positive Illusion der Freiheit, die im Gebiß zu stecken scheint, eine Freude am unmittelbaren Leben, die suggestiv überwältigt und ein zuschauendes Publikum um sich sammelt. So fraglich, vieldeutig, ja, zweifelhaft die Daseinsform des Hungerkünstlers für die Welt bleiben mußte, so fraglos, eindeutig und unbestritten ist das wilde Tier, das ihn als die Inkarnation des nackten, schönen, um seiner selbst willen bejahten Lebens ablöst.

Überblicken wir die Erzählung als Ganzes, so ergibt sich als Hauptschwierigkeit, die geistige Existenz auch noch in der grotesken Entstellung des „Hungerkünstlers" positiv zu verstehen, zumal alle ihre Äußerungsformen nur negativ zu sein scheinen. Hier liegt der entscheidende Fehler Taubers, der sich gleichsam auf die Seite des Publikums stellt und im Hungerkünstler nur eine Karikatur des „echten Ungenügens am Irdischen" sieht, nur „leere Problematik", Beharren im „eitel Krisenhaften", das am Ende der Erzählung mit Recht von der fraglosen Lebensbejahung des Panthers überholt wird. Wohl hat Kafka auch um die ganze Fragwürdigkeit des hier stellvertretenden Künstlertums gewußt, und in mancher Hinsicht ist er noch grausamer gegen sich selbst als Grillparzer im „Armen Spielmann". Aber die groteske und keineswegs komische Seite solcher Darstellung ergibt sich aus dem Kontrast zu der bereits verfremdeten Welt des Publikums und der „Ställe", in der dem Geist keine andere Möglichkeit mehr gegeben ist, seine Existenz zu rechtfertigen, und auch diese schützt ihn nicht vor „Verdächtigungen" und grundsätzlichem Mißverständnis. Ja, es gehört mit zu dieser zwar bejahten, aber nur in der Entstellung aufzuzeigenden Anwesenheit des Geistes, daß der Hungerkünstler am Ende sein Publikum um „Verzeihung" bitten muß, jedoch nicht, weil er negativen Kräften einen positiven Schein verliehen hätte, sondern weil er dem an sich Positiven des Geistes eine Art von Scheingeltung in der Welt verschaffen wollte. Die Wahrheit der geistigen Existenz, die gegen die Welt und sogar noch gegen sich selbst leben muß, bleibt auch als Ausnahme dazu verurteilt, von dem eignen Dasein nicht das geringste Aufsehen machen zu dürfen.

Darin ist nun dieser Hungerkünstler durchaus eine Chiffre für Franz Kafka. Es gehört zur Paradoxie dieses Stiles, der von der eignen Person ganz absieht und eine „verwandelte", zugleich unwahre und in der Aufdeckung dieser Unwahrheit wiederum wahre Welt darstellt, daß sich nur so der Dichter selbst, „Er", Franz Kafka, in dem ganzen Ausmaß seiner Leiden bekennen durfte, im absichtsvollen Nichtgesehenwerden und in einer Entstellung, die es manchem Interpreten noch ermöglicht, Franz Kafkas Eigenstes nur für eine Satire auf sich selbst zu halten. Darin unterscheidet sich gerade Kafka von seinem Hungerkünstler, daß er auf die Schaustellung verzichtet oder sie zum mindesten nur in einer Weise bietet, die sich lieber in die Gestalt des Grotesken verkleidet, als daß sie mit dem pathetischen Stolz der Ausnahme aufträte.

Wer aber dennoch unbelehrbar bleibt und dem Panther vor dem Hungerkünstler den Vorzug gibt, sich also gegen den hungernden Geist und seine Absurdität und für die Faszination des Lebens entscheidet, der hat sich damit auch in jene verfremdete, tierhafte Welt zurückbegeben, die Kafka gerade mit aller Anstrengung und dennoch zugleich mühelos aus den Angeln zu heben versuchte, von jenem archimedischen Punkt aus, den man nur findet, wenn man ihn gegen sich selbst anwendet. Nicht eine „sich ereignete unerhörte Begebenheit" hat Kafka in dieser parabolischen Erzählung gestaltet, sondern gerade umgekehrt das Unerhörte mit kunstvoller Absicht verhüllt, ja, ins Groteske verzerrt, damit es in unserer uneigentlichen und unwahren Welt als das Eigentliche und Wahre von neuem unter uns anwesend sein kann.

SCHRIFTTUM

I. ALLGEMEINES SCHRIFTTUM ZUR NOVELLE

E. Hirt, Das Formgesetz der epischen, dramatischen und lyrischen Dichtung, Leipzig 1923; H. H. Borcherdt, Geschichte des Romans und der Novelle in Deutschland. 1. Teil: Vom frühen Mittelalter bis zu Wieland, Leipzig 1926; O. Walzel, Das Wortkunstwerk, Leipzig 1926/27 (darin: Die Kunstform der Novelle S. 231–259); A. Hirsch, Der Gattungsbegriff „Novelle", German. Studien, Heft 64, Berlin 1928; H. Bruch, Novelle und Tragödie, zwei Kunstformen und Weltanschauungen, Zeitschr. f. Ästhetik, 1928, S. 292 ff.; A. von Grolman, Die strenge Novellenform und die Problematik ihrer Zertrümmerung, Zeitschr. f. Deutschkunde, 1929; ferner der Artikel Novelle (in: Merker/Stammler, Reallexikon d. dtschen Literaturgesch., Bd. 2, S. 511 ff.); J. Klein, Wesen und Erscheinungsform der deutschen Novelle, German. Roman. Monatsschr., Bd. 24, 1930, S. 81–100; ferner: Geschichte der deutschen Novelle von Goethe bis zur Gegenwart, Wiesbaden 1954; R. Petsch, Wesen und Formen der Erzählkunst, Halle 1934; K. E. Bennett, A History of the German Novelle from Goethe to Thomas Mann, London 1934; H. Pongs, Das Bild in der Dichtung, 2. Band, Marburg 1939; E. Auerbach, Mimesis, Bern 1947; H. Burger, Theorie und Wissenschaft von der deutschen Novelle, in: Der Deutschunterricht, Heft 2, 1951; W. Pabst, Novellentheorie und Novellendichtung. Zur Geschichte ihrer Antinomie in den romanischen Literaturen, Hamburg 1953; vgl. auch W. Pabst, Die Theorie der Novelle in Deutschland 1920–1940, in: Romanisches Jahrbuch II, 1949, S. 81–124; J. Pfeiffer, Wege zur Erzählkunst, Hamburg 1953; J. Kunz, Geschichte der deutschen Novelle vom 18. Jh. bis auf die Gegenwart, in: Deutsche Philologie im Aufriß, Berlin/Bielefeld 1954, 2. Band, Spalte 1739–1840; W. Silz, Realism and Reality, Studies in the German Novelle of Poetic Realism, North Carolina Press 1954; B. v. Wiese, Bild-Symbole in der deutschen Novelle, Publ. of the English Goethe Society, Vol. XXIV, 1955, S. 131–158; über Erzählformen vgl. auch W. Kayser, Das sprachliche Kunstwerk, 3., erw. Auflage, Bern 1954; E. Lämmert, Bauformen des Erzählens, Stuttgart 1955; N. Erné, Kunst der Novelle, Wiesbaden 1956; F. Lockemann, Gestalt und Wandlungen der deutschen Novelle, München 1957.

II. ZUR AUFFASSUNG DER NOVELLE VON GOETHE BIS ZUR GEGENWART

Literatur zu Goethes „Wilhelm Meisters Wanderjahre", „Die Wahlverwandtschaften", „Unterhaltungen deutscher Ausgewanderten" und „Novelle" in Band 8 und 6 der Hamburger Goetheausgabe, vgl. in Bd. 8 auch den Kommentar von E. Trunz, in Bd. 6 den von E. Trunz und B. v. Wiese; Friedrich Schlegel, Nachricht von den poetischen Werken des Johannes Boccaccio (in: Jugendschriften, hrsg. von J. Minor, Bd. 2, S. 396 ff.); F. Schleiermacher, Vertraute Briefe über Friedrich Schlegels

Lucinde, Lübeck und Leipzig 1800; Ludwig Tieck, Schriften, Berlin bei Reimer, 1829, 11. Bd., S. LXXXIV ff.; F. Th. Vischer, Ästhetik oder Wissenschaft des Schönen, 1. Aufl. 1857, 2. Aufl., hrsg. von Robert Vischer, München 1923, Bd. 6; Otto Ludwig, Gesammelte Schriften, hrsg. von Stern und Schmidt, Bd. 5 u. 6, Leipzig 1891; Theodor Storm, Sämtliche Werke, hrsg. v. A. Köster, Leipzig 1923, Bd. 8; ferner der Briefwechsel Storm/Keller, hrsg. v. A. Köster, 3. Aufl. Berlin 1909; Paul Heyse, Deutscher Novellenschatz, München 1871; Jugenderinnerungen und Bekenntnisse, 3. Aufl., Berlin 1900; F. Spielhagen, Beiträge zur Theorie und Technik des Romans, Leipzig 1883; Neue Beiträge zur Theorie und Technik der Epik und Dramatik, Leipzig 1898; G. Lukács, Die Seele und die Formen, Berlin 1911; Die Theorie des Romans, Berlin 1920; Paul Ernst, Der Weg zur Form, München 1928. Weitere Literaturangaben in den Darstellungen von Klein und Kunz.

III. ZU DEN EINZELNEN NOVELLEN
1.
Friedrich Schiller · Der Verbrecher aus verlorener Ehre
Text: Schillers Werke, Nationalausgabe, 16. Bd., Weimar 1954, S. 7–29. Schrifttum: Eine eingehende Interpretation liegt bisher nicht vor. Für Entstehungsgeschichte, Überlieferung, Quellen und für Schillers Erzählung überhaupt vgl. Bd. 16 der Nationalausgabe, hrsg. v. H. H. Borcherdt; B. v. Wiese, Friedrich Schiller, Stuttgart 1959.

2.
Heinrich von Kleist · Michael Kohlhaas
Text: H. v. Kleists Werke, hrsg. v. Erich Schmidt, Bibliogr. Institut, Leipzig o. J., 3. Bd., S. 141–248.
Schrifttum: Literaturangaben zu Kleist bei B. v. Wiese, Die deutsche Tragödie von Lessing bis Hebbel, 3. Aufl. Hamburg 1955; wichtig für den „Kohlhaas" besonders die Kleist-Bücher von G. Fricke, Berlin 1929, Clemens Lugowski, Frankfurt (Main) 1936, M. Kommerell, in: Geist und Buchstabe der Dichtung, Tübingen 1942; zu Kleists Novellen: H. Unger, Der Aufbaustil in den Novellen Kleists, Diss. Jena 1940; K. O. Conrady, Die Erzählweise Heinrichs v. Kleist, Diss. Münster 1953; W. Kayser, Kleist als Erzähler, German Life and Letters, Vol. VIII, 1954, S. 19–29; über Michael Kohlhaas: K. Wächter, M. K., ein Beitrag zu seiner Entstehungsgeschichte, Weimar 1918; W. Schäfer, Der Dichter des M. K. (in: Jahrbuch der Kleist-Gesellschaft, 1933–1937, S. 32–48); K. Schultze-Jahde, K. und die Zigeunerin, ebenda S. 108–135; H. Pongs, in: Das Bild in der Dichtung, 2. Bd. 1939; K. Krause, Kleists M. K., Zeitschr. f. Dtsche Bildung, 16, 1940, S. 278–282; F. Heber, Kleists M. K., Versuch einer neuen Textinterpretation, Wirkendes Wort, 1950/51, Heft 2, S. 98–102; G. Fricke, Kleists M. K., Der Deutschunterricht 1953, Heft 1, S. 17–38; Charles E. Passage, M. K.: Form Analysis, Germanic Revue, Vol. XXX, 1955, S. 181–197; Friedrich Koch, H. v. Kleist, Stuttgart 1958.

3.

Clemens Brentano · Geschichte vom braven Kasperl und dem schönen Annerl

Text: Brentanos Werke, hrsg. v. I. Dohmke, Bibliogr. Institut, Leipzig o. J., S. 91—125.

Schrifttum: J. Pradel, Studien zum Prosastil Brentanos, Diss. Breslau 1939; E. Feise, Brentanos Geschichte vom braven Kasperl und dem schönen Annerl. Eine Formanalyse (in: Corona, Festschr. f. S. Singer, Durham, 1941, S. 202—211); A. MacNaughton, Brentanos Novellen, Diss. New York 1946; W. Silz, Realism and Reality, 1954, S. 17—28; J. Pfeiffer, Wege zur Erzählkunst, Hamburg 1953, S. 35—38; R. Alewyn in: Gestaltprobleme der Dichtung, Bonn 1957, S. 143—180.

4.

Joseph von Eichendorff · Aus dem Leben eines Taugenichts

Text: Eichendorffs Werke, hrsg. v. Adolf v. Grolman, Bibliogr. Institut, Leipzig o. J., 2. Bd., S. 363—446.

Schrifttum: Über den „Taugenichts": E. Feise, in: Monatshefte für den deutschen Unterricht XVIII, 1936, S. 8—16; J. Müller, in: Zeitschr. f. Deutschkunde 54, 1940, S. 66—70; J. Kunz, Eichendorff, Ein Beitrag zum Verständnis seiner Novellendichtung, Oberursel 1951, S. 64—105; über Eichendorff vergleiche auch F. Bollnow, Unruhe und Geborgenheit im Weltbild neuerer Dichter, Stuttgart 1953.

5.

Adelbert von Chamisso · Peter Schlemihls wundersame Geschichte

Dieses Kapitel war zunächst für die Festschrift zu Günther Müllers 65. Geburtstag bestimmt. Inzwischen erschien es dort in: Gestaltprobleme der Dichtung, Bonn 1957, S. 193—205.

Text: Chamissos Werke, hrsg. v. Heinrich Kurz, Bibliogr. Institut, Leipzig o. J., 1. Bd., S. 413—461.

Schrifttum: Thomas Mann, Chamisso (in: Rede und Antwort, Ges. Werke, Bd. 9, S. Fischer, Berlin 1921, S. 199—226); J. Nadler, Die Berliner Romantik, Berlin 1921; R. Benz, Märchendichtung der Romantiker, 2. Aufl. 1926; H. Pongs, in: Das Bild in der Dichtung, 2. Bd., Marburg 1939; A. P. Kroner, Chamisso, Sein Verhältnis zu Romantik, Biedermeier und romanischem Erbe, Diss. Erlangen 1941; U. Baumgartner, Adelbert von Chamissos Peter Schlemihl, Wege zur Dichtung XLII, Frauenfeld/Leipzig 1944 (sehr schwache Arbeit); H. A. Korff, Geist der Goethezeit, 4. Bd.: Hochromantik, Leipzig 1953.

6.

Ludwig Tieck · Des Lebens Überfluß

Text: Ludwig Tiecks Schriften, Berlin bei Reimer 1853, 26. Bd. S. 5—70.

Schrifttum: Eine Interpretation dieser Novelle ist mir nicht bekannt. Über Tieck als Novellendichter: J. Minor, in der Zeitschrift Akademische Blätter, I, 1884, S. 129—161, 193—220; J. P. Arnold, Tiecks Novellenbegriff, Euphorion 23, 1921, S. 258—271; F. Gundolf, Romantiker. Neue Folge, Berlin 1931.

7.

Franz Grillparzer · Der arme Spielmann

Text: Franz Grillparzer, Sämtliche Werke, hist.-krit. Gesamtausgabe, hrsg. v. August Sauer, 1. Abt., 13. Bd., Wien 1930, S. 37—81.
Schrifttum: Über den „Armen Spielmann": R. Lach, in: Festschrift J. Schlosser, Zürich/Leipzig/Wien 1927, S. 35—45; B. Seuffert, in: Festschrift für August Sauer, 1925, S. 291—311; E. Alker, in: Neophilologus XI, 1925, S. 15—27; H. Pongs, in: Das Bild in der Dichtung, Marburg 1939, S. 221 ff.; J. Müller, in: Zeitschr. f. Deutschunterricht, 55, 1941, S. 158—162; W. Silz in: Realism and Reality, 1954, S. 67—78; A. Mulot in: Der Deutschunterricht, Heft 1, 1953; W. Naumann, Grillparzer, Stuttgart 1956, S. 20—32; vgl. ferner: K. K. Klein, Zur Weltdeutung in Grillparzers Novellen, 1928; G. Reckzeh, Grillparzer und die Slawen, Weimar 1929; I. Münch, Die Tragik in Drama und Persönlichkeit Franz Grillparzers, Berlin 1931; J. Nadler, Franz Grillparzer, Vaduz 1948.

8.

Annette von Droste-Hülshoff · Die Judenbuche

Dieses Kapitel wurde, abgesehen von einigen Zusätzen, bereits in der Festschrift zu Jost Triers 60. Geburtstag (Meisenheim 1954) veröffentlicht.
Text: Annette von Droste-Hülshoff, Sämtliche Werke, hrsg. v. Clemens Heselhaus, Carl Hanser Verlag, München 1952, S. 882—936.
Schrifttum: F. Heitmann, Die Droste als Erzählerin. Realismus und Objektivität der „Judenbuche", Münster 1914; K. Schulte-Kemminghausen, „Die Judenbuche" mit sämtlichen jüngst wieder aufgefundenen Vorarbeiten der Dichterin, Dortmund 1925; Paul Ernst, Der Weg zur Form, 1928, S. 85—97; E. Staiger, A. v. Droste-Hülshoff, Zürich 1932; H. Pongs, in: Das Bild in der Dichtung, 2. Bd., 1939, S. 184 ff., S. 202—218; J. Müller, Natur und Wirklichkeit in der Dichtung der A. von Droste-Hülshoff, München 1941, S. 115—123; Ch. Schmitz, Drostes Judenbuche im Lichte moderner Kunsttheorie, Zeitschrift für Deutsche Bildung, Heft 5/6, 1941, S. 183—188; C. Heselhaus, A. v. Droste-Hülshoff, Die Entdeckung des Seins in der Dichtung des 19. Jahrhunderts, Halle 1943, S. 138—150; Nachwort zur Ausgabe der Erzählenden Dichtung, Krefeld 1948; E. Wolf, Vom Wesen des Rechts in deutscher Dichtung, Frankfurt (Main) 1940, das Kapitel über die Droste S. 223—338; L. Hoffmann, Studie zum Erzählstil der Judenbuche, in: Jahrbuch der Droste-Gesellschaft, Münster 1948/50, S. 137—147; W. Silz, Realism and Reality, 1954; S. 36—51.

9.

Jeremias Gotthelf · Die schwarze Spinne

Text: Jeremias Gotthelf, Sämtliche Werke in 24 Bänden, hrsg. v. Rudolf Hunziker und Hans Bloesch, München 1912, 17. Bd., Kleinere Erzählungen, 2. Teil, S. 7–98.
Schrifttum: Über „Die schwarze Spinne": G. H. Graber, Imago XI, 1923, S. 254–334; W. Muschg, Gotthelf, München 1931; ferner seine Einleitung in der Ausgabe „Die schwarze Spinne", Basel 1942; ferner: Gottfried Keller und Jeremias Gotthelf, Jahrbuch des Freien Deutschen Hochstifts, Bd. 41, Halle 1940; H. Pongs, in: Das Bild in der Dichtung, 2. Bd., 1939, S. 275–296; J. Müller, Zeitschrift für Deutschkde. 1936, S. 621 ff.; K. Fehr, Gotthelfs „Schwarze Spinne" als christlicher Mythos, Zürich und Leipzig 1942; T. Salfinger, Gotthelf und die Romantik, Basel 1945 (dort weitere Literatur); W. Günther, Der ewige Gotthelf, 2. Aufl. Berlin 1954; P. Mädler, Gotthelfs historische Novellistik und ihre Quellen, 1932; H. M. Waidson, Jeremias Gotthelf, Oxford 1953 (mit Literaturangaben).

10.

Adalbert Stifter · Brigitta

Text: Adalbert Stifters Sämtliche Werke, Bibliothek Deutscher Schriftsteller aus Böhmen, 22. Bd., Prag 1911 = Studien, 3. Bd., hrsg. v. Franz Hüller, Karl Koblischke, Josef Nadler, S. 189–255.
Schrifttum: Adalbert Stifter, Brigitta. Urfassung, Studienfassung, Augsburg 1956, hrsg. v. Max Stefl; W. Haußmann, A. Stifter, Brigitta, Der Deutschunterricht, Heft 2, 1951; G. Möbus, Überforderte Ehe, Stimmen der Zeit, Jg. 77, Bd. 149, Heft 4, Januar 1952; J. Pfeiffer, Wege zur Erzählkunst, Hamburg 1953, S. 21–29. Über Stifters Novellen: E. Bertram, Studien zu Stifters Novellen, Bonn 1907; G. Weydt, Naturschilderung bei A. v. Droste und Stifter, Berlin 1930; A. Ehrentreich, Zur Gestalt der Novelle bei Stifter, Germanisch-Romanische Monatsschrift, 23, 1935, S. 192–204; W. Kohlschmidt, Leben und Tod in Stifters Studien, Euphorion 36, 1935; C. Hohoff, Adalbert Stifter, Düsseldorf 1949; H. Kunisch, Adalbert Stifter. Mensch und Wirklichkeit, Berlin 1950; zum Nachsommer: W. Rehm, Nachsommer, Bern 1951.

11.

Eduard Mörike · Mozart auf der Reise nach Prag

Text: Mörikes Werke, hrsg. von Harry Maync, Bibliograph. Institut, Leipzig o. J., 3. Bd., S. 213–276.
Schrifttum: B. Seuffert, Mörikes Nolten und Mozart, Graz/Wien/Leipzig 1924; F. Gundolf, Romantiker. Neue Folge, Berlin 1931; E. Hofacker, Mörikes Mozartnovelle in ihrem künstlerischen Aufbau, Germanic Review, 6, 100–113 (1933); G. Leukhardt, Mörikes Märchen und Novellen, Zeitschrift für deutsche Bildung, 10. Jg., 1934, S. 354–360;

H. Hering, Mörikes Mozartdichtung, ebenda, 1934; H. Pongs, Ein Beitrag zum Dämonischen im Biedermeier, Dichtung und Volkstum, 1935, S. 241–261, wiederholt in: Das Bild in der Dichtung, 2. Bd., Marburg 1939; V. Sandomirsky, Eduard Mörike. Sein Verhältnis zum Biedermeier, Erlangen 1935; M. Ittenbach, Mozart auf der Reise nach Prag, Germ.-Rom. Monatsschrift, 25. Jg., 1937; J. Müller, Mörikes Mozartdichtung, Zeitschrift für Deutschkunde, Jg. 52, 1938; W. Zemp, Mörike. Elemente und Anfänge, Teildruck Diss. Zürich, Leipzig 1938; F. H. Mautner, Mörikes Mozart auf der Reise nach Prag, PMLA (Publications of the Modern Languages Association of America), Volume XL, Menesha, Wisconsin 1945, S. 199–220; H. Meyer, Eduard Mörike, Stuttgart 1950; B. v. Wiese, Eduard Mörike, Tübingen und Stuttgart 1950, besonders S. 270–295; W. Taraba, Vergangenheit und Gegenwart bei Eduard Mörike, Diss. Münster 1953, besonders S. 173–194; K. K. Polheim, Der künstlerische Aufbau von Mörikes Mozartnovelle, Euphorion, 48. Bd., 1954, S. 41–70 (mit zahlreichen Literaturangaben).

12.
Gottfried Keller · Kleider machen Leute

Text: Gottfried Keller, Sämtliche Werke, hrsg. v. Jonas Fränkel, 8. Bd., Zürich und München 1927 = Die Leute von Seldwyla, 2. Bd., S. 5–69. Schrifttum: P. Wüst, Entstehung und Aufbau von Gottfried Kellers „Kleider machen Leute", Mitteilungen der Literarhistorischen Gesellschaft, Bonn, 9. Jg., Heft 4/5, 1914; ferner zu Kellers Novellen: H. Bracher, Rahmenerzählung bei G. Keller, C. F. Meyer und Th. Storm. Ein Beitrag zur Technik der Novelle, 2. Aufl., Leipzig 1924; E. Neis, Romantik und Realismus in Gottfried Kellers Prosawerken, Germ. Studien, Heft 85, Berlin 1930.

13.
Conrad Ferdinand Meyer · Die Versuchung des Pescara

Text: Conrad Ferdinand Meyer, Werke, hrsg. von R. Faesi, 4 Bände, Leipzig 1926. Bd. 4, S. 199–371. Schrifttum: E. Strodthoff, Die Versuchung des Pescara, Diss. Marburg 1924; S. Arouet, „Die Versuchung des Pescara", Journal of English and Germanic Philology, Urbana: University of Illinois, 1946; J. Klein, Heimkehr zur deutschen Dichtung, Hamburg 1948 (darin S. 52–60 über „Die Versuchung des Pescara"); ferner über Meyers Novellen: O. Blaser, C. F. Meyers Renaissancenovellen, Bern 1905; H. Corrodi, C. F. Meyer und sein Verhältnis zum Drama, Leipzig 1923; M. Faessler, Untersuchungen zum Prosarhythmus in Meyers Novellen, Bern 1925; O. Hoffmann, Die Menschengestaltung in Meyers Renaissancenovellen, German. Studien, Heft 219, Berlin 1940; vgl. ferner auch die Bücher über Meyer von A. Frey 1899, W. Linden 1922, H. Maync 1925, E. Everth 1924, H. von Lerber 1949.

14.

Gerhart Hauptmann · Bahnwärter Thiel

Text: Gerhart Hauptmann, Das Gesammelte Werk, 1. Abteilung, 1. Bd., Berlin 1943, S. 223—261.

Schrifttum: Über „Bahnwärter Thiel": M. Ordon, in: The Germanic Review, 26, 1951, S. 223—229; P. Requadt, Die Bilderwelt in Gerhart Hauptmanns Bahnwärter Thiel, in: Minotaurus, hrsg. v. A. Döblin, Wiesbaden 1953; W. Silz, Realism and Reality, 1954, S. 137—154; F. Martini, Das Wagnis der Sprache, Stuttgart 1954, S. 59—98; W. Zimmermann, Deutsche Prosadichtungen der Gegenwart, Teil I, Düsseldorf 1956, S. 38—59; vgl. ferner über Hauptmann: P. Schlenther, G. H. Leben und Werke, Berlin 1922; F. A. Voigt, G. H.'s naturalistische Anfänge, Hauptmann-Studien, Breslau 1936.

15.

Hugo von Hofmannsthal · Reitergeschichte

Text: Hugo von Hofmannsthal, Gesammelte Werke in zwölf Einzelausgaben, Bermann-Fischer Verlag Stockholm 1949, Die Erzählungen, S. 49—62.

Schrifttum: Inzwischen hat die „Reitergeschichte" mehr Beachtung gefunden. Die ersten Andeutungen gab W. Huber, Die erzählenden Werke Hofmannsthals, Diss. Zürich 1947; einiges auch bei J. Kunz, Geschichte der deutschen Novelle (in: Deutsche Philologie im Aufriß, 2. Bd., Spalte 1833—1834); H. U. Voser, Neue Zürcher Zeitung, 3. 9. 1953; Mary E. Gilbert in: Der Deutschunterricht, Heft 3, 1956, S. 101—112; W. Zimmermann, Deutsche Prosadichtung der Gegenwart, Teil I, Düsseldorf 1956, S. 130—144; zum jungen Hofmannsthal vgl. ferner R. Alewyn, Hofmannsthals Wandlung, Frankfurt (Main) 1948; jetzt in R. Alewyn, Hugo von Hofmannsthal, Göttingen 1958.

16.

Thomas Mann · Der Tod in Venedig

Text: Thomas Mann, Stockholmer Gesamtausgabe der Werke, Ausgewählte Erzählungen, Stockholm 1948, S. 439—531.

Schrifttum: Über „Der Tod in Venedig": D. E. Oppenheim, Dichtung und Menschenkenntnis, 1926, S. 142—171; M. Thalmann, Eine Aufbaustudie, Germ.-Rom. Monatsschr., 15, 1927, S. 374—378; A. Hirsch, Der Gattungsbegriff „Novelle", Berlin 1928, S. 135 ff.; B. Frank, L. Lewisohn, vor allem V. Venable, in: The Stature of Thomas Mann, New Direction Books, New York 1947, S. 119—123, S. 124—128, S. 129—141; F. Martini, in: Form und Inhalt, Festschrift für Otto Schmitt, Stuttgart 1951, S. 311—331, wiederholt und etwas erweitert in: Das Wagnis der Sprache, Stuttgart 1954, S. 178—224; Franz H. Mautner, Die griechischen Anklänge in Thomas Manns „Tod in Venedig", Monatshefte, University of Wisconsin, Vol. XLIV, 1952, S. 20—26; J. Hofmiller, Thomas Manns „Tod in Venedig", Merkur, IX. Jahrg., 1955, H. 6, S. 505—520; ferner zum ganzen Problemkreis: K. A. Meyer, Der Typus des Künstlers in der Dichtung Th. M's, Zeitschrift für Ästhetik und allgemeine Kunstwissenschaft, 11 (1916) S. 308 ff.; K. Helbing, Die Gestalt des Künstlers in der neueren deutschen Dichtung. Eine Studie über Th. Mann, Bern 1929; H. Kasdorff, Der Todesgedanke im Werk Th. M's, Diss. Greifswald 1932; R. Peacock, Das Zeitmotiv bei Th. M., Sprache und Dichtung, Heft 55, Bern 1939; Th. von Seuffert, Venedig im Erlebnis deutscher Dichter, Stuttgart 1937; W. Pabst, Satan und die alten Götter in Venedig, Euphorion 49, 1955; H. Petriconi, La Mort de Venise und Der Tod in Venedig, Romanisches Jahrbuch, VI. Bd., 1953—1954, S. 133—151; H. Pyritz, Mensch und Schicksal in der deutschen Novelle des 20. Jahrhunderts, Dichtung und Volkstum, 1941 (zu „Tonio Kröger"); H. Schöffler, Grundmotive und Grundproblematik der Jahrhundertwende in der Dichtung von Friedrich Huch und Thomas Mann; Diss. Münster 1948; Ernst Bertram, Nietzsche, Berlin, 1918; E. Heller, Thomas Mann. Der ironische Deutsche, Frankfurt 1959.

17.

Franz Kafka · Ein Hungerkünstler

Text: Franz Kafka, Gesammelte Werke, hrsg. v. Max Brod. Erzählungen, New York 1946, S. 255—268.

Schrifttum: Trotz der reichen Kafka-Literatur ist „Ein Hungerkünstler" bisher nicht interpretiert worden, Ansätze dazu nur bei H. Tauber, F. Kafka, Zürich/New York 1941; eine Übersicht über das Kafka-Schrifttum gibt mit Bibliographie: The Kafka problem, an anthology of criticism about Franz Kafka, New York 1946; H. S. Reiss, Franz Kafka, Heidelberg 1952, erwähnt den „Hungerkünstler" nur am Rande. Wir nennen hier noch die letzte Literatur über Kafka: H. Arendt, F. K.: A Revaluation, Partisan Review, Vol. XI, 1944, S. 412—422; F. K., in: Sechs Essays, Heidelberg 1948, S. 128—149, ferner: Die verborgene Tradition, S. 99—109; E. Heller, The World of F. K., in: Cambridge Journal, Bd. 2, Nr. 1, October 1948, neu abgedruckt in: The Disinherited Mind, Cambridge 1952; M. Carrouge, F. K., Paris o. J. (1948); G. Anders, F. K. — pro und contra, München 1951; F. Beißner, Der Erzähler F. K., Stuttgart 1952; M. Bense, Die Theorie Kafkas, Köln/Berlin 1952; C. Heselhaus, Kafkas Erzählformen, Deutsche Viertelj. f. Litw. u. Geistesg., 26, 1952, S. 353—376; W. Emrich, F. K., in: Deutsche Literatur im zwanzigsten Jahrhundert, Heidelberg 1954, S. 230—248; Zur Ästhetik der modernen Dichtung, Akzente I, 1954, S. 371 ff.; zu F. Kafka „Das Schloß" vgl. F. Martini, Das Wagnis der Sprache, Stuttgart, 2. Aufl. 1956, S. 287—335; R. Rochefort, Kafka oder die unzerstörbare Hoffnung, Wien 1955; N. Fürst, Die offenen Geheimtüren Franz Kafkas, Heidelberg 1956; W. Emrich, Franz Kafka, Bonn 1958.